Wetgeving SJD/HBO-recht/P&A

Deel A

De reeks educatieve wettenverzamelingen van *Sdu* bevat zes titels:

- *Blauwe VNW (Verzameling Nederlandse Wetgeving)* in drie delen. De delen zijn ook 'los' verkrijgbaar
- *VNW – Intellectuele Eigendom*
- *Wetgeving Burgerlijk (proces)recht*
- *Wetgeving Zorg en welzijn (Social Work, MWD, SPH, CMV, HBO-V)*
- *Wetgeving voor de opleidingen SJD, HBO-recht en P&A (SJD)*
- *Wetgeving Makelaardij, Taxatie en Vastgoed*

Elk deel bevat een selectie van wet- en regelgeving die van belang is voor het onderwijs zowel op universitair als hbo-niveau. De wettenverzamelingen zijn toegankelijk door een handig zoeksysteem, de margeteksten en het trefwoordenregister. Elk deel wordt jaarlijks geactualiseerd. Bij tussentijdse wetswijzigingen kunt u onze website (www.sdu.nl/vnwreeks) raadplegen.

De educatieve wettenverzamelingen zijn een uitgave van Sdu, dé uitgever op elk rechtsgebied voor zowel de praktijk als educatie.

Wetgeving SJD/HBO-recht/P&A Studiejaar 2016/2017 Deel A

Onder redactie van:

mw. mr. T. van der Dussen
Docent recht aan de Hogeschool Utrecht

mw. mr. G. ter Haar
Consultant, oud-docent recht SJD-opleiding Hogeschool Utrecht en oud-docent strafrecht Universiteit Utrecht

mr. J.J.A. Jetten
Raadslid Gemeente Nuth en oud-docent SJD-opleiding Hogeschool Zuyd (Sittard)/Rijksuniversiteit Limburg (Maastricht)

mr. A.D.M. van Rijs
Docent bij de Vakgroep Sociaal Recht en Sociale Politiek van de Universiteit van Tilburg

Sdu
Den Haag 2016

Meer informatie over deze en andere uitgaven kunt u verkrijgen bij:
Sdu Klantenservice
Postbus 20014
2500 EA Den Haag
tel.: (070) 37 89 880
fax: (070) 37 89 783
www.sdu.nl/service

Drieëntwintigste herziene druk 2016

Ontwerp omslag: Villa Y, Den Haag
Uitvoering vormgeving binnenwerk: Villa Y, Den Haag

ISBN: 978 9012 39820 6
NUR: 825

Voorwoord

In *Wetgeving SJD/HBO-recht/P&A 2016/2017* is die wet- en regelgeving opgenomen die in de opleidingen SJD, HBO-recht en P&A onmisbaar is.

Inhoud
Bij de selectie van de opgenomen regelgeving heeft de redactie die regelingen voor ogen gehad die hoofdzakelijk in het SJD-onderwijs gebruikt worden. De nadruk ligt met name op het Sociaal Verzekeringsrecht en Arbeidsrecht. Verder bevat deze wettenverzameling ook een groot aantal verdragen, regelingen betreffende het Staats- en bestuursrecht (inclusief het Vreemdelingenrecht), het Privaatrecht (inclusief het Consumentenrecht en het Huurrecht), Straf(proces)recht (inclusief het Penitentiair recht en het Verkeersrecht).

Thematische indeling
Wetgeving SJD/HBO-recht/P&A Studiejaar 2016/2017 bestaat uit drie thematische delen, verdeeld over twee boeken:
- Deel A: Publiekrecht
- Deel B: Privaatrecht & Sociaal recht

Geldende, toekomstige en vervallen wetgeving
De kern van de uitgave betreft het in Nederland geldend recht. Daarnaast is – daar waar de redactie van mening was dat het voor de gebruiker van belang was om daarvan kennis te nemen – ook toekomstig recht opgenomen; wetgeving waarvan de inwerkingtredingsdatum op de kopijsluitingsdatum van 15 juni 2016 nog niet bekend was of wetgeving die na 1 juli 2016 (de verschijningsdatum van de bundels) in werking treedt. Deze wetgeving wordt met een vette lijn in de marge herkenbaar aangegeven. Ook in de kopregel wordt aangegeven dat het hierbij om toekomstig recht gaat. Op deze wijze kan tijdens de studie ook een perspectief op toekomstige bepalingen worden verkregen.

Zoeken
Wetgeving SJD/HBO-recht/P&A 2016/2017 biedt de mogelijkheid om via diverse ingangen de wetten te raadplegen. In het Ten geleide vindt u uitleg over de diverse zoekmogelijkheden.

Uw reacties
Redactie en uitgever streven ernaar om de inhoud zo goed mogelijk aan te passen aan de wensen van de gebruiker en zo adequaat mogelijk in te spelen op de voor het onderwijs gewenste actualiteit. Ondanks de zorg die de redactie en de uitgever aan deze uitgave hebben besteed, is het mogelijk dat relevante regelgeving niet is opgenomen of fouten zijn geslopen in de samenstelling. Wij stellen het dan ook zeer op prijs als u eventuele op- of aanmerkingen met betrekking tot de inhoud en de uitvoering aan ons doorgeeft. Dat kunt u doen via onze website: www.sdu.nl/vnwreeks. Op www.sdu.nl/vnwreeks kunt u tevens de volgende editie bestellen of zich opgeven als abonnee op deze uitgave. Als abonnee ontvangt u toekomstige edities automatisch met 15% korting.

Redactie en uitgever

Juni 2016

Redactie:
mw. mr. T. van der Dussen
mw. mr. G. ter Haar
mr. J.J.A. Jetten
mr. A.D.M. van Rijs

Ten geleide

Kopijsluitingsdatum
In *Wetgeving SJD/HBO-recht/P&A Studiejaar 2016/2017* treft u een op het onderwijs afgestemde selectie van in Nederland geldende wet- en regelgeving. Ook andere voor het onderwijs relevante documenten zijn opgenomen.
Alle opgenomen teksten zijn bijgewerkt tot en met 15 juni 2016. Wetgeving waarvan op 15 juni 2016 bekend was dat deze voor of op 1 juli 2016 in werking zou treden, is eveneens verwerkt.

Bron
In de voetnoot bij de titel van elk onderdeel kunt u broninformatie aantreffen voorafgegaan door de zinsnede 'zoals laatstelijk gewijzigd bij'. Hier vindt u de bron die heeft geleid tot de meest recent in werking getreden wijziging van de tekst. Dit hoeft niet per se de laatste bron uit de wijzigingshistorie van de tekst te zijn. Het gaat immers om de bron van de wijziging die laatstelijk in werking is getreden.

Toekomstige wet- en regelgeving
De kern van de uitgave van *Wetgeving SJD/HBO-recht/P&A Studiejaar 2016/2017* betreft het in Nederland geldend recht. Wetgeving waarvan op de kopijsluitingsdatum van 15 juni 2016 bekend was dat deze vóór of op 1 juli 2016 in werking zou treden, is verwerkt. Daarnaast is in een enkel geval ook toekomstig recht opgenomen: wetgeving waarvan de inwerkingtredingsdatum op 15 juni 2016 nog niet bekend was of wetgeving die na 1 juli 2016 in werking treedt. Deze wetgeving wordt herkenbaar aangegeven met een vette lijn in de marge. Ook in de kopregel en in de inhoudsopgave wordt vermeld dat het om toekomstig recht gaat doordat de tekst '(toekomstig)' is toegevoegd.

Bij wetsvoorstellen zijn de geconsolideerde versies opgenomen waarbij, met uitzondering van de amendementen, de relevante parlementaire stukken in het oorspronkelijke dan wel gewijzigde voorstel van wet zijn verwerkt. In die gevallen waarin de toekomstige wetgeving reeds in het Staatsblad is geplaatst, wordt uiteraard de betreffende tekst gepubliceerd.

In die gevallen waarin de geselecteerde regelingen op 15 juni 2016 gedeeltelijk in werking zijn getreden, wordt de betreffende regeling als geldend recht opgenomen. Uitzonderingen hierop vormen die bepalingen waarvan de inwerkingtreding op een latere datum is voorzien. Bij de laatstgenoemde bepalingen treft u de volgende tekst aan: 'Treedt in werking op nader te bepalen tijdstip'.

Voor het raadplegen van de meest recente versies van de geselecteerde regelingen verwijzen wij u graag naar www.wetten.nl. Houdt u er hierbij rekening mee dat een klein deel van de opgenomen regelingen niet via deze website geraadpleegd kan worden.

Selecties
In beginsel zijn de wet- en regelgeving en overige documenten integraal opgenomen, tenzij anders aangegeven. Selecties zijn herkenbaar door de toevoeging '(uittreksel)' in de sprekende hoofdregel en inhoudsopgave. Niet opgenomen bijlagen worden in het betreffende document herkenbaar aangegeven, o.a. door middel van de volgende tekst: 'Niet opgenomen'.

Instructie bij het zoeken

Algemeen

Aan alle wetten en regelingen in de uitgave *Wetgeving SJD/HBO-recht/P&A Studiejaar 2016/2017* is een onderdeelnummer toegekend. Dit nummer vindt u terug in de sprekende hoofdregel op elke pagina. In de inhoudsopgaven en het trefwoordenregister wordt naar deze onderdeelnummers verwezen.

Iedere uitgave bevat daarnaast een overzichtelijk trefwoordenregister. Met behulp hiervan kunt u eenvoudig en doeltreffend de door u gewenste documenten opzoeken. Om het trefwoord waarnaar verwezen wordt snel te kunnen vinden op de betreffende pagina, is aan iedere sprekende hoofdregel een artikelnummer toegevoegd. Op een linkerpagina verwijst het artikelnummer naar het eerstgenoemde artikel van de betreffende regeling, op de rechterpagina verwijst het artikelnummer naar het laatstgenoemde artikel op de betreffende pagina.

Daarnaast zijn veel artikelen voorzien van margewoorden: aantekeningen in de marge met een kernachtige aanduiding, die u snel naar het juiste artikel leiden.

Hoe vindt u wat u zoekt?

Als u een bepaalde regeling zoekt, kunt u kijken in de algemene of in de alfabetische inhoudsopgave. De inhoudsopgaven verwijzen naar het onderdeelnummer. Dit nummer treft u vervolgens aan in de sprekende hoofdregel van de pagina.

Zoekt u niet een bepaalde regeling of artikel, maar bepalingen die betrekking hebben op een specifiek onderwerp, dan vindt u deze het snelst door middel van het trefwoordenregister. Ook daarin wordt verwezen naar het onderdeelnummer van de regeling. Dit nummer wordt gevolgd door een verwijzing naar een artikel. Zo vindt u direct via het register en vervolgens via de sprekende hoofdregel het artikel dat u zoekt.

Algemene inhoudsopgave

Voorwoord

Ten geleide

Algemene inhoudsopgave

Alfabetische inhoudsopgave

Afkortingenlijst

Deel A

PUBLIEK RECHT

Internationaal recht
Handvest van de Verenigde Naties / A1
Universele verklaring van de rechten van de mens / A2
Internationaal verdrag inzake burgerrechten en politieke rechten / A3
Internationaal Verdrag inzake economische, sociale en culturele rechten / A4
Verdrag van Wenen inzake het verdragenrecht / A5
Verdrag inzake de rechten van het kind / A6
Europees verdrag tot bescherming van de rechten van de mens / A7
Gehandicaptenverdrag (toekomstig) / A8
Verdrag betreffende de status van vluchtelingen / A9
Europees Sociaal Handvest / A10
Protocol tot wijziging van het Europees Sociaal Handvest (toekomstig) / A11
Europese Akte (uittreksel) / A12
Verdrag betreffende de werking van de Europese Unie (uittreksel) / A13
EU-Verdrag / A14

Staats- en bestuursrecht
Statuut voor het Koninkrijk der Nederlanden / A15
Grondwet / A16
Wet algemene bepalingen / A17
Algemene termijnenwet / A18
Bekendmakingswet / A19
Wet openbaarheid van bestuur / A20
Wet bescherming persoonsgegevens / A21
Databankenwet / A22
Crisis- en herstelwet / A23
Wet openbare manifestaties / A24
Invorderingswet 1990 / A25
Algemene wet bestuursrecht / A26
Wet Nationale ombudsman / A27
Rijkswet op het Nederlanderschap / A28
Vreemdelingenwet 2000 / A29
Vreemdelingenbesluit 2000 / A30
Europese Visumcode / A31
Wet inburgering / A32
Wet bijzondere opnemingen in psychiatrische ziekenhuizen / A33
Algemene wet op het binnentreden / A34
Wet tijdelijk huisverbod / A35
Besluit tijdelijk huisverbod / A36
Wet administratiefrechtelijke handhaving verkeersvoorschriften / A37
Gemeentewet / A38
Wet gemeentelijke schuldhulpverlening / A39
Jeugdwet / A40

Wet op de Raad van State / A41
Beroepswet / A42
Wet op de rechterlijke organisatie / A43
Wet op de rechtsbijstand / A44
Omgevingswet (toekomstig) / A45
Wet ruimtelijke ordening / A46
Besluit ruimtelijke ordening / A47
Woningwet / A48
Wet op de huurtoeslag / A49
Wet op het overleg huurders verhuurder / A50
Wet algemene bepalingen omgevingsrecht / A51
Besluit Omgevingsrecht / A52

Strafrecht
Wetboek van Strafrecht / A53
Wetboek van Strafvordering / A54
Politiewet 2012 / A55
Wet wapens en munitie / A56
Opiumwet / A57
Wegenverkeerswet 1994 / A58
Penitentiaire beginselenwet / A59
Penitentiaire maatregel / A60
Reclasseringsregeling 1995 / A61
Wet op de identificatieplicht / A62
Wet justitiële en strafvorderlijke gegevens / A63
Besluit justitiële gegevens / A64

Alfabetisch trefwoordenregister

Deel B

Voorwoord

Ten geleide

Algemene inhoudsopgave

Alfabetische inhoudsopgave

Afkortingenlijst

PRIVAAT RECHT
Burgerlijk Wetboek Boek 1 / B1
Burgerlijk Wetboek Boek 2 / B1
Burgerlijk Wetboek Boek 3 / B1
Burgerlijk Wetboek Boek 4 / B1
Burgerlijk Wetboek Boek 5 / B1
Burgerlijk Wetboek Boek 6 / B1
Burgerlijk Wetboek Boek 7 / B1
Burgerlijk Wetboek Boek 7A / B1
Burgerlijk Wetboek Boek 8 / B1
Burgerlijk Wetboek Boek 10 / B1
Besluit voorwaarden in mindering brengen kosten op transitievergoeding / B2
Besluit overgangsrecht transitievergoeding / B3
Besluit loonbegrip vergoeding aanzegtermijn en transitievergoeding / B4
Regeling looncomponenten en arbeidsduur / B5
Regeling UWV ontslagprocedure / B6
Ontslagregeling / B7
Wetboek van Burgerlijke Rechtsvordering (uittreksel) / B8
Besluit vergoeding voor buitengerechtelijke incassokosten / B9
Algemene wet inkomensafhankelijke regelingen / B10
Faillissementswet / B11
Wet op het consumentenkrediet (uittreksel) / B12
Wet handhaving consumentenbescherming / B13
Belemmeringenwet Privaatrecht / B14

SOCIAAL RECHT

Arbeidsrecht

Verordening (EG) nr. 987/2009 tot vasts
(EG) nr. 883/2004 betreffende de coö
en Zwitserland relevante tekst) / B15
Arbeidsomstandighedenwet / B16
Arbeidstijdenwet / B17
Wet aanpassing arbeidsduur / B18
Wet allocatie arbeidskrachten door int
Wet arbeid en zorg / B20
Wet kinderopvang / B21
Wet arbeid vreemdelingen / B22
Besluit uitvoering Wet arbeid vreemd
Wet arbeidsvoorwaarden gedetachee
Wet op de collectieve arbeidsovereen
Wet op het algemeen verbindend en
arbeidsovereenkomsten / B26
Wet op de ondernemingsraden / B2
Wet minimumloon en minimumva
Algemene wet gelijke behandeling
Wet College voor de rechten van d
Wet gelijke behandeling van manr
Wet gelijke behandeling op grond
Wet gelijke behandeling op grond van
Pensioenwet / B34
Wet verplichte deelneming in een bedrijfstakpensioenfonds 2000 / B35
Wet melding collectief ontslag / B36
Buitengewoon Besluit Arbeidsverhoudingen 1945 / B37
De aanbevelingen van de Kring van Kantonrechters / B38

Socialezekerheidsrecht

Werkloosheidswet / B39
Besluit sollicitatieplicht werknemers WW en IOW 2012 / B40
Beleidsregels toepassing artikel 16, derde lid en artikel 24, vijfde lid, WW 2006 / B41
Beleidsregels toepassing artikelen 24 en 27 WW 2006 / B42
Besluit passende arbeid ZW en WW / B43
Gelijkstellingsregeling arbeidsuren / B44
Wet op de arbeidsongeschiktheidsverzekering / B45
Wet werk en inkomen naar arbeidsvermogen / B46
Wet Invoering en financiering Wet werk en inkomen naar arbeidsvermogen / B47
Regeling procesgang eerste en tweede ziektejaar / B48
Beleidsregels beoordelingskader poortwachter / B49
Wet structuur uitvoeringsorganisatie werk en inkomen / B50
Participatiewet / B51
Wet arbeidsongeschiktheidsvoorziening jonggehandicapten / B52
Wet inkomensvoorziening oudere en gedeeltelijk arbeidsongeschikte werkloze werknemers / B53
Wet inkomensvoorziening oudere en gedeeltelijk arbeidsongeschikte gewezen zelfstandigen / B54
Maatregelenbesluit socialezekerheidswetten / B55
Schattingsbesluit arbeidsongeschiktheidswetten / B56
Besluit uitbreiding en beperking kring verzekerden volksverzekeringen 1999 / B57
Besluit uitbreiding en beperking kring verzekerden werknemersverzekeringen 199
Boetebesluit socialezekerheidswetten / B59
Wet financiering sociale verzekeringen / B60
Toeslagenwet / B61
Ziektewet / B62
Zorgverzekeringswet / B63
Wet maatschappelijke ondersteuning 2015 / B64
Uitvoeringsbesluit WMO 2015 / B65
Wet op de zorgtoeslag / B66
Wet langdurige zorg/ B67
Wet op het kindgebonden budget / B68
Algemene Kinderbijslagwet / B69

Algemene inhoudsopgave

Besluit uitvoering kinderbijslag / B70
Algemene Ouderdomswet / B71
Algemene nabestaandenwet / B72
Alfabetisch trefwoordenregis

Alfabetische inhoudsopgave

A
Aanbevelingen van de Kring van Kantonrechters, De - / B38
Aanpassing arbeidsduur, Wet - / B18
Aanzegtermijn, Besluit loonbegrip vergoeding - en transitievergoeding / B4
Administratiefrechtelijke handhaving verkeersvoorschriften, Wet - / A37
Akte, Luxemburg, 17 februari 1986/ 's-Gravenhage, 28 februari 1986, Europese - (uittreksel)/ A12
Algemeen verbindend en het onverbindend verklaren van bepalingen van collectieve arbeidsovereenkomsten, Wet op het - / B26
Algemene bepalingen, Wet - / A17
Algemene bepalingen omgevingsrecht, wet - / A51
Algemene Kinderbijslagwet / B69
Algemene nabestaandenwet / B72
Algemene Ouderdomswet / B71
Algemene termijnenwet / A18
Algemene wet bestuursrecht / A26
Algemene wet gelijke behandeling / B29
Algemene wet inkomensafhankelijke regelingen / B10
Algemene wet op het binnentreden / A34
Allocatie arbeidskrachten door intermediairs, Wet - / B19
Arbeid en zorg, Wet - / B20
Arbeidsduur, Regeling looncomponenten en - / B5
Arbeidsduur, Wet aanpassing - / B18
Arbeidskrachten door intermediairs, Wet allocatie - / B19
Arbeidsomstandighedenwet / B16
Arbeidsongeschikte gewezen zelfstandigen, Wet inkomensvoorziening oudere en gedeeltelijk - / B54
Arbeidsongeschikte werkloze werknemers, Wet inkomensvoorziening oudere en gedeeltelijk - / B53
Arbeidsongeschiktheidsverzekering, Wet op de - / B45
Arbeidsongeschiktheidsvoorziening jonggehandicapten, Wet - / B52
Arbeidsongeschiktheidswetten, Schattingsbesluit - / B56
Arbeidsovereenkomst, Wet op de collectieve - / B25
Arbeidsovereenkomsten, Wet op het algemeen verbindend en het onverbindend verklaren van bepalingen van collectieve - / B26
Arbeidstijdenwet / B17
Arbeidsuren, Gelijkstellingsregeling - / B44
Arbeidsverhoudingen 1945, Buitengewoon Besluit - / B37
Arbeidsvermogen, Wet Invoering en financiering Wet werk en inkomen naar - / B47
Arbeidsvermogen, Wet werk en inkomen naar - / B46
Arbeidsvoorwaarden gedetacheerde werknemers in de Europese Unie, Wet / B24
Arbeid vreemdelingen, Besluit uitvoering Wet / B23
Arbeid vreemdelingen, Wet - / B22
Arbeid, Wet gelijke behandeling op grond van leeftijd bij de - / B32

B
Bedrijfstakpensioenfonds 2000, Wet verplichte deelneming in een - / B35
Beginselenwet, Penitentiaire / A59
Bekendmakingswet / A19
Beleidsregels beoordelingskader poortwachter / B49
Beleidsregels toepassing artikel 16, derde lid en artikel 24, vijfde lid, WW 2006 / B41
Beleidsregels toepassing artikelen 24 en 27 WW 2006 / B42
Belemmeringenwet Privaatrecht / B14
Beroepswet / A42
Bescherming persoonsgegevens, Wet - / A21
Bescherming van de rechten van de mens, Europees verdrag tot - / A7
Besluit Arbeidsverhoudingen 1945, Buitengewoon - / B37

Besluit justitiële gegevens / A64
Besluit loonbegrip vergoeding aanzegtermijn en transitievergoeding / B4
Besluit Omgevingsrecht / A52
Besluit overgangsrecht transitievergoeding / B3
Besluit passende arbeid ZW en WW / B43
Besluit ruimtelijke ordening 1985 / A47
Besluit sollicitatieplicht werknemers WW en IOW 2012 / B40
Besluit tijdelijk huisverbod / A36
Besluit uitbreiding en beperking kring verzekerden volksverzekeringen 1999 / B57
Besluit uitbreiding en beperking kring verzekerden werknemersverzekeringen 1990 / B58
Besluit uitvoering kinderbijslag / B70
Besluit uitvoering Wet arbeid vreemdelingen / B23
Besluit vergoeding voor buitengerechtelijke incassokosten / B9
Besluit voorwaarden in mindering brengen kosten op transitievergoeding / B2
Bestuursrecht, Algemene wet - / A26
Binnentreden, Algemene wet op het - / A34
Boetebesluit socialezekerheidswetten / B59
Buitengewoon Besluit Arbeidsverhoudingen 1945 / B37
Burgerlijk Wetboek Boek 1 / B1
Burgerlijk Wetboek Boek 2 / B1
Burgerlijk Wetboek Boek 3 / B1
Burgerlijk Wetboek Boek 4 / B1
Burgerlijk Wetboek Boek 5 / B1
Burgerlijk Wetboek Boek 6 / B1
Burgerlijk Wetboek Boek 7 / B1
Burgerlijk Wetboek Boek 7A / B1
Burgerlijk Wetboek Boek 8 / B1
Burgerlijk Wetboek Boek 10 / B1
Burgerlijke Rechtsvordering, Wetboek van - (uittreksel) / B8
Burgerrechten en politieke rechten, New York, 19 december 1966, Internationaal verdrag inzake - / A3

C

Chronische ziekte, Wet gelijke behandeling op grond van handicap of - / B33
Collectief ontslag, Wet melding - / B36
Collectieve arbeidsovereenkomst, Wet op de - / B25
Collectieve arbeidsovereenkomsten, Wet op het algemeen verbindend en het onverbindend verklaren van bepalingen van - / B26
College voor de rechten van de mens, Wet - / B30
Consumentenbescherming, Wet handhaving / B13
Consumentenkrediet, Wet op het - (uittreksel) / B12
Crisis- en herstelwet / A23
Culturele rechten, New York, 19 december 1966, Internationaal Verdrag inzake economische, sociale en - / A4

D

Databankenwet / A22
De aanbevelingen van de Kring van Kantonrechters / B38

E

Economische, sociale en culturele rechten, New York, 19 december 1966, Internationaal Verdrag inzake - / A4
Europees Sociaal Handvest, Straatsburg, 3 mei 1996 / A10
Europees Sociaal Handvest, Turijn, 21 oktober 1991 (toekomstig), Protocol tot wijziging van het - / A11
Europees verdrag tot bescherming van de rechten van de mens / A7
Europese Akte, Luxemburg, 17 februari 1986/'s-Gravenhage , 28 februari 1986 (uittreksel) / A12
Europese Unie, Verdrag betreffende de werking van de - (uittreksel) / A13
Europese Visumcode / A31

F

Faillissementswet / B11
Financiering sociale verzekeringen, Wet - / B60

G
Gehandicaptenverdrag (toekomstig) / A8
Gelijke behandeling, Algemene wet - / B29
Gelijke behandeling op grond van handicap of chronische ziekte, Wet - / B33
Gelijke behandeling op grond van leeftijd bij de arbeid, Wet - / B32
Gelijke behandeling van mannen en vrouwen, Wet - / B31
Gelijkstellingsregeling arbeidsuren / B44
Gemeentelijke schuldhulpverlening, Wet - / A39
Gemeentewet / A38
Grondwet / A16

H
Handicap of chronische ziekte, Wet gelijke behandeling op grond van - / B33
Handhaving verkeersvoorschriften, Wet administratiefrechtelijke - / A37
Handvest (herzien), Straatsburg, 3 mei 1996, Europees Sociaal – / A10
Handvest, Turijn, 21 oktober 1991 (toekomstig), Protocol tot wijziging van het Europees Sociaal - / A11
Handvest van de Verenigde Naties, San Francisco, 26 juni 1945 / A1
Huisverbod, Besluit tijdelijk – / A36
Huisverbod, Wet tijdelijk – / A35
Huurders verhuurder, Wet op het overleg- / A50
Huurtoeslag, Wet op de - / A49

I
Identificatieplicht, Wet op de - / A62
Inburgering, Wet - / A32
Incassokosten, Besluit vergoeding voor buitengerechtelijke / B9
Inkomensafhankelijke regelingen, Algemene wet / B10
Inkomensvoorziening oudere en gedeeltelijk arbeidsongeschikte gewezen zelfstandigen, Wet - / B54
Inkomensvoorziening oudere en gedeeltelijk arbeidsongeschikte werkloze werknemers, Wet - / B53
Intermediairs, Wet allocatie arbeidskrachten door - / B19
Internationaal verdrag inzake burgerrechten en politieke rechten, New York, 19 december 1966 / A3
Internationaal Verdrag inzake economische, sociale en culturele rechten, New York, 19 december 1966 / A4
Invoering en financiering Wet werk en inkomen naar arbeidsvermogen, Wet - / B47
Invorderingswet 1990 / A25

J
Jeugdwet / A40
Jonggehandicapten, Wet werk en arbeidsondersteuning - / B52
Justitiële en strafvorderlijke gegevens, Wet - / A63
Justitiële gegevens, Besluit - / A64

K
Kantonrechters, De aanbevelingen van de Kring van - / B38
Kinderbijslag, Besluit uitvoering - / B70
Kinderbijslagwet, Algemene - / B69
Kinderopvang, Wet - / B21
Kindgebonden, Wet op het - budget / B68
Koninkrijk der Nederlanden, Statuut voor het - / A15

L
Langdurige zorg, Wet - / B67
Leeftijd bij de arbeid, Wet gelijke behandeling op grond van - / B32
Looncomponenten en arbeidsduur, Regeling - / B5

M
Maatregel, Penitentiaire - / A60
Maatregelenbesluit socialezekerheidswetten / B55
Maatschappelijke ondersteuning 2015, Wet - / B64
Mannen en vrouwen, Wet gelijke behandeling van - / B31
Minimumloon en minimumvakantiebijslag, Wet - / B28

Minimumvakantiebijslag, Wet minimumloon en - / B28
Munitie, Wet wapens en - / A56

N
Nabestaandenwet, Algemene - / B72
Nationale ombudsman, Wet - / A27
Nederlanderschap, Rijkswet op het - / A28

O
Ombudsman, Wet Nationale - / A27
Omgevingsrecht, Besluit – / A52
Omgevingsrecht, Wet algemene bepalingen - / A51
Omgevingswet (toekomstig) / A45
Ondernemingsraden, Wet op de - / B27
Ontslagprocedure, Regeling UWV - / B6
Ontslagregeling / B7
Openbaarheid van bestuur, Wet - / A20
Openbare manifestaties, Wet - / A24
Opiumwet / A57
Ouderdomswet, Algemene - / B71
Oudere en gedeeltelijk arbeidsongeschikte gewezen zelfstandigen, Wet inkomensvoorziening - / B54
Oudere en gedeeltelijk arbeidsongeschikte werkloze werknemers, Wet inkomensvoorziening - / B53

P
Participatiewet / B51
Passend arbeid ZW en WW, Besluit - / B43
Penitentiaire beginselenwet / A59
Penitentiaire maatregel / A60
Pensioenwet / B34
Persoonsgegevens, Wet bescherming - / A21
Politieke rechten, New York, 19 december 1966, Internationaal verdrag inzake burgerrechten en - / A3
Politiewet 2012 / A55
Poortwachter, Beleidsregels beoordelingskader - / B49
Privaatrecht, Belemmeringenwet - / B14
Procesgang, Regeling - eerste en tweede ziektejaar / B48
Protocol tot wijziging van het Europees Sociaal Handvest, Turijn, 21 oktober 1991 (toekomstig) / A11
Psychiatrische ziekenhuizen, Wet bijzondere opnemingen in - / A33

R
Raad van State, Wet op de - / A41
Rechten van de mens, Europees verdrag tot bescherming van de - / A7
Rechten van de mens, Parijs, 10 december 1948, Universele verklaring van de - / A2
Rechten van het kind, New York, 20 november 1989, Verdrag inzake de - / A6
Rechterlijke organisatie, Wet op de - / A43
Rechtsbijstand, Wet op de - / A44
Reclasseringsregeling 1995 / A61
Regeling looncomponenten en arbeidsduur - / B5
Regeling procesgang eerste en tweede ziektejaar / B48
Regeling UWV ontslagprocedure / B6
Rijkswet op het Nederlanderschap / A28
Ruimtelijke ordening, Besluit - / A47
Ruimtelijke ordening, Wet - / A46

S
Schattingsbesluit arbeidsongeschiktheidswetten / B56
Schuldhulpverlening, Wet gemeentelijke - / A39
Sociaal Handvest (herzien), Straatsburg, 3 mei 1996, Europees - / A10
Sociaal Handvest, Turijn, 21 oktober 1991 (toekomstig), Protocol tot wijziging van het Europees - / A11
Sociale en culturele rechten, New York, 19 december 1966, Internationaal Verdrag inzake economische, - / A4

Sociale verzekeringen, Wet financiering - / B60
Socialezekerheidsstelsels (Voor de EER en Zwitserland relevante tekst), Verordening (EG) nr. 987/2009 tot vaststelling van de wijze van toepassing van Verordening (EG) nr. 883/2004 betreffende de coördinatie van - / B15
Socialezekerheidswetten, Boetebesluit - / B59
Socialezekerheidswetten, Maatregelenbesluit - / B55
Sollicitatieplicht werknemers WW en IOW 2012, Besluit / B40
Status van vluchtelingen, Verdrag betreffende - / A9
Statuut voor het Koninkrijk der Nederlanden / A15
Strafrecht, Wetboek van - / A53
Strafvorderlijke gegevens, Wet justitiële en - / A63
Strafvordering, Wetboek van - / A54
Structuur uitvoeringsorganisatie werk en inkomen, Wet - / B50

T
Termijnenwet, Algemene - / A18
Tijdelijk huisverbod, Besluit – / A36
Tijdelijk huisverbod, Wet – / A35
Toeslagenwet / B61
Transitievergoeding, Besluit loonbegrip vergoeding aanzegtermijn en - / B4
Transitievergoeding, Besluit overgangsrecht - / B3
Transitievergoeding, Besluit voorwaarden in mindering brengen kosten op - / B2

U
Universele verklaring van de rechten van de mens, Parijs, 10 december 1948 / A2
Uitbreiding en beperking kring verzekerden volksverzekeringen 1999, Besluit - / B57
Uitbreiding en beperking kring verzekerden werknemersverzekeringen 1990, Besluit - / B58
Uitvoeringsbesluit WMO 2015 / B65
Uitvoeringsorganisatie werk en inkomen, Wet structuur - / B50
UWV, Regeling - ontslagprocedure / B6

V
Verdrag betreffende de Europese Unie, Maastricht, 7 februari 1992 / A14
Verdrag betreffende de status van vluchtelingen / A9
Verdrag betreffende de werking van de Europese Unie (uittreksel) / A13
Verdrag inzake de rechten van het kind, New York, 20 november 1989 / A6
Verdrag tot bescherming van de rechten van de mens, Europees / A7
Verdrag van Wenen inzake het verdragenrecht, Wenen, 23 mei 1969 / A5
Verdragenrecht, Wenen, 23 mei 1969, Verdrag van Wenen inzake het - / A5
Verenigde Naties, San Francisco, 26 juni 1945, Handvest van de - / A1
Verkeersvoorschriften, Wet administratiefrechtelijke handhaving - / A37
Verordening (EG) nr. 883/2004 betreffende de coördinatie van de socialezekerheidsstelsels (Voor de EER en Zwitserland relevante tekst), Verordening (EG) nr. 987/2009 tot vaststelling van de wijze van toepassing van - / B15
Verordening (EG) nr. 987/2009 tot vaststelling van de wijze van toepassing van Verordening (EG) nr. 883/2004 betreffende de coördinatie van de socialezekerheidsstelsels (Voor de EER en Zwitserland relevante tekst) / B15
Visumcode, Europese - / A31
Vluchtelingen, Verdrag betreffende de status van - / A9
Volksverzekeringen 1999, Besluit uitbreiding en beperking kring verzekerden - / B57
Vreemdelingen, Besluit uitvoering Wet arbeid / B23
Vreemdelingen, Wet arbeid - / B22
Vreemdelingenbesluit 2000 / A30
Vreemdelingenwet 2000 / A29
Vrouwen, Wet gelijke behandeling van mannen en - / B31

W
Wapens en munitie, Wet - / A56
Wegenverkeerswet 1994 / A58
Werk en inkomen naar arbeidsvermogen, Wet - / B46
Werk en inkomen naar arbeidsvermogen, Wet Invoering en financiering Wet - / B47
Werk en inkomen, Wet structuur uitvoeringsorganisatie - / B50
Werkloosheidswet / B39
Werkloze werknemers, Wet inkomensvoorziening oudere en gedeeltelijk arbeidsongeschikte - / B53

Werknemersverzekeringen 1990, Besluit uitbreiding en beperking kring verzekerden - / B58
Wet aanpassing arbeidsduur / B18
Wet administratiefrechtelijke handhaving verkeersvoorschriften / A37
Wet algemene bepalingen / A17
Wet algemene bepalingen omgevingsrecht / A51
Wet allocatie arbeidskrachten door intermediairs / B19
Wet arbeid en zorg / B20
Wet arbeid vreemdelingen / B22
Wet arbeid vreemdelingen, Besluit uitvoering - / B23
Wet arbeidsongeschiktheidsvoorziening jonggehandicapten / B52
Wet arbeidsvoorwaarden gedetacheerde werknemers in de Europese Unie / B24
Wet bescherming persoonsgegevens / A21
Wet bestuursrecht, Algemene - / A26
Wet bijzondere opnemingen in psychiatrische ziekenhuizen / A33
Wet College voor de rechten van de mens / B30
Wet financiering sociale verzekeringen / B60
Wet gelijke behandeling, Algemene - / B29
Wet gelijke behandeling op grond van handicap of chronische ziekte / B33
Wet gelijke behandeling op grond van leeftijd bij de arbeid / B32
Wet gelijke behandeling van mannen en vrouwen / B31
Wet gemeentelijke schuldhulpverlening / A39
Wet handhaving consumentenbescherming / B13
Wet inburgering / A32
Wet inkomensvoorziening oudere en gedeeltelijk arbeidsongeschikte gewezen zelfstandigen / B54
Wet inkomensvoorziening oudere en gedeeltelijk arbeidsongeschikte werkloze werknemers / B53
Wet Invoering en financiering Wet werk en inkomen naar arbeidsvermogen / B47
Wet justitiële en strafvorderlijke gegevens / A63
Wet kinderopvang / B21
Wet langdurige zorg / B67
Wet maatschappelijke ondersteuning 2015 / B64
Wet maatschappelijke ondersteuning 2015, Uitvoeringsbesluit - / B65
Wet melding collectief ontslag / B36
Wet minimumloon en minimumvakantiebijslag / B28
Wet Nationale ombudsman / A27
Wet op de arbeidsongeschiktheidsverzekering / B45
Wet op de collectieve arbeidsovereenkomst / B25
Wet op de huurtoeslag / A49
Wet op de identificatieplicht / A62
Wet op de ondernemingsraden / B27
Wet op de Raad van State / A41
Wet op de rechterlijke organisatie / A43
Wet op de rechtsbijstand / A44
Wet op de zorgtoeslag / B66
Wet op het algemeen verbindend en het onverbindend verklaren van bepalingen van collectieve arbeidsovereenkomsten / B26
Wet op het consumentenkrediet (uittreksel)/ B12
Wet op het kindgebonden budget / B68
Wet op het overleg huurders verhuurder / A50
Wet openbaarheid van bestuur / A20
Wet openbare manifestaties / A24
Wet ruimtelijke ordening / A46
Wet tijdelijk huisverbod / A35
Wet structuur uitvoeringsorganisatie werk en inkomen / B50
Wet verplichte deelneming in een bedrijfstakpensioenfonds 2000 / B35
Wet wapens en munitie / A56
Wet werk en inkomen naar arbeidsvermogen / B46
Wet werk en inkomen naar arbeidsvermogen, Wet Invoering en financiering - / B47
Wetboek van Burgerlijke Rechtsvordering (uittreksel)/ B8
Wetboek van Strafrecht / A53
Wetboek van Strafvordering / A54
Woningwet / A48

Z

Zelfstandigen, Wet inkomensvoorziening oudere en gedeeltelijk arbeidsongeschikte gewezen - / B54
Ziektejaar, Regeling procesgang eerste en tweede - / B48
Ziektewet / B62
Zorg, Wet arbeid en - / B20
Zorg, Wet langdurige / B67
Zorgtoeslag, Wet op de - / B66
Zorgverzekeringswet / B63

Afkortingenlijst

Atw	Algemene termijnenwet
Awb	Algemene wet bestuursrecht
Awob	Algemene wet op het binnentreden
Berw	Beroepswet
BJG	Besluit justitiële gegevens
Bmw	Bekendmakingswet
Bor	Besluit Omgevingsrecht
Bro	Besluit ruimtelijke ordening
Bth	Besluit tijdelijk huisverbod
BUPO	Internationaal verdrag inzake burgerrechten en politieke rechten, New York, 19 december 1966
Chw	Crisis- en herstelwet
CRPD	VN-Verdrag inzake de rechten van personen met een handicap
Dbw	Databankenwet
EAK	Europese Akte, Luxemburg, 17 februari 1986/'s-Gravenhage, 28 februari 1986
ESHh	Europees Sociaal Handvest (herzien), Straatsburg, 3 mei 1996
EU-Verdrag	Verdrag betreffende de Europese Unie, Maastricht, 7 februari 1992
Eur VC	Verordening (EG) nr. 810/2009 van het Europees Parlement en de Raad van 13 juli 2009 tot vaststelling van een gemeenschappelijke visumcode
EVRM	Verdrag tot bescherming van de rechten van de mens en de fundamentele vrijheden, Rome, 4 november 1950
Gemw	Gemeentewet
GW	Grondwet
Hv VN	Handvest van de Verenigde Naties, San Francisco, 26 juni 1945
IVESCR	Internationaal Verdrag inzake economische, sociale en culturele rechten, New York, 19 december 1966
IVRK	Verdrag inzake de rechten van het kind, New York, 20 november 1989
IW	Invorderingswet 1990
Jw	Jeugdwet
Omgw	Omgevingswet (toekomstig)
Opw	Opiumwet
PBW	Penitentiaire beginselenwet
PM	Penitentiaire maatregel
PolW	Politiewet 2012
RR 1995	Reclasseringsregeling 1995
RWN	Rijkswet op het Nederlanderschap
Statuut	Statuut voor het Koninkrijk der Nederlanden
UVRM	Universele verklaring van de rechten van de mens, Parijs, 10 december 1948
VB 2000	Vreemdelingenbesluit 2000
Vsv 1951	Verdrag betreffende de status van vluchtelingen
VW 2000	Vreemdelingenwet 2000
VwEU	Verdrag betreffende de werking van de Europese Unie (uittreksel)
VWV	Verdrag van Wenen inzake het verdragenrecht, Wenen, 23 mei 1969
Wabo	Wet algemene bepalingen omgevingsrecht
WAHV	Wet administratiefrechtelijke handhaving verkeersvoorschriften
Wbp	Wet bescherming persoonsgegevens
Wet AB	Wet algemene bepalingen
Wet BOPZ	Wet bijzondere opnemingen in psychiatrische ziekenhuizen
Wet RO	Wet op de rechterlijke organisatie
Wet RvS	Wet op de Raad van State
Wgshv	Wet gemeentelijke schuldhulpverlening
WHT	Wet op de huurtoeslag

Wi	Wet inburgering
WID	Wet op de identificatieplicht
WJG	Wet justitiële en strafvorderlijke gegevens
WNo	Wet Nationale ombudsman
WOB	Wet openbaarheid van bestuur
Wohv	Wet op het overleg huurders verhuurder
WOM	Wet openbare manifestaties
Wonw	Woningwet
Wprot. ESH	Protocol tot wijziging van het Europees Sociaal Handvest, Turijn, 21 oktober 1991
WRB	Wet op de rechtsbijstand
Wro	Wet ruimtelijke ordening
Wth	Wet tijdelijk huisverbod
WvSr	Wetboek van Strafrecht
WvSv	Wetboek van Strafvordering
WVW 1994	Wegenverkeerswet 1994
WWM	Wet wapens en munitie

PUBLIEK RECHT/Internationaal recht

Inhoudsopgave

CHAPTER I	Purposes and principles	Art. 1
CHAPTER II	Membership	Art. 3
CHAPTER III	Organs	Art. 7
CHAPTER IV	The General Assembly	Art. 9
	Composition	Art. 9
	Functions and Powers	Art. 10
	Voting	Art. 18
	Procedure	Art. 20
CHAPTER V	The Security Council	Art. 23
	Composition	Art. 23
	Functions and Powers	Art. 24
	Voting	Art. 27
	Procedure	Art. 28
CHAPTER VI	Pacific settlement of disputes	Art. 33
CHAPTER VII	Action with respect to threats to the peace, breaches of the peace and acts of aggression	Art. 39
CHAPTER VIII	Regional arrangements	Art. 52
CHAPTER IX	International Economic and Social Cooperation	Art. 55
CHAPTER X	The Economic and Social Council	Art. 61
	Composition	Art. 61
	Functions and Powers	Art. 62
	Voting	Art. 67
	Procedure	Art. 68
CHAPTER XI	Declaration regarding non-self-governing territories	Art. 73
CHAPTER XII	International trusteeship system	Art. 75
CHAPTER XIII	The Trusteeship Council	Art. 86
	Composition	Art. 86
	Functions and Powers	Art. 87
	Voting	Art. 89
	Procedure	Art. 90
CHAPTER XIV	The International Court of Justice	Art. 92
CHAPTER XV	The Secretariat	Art. 97
CHAPTER XVI	Miscellaneous provisions	Art. 102
CHAPTER XVII	Transitional security arrangements	Art. 106
CHAPTER XVIII	Amendments	Art. 108
CHAPTER XIX	Ratification and signature	Art. 110
Hoofdstuk I	DOELSTELLINGEN EN BEGINSELEN	Art. 1
Hoofdstuk II	LIDMAATSCHAP	Art. 3
Hoofdstuk III	ORGANEN	Art. 7
Hoofdstuk IV	DE ALGEMENE VERGADERING	Art. 9
	Samenstelling	Art. 9
	Functies en bevoegdheden	Art. 10
	Stemmen	Art. 18
	Procedure	Art. 20
Hoofdstuk V	DE VEILIGHEIDSRAAD	Art. 23
	Samenstelling	Art. 23
	Functies en bevoegdheden	Art. 24
	Stemmen	Art. 27
	Procedure	Art. 28
Hoofdstuk VI	VREEDZAME REGELING VAN GESCHILLEN	Art. 33
Hoofdstuk VII	OPTREDEN MET BETREKKING TOT BEDREIGING VAN DE VREDE, VERBREKING VAN DE VREDE EN DADEN VAN AGRESSIE	Art. 39
Hoofdstuk VIII	REGIONALE AKKOORDEN	Art. 52
Hoofdstuk IX	INTERNATIONALE ECONOMISCHE EN SOCIALE SAMENWERKING	Art. 55
Hoofdstuk X	DE ECONOMISCHE EN SOCIALE RAAD	Art. 61
	Samenstelling	Art. 61
	Functies en bevoegdheden	Art. 62
	Stemmen	Art. 67
	Procedure	Art. 68
Hoofdstuk XI	VERKLARING BETREFFENDE NIET-ZELFBESTURENDE GEBIEDEN	Art. 73

Hoofdstuk XII	INTERNATIONAAL TRUSTSCHAPSSTELSEL	Art. 75
Hoofdstuk XIII	DE TRUSTSCHAPSRAAD	Art. 86
	Samenstelling	Art. 86
	Functies en bevoegdheden	Art. 87
	Stemmen	Art. 89
	Procedure	Art. 90
Hoofdstuk XIV	HET INTERNATIONAAL GERECHTSHOF	Art. 92
Hoofdstuk XV	HET SECRETARIAAT	Art. 97
Hoofdstuk XVI	DIVERSE BEPALINGEN	Art. 102
Hoofdstuk XVII	OVERGANGSREGELINGEN INZAKE DE VEILIGHEID	Art. 106
Hoofdstuk XVIII	AMENDEMENTEN	Art. 108
Hoofdstuk XIX	BEKRACHTIGING EN ONDERTEKENING	Art. 110

Handvest van de Verenigde Naties[1]

Wij, de volken
van de Verenigde Naties,
vastbesloten
komende geslachten te behoeden voor de gesel van de oorlog, die tweemaal in ons leven onnoemelijk leed over de mensheid heeft gebracht, en
opnieuw ons vertrouwen te bevestigen in de fundamentele rechten van de mens, in de waardigheid en de waarde van de menselijke persoon, in gelijke rechten voor mannen en vrouwen, alsmede voor grote en kleine naties, en
omstandigheden te scheppen waaronder gerechtigheid, alsmede eerbied voor de uit verdragen en andere bronnen van internationaal recht voortvloeiende verplichtingen kunnen worden gehandhaafd, en
sociale vooruitgang en hogere levensstandaarden in groter vrijheid te bevorderen,
en te dien einde
verdraagzaamheid te betrachten en in vrede met elkander te leven als goede naburen, en onze krachten te bundelen ter handhaving van de internationale vrede en veiligheid, en door het aanvaarden van beginselen en het invoeren van methodes te verzekeren, dat wapengeweld niet zal worden gebruikt behalve in het algemeen belang, en gebruik te maken van internationale instellingen voor de bevordering van de economische en sociale vooruitgang van alle volken,
hebben besloten onze inspanningen te verenigen om deze doeleinden te verwezenlijken.
Dienovereenkomstig hebben onze onderscheiden regeringen, door tussenkomst van hun in de stad San Francisco bijeengekomen vertegenwoordigers, die hun volmachten hebben overgelegd, welke in goede orde zijn bevonden, overeenstemming bereikt over dit Handvest van de Verenigde Naties en richten zij hierbij een internationale organisatie op, die de naam zal dragen van de Verenigde Naties.

Hoofdstuk I
DOELSTELLINGEN EN BEGINSELEN

Art. 1

De doelstellingen van de Verenigde Naties zijn:

Doelstellingen

Vrede en veiligheid

1. De internationale vrede en veiligheid te handhaven en, met het oog daarop: doeltreffende gezamenlijke maatregelen te nemen ter voorkoming en opheffing van bedreigingen van de vrede en ter onderdrukking van daden van agressie of andere vormen van verbreking van de vrede, alsook met vreedzame middelen en in overeenstemming met de beginselen van gerechtigheid en internationaal recht, een regeling of beslechting van internationale geschillen of van situaties die tot verbreking van de vrede zouden kunnen leiden, tot stand te brengen;

Zelfbeschikkingsrecht

2. Tussen de naties vriendschappelijke betrekkingen tot ontwikkeling te brengen, die zijn gegrond op eerbied voor het beginsel van gelijke rechten en van zelfbeschikking voor volken, en andere passende maatregelen te nemen ter versterking van de vrede overal ter wereld;

Internationale samenwerking

3. Internationale samenwerking tot stand te brengen bij het oplossen van internationale vraagstukken van economische, sociale, culturele of humanitaire aard, alsmede bij het bevorderen en stimuleren van eerbied voor de rechten van de mens en voor fundamentele vrijheden voor allen, zonder onderscheid naar ras, geslacht, taal of godsdienst; en

4. Een centrum te zijn voor de harmonisatie van het optreden van de naties ter verwezenlijking van deze gemeenschappelijke doelstellingen.

Art. 2

Beginselen

Bij het nastreven van de in artikel 1 genoemde doelstellingen, dienen de Organisatie en haar Leden te handelen overeenkomstig de volgende beginselen:

Soevereine gelijkheid

1. De Organisatie is gegrond op het beginsel van soevereine gelijkheid van al haar Leden.

Goede trouw

2. Ten einde alle Leden de rechten en voordelen die uit het lidmaatschap voortvloeien deelachtig te doen worden, dienen de Leden van de Organisatie de verplichtingen die zij overeenkomstig dit Handvest op zich hebben genomen, te goeder trouw na te komen.

Vreedzame geschillenbeslechting

3. Alle Leden brengen hun internationale geschillen langs vreedzame weg tot een oplossing, op zodanige wijze dat de internationale vrede en veiligheid en de gerechtigheid niet in gevaar worden gebracht.

Geweldverbod

4. In hun internationale betrekkingen onthouden alle Leden zich van bedreiging met of het gebruik van geweld tegen de territoriale integriteit of de politieke onafhankelijkheid van een

1 Inwerkingtredingsdatum: 24-09-1973.

staat, en van elke andere handelwijze die onverenigbaar is met de doelstellingen van de Verenigde Naties.

Bijstand aan VN-maatregelen

5. Alle Leden verlenen de Verenigde Naties volledige bijstand bij elk optreden waartoe de Organisatie overeenkomstig dit Handvest overgaat en zij onthouden zich van het verlenen van bijstand aan een staat waartegen de Verenigde Naties een preventieve of dwangactie ondernemen.

6. De Organisatie draagt er zorg voor dat staten die geen Lid van de Verenigde Naties zijn overeenkomstig deze beginselen handelen, voor zover dit voor de handhaving van de internationale vrede en veiligheid noodzakelijk kan zijn.

Respecteren binnenlandse rechtsmacht staat

7. Geen enkele bepaling van dit Handvest geeft de Verenigde Naties de bevoegdheid tussenbeide te komen in aangelegenheden die wezenlijk onder de nationale rechtsmacht van een staat vallen, noch wordt op grond van enige bepaling daarin van de Leden verlangd dat zij zodanige aangelegenheden krachtens dit Handvest tot een oplossing brengen. Dit beginsel staat de toepassing van dwangmaatregelen ingevolge Hoofdstuk VII evenwel niet in de weg.

Hoofdstuk II
LIDMAATSCHAP

Art. 3

Oorspronkelijke leden

De oorspronkelijke Leden van de Verenigde Naties zijn de staten die hebben deelgenomen aan de Conferentie van de Verenigde Naties betreffende Internationale Organisatie te San Francisco, of die eerder de Verklaring van de Verenigde Naties van 1 januari 1942 hebben ondertekend, en dit Handvest ondertekenen en het bekrachtigen overeenkomstig artikel 110.

Art. 4

Lidmaatschap voor vredelievende staten

1. Het Lidmaatschap van de Verenigde Naties staat open voor alle andere vredelievende staten die de in dit Handvest vervatte verplichtingen aanvaarden en die, naar het oordeel van de Organisatie, in staat en bereid zijn deze verplichtingen na te komen.
2. De toelating van zulk een staat tot het lidmaatschap van de Verenigde Naties geschiedt bij besluit van de Algemene Vergadering op aanbeveling van de Veiligheidsraad.

Art. 5

Schorsing lid

Een Lid van de Verenigde Naties waartegen door de Veiligheidsraad een preventieve of dwangactie is ondernomen, kan, op aanbeveling van de Veiligheidsraad, door de Algemene Vergadering worden geschorst in de uitoefening van de aan het lidmaatschap verbonden rechten en voorrechten. De uitoefening van die rechten en voorrechten kan door de Veiligheidsraad worden hersteld.

Art. 6

Uitstoting lid

Een Lid van de Verenigde Naties dat bij voortduring de in dit Handvest vervatte beginselen heeft geschonden, kan, op aanbeveling van de Veiligheidsraad, door de Algemene Vergadering worden uitgestoten als Lid van de Organisatie.

Hoofdstuk III
ORGANEN

Art. 7

Hoofdorganen

1. Als hoofdorganen van de Verenigde Naties worden ingesteld: een Algemene Vergadering, een Veiligheidsraad, een Economische en Sociale Raad, een Trustschapsraad, een Internationaal Gerechtshof en een Secretariaat.

Hulporganen

2. Hulporganen waaraan behoefte zou blijken te bestaan kunnen overeenkomstig dit Handvest worden ingesteld.

Art. 8

Gelijke rechten mannen en vrouwen

De Verenigde Naties laten zonder enige beperking mannen en vrouwen in aanmerking komen om in welke hoedanigheid ook en onder gelijke voorwaarden deel te nemen aan haar hoofdorganen en hulporganen.

Hoofdstuk IV
DE ALGEMENE VERGADERING

Samenstelling

Art. 9

Samenstelling

1. De Algemene Vergadering wordt gevormd door alle Leden van de Verenigde Naties.
2. Elk lid heeft in de Algemene Vergadering niet meer dan vijf vertegenwoordigers.

Functies en bevoegdheden

Art. 10

Aanbevelingen

De Algemene Vergadering kan alle vraagstukken en alle zaken bespreken die binnen het kader van dit Handvest vallen of die betrekking hebben op de bevoegdheden en functies van organen waarin dit Handvest voorziet, en kan, behoudens het in artikel 12 bepaalde, met betrekking tot die vraagstukken of zaken aanbevelingen doen aan de Leden van de Verenigde Naties, of aan de Veiligheidsraad, of aan beide.

Art. 11

Vrede en veiligheid

1. De Algemene Vergadering kan de algemene beginselen van samenwerking bij het handhaven van de internationale vrede en veiligheid behandelen, met inbegrip van de beginselen voor ontwapening en wapenbeheersing, en kan met betrekking tot die beginselen aanbevelingen doen aan de Leden of aan de Veiligheidsraad, of aan beide.

Verwijzing naar Veiligheidsraad

2. De Algemene Vergadering kan alle vraagstukken bespreken betrekking hebbende op de handhaving van de internationale vrede en veiligheid, die door een Lid van de Verenigde Naties of door de Veiligheidsraad of, overeenkomstig artikel 35, tweede lid, door een staat die geen Lid is van de Verenigde Naties aan haar zijn voorgelegd, en zij kan, behoudens het in artikel 12 bepaalde, ten aanzien van dergelijke vraagstukken aanbevelingen doen aan de betrokken staat of staten, of aan de Veiligheidsraad, of aan beide. Elk dergelijk vraagstuk dat het nemen van maatregelen vereist, wordt door de Algemene Vergadering hetzij vóór hetzij na bespreking naar de Veiligheidsraad verwezen.
3. De Algemene Vergadering kan de aandacht van de Veiligheidsraad vestigen op situaties die de internationale vrede en veiligheid in gevaar dreigen te brengen.
4. De in dit artikel genoemde bevoegdheden van de Algemene Vergadering tasten de algemene strekking van artikel 10 niet aan.

Art. 12

Geen aanbevelingen informeren

1. Zolang de Veiligheidsraad met betrekking tot enig geschil of enige situatie de hem krachtens dit Handvest opgedragen taken uitvoert, onthoudt de Algemene Vergadering zich ten aanzien van dat geschil of die situatie van het doen van enige aanbeveling, tenzij de Veiligheidsraad daarom verzoekt.

Algemene vergadering

2. Met toestemming van de Veiligheidsraad doet de Secretaris-Generaal de Algemene Vergadering in iedere zitting mededeling van alle zaken betrekking hebbende op de handhaving van de internationale vrede en veiligheid die bij de Veiligheidsraad in behandeling zijn en hij geeft, op gelijke wijze, onmiddellijk nadat de Veiligheidsraad de behandeling van zulke zaken staakt, daarvan kennis aan de Algemene Vergadering of, indien deze niet in zitting bijeen is, aan de Leden van de Verenigde Naties.

Art. 13

Studies en aanbevelingen

1. De Algemene Vergadering geeft opdracht tot het verrichten van studies en doet aanbevelingen gericht op:
a. het bevorderen van internationale samenwerking op politiek gebied en het stimuleren van de progressieve ontwikkeling en de codificatie van het internationaal recht;
b. het bevorderen van internationale samenwerking op economisch, sociaal en cultureel gebied, alsmede op het gebied van het onderwijs en de gezondheidszorg, en het medewerken aan de verwezenlijking van de rechten van de mens en de fundamentele vrijheden voor allen, zonder onderscheid naar ras, geslacht, taal of godsdienst.
2. De overige verantwoordelijkheden, taken en bevoegdheden van de Algemene Vergadering met betrekking tot zaken die in het eerste lid, letter b, van dit artikel zijn genoemd, worden uiteengezet in de Hoofdstukken IX en X.

Art. 14

Vreedzame regeling

Behoudens het in artikel 12 bepaalde, kan de Algemene Vergadering maatregelen aanbevelen voor de vreedzame regeling van iedere situatie, ongeacht waaruit deze voorkomt, ten aanzien waarvan zij het waarschijnlijk acht dat deze het algemeen welzijn of de vriendschappelijke betrekkingen tussen de naties zal schaden, met inbegrip van situaties die het gevolg zijn van een schending van de bepalingen van dit Handvest waarin de doelstellingen en beginselen van de Verenigde Naties zijn uiteengezet.

Art. 15

Behandeling van verslagen van VN-organen

1. De Algemene Vergadering ontvangt en behandelt de jaarlijkse en de bijzondere verslagen van de Veiligheidsraad; deze verslagen omvatten onder meer een overzicht van de maatregelen waartoe de Veiligheidsraad heeft besloten of die hij heeft genomen ter handhaving van de internationale vrede en veiligheid.
2. De Algemene Vergadering ontvangt en behandelt de verslagen van de andere organen van de Verenigde Naties.

Art. 16

Uitvoering taken m.b.t. Trustschapsstelsel

De Algemene Vergadering voert met betrekking tot het Internationaal Trustschapsstelsel de taken uit die haar ingevolge de Hoofdstukken XII en XIII worden opgedragen, met inbegrip van het goedkeuren van de Trustschapsovereenkomsten voor gebieden die niet als strategisch worden aangemerkt.

Art. 17

Algemene Vergadering keurt begroting goed

1. De Algemene Vergadering behandelt de begroting van de Organisatie en keurt deze goed.
2. De uitgaven van de Organisatie worden door de Leden gedragen volgens een door de Algemene Vergadering vastgestelde verdeelsleutel.
3. De Algemene Vergadering behandelt alle financiële en begrotingstechnische regelingen met de in artikel 57 bedoelde gespecialiseerde organisaties en hecht daaraan haar goedkeuring; zij onderwerpt de administratieve begrotingen van de gespecialiseerde organisaties aan een onderzoek met het oog op het doen van aanbevelingen aan de desbetreffende organisaties.

Stemmen

Art. 18

Stemmenverhouding

1. Elk lid van de Algemene Vergadering heeft één stem.
2. Besluiten van de Algemene Vergadering over belangrijke zaken worden genomen met een meerderheid van twee derde van de aanwezige leden die hun stem uitbrengen. Deze zaken omvatten mede: aanbevelingen met betrekking tot de handhaving van de internationale vrede en veiligheid, de verkiezing van de niet-permanente leden van de Veiligheidsraad, de verkiezing van de leden van de Economische en Sociale Raad, de verkiezing van leden van de Trustschapsraad overeenkomstig het bepaalde in artikel 86, eerste lid, letter c, de toelating van nieuwe Leden tot de Verenigde Naties, de schorsing van de aan het lidmaatschap verbonden rechten en voorrechten, de uitstoting van Leden, zaken betreffende de werking van het Trustschapsstelsel, alsmede begrotingszaken.
3. Besluiten over andere zaken, met inbegrip van het vaststellen van andere categorieën van zaken waarover met een meerderheid van twee derde dient te worden beslist, worden genomen met een meerderheid van de aanwezige leden die hun stem uitbrengen.

Art. 19

Financiële bijdrage en stemrecht Lid

Een Lid van de Verenigde Naties dat zijn financiële bijdragen aan de Organisatie niet op tijd heeft betaald, mag in de Algemene Vergadering niet stemmen, indien het achterstallige bedrag gelijk is aan of hoger dan het bedrag dat over de twee volle voorafgaande jaren verschuldigd is. Niettemin kan de Algemene Vergadering zulk een Lid toestaan zijn stem uit te brengen, indien zij ervan overtuigd is dat het uitblijven van de betaling te wijten is aan omstandigheden buiten de macht van het Lid.

Procedure

Art. 20

Jaarlijkse en bijzondere zittingen

De Algemene Vergadering komt bijeen in gewone jaarlijkse zittingen en, zo de omstandigheden dit eisen, in bijzondere zittingen. Bijzondere zittingen worden, op verzoek van de Veiligheidsraad of van een meerderheid van de Leden van de Verenigde Naties, door de Secretaris-Generaal bijeengeroepen.

Art. 21

Huishoudelijk reglement

De Algemene Vergadering stelt haar eigen huishoudelijk reglement vast. Voor iedere zitting kiest zij haar Voorzitter.

Art. 22

De Algemene Vergadering kan die hulporganen instellen die zij nodig acht voor de uitoefening van haar taken.

Hoofdstuk V
DE VEILIGHEIDSRAAD

Samenstelling

Art. 23

Permanente en niet-permanente leden

1. De Veiligheidsraad bestaat uit vijftien Leden van de Verenigde Naties. De Republiek China, Frankrijk, de Unie van Socialistische Sovjetrepublieken, het Verenigd Koninkrijk van Groot-Brittannië en Noord-Ierland en de Verenigde Staten van Amerika zijn permanente leden van de Veiligheidsraad. De Algemene Vergadering kiest tien andere Leden van de Verenigde Naties als niet-permanente leden van de Veiligheidsraad, waarbij in het bijzonder rekening wordt gehouden in de eerste plaats met de bijdrage van Leden van de Verenigde Naties tot de handhaving van de internationale vrede en veiligheid en tot de andere doelstellingen van de Organisatie, en tevens met een billijke geografische spreiding.

2. De niet-permanente leden van de Veiligheidsraad worden gekozen voor een termijn van twee jaar. Nadat het aantal leden van de Veiligheidsraad van elf tot vijftien is uitgebreid worden bij de eerstvolgende verkiezing van de niet-permanente leden twee van de vier toegevoegde leden gekozen voor een termijn van een jaar. Een aftredend lid kan niet onmiddellijk worden herkozen.

Termijn lidmaatschap niet-permanente leden

3. Elk lid van de Veiligheidsraad heeft één vertegenwoordiger.

Eén vertegenwoordiger

Functies en bevoegdheden

Art. 24

1. Ten einde een snel en doeltreffend optreden van de Verenigde Naties te verzekeren, dragen de Leden de verantwoordelijkheid voor de handhaving van de internationale vrede en veiligheid in de eerste plaats op aan de Veiligheidsraad, en stemmen zij er in toe dat de Veiligheidsraad, bij de uitvoering van de uit die verantwoordelijkheid voortvloeiende taken, in hun naam handelt.

Verantwoordelijkheid voor vrede en veiligheid

2. Bij de uitvoering van deze taken handelt de Veiligheidsraad overeenkomstig de doelstellingen en beginselen van de Verenigde Naties. De bijzondere bevoegdheden die de Veiligheidsraad voor de uitvoering van deze taken worden verleend, zijn omschreven in de Hoofdstukken VI, VII, VIII en XII.

3. De Veiligheidsraad legt de Algemene Vergadering jaarlijkse verslagen en, zo nodig, bijzondere verslagen ter behandeling voor.

Art. 25

De Leden van de Verenigde Naties komen overeen de besluiten van de Veiligheidsraad overeenkomstig dit Handvest te aanvaarden en uit te voeren.

Bindende kracht

Art. 26

Ten einde de totstandkoming en de handhaving van de internationale vrede en veiligheid te bevorderen op een wijze waarbij een zo gering mogelijk deel van wat de wereld aan mensen en middelen te bieden heeft wordt uitgetrokken voor bewapening, heeft de Veiligheidsraad de verantwoordelijkheid om, met de hulp van het in artikel 47 genoemde Generale Staf-Comité, plannen op te stellen die worden voorgelegd aan de Leden van de Verenigde Naties om te komen tot een stelsel van wapenbeheersing.

Wapenbeheersing

Stemmen

Art. 27

1. Elk lid van de Veiligheidsraad heeft één stem.

2. Besluiten van de Veiligheidsraad over procedurekwesties zijn aangenomen indien negen leden vóór stemmen.

Stemmenverhouding

3. Besluiten van de Veiligheidsraad over alle andere zaken zijn aangenomen, indien negen leden, waaronder zich de permanente leden bevinden, vóór stemmen, met dien verstande dat wanneer het besluiten ingevolge Hoofdstuk VI en artikel 52, derde lid, betreft, een partij bij een geschil zich van stemming onthoudt.

Vetorecht

Procedure

Art. 28

1. De Veiligheidsraad wordt zodanig georganiseerd dat hij voortdurend kan functioneren. Met het oog daarop dient ieder lid van de Veiligheidsraad ter plaatse waar de zetel van de Organisatie is gevestigd, te allen tijde vertegenwoordigd te zijn.

Voortdurend in Renché

2. De Veiligheidsraad houdt regelmatig zittingen, waarop elk van de leden, zo het zulks verlangt, kan worden vertegenwoordigd door een lid van de regering of door een andere in het bijzonder daartoe aangewezen vertegenwoordiger.

3. De Veiligheidsraad kan, zo hij van oordeel is dat zijn taak daardoor wordt vergemakkelijkt, vergaderingen houden in andere plaatsen dan die waar de zetel van de Organisatie is gevestigd.

Art. 29

De Veiligheidsraad kan die hulporganen instellen die hij nodig acht voor de uitoefening van zijn taken.

Hulporganen

Art. 30

De Veiligheidsraad stelt zijn eigen huishoudelijk reglement vast, met inbegrip van de wijze van verkiezing van zijn Voorzitter.

Huishoudelijk reglement

Art. 31

Elk Lid van de Verenigde Naties dat geen lid is van de Veiligheidsraad, kan zonder stemrecht deelnemen aan de bespreking van elke zaak die voor de Veiligheidsraad wordt gebracht, indien deze van oordeel is dat de belangen van dat Lid in het bijzonder in het geding zijn.

Deelneming aan bespreking niet-Lid

Uitnodiging niet-Lid tot deelneming

Art. 32
Elk Lid van de Verenigde Naties dat geen lid is van de Veiligheidsraad, of elke staat die geen Lid is van de Verenigde Naties, wordt, indien dat Lid of die staat partij is bij een geschil dat bij de Veiligheidsraad in behandeling is, uitgenodigd, zonder tot stemmen gerechtigd te zijn, deel te nemen aan de met het geschil verband houdende bespreking. De Veiligheidsraad stelt de voorwaarden vast die hij juist acht voor het deelnemen van een staat die geen Lid is van de Verenigde Naties.

Hoofdstuk VI
VREEDZAME REGELING VAN GESCHILLEN

Vreedzame middelen

Art. 33
1. De partijen bij een geschil waarvan het voortbestaan de handhaving van de internationale vrede en veiligheid in gevaar dreigt te brengen, dienen daarvoor allereerst een oplossing te zoeken door onderhandelingen, feitenonderzoek, bemiddeling, conciliatie, arbitrage, een rechterlijke beslissing, het doen van een beroep op regionale organen of akkoorden, of andere vreedzame middelen naar hun eigen keuze.
2. Zo hij zulks nodig acht, doet de Veiligheidsraad een beroep op de partijen hun geschil langs deze wegen te regelen.

Bevoegdheid tot onderzoek

Art. 34
De Veiligheidsraad kan elk geschil onderzoeken alsmede elke situatie die tot internationale wrijving kan leiden of de aanleiding kan vormen tot een geschil, ten einde vast te stellen of het voortduren van het geschil of van de situatie de handhaving van de internationale vrede en veiligheid in gevaar dreigt te brengen.

Wie kan geschil voorleggen aan Veiligheidsraad

Art. 35
1. Elk Lid van de Verenigde Naties kan elk geschil of elke situatie zoals bedoeld in artikel 34 onder de aandacht brengen van de Veiligheidsraad of van de Algemene Vergadering.
2. Een staat die geen Lid is van de Verenigde Naties kan elk geschil waarbij hij partij is onder de aandacht brengen van de Veiligheidsraad of van de Algemene Vergadering, indien hij vooraf ten aanzien van dat geschil de verplichtingen voor een vreedzame regeling zoals in dit Handvest voorzien, aanvaardt.
3. Het optreden van de Algemene Vergadering met betrekking tot zaken die krachtens dit artikel onder haar aandacht worden gebracht, is onderworpen aan de bepalingen van de artikelen 11 en 12.

Art. 36
Aanbevelingen

1. De Veiligheidsraad kan in ieder stadium van een geschil als bedoeld in artikel 33 of van een soortgelijke situatie passende procedures of methodes tot regeling ervan aanbevelen.

Andere procedures

2. De Veiligheidsraad dient rekening te houden met eventuele procedures ter oplossing van het geschil die reeds door de partijen zijn aanvaard.

Internationaal Gerechtshof

3. Bij het doen van aanbevelingen ingevolge dit artikel dient de Veiligheidsraad er eveneens rekening mee te houden dat als algemene regel rechtsgeschillen door de partijen dienen te worden voorgelegd aan het Internationaal Gerechtshof, overeenkomstig de bepalingen van het Statuut van het Hof.

Art. 37
Wanneer een geschil voorleggen

1. Indien de partijen bij een geschil zoals bedoeld in artikel 33 er niet in slagen dat geschil op te lossen met behulp van de in dat artikel aangeduide middelen, leggen zij het voor aan de Veiligheidsraad.

Handelingen of aanbevelingen

2. Indien de Veiligheidsraad van oordeel is dat het voortbestaan van het geschil de handhaving van de internationale vrede en veiligheid inderdaad in gevaar dreigt te brengen, besluit hij of hij zal handelen overeenkomstig artikel 36, dan wel dat hij een zodanige regeling zal aanbevelen als hij passend acht.

Art. 38
Onverminderd de bepalingen van de artikelen 33 tot en met 37, kan de Veiligheidsraad, indien alle partijen bij een geschil zulks verzoeken, de partijen aanbevelingen doen met het oog op een vreedzame regeling van het geschil.

Hoofdstuk VII
OPTREDEN MET BETREKKING TOT BEDREIGING VAN DE VREDE, VERBREKING VAN DE VREDE EN DADEN VAN AGRESSIE

Aanbevelingen/ maatregelen tot handhaving of herstel

Art. 39
De Veiligheidsraad stelt vast of er sprake is van een bedreiging van de vrede, verbreking van de vrede of daad van agressie, en doet aanbevelingen, of beslist welke maatregelen zullen worden

genomen overeenkomstig de artikelen 41 en 42 tot handhaving of herstel van de internationale vrede en veiligheid.

Art. 40

Voorlopige maatregelen

Om te voorkomen dat de situatie verergert, kan de Veiligheidsraad, alvorens de aanbevelingen te doen of te besluiten tot het nemen van maatregelen als bedoeld in artikel 39, een beroep doen op de betrokken partijen zich te houden aan de voorlopige maatregelen die de Raad noodzakelijk of gewenst acht. Deze voorlopige maatregelen laten de rechten, aanspraken, of de positie van de betrokken partijen onverlet. Indien deze voorlopige maatregelen niet worden nageleefd, houdt de Veiligheidsraad daarmee terdege rekening.

Art. 41

Geweldloze maatregelen

De Veiligheidsraad kan besluiten welke maatregelen waaraan geen wapengeweld te pas komt, dienen te worden genomen om zijn besluiten ten uitvoer te brengen en kan de Leden van de Verenigde Naties oproepen om deze maatregelen toe te passen. Deze kunnen omvatten het volledig of gedeeltelijk verbreken van de economische betrekkingen, alsmede van de spoor-, zee-, lucht-, post-, telegraaf- en radioverbindingen en van andere verbindingen, en het afbreken van diplomatieke betrekkingen.

Art. 42

Militaire maatregelen

Mocht de Veiligheidsraad van oordeel zijn dat de in artikel 41 bedoelde maatregelen onvoldoende zouden zijn of dat zij onvoldoende zijn gebleken, dan kan hij overgaan tot zulk optreden door middel van lucht-, zee- of landstrijdkrachten als nodig is voor de handhaving of het herstel van de internationale vrede en veiligheid. Zulk optreden kan omvatten demonstraties, blokkades en andere operaties door lucht-, zee- of landstrijdkrachten van Leden van de Verenigde Naties.

Art. 43

Terbeschikkingstelling van strijdkrachten en faciliteiten van VN-leden

1. Ten einde bij te dragen tot de handhaving van de internationale vrede en veiligheid nemen alle Leden van de Verenigde Naties de verplichting op zich aan de Veiligheidsraad, op diens oproep en krachtens een of meerdere bijzondere overeenkomsten, zodanige gewapende strijdkrachten ter beschikking te stellen en zodanige bijstand en faciliteiten, waaronder het recht van doortocht, te verlenen als noodzakelijk zijn voor de handhaving van de internationale vrede en veiligheid.

2. In een dergelijke overeenkomst of overeenkomsten worden de getalsterkte en de aard van de strijdkrachten, hun graad van paraatheid en hun algemene legering, alsmede de aard van de te verlenen faciliteiten en bijstand, geregeld.

3. Over de overeenkomst of overeenkomsten wordt zo spoedig mogelijk onderhandeld op initiatief van de Veiligheidsraad. Zij worden gesloten tussen de Veiligheidsraad en Leden of tussen de Veiligheidsraad en groepen Leden en zijn onderworpen aan bekrachtiging door de staten die ze ondertekend hebben, overeenkomstig hun onderscheiden grondwettelijke procedures.

Art. 44

Deelname aan besluitvorming

Wanneer de Veiligheidsraad heeft besloten geweld te gebruiken, nodigt hij, alvorens een Lid dat niet in de Raad is vertegenwoordigd op te roepen strijdkrachten ter beschikking te stellen ter voldoening aan de ingevolge artikel 43 aanvaarde verplichtingen, dat Lid uit om, zo het de wens daartoe te kennen geeft, deel te nemen aan de besluitvorming van de Veiligheidsraad betreffende het gebruik van contingenten van de strijdkrachten van dat Lid.

Art. 45

Parate luchtmachtcontingenten

Ten einde de Verenigde Naties in staat te stellen dringend geboden militaire maatregelen te nemen, houden de Leden nationale luchtmachtcontingenten voor onmiddellijke inzet beschikbaar met het oog op een gezamenlijke internationale dwangactie. De sterkte en graad van paraatheid van deze contingenten, alsmede de plannen voor hun gezamenlijk optreden worden, binnen de grenzen genoemd in de in artikel 43 bedoelde bijzondere overeenkomst of overeenkomsten, vastgesteld door de Veiligheidsraad, met de hulp van het Generale Staf-Comité.

Art. 46

Plannen

Plannen voor het gebruik van gewapend geweld worden door de Veiligheidsraad, met de hulp van het Generale Staf-Comité, opgesteld.

Art. 47

Generale Staf-Comité

1. Er wordt een Generale Staf-Comité ingesteld om de Veiligheidsraad advies en bijstand te verlenen inzake alle aangelegenheden die verband houden met de militaire behoeften van de Veiligheidsraad ter handhaving van de internationale vrede en veiligheid, het inzetten van en de bevelvoering over de aan de Raad ter beschikking gestelde strijdkrachten, de wapenbeheersing en eventuele ontwapening.

Samenstelling

2. Het Generale Staf-Comité bestaat uit de Stafchefs van de permanente leden van de Veiligheidsraad of hun vertegenwoordigers. Elk Lid van de Verenigde Naties dat niet permanent in het Comité is vertegenwoordigd, wordt door het Comité uitgenodigd zich daarin te doen vertegenwoordigen, wanneer de doelmatige uitvoering van de taak van het Comité het noodzakelijk maakt dat dat Lid aan de werkzaamheden van het Comité deelneemt.

Strategische leiding

3. Het Generale Staf-Comité is, onder toezicht van de Veiligheidsraad, verantwoordelijk voor de strategische leiding van de aan de Veiligheidsraad ter beschikking gestelde strijdkrachten. Vraagstukken die met de bevelvoering over deze strijdkrachten verband houden, worden later uitgewerkt.

Regionale subcomités

4. Het Generale Staf-Comité kan, met machtiging van de Veiligheidsraad en na overleg met de daarvoor in aanmerking komende regionale organen, regionale sub-comité's instellen.

Art. 48

Maatregelen

1. Het optreden dat nodig is ter uitvoering van de besluiten van de Veiligheidsraad voor de handhaving van de internationale vrede en veiligheid geschiedt door alle Leden van de Verenigde Naties of door sommige daarvan, al naar gelang de Veiligheidsraad bepaalt.
2. Die besluiten worden door de Leden van de Verenigde Naties rechtstreeks uitgevoerd of door middel van hun optreden in de daarvoor in aanmerking komende internationale instellingen waarvan zij lid zijn.

Art. 49

Wederzijdse bijstand

De Leden van de Verenigde Naties werken samen ten einde elkaar wederzijds bijstand te verlenen bij het uitvoeren van de maatregelen waartoe de Veiligheidsraad heeft besloten.

Art. 50

Bijzondere economische problemen als gevolg van maatregelen

Indien door de Veiligheidsraad tegen een staat preventieve maatregelen of dwangmaatregelen worden genomen, heeft elke andere staat, onverschillig of deze al dan niet Lid is van de Verenigde Naties, die zich gesteld ziet voor bijzondere economische problemen, voortvloeiend uit de tenuitvoerlegging van die maatregelen, het recht de Veiligheidsraad te raadplegen ten einde tot een oplossing van deze vraagstukken te komen.

Art. 51

Recht van zelfverdediging

Geen enkele bepaling van dit Handvest doet afbreuk aan het inherente recht tot individuele of collectieve zelfverdediging in geval van een gewapende aanval tegen een Lid van de Verenigde Naties, totdat de Veiligheidsraad de noodzakelijke maatregelen ter handhaving van de internationale vrede en veiligheid heeft genomen. Maatregelen die door Leden zijn genomen bij de uitoefening van dit recht tot zelfverdediging dienen onverwijld ter kennis van de Veiligheidsraad te worden gebracht en tasten op geen enkele wijze de bevoegdheid en de verantwoordelijkheid van de Veiligheidsraad ingevolge dit Handvest aan om op enigerlei tijdstip over te gaan tot zulk optreden als hij nodig acht voor de handhaving of het herstel van de internationale vrede en veiligheid.

Hoofdstuk VIII
REGIONALE AKKOORDEN

Art. 52

Akkoorden of organen

1. Geen enkele bepaling van dit Handvest sluit het bestaan uit van regionale akkoorden of organen voor het behandelen van die aangelegenheden die de handhaving van de internationale vrede en veiligheid betreffen en welke in aanmerking komen voor optreden in regionaal verband, mits die akkoorden of organen en hun activiteiten verenigbaar zijn met de doelstellingen en beginselen van de Verenigde Naties.

Vreedzame regeling

2. De Leden van de Verenigde Naties die zulke akkoorden sluiten of zulke instellingen oprichten, laten, voordat zij lokale geschillen aan de Veiligheidsraad voorleggen, niets onbeproefd om deze op vreedzame wijze op te lossen in het kader van die regionale akkoorden of instellingen.
3. De Veiligheidsraad bevordert de ontwikkeling van een vreedzame regeling van lokale geschillen in het kader van regionale akkoorden of instellingen, hetzij op initiatief van de betrokken staten, hetzij ingevolge verwijzing door de Veiligheidsraad.
4. Dit artikel doet in generlei opzicht afbreuk aan de toepassing van de artikelen 34 en 35.

Art. 53

Dwangmaatregelen ingevolge regionale akkoorden

1. Indien daartoe aanleiding bestaat, maakt de Veiligheidsraad van zulke regionale akkoorden of instellingen gebruik voor de uitvoering van op zijn gezag ondernomen dwangacties. Evenwel worden er geen dwangacties ingevolge regionale akkoorden of door regionale instellingen ondernomen zonder machtiging van de Veiligheidsraad, behoudens wanneer het maatregelen betreft tegen een vijandelijke staat zoals omschreven in het tweede lid van dit artikel, welke zijn voorzien in artikel 107 of in regionale akkoorden gericht tegen hervatting van een beleid van agressie van de kant van zulk een staat, totdat de Organisatie, op verzoek van de desbetreffende regeringen, zou worden belast met de verantwoordelijkheid voor het voorkomen van verdere agressie van de kant van zulk een staat.

Vijandelijke staat

2. De term „vijandelijke staat" zoals gebruikt in het eerste lid van dit artikel is van toepassing op elke staat die tijdens de Tweede Wereldoorlog een vijand is geweest van een staat die dit Handvest heeft ondertekend.

Art. 54

Informeren Veiligheidsraad

De Veiligheidsraad wordt te allen tijde volledig op de hoogte gehouden van alle activiteiten die krachtens regionale akkoorden of door regionale instellingen zijn ondernomen of worden overwogen ter handhaving van de internationale vrede en veiligheid.

Hoofdstuk IX
INTERNATIONALE ECONOMISCHE EN SOCIALE SAMENWERKING

Art. 55

Met het oog op het scheppen van een sfeer van stabiliteit en welzijn, nodig voor het onderhouden van vreedzame en vriendschappelijke betrekkingen tussen de naties, welke zijn gegrond op eerbied voor het beginsel van gelijke rechten en van zelfbeschikking voor volken, bevorderen de Verenigde Naties:

Economische en sociale vooruitgang

a. hogere levensstandaarden, volledige werkgelegenheid en voorwaarden voor economische en sociale vooruitgang en ontwikkeling;

Onderwijs en cultuur

b. oplossingen voor internationale economische en sociale problemen, problemen van gezondheidszorg en aanverwante vraagstukken, alsmede internationale samenwerking inzake cultuur en onderwijs; en

Mensenrechten

c. universele eerbiediging en inachtneming van de rechten van de mens en de fundamentele vrijheden voor allen, zonder onderscheid naar ras, geslacht, taal of godsdienst.

Art. 56

Verplichtingen tot het nemen van maatregelen

Alle Leden verbinden zich gezamenlijk en afzonderlijk op te treden in samenwerking met de Organisatie ter verwezenlijking van de in artikel 55 genoemde doeleinden.

Art. 57

Gespecialiseerde organisaties

1. De verschillende gespecialiseerde organisaties die door een overeenkomst tussen regeringen zijn ingesteld en die, zoals omschreven in hun statuten, omvangrijke internationale verantwoordelijkheden hebben op economisch, sociaal en cultureel gebied, alsook op het gebied van onderwijs, gezondheidszorg en aanverwante gebieden, worden, overeenkomstig de bepalingen van artikel 63, verbonden met de Verenigde Naties.

2. De organisaties die aldus met de Verenigde Naties worden verbonden, worden hierna gespecialiseerde organisaties genoemd.

Art. 58

Coördinatie

De Organisatie doet aanbevelingen voor het coördineren van het beleid en de werkzaamheden van de gespecialiseerde organisaties.

Art. 59

Nieuwe gespecialiseerde organisaties

Zo zij daartoe aanleiding ziet, neemt de Organisatie het initiatief tot onderhandelingen tussen de betrokken staten voor het oprichten van nieuwe gespecialiseerde organisaties die nodig zijn voor de verwezenlijking van de in artikel 55 genoemde doeleinden.

Art. 60

Verantwoordelijkheid

De verantwoordelijkheid voor het vervullen van de in dit Hoofdstuk genoemde functies van de Organisatie berust bij de Algemene Vergadering en, onder gezag van de Algemene Vergadering, bij de Economische en Sociale Raad, die daartoe de in Hoofdstuk X genoemde bevoegdheden heeft.

Hoofdstuk X
DE ECONOMISCHE EN SOCIALE RAAD

Samenstelling

Art. 61

Economische en Sociale Raad; samenstelling en verkiezing

1. De Economische en Sociale Raad bestaat uit vierenvijftig Leden van de Verenigde Naties, gekozen door de Algemene Vergadering.

2. Met inachtneming van de bepalingen van lid 3, worden ieder jaar achttien leden van de Economische en Sociale Raad gekozen voor een periode van drie jaar. Uittredende leden kunnen onmiddellijk worden herkozen.

3. Bij de eerste verkiezing die zal plaats hebben nadat het aantal leden van de Economische en Sociale Raad van zevenentwintig op vierenvijftig is gebracht, worden zevenentwintig leden gekozen buiten die welke zijn gekozen ter vervanging van de negen leden wier zittingstermijn op het einde van het jaar eindigt. De zittingstermijn van negen van deze zevenentwintig bijkomende leden eindigt na verloop van een jaar en die van negen andere na verloop van twee jaar, overeenkomstig de regelingen vastgesteld door de Algemene Vergadering.

4. Elk lid van de Economische en Sociale Raad heeft een vertegenwoordiger in de Raad.

Functies en bevoegdheden

Art. 62

Studies, verslagen, aanbevelingen

1. De Economische en Sociale Raad kan studies en rapporten maken of het initiatief daartoe nemen, met betrekking tot internationale economische, sociale of culturele aangelegenheden, alsook in aangelegenheden betreffende onderwijs, gezondheidszorg en aanverwante zaken en kan ten aanzien van zulke aangelegenheden aanbevelingen doen aan de Algemene Vergadering, de Leden van de Verenigde Naties en de betrokken gespecialiseerde organisaties.

Mensenrechten

2. Hij kan aanbevelingen doen met het oog op het bevorderen van de eerbiediging en inachtneming van de rechten van de mens en de fundamentele vrijheden voor allen.

Ontwerpverdragen

3. Hij kan ontwerp-verdragen opstellen ter voorlegging aan de Algemene Vergadering, met betrekking tot aangelegenheden die binnen zijn bevoegdheid vallen.

Internationale organisaties

4. Hij kan, overeenkomstig door de Verenigde Naties voorgeschreven regels, internationale conferenties bijeenroepen over aangelegenheden die binnen zijn bevoegdheid vallen.

Art. 63

Gespecialiseerde organisaties

1. De Economische en Sociale Raad kan met elk van de in artikel 57 bedoelde organisaties overeenkomsten aangaan en de voorwaarden vaststellen waarop de desbetreffende organisatie zal worden verbonden met de Verenigde Naties. Deze overeenkomsten zijn onderworpen aan de goedkeuring van de Algemene Vergadering.

Coördinatie

2. Hij kan de werkzaamheden van de gespecialiseerde organisaties coördineren door overleg te plegen met en aanbevelingen te doen aan deze organisaties en door aanbevelingen te doen aan de Algemene Vergadering en aan de Leden van de Verenigde Naties.

Art. 64

Verslagen van gespecialiseerde organisaties

1. De Economische en Sociale Raad kan passende stappen doen om regelmatig verslagen te verkrijgen van de gespecialiseerde organisaties. Hij kan regelingen treffen met de Leden van de Verenigde Naties en met de gespecialiseerde organisaties om verslagen te verkrijgen over de stappen die zijn gedaan ter uitvoering van zijn eigen aanbevelingen en van aanbevelingen van de Algemene Vergadering over binnen de grenzen van zijn bevoegdheid vallende aangelegenheden.

2. Hij kan zijn opmerkingen over deze verslagen ter kennis brengen van de Algemene Vergadering.

Art. 65

De Economische en Sociale Raad kan de Veiligheidsraad inlichtingen verstrekken en staat de Veiligheidsraad op diens verzoek bij.

Art. 66

Tenuitvoerlegging aanbevelingen

1. De Economische en Sociale Raad oefent de binnen zijn bevoegdheid vallende functies uit die verband houden met de tenuitvoerlegging van de aanbevelingen van de Algemene Vergadering.

Verlening van diensten

2. Hij kan, met goedkeuring van de Algemene Vergadering, op verzoek van Leden van de Verenigde Naties, of op verzoek van gespecialiseerde organisaties, diensten verlenen.

3. Verder oefent hij de functies uit die elders in dit Handvest worden omschreven of die hem door de Algemene Vergadering worden opgedragen.

Stemmen

Art. 67

Lid heeft één stem

1. Elk lid van de Economische en Sociale Raad heeft één stem.

2. Besluiten van de Economische en Sociale Raad worden genomen met een meerderheid van de aanwezige leden die hun stem uitbrengen.

Procedure

Art. 68

Commissies

De Economische en Sociale Raad stelt commissies in op economisch en sociaal gebied en voor de bevordering van de rechten van de mens, alsmede andere commissies die nodig zijn voor het uitoefenen van zijn functies.

Art. 69

Uitnodiging betrokken staat

De Economische en Sociale Raad nodigt bij zijn beraadslagingen over een aangelegenheid die voor een Lid van de Verenigde Naties van bijzonder belang is, dat Lid uit om zonder stemrecht aan die beraadslaging deel te nemen.

Art. 70

Deelneming van gespecialiseerde organisaties

De Economische en Sociale Raad kan regelingen treffen voor de deelname zonder stemrecht van vertegenwoordigers van de gespecialiseerde organisaties aan zijn beraadslagingen en aan die van de door de Raad ingestelde commissies en voor deelname van zijn eigen vertegenwoordigers aan de beraadslagingen van de gespecialiseerde organisaties.

Art. 71

De Economische en Sociale Raad kan passende regelingen treffen voor het plegen van overleg met nietgouvernementele organisaties die betrokken zijn bij binnen zijn bevoegdheid vallende aangelegenheden. Zulke regelingen kunnen worden getroffen met internationale organisaties en, zo daartoe aanleiding bestaat en na overleg met het betrokken Lid van de Verenigde Naties, met nationale organisaties.

Niet-gouvernementele organisaties

Art. 72

1. De Economische en Sociale Raad stelt zijn eigen huishoudelijk reglement vast, met inbegrip van de wijze van verkiezing van zijn Voorzitter.

Huishoudelijk reglement

2. De Economische en Sociale Raad komt naar behoefte bijeen overeenkomstig zijn reglement, waarin tevens de mogelijkheid dient te zijn voorzien voor het bijeenroepen van vergaderingen op verzoek van een meerderheid van zijn leden.

Hoofdstuk XI
VERKLARING BETREFFENDE NIET-ZELFBESTURENDE GEBIEDEN

Art. 73

Leden van de Verenigde Naties die verantwoordelijkheid dragen of aanvaarden voor het bestuur van gebieden waarvan de bevolking nog geen volledig zelfbestuur heeft verworven, erkennen het beginsel dat de belangen van de inwoners van deze gebieden op de eerste plaats komen, en aanvaarden, als een heilige opdracht, de verplichting binnen het in dit Handvest vastgelegde stelsel van internationale vrede en veiligheid, het welzijn van de inwoners van deze gebieden naar beste krachten te bevorderen en, te dien einde:

Beginselen m.b.t. niet-zelfbesturende gebieden

a. de politieke, economische en sociale vooruitgang van deze volken, alsmede hun vooruitgang op het gebied van het onderwijs, hun rechtvaardige behandeling en hun bescherming tegen misbruiken, te verzekeren, met inachtneming van de nodige eerbied voor hun cultuur;

Politieke, economische en sociale vooruitgang

b. zelfbestuur te ontwikkelen, terdege rekening, te houden met de politieke aspiraties van de volken en hen bij te staan bij de progressieve ontwikkeling van hun vrije politieke instellingen, overeenkomstig de bijzondere omstandigheden van elk gebied en zijn bevolking en hun verschillende stadia van ontwikkeling;

Ontwikkelen zelfbestuur

c. de internationale vrede en veiligheid te bevorderen;

Vrede en veiligheid

d. de totstandkoming van constructieve op ontwikkeling gerichte maatregelen te bevorderen, het wetenschappelijk onderzoek aan te moedigen en samen te werken, zowel onderling als, zo daartoe aanleiding bestaat, met gespecialiseerde internationale lichamen, met het oog op de praktische verwezenlijking van de in dit artikel genoemde sociale, economische en wetenschappelijke doelstellingen; en

e. met inachtneming van de door overwegingen van veiligheid en door constitutionele overwegingen opgelegde beperkingen, regelmatig aan de Secretaris-Generaal, ter informatie, statistische en andere gegevens van technische aard te doen toekomen, die betrekking hebben op de economische en sociale omstandigheden, alsmede op het onderwijs in de gebieden waarvoor zij onderscheidenlijk verantwoordelijkheid dragen en welke niet behoren tot de gebieden waarop de Hoofdstukken XII en XIII van toepassing zijn.

Rapportage

Art. 74

De Leden van de Verenigde Naties komen ook overeen dat hun beleid met betrekking tot de gebieden waarop dit Hoofdstuk van toepassing is, evenzeer als met betrekking tot het moederland, dient te zijn gegrond op het algemene beginsel van goede nabuurschap waarbij terdege rekening wordt gehouden met de belangen en het welzijn van de rest van de wereld waar het sociale, economische en commerciële zaken betreft.

Goed nabuurschap

Hoofdstuk XII
INTERNATIONAAL TRUSTSCHAPSSTELSEL

Art. 75

De Verenigde Naties stellen onder hun gezag een internationaal trustschapsstelsel in voor het bestuur van en het uitoefenen van toezicht over de gebieden die bij latere bijzondere overeenkomsten onder dit stelsel kunnen worden geplaatst. Deze gebieden worden hierna trustgebieden genoemd.

Toezicht op trustgebieden

Art. 76

De voornaamste oogmerken van het trustschapsstelsel zijn, overeenkomstig de in artikel 1 van dit Handvest neergelegde doelstellingen van de Verenigde Naties:

Doel trustschapsstelsel

a. het bevorderen van de internationale vrede en veiligheid;

Vrede en veiligheid

b. het bevorderen van de politieke, economische en sociale vooruitgang, alsmede de vooruitgang op onderwijsgebied, van de inwoners van de trustgebieden, en hun geleidelijke ontwikkeling tot zelfbestuur of onafhankelijkheid, daarbij rekening houdende met de bijzondere omstandig-

Politieke, economische en sociale vooruitgang/zelfbestuur

heden van elk gebied en zijn bevolking en met de in vrijheid kenbaar gemaakte wensen van de betrokken volken en met inachtneming van de bepalingen van elke trustschapsovereenkomst;

Eerbied voor mensenrechten

c. het bevorderen van eerbiediging van de rechten van de mens en van de fundamentele vrijheden voor allen, zonder onderscheid naar ras, geslacht, taal of godsdienst, alsmede het bevorderen van de erkenning van de onderlinge afhankelijkheid van alle volken van de wereld; en

Gelijke behandeling

d. het verzekeren van een gelijke behandeling in sociale, economische en commerciële aangelegenheden voor alle Leden van de Verenigde Naties en hun onderdanen, alsmede een gelijke behandeling voor bedoelde onderdanen wat de rechtsbedeling betreft, onverminderd de verwezenlijking van de eerder genoemde doelstellingen en met inachtneming van de bepalingen van artikel 80.

Art. 77

Werkingssfeer trustschapsstelsel

1. Het trustschapsstelsel is van toepassing op de tot de volgende categorieën behorende gebieden die, op grond van trustschapsovereenkomsten, daaronder worden gebracht:
a. gebieden die thans onder mandaat staan;
b. gebieden die, als gevolg van de Tweede Wereldoorlog, van vijandelijke staten kunnen worden losgemaakt; en
c. gebieden die door de voor het bestuur daarvan verantwoordelijke staten vrijwillig onder dit stelsel worden gebracht.
2. Op een later tijdstip zal moeten worden overeengekomen welke gebieden behorende tot de voorgaande categorieën onder het trustschapsstelsel zullen worden gebracht, en op welke voorwaarden.

Art. 78

Trustschapsstelsel

Het trustschapsstelsel is niet van toepassing op gebieden die Lid zijn geworden van de Verenigde Naties; de betrekkingen tussen de Leden onderling zijn gegrond op eerbied voor het beginsel van soevereine gelijkheid.

Art. 79

Partijen bij trustschapsovereenkomst

De trustschapsbepalingen die zullen gelden voor elk gebied dat onder het trustschapsstelsel wordt gebracht en elke wijziging of amendering daarvan, worden overeengekomen tussen de rechtstreeks betrokken staten, met inbegrip van de mandaatmogendheid, indien het gebieden betreft die onder mandaat staan van een Lid van de Verenigde Naties, en worden goedgekeurd op de wijze voorzien in de artikelen 83 en 85.

Art. 80

Interpretatie

1. Tenzij anders is bepaald in de afzonderlijke trustschapsovereenkomsten, waarbij krachtens de artikelen 77, 79 en 81 elk gebied onder het trustschapsstelsel wordt gebracht, en totdat deze overeenkomsten zijn gesloten, mag geen enkele bepaling in dit Hoofdstuk zo worden uitgelegd dat daardoor enig recht van een staat of van een volk, of de bepalingen van bestaande internationale akten waarbij Leden van de Verenigde Naties partij zijn, zouden worden gewijzigd.
2. Het eerste lid van dit artikel mag niet zo worden uitgelegd dat dit gronden zou bevatten voor het vertragen of uitstellen van de onderhandelingen over en het sluiten van overeenkomsten betreffende het onder het trustschapsstelsel brengen van mandaatgebieden en andere gebieden, zoals voorzien in artikel 77.

Art. 81

Voorwaarden bestuursautoriteit

In de trustschapsovereenkomst dient steeds te worden vermeld onder welke voorwaarden het trustgebied zal worden bestuurd en welke autoriteit het bestuur van het trustgebied zal uitoefenen. Een zodanige autoriteit, hierna te noemen de bestuursautoriteit, kan worden gevormd door één of meer staten of door de Organisatie zelf.

Art. 82

Strategische zone

In elke trustschapsovereenkomst kan een strategische zone of kunnen strategische zones worden aangewezen, omvattende een deel van het trustgebied of het gehele trustgebied waarop de overeenkomst van toepassing is, onverminderd enige bijzondere overeenkomst of overeenkomsten gesloten krachtens artikel 43.

Art. 83

Taak Veiligheidsraad strategische zone

1. Alle functies van de Verenigde Naties die betrekking hebben op strategische zones, met inbegrip van het goedkeuren van de bepalingen van de trustschapsovereenkomsten, alsmede van wijziging of amendering daarvan, worden uitgeoefend door de Veiligheidsraad.
2. De in artikel 76 genoemde voornaamste oogmerken zijn van toepassing op de bevolking van elke strategische zone.
3. De Veiligheidsraad doet, met inachtneming van de bepalingen van de trustschapsovereenkomsten en onverminderd veiligheidsoverwegingen, een beroep op de bijstand van de Trustschapsraad om die functies van de Verenigde Naties onder het trustschapsstelsel uit te oefenen die betrekking hebben op politieke, economische en sociale zaken en op zaken het onderwijs betreffende, in de strategische zones.

Art. 84

Taken en bevoegdheden bestuursautoriteit

Het behoort tot de taak van de bestuursautoriteit erop toe te zien dat het trustgebied zijn bijdrage levert tot de handhaving van de internationale vrede en veiligheid. Daartoe kan de bestuursautoriteit gebruik maken van vrijwillige strijdkrachten, faciliteiten en bijstand van het trustgebied, zowel voor het nakomen van de verplichtingen tegenover de Veiligheidsraad die de bestuursautoriteit in dit verband op zich heeft genomen, als voor de plaatselijke verdediging en de handhaving van orde en rust in het trustgebied.

Art. 85

Algemene Vergadering

1. De functies van de Verenigde Naties met betrekking tot trustschapsovereenkomsten voor alle niet als strategisch aangemerkte zones, waaronder begrepen het goedkeuren van de bepalingen van de trustschapsovereenkomsten, alsmede van wijzigingen of amenderingen daarvan, worden uitgeoefend door de Algemene Vergadering.
2. De Trustschapsraad, die onder het gezag van de Algemene Vergadering werkt, verleent de Algemene Vergadering bijstand bij het uitoefenen van deze functies.

Hoofdstuk XIII
DE TRUSTSCHAPSRAAD

Samenstelling

Art. 86

Samenstelling

1. De Trustschapsraad bestaat uit de volgende Leden van de Verenigde Naties:
a. de Leden die trustgebieden besturen;
b. diegenen van de in artikel 23 met name genoemde Leden die geen trustgebieden besturen; en
c. zoveel andere door de Algemene Vergadering voor een ambtstermijn van drie jaar gekozen leden als nodig kan blijken om te verzekeren dat het totale aantal leden van de Trustschapsraad voor gelijke delen bestaat uit Leden van de Verenigde Naties die trustgebieden besturen en Leden die dat niet doen.
2. Elk lid van de Trustschapsraad wijst een daarvoor in het bijzonder bevoegde persoon aan om hem daarin te vertegenwoordigen.

Functies en bevoegdheden

Art. 87

Behandelen verslagen en verzoekschriften; periodieke verzoeken

De Algemene Vergadering en, onder haar gezag, de Trustschapsraad kunnen bij de uitoefening van hun functies:
a. verslagen behandelen die door de bestuursautoriteit worden voorgelegd;
b. verzoekschriften in ontvangst nemen en deze, in overleg met de bestuursautoriteit, onderzoeken;
c. voorzien in periodieke bezoeken aan de onderscheiden trustgebieden op met de bestuurautoriteit overeen te komen tijdstippen; en
d. deze en andere maatregelen nemen in overeenstemming met de bepalingen van de trustschapsovereenkomsten.

Art. 88

Vragenlijst ontwikkelingen

De Trustschapsraad stelt een vragenlijst op over de politieke, economische en sociale ontwikkeling, alsmede over de ontwikkeling op het gebied van het onderwijs van de inwoners van elk trustgebied, en op basis van een zodanige vragenlijst brengt de bestuursautoriteit voor elk trustgebied dat binnen de bevoegdheid van de Algemene Vergadering valt, jaarlijks aan de Algemene Vergadering verslag uit.

Stemmen

Art. 89

Lid heeft één stem

1. Elk lid van de Trustschapsraad heeft één stem.
2. Besluiten van de Trustschapsraad worden genomen met een meerderheid van de aanwezige leden die hun stem uitbrengen.

Procedure

Art. 90

Verkiezing voorzitter

1. De Trustschapsraad stelt zijn eigen huishoudelijk reglement vast, met inbegrip van de wijze van verkiezing van zijn Voorzitter.

Bijeenkomsten naar behoefte

2. De Trustschapsraad komt naar behoefte bijeen overeenkomstig zijn reglement, waarin tevens dient te zijn voorzien in de mogelijkheid van het bijeenroepen van vergaderingen op verzoek van een meerderheid van zijn leden.

Art. 91

Bijstand Economische en Sociale Raad en gespecialiseerde organisaties

De Trustschapsraad maakt, als daartoe aanleiding bestaat, gebruik van de bijstand van de Economische en Sociale Raad, alsmede van de gespecialiseerde organisaties met betrekking tot zaken waarbij zij betrokken zijn.

Hoofdstuk XIV
HET INTERNATIONAAL GERECHTSHOF

Art. 92

Permanente Hof van Internationale organisaties

Het Internationaal Gerechtshof is het voornaamste gerechtelijke orgaan van de Verenigde Naties. Het functioneert overeenkomstig het aan dit Handvest gehechte Statuut, dat is gegrond op het Statuut van het Permanente Hof van Internationale Justitie en dat een integrerend deel uitmaakt van dit Handvest.

Art. 93

VN-leden ipso facto partij

1. Alle Leden van de Verenigde Naties zijn *ipso facto* partij bij het Statuut van het Internationaal Gerechtshof.
2. Een staat die geen Lid is van de Verenigde Naties kan partij worden bij het Statuut van het Internationale Gerechtshof op voorwaarden die van geval tot geval door de Algemene Vergadering, op aanbeveling van de Veiligheidsraad, worden vastgesteld.

Art. 94

Verplichte naleving

1. Elk Lid van de Verenigde Naties verbindt zich, de beslissing van het Internationaal Gerechtshof na te leven in iedere zaak waarbij het partij is.
2. Indien een partij bij een zaak in gebreke blijft de verplichtingen na te komen welke voortvloeien uit een door het Hof gewezen vonnis, kan de andere partij een beroep doen op de Veiligheidsraad, die, zo hij dit nodig oordeelt, aanbevelingen kan doen of kan besluiten tot het nemen van maatregelen om het vonnis te doen uitvoeren.

Art. 95

Andere gerechtelijke instanties

Geen enkele bepaling van dit Handvest belet de Leden van de Verenigde Naties de oplossing van hun geschillen aan andere gerechtelijke instanties op te dragen krachtens reeds bestaande of in de toekomst te sluiten overeenkomsten.

Art. 96

Advies inzake juridische kwesties

1. De Algemene Vergadering of de Veiligheidsraad kan het Internationaal Gerechtshof verzoeken een advies uit te brengen betreffende juridische kwesties.
2. Ook andere organen van de Verenigde Naties en gespecialiseerde organisaties, die daartoe te allen tijde door de Algemene Vergadering kunnen worden gemachtigd, kunnen het Hof om advies vragen betreffende juridische kwesties die zich binnen het raam van hun werkzaamheden voordoen.

Hoofdstuk XV
HET SECRETARIAAT

Art. 97

Samenstelling

Het Secretariaat omvat een Secretaris-Generaal en een zodanige staf als de Organisatie nodig heeft. De Secretaris-Generaal wordt, op aanbeveling van de Veiligheidsraad, door de Algemene Vergadering benoemd. Hij is de hoogste ambtenaar van de Organisatie.

Art. 98

Secretaris-Generaal

De Secretaris-Generaal treedt in die hoedanigheid op in alle bijeenkomsten van de Algemene Vergadering, de Veiligheidsraad, de Economische en Sociale Raad en de Trustschapsraad en vervult alle andere functies die hem door deze organen worden opgedragen. De Secretaris-Generaal brengt jaarlijks aan de Algemene Vergadering verslag uit over het werk van de Organisatie.

Art. 99

Veiligheidsraad

De Secretaris-Generaal kan elke zaak die, naar zijn oordeel, de handhaving van de internationale vrede en veiligheid kan bedreigen, onder de aandacht van de Veiligheidsraad brengen.

Art. 100

Geen aanwijzingen van buiten de Organisatie

1. Bij de vervulling van hun taak vragen, noch ontvangen, de Secretaris-Generaal en het personeel aanwijzingen van enige regering of van enige andere autoriteit buiten de Organisatie. Zij onthouden zich van alle activiteiten die afbreuk zouden kunnen doen aan hun positie als internationale ambtenaren die uitsluitend aan de Organisatie verantwoording verschuldigd zijn.

Verbod personeel te beïnvloeden

2. Elk Lid van de Verenigde Naties neemt de verplichting op zich het uitsluitend internationale karakter van de taken van de Secretaris-Generaal en van het personeel te eerbiedigen en niet te trachten hen te beïnvloeden bij de uitvoering van hun taak.

Art. 101

Aanstelling personeel

1. Het personeel wordt door de Secretaris-Generaal aangesteld krachtens regels die door de Algemene Vergadering zijn vastgesteld.
2. Daarvoor in aanmerking komend personeel wordt blijvend verbonden aan de Economische en Sociale Raad, de Trustschapsraad en, naar behoefte, aan andere organen van de Verenigde Naties. Dit personeel maakt deel uit van het Secretariaat.

Vereisten

3. Het belangrijkste criterium bij het aanstellen van het personeel en bij het vaststellen van de arbeidsvoorwaarden zal zijn de noodzaak dat wordt voldaan aan de hoogste eisen van doelmatigheid, bekwaamheid en integriteit. Rekening zal worden gehouden met het belang van een personeelswerving op een zo breed mogelijke geografische basis.

Hoofdstuk XVI
DIVERSE BEPALINGEN

Art. 102

Registratie en publicatie verdragen

1. Elk verdrag en elke internationale overeenkomst, gesloten door een Lid van de Verenigde Naties nadat dit Handvest in werking is getreden, wordt zo spoedig mogelijk geregistreerd bij en gepubliceerd door het Secretariaat.
2. Een partij bij zulk een verdrag of een internationale overeenkomst, die niet is geregistreerd overeenkomstig het in het eerste lid van dit artikel bepaalde, mag zich niet tegenover enig orgaan van de Verenigde Naties op dat verdrag of die overeenkomst beroepen.

Art. 103

Derogerende werking

In geval van strijdigheid tussen de verplichtingen van de Leden van de Verenigde Naties krachtens dit Handvest en hun verplichtingen krachtens andere internationale overeenkomsten, hebben hun verplichtingen krachtens dit Handvest voorrang.

Art. 104

Handelingsbevoegdheid VN

1. De Organisatie geniet op het grondgebied van elk van haar leden de handelingsbevoegdheid die nodig kan zijn voor de uitoefening van haar functies en de verwezenlijking van haar doelstellingen.

Art. 105

Voorrechten en immuniteiten

1. De Organisatie geniet op het grondgebied van elk van haar Leden de voorrechten en immuniteiten die noodzakelijk zijn voor de verwezenlijking van haar doelstellingen.
2. Vertegenwoordigers van de Leden van de Verenigde Naties alsmede functionarissen van de Organisatie genieten eveneens de voorrechten en immuniteiten die noodzakelijk zijn voor een onafhankelijke uitoefening van hun functies in verband met de Organisatie.
3. De Algemene Vergadering kan aanbevelingen doen met het oog op de vaststelling der bijzonderheden van de toepassing van het eerste en tweede lid van dit artikel, of kan aan de Leden van de Verenigde Naties overeenkomsten tot dit doel voorstellen.

Hoofdstuk XVII
OVERGANGSREGELINGEN INZAKE DE VEILIGHEID

Art. 106

Overleg

In afwachting van de inwerkingtreding van de in artikel 43 bedoelde bijzondere overeenkomsten die, naar het oordeel van de Veiligheidsraad, deze Raad in staat stellen een aanvang te maken met de uitvoering van de taken ingevolge het in artikel 42 bepaalde, plegen de partijen bij de Verklaring van de Vier Mogendheden ondertekend op 30 oktober 1943 te Moskou, en Frankrijk, overeenkomstig de bepalingen van het vijfde lid van die Verklaring, overleg met elkaar en, zo de omstandigheden dit gebieden, met andere Leden van de Verenigde Naties, met het oog op zulk gemeenschappelijk optreden namens de Organisatie als nodig kan zijn.

Art. 107

Niets in dit Handvest ontkracht of belet optreden dat, met betrekking tot een staat die tijdens de Tweede Wereldoorlog de vijand is geweest van een van de staten die dit Handvest hebben ondertekend, als gevolg van deze oorlog is of wordt ondernomen door of met machtiging van de voor dit optreden verantwoordelijke regeringen.

Hoofdstuk XVIII
AMENDEMENTEN

Art. 108

Tweederde meerderheid

Amendementen op dit Handvest worden voor alle Leden van de Verenigde Naties van kracht, nadat zij zijn aangenomen door een meerderheid van twee derde van de leden van de Algemene Vergadering, en nadat zij zijn bekrachtigd overeenkomstig hun onderscheiden grondwettelijke procedures door twee derde van de Leden van de Verenigde Naties, met inbegrip van alle permanente leden van de Veiligheidsraad.

Art. 109

Conferentie inzake wijziging Handvest

1. Een Algemene Conferentie van de Leden van de Verenigde Naties, met het doel dit Handvest te herzien, kan worden gehouden op een tijdstip en een plaats die worden vastgesteld door de Algemene Vergadering met een meerderheid van twee derde van de leden en door de Veiligheidsraad met de stemmen van negen willekeurige leden. Elk Lid van de Verenigde Naties heeft in de conferentie één stem.
2. Een wijziging van dit Handvest die door de conferentie met een twee derde meerderheid van stemmen wordt aanbevolen, wordt van kracht nadat deze, overeenkomstig hun onderscheiden grondwettelijke procedures, is bekrachtigd door twee derde van de Leden van de Verenigde Naties, met inbegrip van alle permanente leden van de Veiligheidsraad.
3. Indien zulk een conferentie niet gehouden is vóór de tiende jaarlijkse zitting van de Algemene Vergadering die volgt op de inwerkingtreding van dit Handvest, wordt het voorstel om zulk een conferentie bijeen te roepen geplaatst op de agenda van die zitting van de Algemene Vergadering, en de conferentie zal dan gehouden worden indien daartoe wordt besloten door de Algemene Vergadering met een gewone meerderheid van stemmen en door de Veiligheidsraad met de stemmen van zeven willekeurige leden.

Hoofdstuk XIX
BEKRACHTIGING EN ONDERTEKENING

Art. 110

1. Dit Handvest dient door de staten die het hebben ondertekend te worden bekrachtigd overeenkomstig hun onderscheiden grondwettelijke procedures.

Bekrachtiging Nederlegging akten van bekrachtiging

2. De akten van bekrachtiging zullen worden nedergelegd bij de Regering van de Verenigde Staten van Amerika, die van elke nederlegging kennis zal geven aan alle staten die dit Handvest hebben ondertekend, alsmede aan de Secretaris-Generaal van de Organisatie, nadat deze is benoemd.

Inwerkingtreding

3. Dit Handvest treedt in werking nadat akten van bekrachtiging zijn nedergelegd door de Republiek China, Frankrijk, de Unie van Socialistische Sovjetrepublieken, het Verenigd Koninkrijk van Groot-Brittannië en Noord-Ierland en de Verenigde Staten van Amerika, en door de meerderheid van de andere staten die het hebben ondertekend. Daarna wordt een protocol van de nederlegging van de akten van bekrachtiging opgesteld door de Regering van de Verenigde Staten van Amerika, die daarvan afschriften zal doen toekomen aan alle staten die het Handvest hebben ondertekend.
4. De staten die dit Handvest hebben ondertekend en die het bekrachtigen nadat het in werking is getreden, worden op de datum van nederlegging van hun onderscheiden akten van bekrachtiging oorspronkelijke Leden van de Verenigde Naties.

Art. 111

Authentieke teksten

Dit Handvest, waarvan de Chinese, de Franse, de Russische, de Engelse en de Spaanse tekst gelijkelijk authentiek zijn, wordt nedergelegd in het archief van de Regering van de Verenigde Staten van Amerika. Deze Regering doet behoorlijk gewaarmerkte afschriften daarvan toekomen aan de regeringen van de overige staten die het hebben ondertekend.

Universele Verklaring van de Rechten van de Mens

Universele Verklaring van de Rechten van de Mens[1]

Preambule
Overwegende, dat erkenning van de inherente waardigheid en van de gelijke en onvervreemdbare rechten van alle leden van de mensengemeenschap grondslag is voor de vrijheid, gerechtigheid en vrede in de wereld;
Overwegende, dat terzijdestelling van en minachting voor de rechten van de mens geleid hebben tot barbaarse handelingen, die het geweten van de mensheid geweld hebben aangedaan en dat de komst van een wereld, waarin de mensen vrijheid van meningsuiting en geloof zullen genieten, en vrij zullen zijn van vrees en gebrek, is verkondigd als het hoogste ideaal van iedere mens;
Overwegende, dat het van het grootste belang is, dat de rechten van de mens beschermd worden door de suprematie van het recht, opdat de mens niet gedwongen worde om in laatste instantie zijn toevlucht te nemen tot opstand tegen tyrannie en onderdrukking;
Overwegende, dat het van het hoogste belang is om de ontwikkeling van vriendschappelijke betrekkingen tussen de naties te bevorderen;
Overwegende, dat de volkeren van de Verenigde Naties in het Handvest hun vertrouwen in de fundamentele rechten van de mens, in de waardigheid en de waarde van de mens en in de gelijke rechten van mannen en vrouwen opnieuw hebben bevestigd, en besloten hebben om sociale vooruitgang en een hogere levensstandaard in groter vrijheid te bevorderen;
Overwegende, dat de Staten, welke Lid zijn van de Verenigde Naties, zich plechtig verbonden hebben om, in samenwerking met de Organisatie van de Verenigde Naties, overal de eerbied voor en de inachtneming van de rechten van de mens en de fundamentele vrijheden te bevorderen;
Overwegende, dat het van het grootste belang is voor de volledige nakoming van deze verbintenis, dat een ieder begrip hebbe voor deze rechten en vrijheden;
Op grond daarvan proclameert de Algemene Vergadering deze Universele Verklaring van de Rechten van de Mens als het gemeenschappelijk door alle volkeren en alle naties te bereiken ideaal, opdat ieder individu en elk orgaan van de gemeenschap, met deze Verklaring voortdurend voor ogen, er naar zal streven door onderwijs en opvoeding de eerbied voor deze rechten en vrijheden te bevorderen, en door vooruitstrevende maatregelen, op nationaal en internationaal terrein, deze rechten algemeen en daadwerkelijk te doen erkennen en toepassen, zowel onder de volkeren van Staten die Lid van de Verenigde Naties zijn, zelf, als onder de volkeren van gebieden, die onder hun jurisdictie staan:

Art. 1

Vrijheid en gelijkheid

Alle mensen worden vrij en gelijk in waardigheid en rechten geboren. Zij zijn begiftigd met verstand en geweten, en behoren zich jegens elkander in een geest van broederschap te gedragen.

Art. 2

Geen discriminatie

1. Een ieder heeft aanspraak op alle rechten en vrijheden, in deze Verklaring opgesomd, zonder enig onderscheid van welke aard ook, zoals ras, kleur, geslacht, taal, godsdienst, politieke of andere overtuiging, nationale of maatschappelijke afkomst, eigendom, geboorte of andere status.
2. Verder zal geen onderscheid worden gemaakt naar de politieke, juridische of internationale status van het land of gebied, waartoe iemand behoort, onverschillig of het een onafhankelijk, trust-, of niet-zelfbesturend gebied betreft, dan wel of er een andere beperking van de soevereiniteit bestaat.

Art. 3

Onschendbaarheid van de persoon

Een ieder heeft recht op leven, vrijheid en onschendbaarheid van zijn persoon.

Art. 4

Geen slavernij

Niemand zal in slavernij of horigheid gehouden worden. Slavernij en slavenhandel in iedere vorm zijn verboden.

Art. 5

Geen onmenselijke behandelingen

Niemand zal onderworpen worden aan folteringen, noch aan een wrede, onmenselijke of onterende behandeling of bestraffing.

Art. 6

Erkenning als persoon

Een ieder heeft, waar hij zich ook bevindt, het recht als persoon erkend te worden voor de wet.

---

1 Inwerkingtredingsdatum: 10-12-1948.

Art. 7

Gelijkheid voor de wet

Allen zijn gelijk voor de wet en hebben zonder onderscheid aanspraak op gelijke bescherming door de wet. Allen hebben aanspraak op gelijke bescherming tegen iedere achterstelling in strijd met deze Verklaring en tegen iedere ophitsing tot een dergelijke achterstelling.

Art. 8

Rechtsbescherming van grondrechten

Een ieder heeft recht op daadwerkelijke rechtshulp van bevoegde nationale rechterlijke instanties tegen handelingen, welke in strijd zijn met de grondrechten hem toegekend bij Grondwet of wet.

Art. 9

Geen willekeurige vrijheidsbeneming

Niemand zal onderworpen worden aan willekeurige arrestatie, detentie of verbanning.

Art. 10

Recht op een eerlijk proces

Een ieder heeft, in volle gelijkheid, recht op een eerlijke en openbare behandeling van zijn zaak door een onafhankelijke en onpartijdige rechterlijke instantie bij het vaststellen van zijn rechten en verplichtingen en bij het bepalen van de gegrondheid van een tegen hem ingestelde strafvervolging.

Art. 11

Schuld moet bewezen worden

1. Een ieder, die wegens een strafbaar feit wordt vervolgd, heeft er recht op voor onschuldig gehouden te worden, totdat zijn schuld krachtens de wet bewezen wordt in een openbare rechtszitting, waarbij hem alle waarborgen, nodig voor zijn verdediging, zijn toegekend.

Geen strafbaarheid met terugwerkende kracht

2. Niemand zal voor schuldig gehouden worden aan enig strafrechtelijk vergrijp op grond van enige handeling of enig verzuim, welke naar nationaal of internationaal recht geen strafrechtelijk vergrijp betekenden op het tijdstip, waarop de handeling of het verzuim begaan werd. Evenmin zal een zwaardere straf worden opgelegd dan die, welke ten tijde van het begaan van het strafbare feit van toepassing was.

Art. 12

Geen aantasting in persoonlijke sfeer

Niemand zal onderworpen worden aan willekeurige inmenging in zijn persoonlijke aangelegenheden, in zijn gezin, zijn tehuis of zijn briefwisseling, noch aan enige aantasting van zijn eer of goede naam. Tegen een dergelijke inmenging of aantasting heeft een ieder recht op bescherming door de wet.

Art. 13

Vrije mobiliteit

1. Een ieder heeft het recht zich vrijelijk te verplaatsen en te vertoeven binnen de grenzen van elke Staat.
2. Een ieder heeft het recht welk land ook, met inbegrip van het zijne, te verlaten en naar zijn land terug te keren.

Art. 14

Asielrecht

1. Een ieder heeft het recht om in andere landen asyl te zoeken en te genieten tegen vervolging.
2. Op dit recht kan geen beroep worden gedaan ingeval van strafvervolgingen wegens misdrijven van niet-politieke aard of handelingen in strijd met de doeleinden en beginselen van de Verenigde Naties.

Art. 15

Recht op nationaliteit

1. Een ieder heeft recht op een nationaliteit.
2. Aan niemand mag willekeurig zijn nationaliteit worden ontnomen, noch het recht worden ontzegd om van nationaliteit te veranderen.

Art. 16

Geen discriminatie en onvrijheid m.b.t. huwen en huwelijksrelatie enz.

1. Zonder enige beperking op grond van ras, nationaliteit of godsdienst, hebben mannen en vrouwen van huwbare leeftijd het recht om te huwen en een gezin te stichten. Zij hebben gelijke rechten wat het huwelijk betreft, tijdens het huwelijk en bij de ontbinding er van.
2. Een huwelijk kan slechts worden gesloten met de vrije en volledige toestemming van de aanstaande echtgenoten.

Bescherming van het gezin

3. Het gezin is de natuurlijke en fundamentele groepseenheid van de maatschappij en heeft recht op bescherming door de maatschappij en de Staat.

Art. 17

Bescherming van eigendom

1. Een ieder heeft recht op eigendom, hetzij alleen, hetzij tezamen met anderen.
2. Niemand mag willekeurig van zijn eigendom worden beroofd.

Art. 18

Vrijheid van geweten en van godsdienst

Een ieder heeft recht op vrijheid van gedachte, geweten en godsdienst; dit recht omvat tevens de vrijheid om van godsdienst of overtuiging te veranderen, alsmede de vrijheid hetzij alleen, hetzij met anderen zowel in het openbaar als in zijn particuliere leven zijn godsdienst of overtuiging te belijden door het onderwijzen ervan, door de praktische toepassing, door eredienst en de inachtneming van de geboden en voorschriften.

Art. 19

Een ieder heeft recht op vrijheid van mening en meningsuiting. Dit recht omvat de vrijheid om zonder inmenging een mening te koesteren en om door alle middelen en ongeacht grenzen inlichtingen en denkbeelden op te sporen, te ontvangen en door te geven. **Vrijheid van meningsuiting**

Art. 20

1. Een ieder heeft recht op vrijheid van vreedzame vereniging en vergadering. **Recht vereniging en vergadering**

2. Niemand mag worden gedwongen om tot een vereniging te behoren.

Art. 21

1. Een ieder heeft het recht om deel te nemen aan het bestuur van zijn land, rechtstreeks of door middel van vrij gekozen vertegenwoordigers. **Recht om deel te nemen aan landsbestuur zonder achterstelling**

2. Een ieder heeft het recht om op voet van gelijkheid te worden toegelaten tot de overheidsdiensten van zijn land.

3. De wil van het volk zal de grondslag zijn van het gezag van de Regering; deze wil zal tot uiting komen in periodieke en eerlijke verkiezingen, die gehouden zullen worden krachtens algemeen en gelijkwaardig kiesrecht en bij geheime stemmingen of volgens een procedure, die evenzeer de vrijheid van de stemmen verzekert. **Democratisch kiesrecht**

Art. 22

Een ieder heeft als lid van de gemeenschap recht op maatschappelijke zekerheid en heeft er aanspraak op, dat door middel van nationale inspanning en internationale samenwerking, en overeenkomstig de organisatie en de hulpbronnen van de betreffende Staat, de economische, sociale en culturele rechten, die onmisbaar zijn voor zijn waardigheid en voor de vrije ontplooiing van zijn persoonlijkheid, verwezenlijkt worden. **Recht op maatschappelijke zekerheid enz.**

Art. 23

1. Een ieder heeft recht op arbeid, op vrije keuze van beroep, op rechtvaardige en gunstige arbeidsvoorwaarden en op bescherming tegen werkloosheid. **Recht op arbeid en rechtvaardige arbeidsvoorwaarden**

2. Een ieder, zonder enige achterstelling, heeft recht op gelijk loon voor gelijke arbeid.

3. Een ieder, die arbeid verricht, heeft recht op een rechtvaardige en gunstige beloning, welke hem en zijn gezin een menswaardig bestaan verzekert, welke beloning zo nodig met andere middelen van sociale bescherming zal worden aangevuld.

4. Een ieder heeft het recht om vakverenigingen op te richten en zich daarbij aan te sluiten ter bescherming van zijn belangen. **Recht van vakorganisatie**

Art. 24

Een ieder heeft recht op rust en op eigen vrije tijd, met inbegrip van een redelijke beperking van de arbeidstijd, en op periodieke vakanties met behoud van loon. **Recht op vrije tijd en vakantie**

Art. 25

1. Een ieder heeft recht op een levensstandaard, die hoog genoeg is voor de gezondheid en het welzijn van zichzelf en zijn gezin, waaronder begrepen voeding, kleding, huisvesting en geneeskundige verzorging en de noodzakelijke sociale diensten, alsmede het recht op voorziening in geval van werkloosheid, ziekte, invaliditeit, overlijden van de echtgenoot, ouderdom of een ander gemis aan bestaansmiddelen, ontstaan ten gevolge van omstandigheden onafhankelijk van zijn wil. **Recht op redelijk levensniveau en op sociale voorzieningen**

2. Moeder en kind hebben recht op bijzondere zorg en bijstand. Alle kinderen, al dan niet wettig, zullen dezelfde sociale bescherming genieten.

Art. 26

1. Een ieder heeft recht op onderwijs; het onderwijs zal kosteloos zijn, althans wat het lager en beginonderwijs betreft. Het lager onderwijs zal verplicht zijn. Ambachtsonderwijs en beroepsopleiding zullen algemeen beschikbaar worden gesteld. Hoger onderwijs zal gelijkelijk openstaan voor een ieder, die daartoe de begaafdheid bezit. **Recht op voldoende onderwijs**

2. Het onderwijs zal gericht zijn op de volle ontwikkeling van de menselijke persoonlijkheid en op de versterking van de eerbied voor de rechten van de mens en de fundamentele vrijheden. Het zal het begrip, de verdraagzaamheid en de vriendschap onder alle naties, rassen of godsdienstige groepen bevorderen en het zal de werkzaamheden van de Verenigde Naties voor de handhaving van de vrede steunen. **Ideëel gericht**

3. Aan de ouders komt in de eerste plaats het recht toe om de soort van opvoeding en onderwijs te kiezen, welke aan hun kinderen zal worden gegeven. **Keuzevrijheid voor de ouders**

Art. 27

1. Een ieder heeft het recht om vrijelijk deel te nemen aan het culturele leven van de gemeenschap, om te genieten van kunst en om deel te hebben aan wetenschappelijke vooruitgang en de vruchten daarvan. **Deelneming aan cultureel leven**

2. Een ieder heeft recht op de bescherming van de geestelijke en materiële belangen, voortspruitende uit een wetenschappelijk, letterkundig of artistiek werk, dat hij heeft voortgebracht.

Art. 28

Voedingsbodem voor de rechten en vrijheden

Een ieder heeft recht op het bestaan van een zodanige maatschappelijke en internationale orde, dat de rechten en vrijheden, in deze Verklaring genoemd, daarin ten volle kunnen worden verwezenlijkt.

Art. 29

Wederzijdse rechten en plichten ter verzekering der vrijheden

1. Een ieder heeft plichten jegens de gemeenschap, zonder welke de vrije en volledige ontplooiing van zijn persoonlijkheid niet mogelijk is.

2. In de uitoefening van zijn rechten en vrijheden zal een ieder slechts onderworpen zijn aan die beperkingen, welke bij de wet zijn vastgesteld en wel uitsluitend ter verzekering van de onmisbare erkenning en eerbiediging van de rechten en vrijheden van anderen en om te voldoen aan de gerechtvaardigde eisen van de moraliteit, de openbare orde en het algemeen welzijn in een democratische gemeenschap.

3. Deze rechten en vrijheden mogen in geen geval worden uitgeoefend in strijd met de doeleinden en beginselen van de Verenigde Naties.

Art. 30

Verklaring niet uit te leggen in strijd met haar doelstelling

Geen bepaling in deze Verklaring zal zodanig mogen worden uitgelegd, dat welke Staat, groep of persoon dan ook, daaraan enig recht kan ontlenen om iets te ondernemen of handelingen van welke aard ook te verrichten, die vernietiging van een van de rechten en vrijheden, in deze Verklaring genoemd, ten doel hebben.

Inhoudsopgave

PART I	Art. 1
PART II	Art. 2
PART III	Art. 6
PART IV	Art. 28
PART V	Art. 46
PART VI	Art. 48
DEEL I	Art. 1
DEEL II	Art. 2
DEEL III	Art. 6
DEEL IV	Art. 28
DEEL V	Art. 46
DEEL VI	Art. 48

Internationaal Verdrag inzake burgerrechten en politieke rechten[1]

Preambule
De Staten die partij zijn bij dit Verdrag,
Overwegende, dat, overeenkomstig de in het Handvest der Verenigde Naties verkondigde beginselen, erkenning van de inherente waardigheid en van de gelijke en onvervreemdbare rechten van alle leden van de mensengemeenschap grondslag is voor de vrijheid, gerechtigheid en vrede in de wereld,
Erkennende, dat deze rechten voortvloeien uit de inherente waardigheid van de menselijke persoon,
Erkennende, dat, overeenkomstig de Universele Verklaring van de Rechten van de Mens, het ideaal van de vrije mens die vrijheid als staatsburger een politieke vrijheid geniet, en die vrij is van vrees en gebrek, slechts kan worden verwezenlijkt indien er omstandigheden worden geschapen, waarin een ieder zijn burgerrechten en zijn politieke rechten, alsmede zijn economische, sociale en culturele rechten kan uitoefenen,
Overwegende, dat, krachtens het Handvest der Verenigde Naties, de Staten verplicht zijn de universele eerbied voor en de inachtneming van de rechten en vrijheden van de mens te bevorderen,
Zich ervan bewust dat op de individuele mens, uit hoofde van de plichten die hij heeft tegenover anderen en tegenover de gemeenschap waartoe hij behoort, de verantwoordelijkheid rust te streven naar bevordering en inachtneming van de in dit Verdrag erkende rechten,
Zijn overeengekomen als volgt:

DEEL I

Art. 1

Zelfbeschikkingsrecht van volken

1. Alle volken bezitten het zelfbeschikkingsrecht. Uit hoofde van dit recht bepalen zij in alle vrijheid hun politieke status en streven zij vrijelijk hun economische, sociale en culturele ontwikkeling na.

Vrije beschikking over natuurlijke hulpbronnen

2. Alle volken kunnen ter verwezenlijking van hun doeleinden vrijelijk beschikken over hun natuurlijke rijkdommen en hulpbronnen, evenwel onverminderd verplichtingen voortvloeiend uit internationale economische samenwerking, gegrondvest op het beginsel van wederzijds voordeel, en uit het internationale recht. In geen geval mogen een volk zijn bestaansmiddelen worden ontnomen.

Staten bevorderen en eerbiedigen deze rechten

3. De Staten die partij zijn bij dit Verdrag, met inbegrip van de Staten die verantwoordelijk zijn voor het beheer van gebieden zonder zelfbestuur en van trustgebieden, bevorderen de verwezenlijking van het zelfbeschikkingsrecht en eerbiedigen dit recht overeenkomstig de bepalingen van het Handvest der Verenigde Naties.

DEEL II

Art. 2

Staten waarborgen de erkende rechten zonder discriminatie

1. Iedere Staat die partij is bij dit Verdrag verbindt zich de in dit Verdrag erkende rechten te eerbiedigen en deze aan een ieder die binnen zijn grondgebied verblijft en aan zijn rechtsmacht is onderworpen te verzekeren, zonder onderscheid van welke aard ook, zoals ras, huidskleur, geslacht, taal, godsdienst, politieke of andere overtuiging, nationale of maatschappelijke afkomst, welstand, geboorte of enige andere omstandigheid.
2. Iedere Staat die partij is bij dit Verdrag verbindt zich, langs de door zijn staatsrecht voorgeschreven weg en in overeenstemming met de bepalingen van dit Verdrag, alle wettelijke of andere maatregelen te nemen die nodig zijn om de in dit Verdrag erkende rechten tot gelding te brengen, voor zover daarin niet reeds door bestaande wettelijke regelingen of anderszins is voorzien.

Zorg voor deugdelijke rechtsbescherming

3. Iedere Staat die partij is bij dit Verdrag verbindt zich:
(a) Te verzekeren dat een ieder wiens rechten of vrijheden als in dit Verdrag erkend, worden geschonden een effectief rechtsmiddel ter beschikking heeft, zelfs indien de schending zou zijn begaan door personen in de uitoefening van hun ambtelijke functie;
(b) Te verzekeren dat omtrent het recht van degene die het rechtsmiddel aanwendt wordt beslist door de bevoegde rechterlijke, bestuurlijke of wetgevende autoriteit, of door een andere auto-

---
1 Inwerkingtredingsdatum: 11-03-1979.

riteit die daar toe krachtens de nationale wetgeving bevoegd is, en de mogelijkheden van beroep op de rechter verder tot ontwikkeling te brengen;
(c) Te verzekeren dat de bevoegde autoriteiten daadwerkelijk rechtsherstel verlenen, in geval het beroep gegrond wordt verklaard.

Art. 3

De Staten die partij zijn bij dit Verdrag verbinden zich het gelijke recht van mannen en vrouwen op het genot van alle in dit Verdrag genoemde burgerrechten en politieke rechten te verzekeren.

Gelijk recht van mannen en vrouwen

Art. 4

1. Bij een algemene noodtoestand, die een bedreiging vormt voor het bestaan van het volk en die officieel is afgekondigd, kunnen de Staten die partij zijn bij dit Verdrag maatregelen nemen, die afwijken van hun verplichtingen ingevolge dit Verdrag, mits deze maatregelen niet verder gaan dan de toestand vereist en niet in strijd zijn met andere verplichtingen welke voortvloeien uit het internationale recht en geen discriminatie uitsluitend op grond van ras, huidskleur, geslacht, taal, godsdienst of maatschappelijke afkomst inhouden.

Algemene noodtoestand kan tot afwijking van het verdrag nopen

2. Op grond van deze bepaling mag niet worden afgeweken van de artikelen 6, 7, 8 (eerste en tweede lid), 11, 15, 16 en 18.
3. Iedere Staat die partij is bij dit Verdrag die gebruik maakt van het recht tot afwijking van de bepalingen daarvan stelt de andere Staten die partij zijn bij dit Verdrag, door tussenkomst van de Secretaris-Generaal van de Verenigde Naties, onverwijld in kennis van de bepalingen waarvan hij is afgeweken, alsmede van de redenen die hem daartoe hebben genoopt. Eveneens door tussenkomst van de Secretaris-Generaal wordt een volgende kennisgeving gedaan op de datum waarop de afwijking ophoudt van kracht te zijn.

Verwittiging van overige staten

Art. 5

1. Geen bepaling van dit Verdrag mag zodanig worden uitgelegd als zou zij voor een Staat, een groep of een persoon het recht inhouden enige activiteit te ontplooien of enige daad te verrichten, die ten doel heeft de rechten en vrijheden welke in dit Verdrag zijn erkend, te vernietigen of deze rechten en vrijheden meer te beperken dan bij dit Verdrag is voorzien.

Verdrag niet uit te leggen in strijd met zijn doelstelling

2. Het is niet toegestaan enig fundamenteel recht van de mens dat in een land, ingevolge wettelijke bepalingen, overeenkomsten, voorschriften of gewoonten, wordt erkend of bestaat, te beperken of ervan af te wijken, onder voorwendsel dat dit Verdrag die rechten niet erkent of dat het deze slechts in mindere mate erkent.

DEEL III

Art. 6

1. Ieder heeft het recht op leven. Dit recht wordt door de wet beschermd. Niemand mag naar willekeur van zijn leven worden beroofd.

Wettelijk recht op leven

2. In landen waar de doodstraf niet is afgeschaft, mag een doodvonnis slechts worden uitgesproken voor de ernstigste misdrijven overeenkomstig de wet zoals die ten tijde dat het misdrijf wordt begaan van kracht is en welke niet in strijd is met de bepalingen van dit Verdrag en met het Verdrag inzake de voorkoming en bestraffing van genocide. Deze straf kan slechts worden voltrokken ingevolge een onherroepelijk vonnis door een bevoegde rechter gewezen.

Doodvonnissen hoge uitzondering

3. Wanneer beroving van het leven het misdrijf genocide inhoudt, geeft geen enkele bepaling in dit artikel een Staat die partij is bij dit Verdrag de bevoegdheid af te wijken van enigerlei verplichting die is aanvaard krachtens de bepalingen van het Verdrag inzake de voorkoming en de bestraffing van genocide.

Genocide

4. Een ieder die ter dood is veroordeeld heeft het recht gratie of verzachting van het vonnis te vragen. Amnestie, gratie of verzachting van het vonnis kan in alle voorkomende gevallen worden verleend.

Recht op gratie

5. De doodstraf mag niet worden opgelegd voor misdrijven die zijn begaan door personen beneden de leeftijd van achttien jaar en mag niet worden voltrokken aan zwangere vrouwen.

Geen doodstraf voor jeugdigen

6. Op geen enkele bepaling van dit artikel kan een beroep worden gedaan om de afschaffing van de doodstraf door een Staat die partij is bij dit Verdrag op te schorten of te voorkomen.

Art. 7

Niemand mag worden onderworpen aan folteringen, of aan wrede, onmenselijke of vernederende behandeling of bestraffing. In het bijzonder mag niemand, zonder zijn in vrijheid gegeven toestemming, worden onderworpen aan medische of wetenschappelijke experimenten.

Folteringen e.d.

Art. 8

1. Niemand mag in slavernij worden gehouden; slavernij en slavenhandel in iedere vorm zijn verboden.

Slavernij

2. Niemand mag in horigheid worden gehouden.
3.
(a) Niemand mag gedwongen worden dwangarbeid of verplichte arbeid te verrichten;

Geen dwang- of verplichte arbeid

(b) Lid 3 (a) mag niet zodanig worden uitgelegd dat in landen waar gevangenisstraf met dwangarbeid kan worden opgelegd als straf voor een misdrijf, het verrichten van dwangarbeid

Uitzonderingen

op grond van een door de bevoegde rechter uitgesproken veroordeling tot een zodanige straf, wordt verboden;
(c) Niet als „dwangarbeid of verplichte arbeid" in de zin van dit lid worden beschouwd:
(i) arbeid of diensten, voor zover niet bedoeld in alinea (b), die gewoonlijk worden verlangd van iemand die wordt gevangen gehouden uit hoofde van een wettig bevel van een rechtbank of van iemand gedurende diens voorwaardelijke invrijheidstelling;
(ii) elke dienst van militaire aard en, in landen waar dienstweigering op grond van gewetensbezwaren wordt erkend, die nationale diensten die bij de wet van principiële dienstweigeraars worden gevorderd;
(iii) elke dienst welke wordt gevorderd in het geval van een noodtoestand of ramp die het bestaan of het welzijn van de gemeenschap bedreigt;
(iv) alle arbeid of elke dienst die deel uitmaakt van de normale burgerplichten.

Art. 9

Geen willekeurige vrijheidsberoving

1. Een ieder heeft recht op vrijheid en veiligheid van zijn persoon. Niemand mag worden onderworpen aan willekeurige arrestatie of gevangenhouding. Niemand mag zijn vrijheid worden ontnomen, behalve op wettige gronden en op wettige wijze.

Mededeling redenen arrestatie

2. Iedere gearresteerde dient bij zijn arrestatie op de hoogte te worden gebracht van de redenen van zijn arrestatie en dient onverwijld op de hoogte te worden gebracht van de beschuldigingen die tegen hem zijn ingebracht.

Onverwijlde voorgeleiding

3. Een ieder die op beschuldiging van het begaan van een strafbaar feit wordt gearresteerd of gevangen gehouden dient onverwijld voor de rechter te worden geleid of voor een andere autoriteit die door de wet bevoegd is verklaard rechterlijke macht uit te oefenen en heeft het recht binnen een redelijke termijn berecht te worden of op vrije voeten te worden gesteld. Het mag geen regel zijn dat personen die op hun berechting wachten in voorarrest worden gehouden, doch aan hun invrijheidstelling kunnen voorwaarden worden verbonden om te waarborgen dat de betrokkene verschijnt ter terechtzitting, in andere stadia van de gerechtelijke procedure dan wel, zo het geval zich voordoet, voor de tenuitvoerlegging van het vonnis.

Beroep tegen gevangenhouding

4. Een ieder wie door arrestatie of gevangenhouding zijn vrijheid is ontnomen, heeft het recht voorziening te vragen bij de rechter, opdat die rechter binnen korte termijn beslist over de wettigheid van zijn gevangenhouding en zijn invrijheidstelling beveelt, indien zijn gevangenhouding onrechtmatig is.

Schadeloosstelling

5. Een ieder die het slachtoffer is geweest van een onwettige arrestatie of gevangenhouding heeft recht op schadeloosstelling.

Art. 10

Menselijke behandeling i.g.v. vrijheidsberoving

1. Allen die van hun vrijheid zijn beroofd dienen te worden behandeld met menselijkheid en met eerbied voor de waardigheid, inherent aan de menselijke persoon.
2.
(a) Verdachten dienen, uitzonderlijke omstandigheden buiten beschouwing gelaten, gescheiden te worden gehouden van veroordeelden en dienen aanspraak te kunnen maken op een afzonderlijke behandeling overeenkomend met hun staat van niet veroordeelde persoon.
(b) Jeugdige verdachten dienen gescheiden te worden gehouden van volwassenen en zo spoedig mogelijk voor de rechter te worden geleid.

Heropvoeding in gevangenissen

3. Het gevangenisstelsel dient te voorzien in een behandeling van gevangenen die in de eerste plaats is gericht op heropvoeding en reclassering. Jeugdige overtreders dienen gescheiden te worden gehouden van volwassenen en behandeld te worden in overeenstemming met hun leeftijd en wettelijke staat.

Art. 11

Geen vrijheidsberoving wegens wanprestatie

Niemand mag gevangen worden genomen uitsluitend omdat hij niet in staat is een uit een overeenkomst voortvloeiende verplichting na te komen.

Art. 12

Vrije mobiliteit

1. Een ieder die wettig op het grondgebied van een Staat verblijft, heeft, binnen dit grondgebied, het recht zich vrijelijk te verplaatsen en er zijn verblijfplaats vrijelijk te kiezen.
2. Een ieder heeft het recht welk land ook, met inbegrip van het eigen land, te verlaten.

Wettelijke beperkingen

3. De bovengenoemde rechten kunnen aan geen andere beperkingen worden onderworpen dan die welke bij de wet zijn voorzien, nodig zijn ter bescherming van de nationale veiligheid, de openbare orde, de volksgezondheid of de goede zeden of van de rechten en vrijheden van anderen en verenigbaar zijn met de andere in dit Verdrag erkende rechten.
4. Aan niemand mag willekeurig het recht worden ontnomen naar zijn eigen land terug te keren.

Art. 13

Uitzetting van vreemdelingen

Een vreemdeling die wettig op het grondgebied verblijft van een Staat die partij is bij dit Verdrag, kan slechts uit die Staat worden gezet krachtens een overeenkomstig de wet genomen beslissing, terwijl het hem, tenzij dwingende redenen van nationale veiligheid een tegengestelde beslissing rechtvaardigen, is toegestaan zijn bezwaren tegen zijn uitzetting kenbaar te maken en zijn geval opnieuw te doen beoordelen door, en zich met dit doel te doen vertegenwoordigen bij de bevoegde autoriteit dan wel door een of meer personen die daartoe speciaal door de bevoegde autoriteit zijn aangewezen.

Art. 14

Recht op eerlijk proces

1. Allen zijn gelijk voor de rechter en de rechterlijke instanties. Bij het bepalen van de gegrondheid van een tegen hem ingestelde strafvervolging, of het vaststellen van zijn burgerlijke rechten en verplichtingen in een rechtsgeding, heeft een ieder recht op een eerlijke en openbare behandeling door een bevoegde, onafhankelijke en onpartijdige bij de wet ingestelde rechterlijke instantie. De terechtzitting kan geheel of ten dele met gesloten deuren plaatsvinden, hetzij in het belang van de goede zeden, de openbare orde of de nationale veiligheid in een democratische samenleving, hetzij wanneer het belang van het privé leven van de partijen bij het proces dit vereist, hetzij voorzover de rechter dit strikt noodzakelijk acht op grond van de overweging, dat een openbare behandeling het belang van de rechtspraak zou schaden; evenwel zal elk vonnis dat wordt gewezen in een strafrechtelijk of burgerrechtelijk geding openbaar zijn, tenzij het belang van jeugdige personen zich daartegen verzet of het proces echtelijke twisten of de voogdij over kinderen betreft.

Schuld moet worden bewezen

2. Een ieder die wegens een strafbaar feit wordt vervolgd wordt voor onschuldig gehouden, totdat zijn schuld volgens de wet is bewezen.

Rechten van verdachten

3. Bij het bepalen van de gegrondheid van een tegen hem ingestelde strafvervolging heeft een ieder, in volle gelijkheid, recht op de volgende minimumgaranties:
(a) onverwijld en in bijzonderheden, in een taal die hij verstaat, op de hoogte te worden gesteld van de aard en de reden van de tegen hem ingebrachte beschuldiging;
(b) te beschikken over voldoende tijd en faciliteiten die nodig zijn voor de voorbereiding van zijn verdediging en zich te verstaan met een door hemzelf gekozen raadsman;
(c) zonder onredelijke vertraging te worden berecht;
(d) in zijn tegenwoordigheid te worden berecht, zichzelf te verdedigen of de bijstand te hebben van een raadsman naar eigen keuze; ingeval hij geen rechtsbijstand heeft, van het recht daarop in kennis te worden gesteld; rechtsbijstand toegewezen te krijgen, indien het belang van de rechtspraak dit eist, en zonder dat daarvoor betaling van hem kan worden verlangd, indien hij niet over voldoende middelen beschikt;
(e) de getuigen à charge te ondervragen of te doen ondervragen en het oproepen en de ondervraging van getuigen a décharge te doen geschieden op dezelfde voorwaarden als het geval is met de getuigen à charge;
(f) zich kosteloos te doen bijstaan door een tolk, indien hij de taal die ter zitting wordt gebezigd niet verstaat of niet spreekt;
(g) niet te worden gedwongen tegen zichzelf te getuigen of een bekentenis af te leggen.

4. Wanneer het jeugdige personen betreft, dient rekening te worden gehouden met hun leeftijd en de wenselijkheid hun reclassering te bevorderen.

5. Een ieder die wegens een strafbaar feit is veroordeeld heeft het recht de schuldigverklaring en veroordeling opnieuw te doen beoordelen door een hoger rechtscollege overeenkomstig de wet.

Schadeloosstelling

6. Indien iemand wegens een strafbaar feit onherroepelijk is veroordeeld en het vonnis vervolgens is vernietigd, of indien hem daarna gratie is verleend, op grond van de overweging dat een nieuw of een pas aan het licht gekomen feit onomstotelijk aantoont dat van een gerechtelijke dwaling sprake is, wordt degene die, als gevolg van die veroordeling, straf heeft ondergaan, overeenkomstig de wet schadeloos gesteld, tenzij wordt aangetoond dat het niet tijdig bekend worden van het onbekende feit geheel of gedeeltelijk aan hemzelf te wijten was.

Ne bis in idem

7. Niemand mag voor een tweede keer worden berecht of gestraft voor een strafbaar feit waarvoor hij reeds overeenkomstig de wet en het procesrecht van elk land bij onherroepelijke uitspraak is veroordeeld of waarvan hij is vrijgesproken.

Art. 15

Geen strafbaarheid met terugwerkende kracht

1. Niemand kan worden veroordeeld wegens een handelen of nalaten, dat geen strafbaar feit naar nationaal of internationaal recht uitmaakte ten tijde dat het handelen of nalaten geschiedde. Evenmin mag een zwaardere straf worden opgelegd dan die welke ten tijde van het begaan van het strafbare feit van toepassing was. Indien, na het begaan van het strafbare feit de wet mocht voorzien in de oplegging van een lichtere straf, dient de overtreder daarvan te profiteren.

2. Geen enkele bepaling van dit artikel staat in de weg aan het vonnis en de straf van iemand die schuldig is aan een handelen of nalaten, hetwelk ten tijde dat het handelen of nalaten geschiedde, van strafrechtelijke aard was overeenkomstig de algemene rechtsbeginselen die door de volkerengemeenschap worden erkend.

Art. 16

Erkenning als persoon

Een ieder heeft, waar hij zich ook bevindt, het recht als persoon erkend te worden voor de wet.

Art. 17

Geen aantasting in persoonlijke sfeer

1. Niemand mag worden onderworpen aan willekeurige of onwettige inmenging in zijn privé leven, zijn gezinsleven, zijn huis en zijn briefwisseling, noch aan onwettige aantasting van zijn eer en goede naam.

2. Een ieder heeft recht op bescherming door de wet tegen zodanige inmenging of aantasting.

Art. 18

Gewetens- en godsdienstvrijheid

1. Een ieder heeft het recht op vrijheid van denken, geweten en godsdienst. Dit recht omvat mede de vrijheid een zelf gekozen godsdienst of levensovertuiging te hebben of te aanvaarden, alsmede de vrijheid hetzij alleen, hetzij met anderen, zowel in het openbaar als in zijn particuliere leven zijn godsdienst of levensovertuiging tot uiting te brengen door de eredienst, het onderhouden van de geboden en voorschriften, door praktische toepassing en het onderwijzen ervan.
2. Op niemand mag dwang worden uitgeoefend die een belemmering zou betekenen van zijn vrijheid een door hemzelf gekozen godsdienst of levensovertuiging te hebben of te aanvaarden.

Wettelijke beperkingen

3. De vrijheid van een ieder zijn godsdienst of levensovertuiging tot uiting te brengen kan slechts in die mate worden beperkt als wordt voorgeschreven door de wet en noodzakelijk is ter bescherming van de openbare veiligheid, de orde, de volksgezondheid, de goede zeden of de fundamentele rechten en vrijheden van anderen.
4. De Staten die partij zijn bij dit Verdrag verbinden zich de vrijheid te eerbiedigen van ouders of wettige voogden, de godsdienstige en morele opvoeding van hun kinderen overeenkomstig hun eigen levensovertuiging te verzekeren.

Art. 19

Vrijheid van meningsuiting

1. Een ieder heeft het recht zonder inmenging een mening te koesteren.
2. Een ieder heeft het recht op vrijheid van meningsuiting; dit recht omvat mede de vrijheid inlichtingen en denkbeelden van welke aard ook te garen, te ontvangen en door te geven, ongeacht grenzen, hetzij mondeling, hetzij in geschreven of gedrukte vorm, in de vorm van kunst, of met behulp van andere media naar zijn keuze.

Wettelijke beperkingen

3. Aan de uitoefening van de in het tweede lid van dit artikel bedoelde rechten zijn bijzondere plichten en verantwoordelijkheden verbonden. Deze kan derhalve aan bepaalde beperkingen worden gebonden, doch alleen beperkingen die bij de wet worden voorzien en nodig zijn:
(a) in het belang van de rechten of de goede naam van anderen;
(b) in het belang van de nationale veiligheid of ter bescherming van de openbare orde, de volksgezondheid of de goede zeden.

Art. 20

Geen propageren van geweld

1. Alle oorlogspropaganda wordt bij de wet verboden.
2. Het propageren van op nationale afkomst, ras of godsdienst gebaseerde haatgevoelens die aanzetten tot discriminatie, vijandigheid of geweld, wordt bij de wet verboden.

Art. 21

Recht van vergadering; wettelijke beperkingen

Het recht van vreedzame vergadering wordt erkend. De uitoefening van dit recht kan aan geen andere beperkingen worden onderworpen dan die welke in overeenstemming met de wet worden opgelegd en die in een democratische samenleving geboden zijn in het belang van de nationale veiligheid of de openbare veiligheid, de openbare orde, de bescherming van de volksgezondheid of de goede zeden of de bescherming van de rechten en vrijheden van anderen.

Art. 22

Vrijheid van (vak)vereniging

1. Een ieder heeft het recht op vrijheid van vereniging, met inbegrip van het recht vakverenigingen op te richten en zich bij vakverenigingen aan te sluiten voor de bescherming van zijn belangen.

Wettelijke beperkingen

2. De uitoefening van dit recht kan aan geen andere beperkingen worden onderworpen dan die, welke bij de wet zijn voorgeschreven en die in een democratische samenleving geboden zijn in het belang van de nationale veiligheid of de openbare veiligheid, de openbare orde, de bescherming van de volksgezondheid of de goede zeden of de bescherming van de rechten en vrijheden van anderen. Dit artikel belet niet het opleggen van wettige beperkingen aan leden van de strijdmacht en van de politie in de uitoefening van dit recht.

Internationale arbeidsorganisatie

3. Geen bepaling in dit artikel geeft de Staten die partij zijn bij het Verdrag van 1948 van de Internationale Arbeidsorganisatie betreffende de vrijheid tot het oprichten van vakverenigingen en de bescherming van het vakverenigingsrecht de bevoegdheid wettelijke maatregelen te treffen, die de in dat Verdrag voorziene waarborgen in gevaar zouden brengen, of de wet zodanig toe te passen dat deze in gevaar zouden worden gebracht.

Art. 23

Gezinsbescherming

1. Het gezin vormt de natuurlijke en fundamentele kern van de maatschappij en heeft recht op bescherming door de maatschappij en de Staat.

Huwelijk

2. Het recht van mannen en vrouwen van huwbare leeftijd een huwelijk aan te gaan en een gezin te stichten wordt erkend.
3. Geen huwelijk wordt gesloten zonder de vrije en volledige toestemming van de aanstaande echtgenoten.
4. De Staten die partij zijn bij dit Verdrag nemen passende maatregelen ter verzekering van de gelijke rechten en verantwoordelijkheden van de echtgenoten wat het huwelijk betreft, tijdens

het huwelijk en bij de ontbinding ervan. In geval van ontbinding van het huwelijk wordt voorzien in de noodzakelijke bescherming van eventuele kinderen.

Art. 24

Bescherming van het kind

1. Elk kind heeft, zonder onderscheid naar ras, huidskleur, geslacht, taal, godsdienst, nationale of maatschappelijke afkomst, eigendom of geboorte, recht op die beschermende maatregelen van de zijde van het gezin waartoe het behoort, de gemeenschap en de Staat, waarop het in verband met zijn minderjarigheid recht heeft.
2. Elk kind wordt onmiddellijk na de geboorte ingeschreven en krijgt een naam.
3. Elk kind heeft het recht een nationaliteit te verwerven.

Art. 25

Recht om deel te nemen aan landsbestuur zonder achterstelling

Elke burger heeft het recht en dient in de gelegenheid te worden gesteld, zonder dat het onderscheid bedoeld in artikel 2 wordt gemaakt en zonder onredelijke beperkingen:
(a) deel te nemen aan de behandeling van openbare aangelegenheden, hetzij rechtstreeks of door middel van vrijelijk gekozen vertegenwoordigers;
(b) te stemmen en gekozen te worden door middel van betrouwbare periodieke verkiezingen die gehouden worden krachtens algemeen en gelijkwaardig kiesrecht en bij geheime stemming, waardoor het vrijelijk tot uitdrukking brengen van de wil van de kiezers wordt verzekerd;
(c) op algemene voet van gelijkheid te worden toegelaten tot de overheidsdiensten van zijn land.

Art. 26

Geen discriminatie

Allen zijn gelijk voor de wet en hebben zonder discriminatie aanspraak op gelijke bescherming door de wet. In dit verband verbiedt de wet discriminatie van welke aard ook en garandeert een ieder gelijke en doelmatige bescherming tegen discriminatie op welke grond ook, zoals ras, huidskleur, geslacht, taal, godsdienst, politieke of andere overtuiging, nationale of maatschappelijke afkomst, eigendom, geboorte of andere status.

Art. 27

Respecteren van minderheden

In Staten waar zich etnische, godsdienstige of linguïstische minderheden bevinden, mag aan personen die tot die minderheden behoren niet het recht worden ontzegd, in gemeenschap met de andere leden van hun groep, hun eigen cultuur te beleven, hun eigen godsdienst te belijden en in de praktijk toe te passen, of zich van hun eigen taal te bedienen.

DEEL IV

Art. 28

Comité voor de rechten van de mens

1. Er wordt een Comité voor de rechten van de mens (hierna in dit Verdrag te noemen „het Comité") ingesteld. Het bestaat uit achttien leden en oefent de hierna te noemen functies uit.
2. Het Comité bestaat uit onderdanen van de Staten die partij zijn bij dit Verdrag, die hoog zedelijk aanzien genieten en erkende bekwaamheid op het gebied van de rechten van de mens bezitten, waarbij dient te worden overwogen dat het lidmaatschap van enige personen die ervaring hebben op juridisch gebied raadzaam is.
3. De leden van het Comité worden gekozen en treden op in hun persoonlijke hoedanigheid.

Art. 29

Verkiezing leden

1. De leden van het Comité worden bij geheime stemming gekozen uit een lijst van personen die de kwaliteiten bezitten die in artikel 28 worden genoemd en met dit doel zijn voorgedragen door de Staten die partij zijn bij dit Verdrag.
2. Elke Staat die partij is bij dit Verdrag mag niet meer dan twee personen voordragen. Dezen moeten onderdaan zijn van de Staat die hen voordraagt.
3. Een persoon kan opnieuw worden voorgedragen.

Art. 30

Inzending van voordrachten

1. De eerste verkiezing wordt niet later gehouden dan zes maanden na de datum van inwerkingtreding van dit Verdrag.
2. Ten minste vier maanden vóór de datum waarop een verkiezing voor het Comité plaatsheeft, met uitzondering van een verkiezing ter voorziening in een overeenkomstig het bepaalde in artikel 34 bekendgemaakte vacature, richt de Secretaris-Generaal van de Verenigde Naties een schriftelijk verzoek aan de Staten die partij zijn bij dit Verdrag binnen drie maanden hun voordrachten voor het lidmaatschap van het Comité in te zenden.
3. De Secretaris-Generaal van de Verenigde Naties stelt een alfabetische lijst samen van alle aldus voorgedragen personen, onder aanduiding van de Staten die partij zijn bij dit Verdrag die hen hebben voorgedragen en legt deze uiterlijk één maand vóór de datum van elke verkiezing voor aan de Staten die partij zijn bij dit Verdrag.

Vergaderings- en besluitquorum voor verkiezing

4. De verkiezingen van de leden van het Comité worden gehouden op een door de Secretaris-Generaal van de Verenigde Naties ten hoofdkantore van de Verenigde Naties te beleggen vergadering van de Staten die partij zijn bij dit Verdrag. Op die vergadering, waarvoor twee derde van de Staten die partij zijn bij dit Verdrag het quorum vormen, zijn degenen die in het Comité zijn gekozen die voorgedragen personen die het grootste aantal stemmen op zich hebben vere-

nigd, alsmede een absolute meerderheid van de stemmen van de aanwezige vertegenwoordigers van de Staten die partij zijn en hun stem uitbrengen.

Art. 31

Richtsnoeren

1. Er mag niet meer dan één onderdaan van een zelfde Staat lid van het Comité zijn.
2. Bij het kiezen van het Comité dient aandacht te worden geschonken aan een billijke geografische verdeling van het lidmaatschap en aan de vertegenwoordiging der verschillende beschavingsvormen en der voornaamste rechtsstelsels.

Art. 32

Ambtstermijn

1. De leden van het Comité worden gekozen voor een tijdvak van vier jaar. Zij zijn herkiesbaar indien zij opnieuw worden voorgedragen. De ambtstermijn van negen der bij de eerste verkiezing benoemde leden loopt evenwel na twee jaar af; terstond na de eerste verkiezing worden deze negen leden bij loting aangewezen door de voorzitter van de in artikel 30, lid 4, bedoelde vergadering.
2. Verkiezingen na afloop van een ambtstermijn worden gehouden overeenkomstig de voorgaande artikelen van dit deel van dit Verdrag.

Art. 33

Tussentijdse vacatures

1. Indien, naar het eenstemmige oordeel van de andere leden, een lid van het Comité door enige oorzaak, waaronder niet is te verstaan tijdelijke afwezigheid, heeft opgehouden zijn functie uit te oefenen, geeft de voorzitter van het Comité daarvan kennis aan de Secretaris-Generaal der Verenigde Naties, die vervolgens mededeling doet van het openvallen van de zetel van dat lid.
2. Indien een lid van het Comité overlijdt of ontslag neemt, geeft de voorzitter daarvan onverwijld kennis aan de Secretaris-Generaal van de Verenigde Naties, die mededeling doet van het openvallen van de zetel met ingang van de datum van het overlijden of de datum waarop het genomen ontslag ingaat.

Art. 34

Tussentijdse verkiezingen

1. Indien een vacature wordt bekendgemaakt overeenkomstig het bepaalde in artikel 33 en indien de ambtstermijn van het te vervangen lid niet afloopt binnen een tijdvak van zes maanden na de bekendmaking van de vacature, geeft de Secretaris-Generaal van de Verenigde Naties daarvan bericht aan elk der Staten die partij zijn bij dit Verdrag, die binnen twee maanden overeenkomstig het bepaalde in artikel 29 personen kunnen voordragen ter voorziening in de vacature.
2. De Secretaris-Generaal van de Verenigde Naties stelt een alfabetische lijst samen van de aldus voorgedragen personen en legt deze voor aan de Staten die partij zijn bij dit Verdrag. De verkiezing om in de vacature te voorzien wordt vervolgens gehouden overeenkomstig de daarop betrekking hebbende bepalingen van dit deel van dit Verdrag.
3. Een lid van het Comité dat is gekozen ter voorziening in een vacature die is bekendgemaakt overeenkomstig het bepaalde in artikel 33, blijft in functie voor de rest van de ambtstermijn van het lid wiens zetel in het Comité is opengevallen overeenkomstig de bepalingen van dat artikel.

Art. 35

Emolumenten der leden

De leden van het Comité ontvangen, met goedkeuring van de Algemene Vergadering van de Verenigde Naties, uit de middelen van de Verenigde Naties emolumenten op door de Algemene Vergadering vast te stellen voorwaarden, waarbij rekening wordt gehouden met de belangrijkheid van de taken van het Comité.

Art. 36

Personeel

De Secretaris-Generaal van de Verenigde Naties zorgt voor het personeel en de andere voorzieningen benodigd voor een doelmatige uitoefening van de taken van het Comité krachtens dit Verdrag.

Art. 37

Plaats van vergaderen

1. De Secretaris-Generaal van de Verenigde Naties belegt de eerste vergadering van het Comité ten hoofdkantore van de Verenigde Naties.
2. Na zijn eerste vergadering komt het Comité bijeen op de tijden voorzien in zijn huishoudelijk reglement.
3. Normaal komt het Comité bijeen ten hoofdkantore van de Verenigde Naties of op het kantoor van de Verenigde Naties te Genève.

Art. 38

Verklaring bij ambtsaanvaarding

Elk lid van het Comité verklaart, alvorens zijn taak aan te vangen, ten overstaan van het Comité plechtig dat hij zich onpartijdig en nauwgezet van zijn taak zal kwijten.

Art. 39

Functionarissen

1. Het Comité kiest zijn functionarissen voor een ambtstermijn van twee jaar. Zij zijn herkiesbaar.

Huishoudelijk reglement

2. Het Comité stelt zijn eigen huishoudelijk reglement vast, hierin wordt o.m. bepaald dat:
(a) twaalf leden het quorum vormen;

(b) besluiten van het Comité worden genomen met een meerderheid van het aantal door de aanwezige leden uitgebrachte stemmen.

Art. 40

Staten doen verslag over hun maatregelen

1. De Staten die partij zijn bij dit Verdrag nemen de verplichting op zich verslag uit te brengen over de maatregelen die zij hebben genomen en die uitvoering geven aan de in dit Verdrag erkende rechten, alsmede over de vooruitgang die valt waar te nemen in het genot van die rechten:
(a) binnen een jaar na de inwerkingtreding van dit Verdrag voor de betrokken Staten die er partij bij zijn; en
(b) vervolgens telkens wanneer het Comité dit verzoekt.
2. Alle rapporten worden voorgelegd aan de Secretaris-Generaal van de Verenigde Naties, die ze ter bestudering doorzendt aan het Comité. In deze rapporten dienen de factoren en de eventuele moeilijkheden te worden aangegeven die van invloed zijn op de uitvoering van dit Verdrag.
3. De Secretaris-Generaal van de Verenigde Naties kan, na overleg met het Comité, aan de desbetreffende gespecialiseerde organisaties afschriften doen toekomen van die delen der rapporten die binnen het terrein van hun werkzaamheden vallen.

Comité geeft commentaar

4. Het Comité bestudeert de hem door de Staten die partij zijn bij dit Verdrag voorgelegde rapporten. Het zendt zijn rapporten en het door hem passend geoordeelde algemene commentaar aan de Staten die partij zijn. Het Comité kan dit commentaar, te zamen met de afschriften van de rapporten die het van Staten die partij zijn bij dit Verdrag heeft ontvangen, eveneens toezenden aan de Economische en Sociale Raad.
5. De Staten die partij zijn bij dit Verdrag kunnen opmerkingen ten aanzien van eventueel commentaar dat overeenkomstig het bepaalde in lid 4 van dit artikel wordt geleverd, voorleggen aan het Comité.

Art. 41

Staat beklaagt zich over een andere staat

1. Een Staat die partij is bij dit Verdrag kan, krachtens dit artikel, te allen tijde verklaren, dat hij de bevoegdheid van het Comité erkent kennisgevingen waarin een Staat die partij is beweert dat een andere Staat die partij is diens uit dit Verdrag voortvloeiende verplichtingen niet nakomt, in ontvangst te nemen en te behandelen. Kennisgevingen als bedoeld in dit artikel kunnen alleen in ontvangst worden genomen en worden behandeld indien zij zijn ingezonden door een Staat die partij is, die een verklaring heeft afgelegd dat hij ten aanzien van zichzelf deze bevoegdheid van het Comité erkent. Geen kennisgeving wordt door het Comité in ontvangst genomen, indien het een Staat die partij is betreft, die zulk een verklaring niet heeft afgelegd. Kennisgevingen die krachtens het bepaalde in dit artikel worden ontvangen worden overeenkomstig de volgende procedure behandeld:

Minnelijk overleg

(a) Indien een Staat die partij is bij dit Verdrag van oordeel is dat een andere Staat die partij is de bepalingen van dit Verdrag niet uitvoert, kan hij door middel van een schriftelijke kennisgeving de zaak onder de aandacht brengen van die Staat die partij is. Binnen drie maanden na ontvangst van de kennisgeving stuurt de ontvangende Staat de Staat die de kennisgeving had gezonden een schriftelijke uiteenzetting of een andere schriftelijke verklaring, waarin de zaak wordt opgehelderd en waarin, voor zover mogelijk en ter zake doende, wordt verwezen naar procedures en rechtsmiddelen die in het land zelf reeds zijn toegepast, nog hangende zijn of waartoe zou kunnen worden overgegaan.

Bij Comité aanhangig

(b) Indien de zaak niet tot genoegen van de beide betrokken Staten die partij zijn wordt geregeld binnen zes maanden na ontvangst van de eerste kennisgeving door de ontvangende Staat, heeft elk der beide Staten het recht de zaak bij het Comité aanhangig te maken, door middel van een kennisgeving die zowel aan het Comité als aan de andere Staat wordt gezonden.

Behandeling zaak

(c) Het Comité behandelt een bij hem aanhangig gemaakte zaak alleen nadat het er zich van heeft overtuigd dat alle beschikbare binnenlandse rechtsmiddelen in de betrokken zaak zijn benut en uitgeput, in overeenstemming met de algemeen erkende beginselen van het internationale recht. Dit is evenwel niet het geval indien de toepassing der rechtsmiddelen onredelijk lange tijd vergt.
(d) Het Comité komt in besloten zitting bijeen wanneer het kennisgevingen krachtens dit artikel gedaan aan een onderzoek onderwerpt.

Comité biedt goede diensten aan

(e) Met inachtneming van het bepaalde in alinea (c) stelt het Comité zijn goede diensten ter beschikking van de betrokken Staten die partij zijn, ten einde de zaak in der minne te regelen op basis van eerbied voor de rechten van de mens en de fundamentele vrijheden als erkend in dit Verdrag.
(f) Bij elke bij hem aanhangig gemaakte zaak kan het Comité tot de betrokken in alinea (b) bedoelde Staten die partij zijn het verzoek richten ter zake dienende inlichtingen te verstrekken.
(g) De in alinea (b) bedoelde betrokken Staten die partij zijn hebben het recht zich te doen vertegenwoordigen wanneer de zaak in het Comité wordt behandeld, en hun standpunt mondeling en/of schriftelijk kenbaar te maken.

Rapport Comité

(h) Het Comité brengt twaalf maanden na de datum van ontvangst van een krachtens alinea (b) gedane kennisgeving een rapport uit als volgt:

(i) indien een oplossing als voorzien in alinea (e) is bereikt, beperkt het Comité zijn rapport tot een korte uiteenzetting van de feiten en van de bereikte oplossing;
(ii) indien geen oplossing als voorzien in alinea (e) is bereikt, beperkt het Comité zijn rapport tot een korte uiteenzetting van de feiten; de schriftelijk kenbaar gemaakte standpunten en een op schrift gestelde samenvatting van de mondeling naar voren gebrachte standpunten van de Staten die partij zijn, worden aan het rapport gehecht.
In elk van beide gevallen wordt het rapport toegezonden aan de betrokken Staten die partij zijn.

Inwerkingtreding van het artikel

2. De bepalingen van dit artikel treden in werking wanneer tien Staten die partij zijn bij dit Verdrag verklaringen hebben afgelegd krachtens het eerste lid van dit artikel. Deze verklaringen worden door de Staten die partij zijn nedergelegd bij de Secretaris-Generaal van de Verenigde Naties, die afschrift daarvan doet toekomen aan de andere Staten die partij zijn. Een zodanige verklaring kan te allen tijde, door middel van een aan de Secretaris-Generaal gerichte kennisgeving, worden ingetrokken. Een zodanige intrekking heeft geen invloed op de behandeling van een zaak die het onderwerp vormt van een kennisgeving die reeds is gedaan krachtens dit artikel; geen enkele volgende kennisgeving door een Staat die partij is wordt in ontvangst genomen nadat de kennisgeving van intrekking van de verklaring door de Secretaris-Generaal is ontvangen, tenzij de betrokken Staat die partij is een nieuwe verklaring heeft afgelegd.

Art. 42

Eventueel treedt Conciliatiecommissie op

1.
(a) Indien een zaak die, overeenkomstig het bepaalde in artikel 41, bij het Comité aanhangig is gemaakt, niet is afgewikkeld naar genoegen van de betrokken Staten die partij zijn, kan het Comité mits daartoe vooraf de toestemming van de betrokken Staten die partij zijn is verkregen, een conciliatiecommissie ad hoc (hierna te noemen de Conciliatiecommissie) benoemen. De goede diensten der Conciliatiecommissie staan ter beschikking van de betrokken Staten die partij zijn met het oog op een minnelijke schikking van de zaak op basis van eerbiediging van de bepalingen van dit Verdrag;
(b) De Conciliatiecommissie bestaat uit vijf personen die aanvaardbaar zijn voor de betrokken Staten die partij zijn. Indien de betrokken Staten die partij zijn niet binnen drie maanden tot overeenstemming kunnen komen ten aanzien van de samenstelling van de Conciliatiecommissie, hetzij geheel of ten dele, worden de leden van de Conciliatiecommissie ten aanzien van wie geen overeenstemming kon worden bereikt, bij geheime stemming met twee derde meerderheid door het Comité uit zijn leden gekozen.
2. De leden van de Conciliatiecommissie treden op in persoonlijke hoedanigheid. Zij mogen geen onderdaan zijn van de betrokken Staten die partij zijn, of van een Staat die geen partij is bij dit Verdrag, of van een Staat die geen verklaring krachtens artikel 41 heeft afgelegd.
3. De Conciliatiecommissie kiest haar eigen voorzitter en stelt haar eigen huishoudelijk reglement vast.
4. De vergaderingen van de Conciliatiecommissie worden als regel ten hoofdkantore van de Verenigde Naties of op het kantoor van de Verenigde Naties te Genève gehouden. Zij kunnen evenwel op andere door de Conciliatiecommissie in overleg met de Secretaris-Generaal van de Verenigde Naties en de betrokken Staten die partij zijn vast te stellen geschikte plaatsen worden gehouden.
5. Het secretariaat waarin overeenkomstig het bepaalde in artikel 36 is voorzien staat eveneens de krachtens dit artikel ingestelde commissies ten dienste.
6. De door het Comité ontvangen en geverifieerde gegevens worden ter beschikking gesteld van de Conciliatiecommissie die de betrokken Staten die partij zijn kan verzoeken andere ter zake dienende gegevens te verstrekken.

Rapport der commissie

7. Wanneer de Conciliatiecommissie de zaak grondig heeft overwogen, doch in elk geval niet later dan twaalf maanden nadat haar de zaak in handen is gegeven, legt zij de voorzitter van het Comité een rapport voor dat ter kennis wordt gebracht van de betrokken Staten die partij zijn.
(a) Indien het de Conciliatiecommissie niet mogelijk is haar bestudering van de zaak binnen twaalf maanden te beëindigen, beperkt zij haar rapport tot een korte verklaring tot waar zij met de bestudering van de zaak is gevorderd.
(b) Indien een minnelijke schikking op basis van eerbied voor de rechten van de mens zoals deze in dit Verdrag worden erkend wordt bereikt, beperkt de Conciliatiecommissie haar rapport tot een korte uiteenzetting van de feiten en van de gevonden oplossing.
(c) Indien geen schikking als bedoeld in alinea (b) wordt bereikt, bevat het rapport van de Conciliatiecommissie een overzicht van haar bevindingen met betrekking tot alle feitelijke gegevens die betrekking hebben op de geschilpunten tussen de betrokken Staten die partij zijn, en haar inzichten ten aanzien van de mogelijkheid van een minnelijke schikking van de zaak. In dit rapport dienen tevens de schriftelijke en een overzicht van de mondelinge verklaringen die door de betrokken Staten die partij zijn zijn afgelegd te worden opgenomen.

(d) Indien het rapport van de Conciliatiecommissie wordt ingediend overeenkomstig alinea (c), delen de betrokken Staten die partij zijn binnen drie maanden na ontvangst van het rapport de voorzitter van het Comité mede of zij de inhoud van het rapport van de Conciliatiecommissie al dan niet aanvaarden.

Al of niet aanvaarding rapport

8. De bepalingen van dit artikel laten de verantwoordelijkheden van het Comité uit hoofde van artikel 41 onverlet.

9. De betrokken Staten die partij zijn komen gelijkelijk op voor alle onkosten die door de leden van de Conciliatiecommissie worden gemaakt, overeenkomstig ramingen die door de Secretaris-Generaal van de Verenigde Naties worden verstrekt.

10. De Secretaris-Generaal van de Verenigde Naties is bevoegd de onkosten van de leden van de Conciliatiecommissie te betalen, zo nodig, voordat deze, overeenkomstig het bepaalde in lid 9 van dit artikel, door de betrokken Staten die partij zijn worden vergoed.

Art. 43

Voorrechten enz. van Comité- en commissieleden

De leden van het Comité en van de conciliatiecommissies ad hoc die kunnen worden ingesteld krachtens het bepaalde in artikel 42, genieten de faciliteiten, voorrechten en immuniteiten van deskundigen die zijn uitgezonden door de Verenigde Naties, zoals die zijn vastgesteld in de desbetreffende delen van het Verdrag nopens de voorrechten en immuniteiten van de Verenigde Naties.

Art. 44

Toepasselijkheid verdragsbepalingen t.o.v. andere verdragen

De bepalingen voor de uitvoering van dit Verdrag zijn van toepassing, onverminderd de procedures die ter zake van de rechten van de mens worden voorgeschreven door of krachtens de oprichtingsakten en de overeenkomsten van de Verenigde Naties en de gespecialiseerde organisaties en vormen geen beletsel voor de Staten die partij zijn bij dit Verdrag hun toevlucht te nemen tot andere procedures ter regeling van een geschil, overeenkomstig tussen hen van kracht zijnde algemene of bijzondere internationale overeenkomsten.

Art. 45

Jaarverslag Comité

Het Comité doet, door tussenkomst van de Economische en Sociale Raad, de Algemene Vergadering van de Verenigde Naties een jaarverslag van zijn werkzaamheden toekomen.

DEEL V

Art. 46

Bevoegdheid van internationale organen niet aangetast

Geen bepaling van dit Verdrag mag worden uitgelegd als zijnde een aantasting van de bepalingen van het Handvest der Verenigde Naties en van de statuten van de gespecialiseerde organisaties, waarin de onderscheiden verantwoordelijkheden van de verschillende organen van de Verenigde Naties en van de gespecialiseerde organisaties met betrekking tot de in dit Verdrag geregelde materie zijn omschreven.

Art. 47

Geen aantasting van beschikkingsrecht over hulpbronnen

Geen bepaling in dit Verdrag mag worden uitgelegd als zijnde een aantasting van het inherente recht van alle volken hun natuurlijke rijkdommen en hulpbronnen volledig en vrijelijk te benutten en hiervan volledig en vrijelijk te profiteren.

DEEL VI

Art. 48

Toetreding tot het verdrag

1. Dit Verdrag staat open voor ondertekening door iedere Staat die lid is van de Verenigde Naties of van een of meer der gespecialiseerde organisaties daarvan, door elke Staat die partij is bij het Statuut van het Internationale Gerechtshof, alsmede door iedere andere Staat die door de Algemene Vergadering van de Verenigde Naties is uitgenodigd bij dit Verdrag partij te worden.

Bekrachtiging

2. Dit Verdrag moet worden bekrachtigd. De akten van bekrachtiging worden nedergelegd bij de Secretaris-Generaal van de Verenigde Naties.

3. Dit Verdrag staat open voor toetreding door iedere in het eerste lid van dit artikel bedoelde Staat.

4. Toetreding geschiedt door middel van nederlegging van een akte van toetreding bij de Secretaris-Generaal van de Verenigde Naties.

5. De Secretaris-Generaal van de Verenigde Naties stelt alle Staten die dit Verdrag hebben ondertekend of tot dit Verdrag zijn toegetreden, in kennis van de nederlegging van iedere akte van bekrachtiging of akte van toetreding.

Art. 49

Inwerkingtreding

1. Dit Verdrag treedt in werking drie maanden na de datum van nederlegging bij de Secretaris-Generaal van de Verenigde Naties van de vijfendertigste akte van bekrachtiging of akte van toetreding.

2. Ten aanzien van iedere Staat die na nederlegging van de vijfendertigste akte van bekrachtiging of akte van toetreding dit Verdrag bekrachtigt of tot dit Verdrag toetreedt, treedt dit Verdrag in werking drie maanden na de datum van nederlegging van zijn akte van bekrachtiging of akte van toetreding.

Federale staten

Art. 50

De bepalingen van dit Verdrag strekken zich uit tot alle delen van federale Staten, zonder enige beperking of uitzondering.

Wijziging verdrag

Art. 51

1. Iedere Staat die partij is bij dit Verdrag kan een wijziging daarvan voorstellen en deze indienen bij de Secretaris-Generaal van de Verenigde Naties. De Secretaris-Generaal van de Verenigde Naties deelt vervolgens iedere voorgestelde wijziging aan de Staten die partij zijn bij dit Verdrag mede, met het verzoek hem te berichten of zij een conferentie van Staten die partij zijn verlangen ten einde dit voorstel te bestuderen en in stemming te brengen. Indien ten minste een derde van de Staten die partij zijn zulk een conferentie verlangt, roept de Secretaris-Generaal deze conferentie onder auspiciën van de Verenigde Naties bijeen. Iedere wijziging die door een meerderheid van de ter conferentie aanwezige Staten die partij zijn en die hun stem uitbrengen wordt aangenomen, wordt ter goedkeuring voorgelegd aan de Algemene Vergadering van de Verenigde Naties.

2. Wijzigingen worden van kracht nadat zij door de Algemene Vergadering van de Verenigde Naties zijn goedgekeurd en door een twee derde meerderheid van de Staten die partij zijn bij dit Verdrag, overeenkomstig hun onderscheiden staatsrechtelijke procedures, zijn aangenomen.

3. Wanneer wijzigingen van kracht worden zijn zij bindend voor die Staten die partij zijn die ze hebben aangenomen, terwijl de andere Staten die partij zijn gebonden zullen blijven door de bepalingen van dit Verdrag en door iedere voorgaande wijziging die zij hebben aangenomen.

Art. 52

Ongeacht de krachtens artikel 48, lid 5, gedane kennisgevingen, stelt de Secretaris-Generaal van de Verenigde Naties alle in het eerste lid van hetzelfde artikel bedoelde Staten van het volgende in kennis:

(a) ondertekeningen, bekrachtigingen en toetredingen krachtens artikel 48;

(b) de datum van inwerkingtreding van dit Verdrag krachtens artikel 49 en de datum van het van kracht worden van eventuele wijzigingen krachtens artikel 51.

Art. 53

1. Dit Verdrag, waarvan de Chinese, de Engelse, de Franse, de Russische en de Spaanse tekst gelijkelijk authentiek zijn, wordt nedergelegd in het archief van de Verenigde Naties.

2. De Secretaris-Generaal van de Verenigde Naties doet aan alle in artikel 48 bedoelde Staten gewaarmerkte afschriften van dit Verdrag toekomen.

Facultatief Protocol behorend bij het Internationaal Verdrag inzake burgerrechten en politieke rechten

De Staten die partij zijn bij het Protocol,

Overwegende, dat, ten einde de doelstellingen van het Verdrag inzake burgerrechten en politieke rechten (hierna te noemen het Verdrag) en de uitvoering van de bepalingen daarvan verder te verwezenlijken, het gewenst zou zijn het Comité voor de rechten van de mens, zoals deze in deel IV van het Verdrag is ingesteld (hierna te noemen het Comité) in de gelegenheid te stellen, kennisgevingen van individuele personen die beweren het slachtoffer te zijn van schending van enig in dit Verdrag genoemd recht, in ontvangst te nemen en te behandelen,

Zijn overeengekomen als volgt:

Bevoegdheid Comité

Art. 1

Een Staat die partij is bij het Verdrag en die partij wordt bij dit Protocol erkent de bevoegdheid van het Comité kennisgevingen van individuele personen die onder zijn rechtsmacht vallen en die beweren het slachtoffer te zijn van schending door die Staat, die partij is, van enig in dat Verdrag genoemd recht, in ontvangst te nemen en te behandelen. Het Comité neemt geen kennisgeving in ontvangst indien deze betrekking heeft op een Staat die partij is bij het Verdrag doch niet tevens partij is bij dit Protocol.

Individueel klachtrecht

Art. 2

Met inachtneming van de bepalingen van artikel 1 kunnen individuele personen die beweren dat enig in het Verdrag genoemd hun toekomend recht geschonden is en die alle hun ter beschikking staande nationale rechtsmiddelen hebben uitgeput, het Comité een schriftelijke kennisgeving ter behandeling doen toekomen.

Niet ontvankelijke klachten

Art. 3

Het Comité verklaart elke krachtens dit Protocol toegezonden kennisgeving die anoniem is of welker inzending het beschouwt als misbruik van het recht zodanige kennisgevingen in te zenden of die het in strijd acht met de bepalingen van het Verdrag niet ontvankelijk.

Art. 4

Doorzending klacht aan betrokken Staat

1. Met inachtneming van de bepalingen van artikel 3, brengt het Comité alle hem krachtens het bepaalde in dit Protocol toegezonden kennisgevingen onder de aandacht van de Staat die partij is bij dit Protocol, waarvan wordt beweerd dat hij enige bepaling van het Verdrag overtreedt.

2. Binnen zes maanden doet de ontvangende Staat het Comité schriftelijke uiteenzettingen of verklaringen toekomen waarin de zaak en het rechtsmiddel dat eventueel door die Staat is toegepast nader worden toegelicht.

Art. 5

Beoordelingskader

1. Het Comité behandelt krachtens dit Protocol ontvangen kennisgevingen in het licht van alle hem door de betrokken persoon en de betrokken Staat die partij is ter beschikking gestelde schriftelijke gegevens.

2. Het Comité neemt geen door een individuele persoon ingezonden kennisgeving in behandeling dan nadat het zich ervan heeft overtuigd dat:
(a) dezelfde aangelegenheid niet reeds wordt onderzocht volgens een andere procedure van internationaal onderzoek of internationale regeling;
(b) de betrokken persoon alle beschikbare binnenlandse rechtsmiddelen heeft uitgeput.
Dit is evenwel niet het geval indien de toepassing der rechtsmiddelen onredelijk lange tijd vergt.

3. Het Comité komt in besloten zitting bijeen voor de behandeling van krachtens dit Protocol ingezonden kennisgevingen.

4. Het Comité maakt zijn inzichten bekend aan de desbetreffende Staat die partij is en aan de betrokken persoon.

Art. 6

Jaarlijkse verslaglegging

In zijn krachtens artikel 45 van het Verdrag uitgebrachte jaarverslag neemt het Comité een samenvatting op van zijn uit dit Protocol voortvloeiende werkzaamheden.

Art. 7

Klachtrecht volkeren

Zolang de doelstellingen van resolutie 1514 (XV), betreffende de Verklaring inzake het verlenen van onafhankelijkheid aan koloniale landen en volkeren, op 14 december 1960 door de Algemene Vergadering van de Verenigde Naties aangenomen, niet zijn verwezenlijkt, beperken de bepalingen van dit Protocol op geen enkele wijze het recht tot het indienen van verzoekschriften dat deze volkeren is toegekend op grond van het Handvest der Verenigde Naties en andere internationale overeenkomsten en akten der Verenigde Naties en de gespecialiseerde organisaties daarvan.

Art. 8

Toetreding

1. Dit Protocol staat open ter ondertekening door elke Staat die het Verdrag heeft ondertekend.

2. Dit Protocol moet worden bekrachtigd door elke Staat die het Verdrag heeft bekrachtigd of tot het Verdrag is toegetreden. De akten van bekrachtiging worden nedergelegd bij de Secretaris-Generaal van de Verenigde Naties.

3. Dit Protocol staat open voor toetreding door iedere Staat die het Verdrag heeft bekrachtigd of tot het Verdrag is toegetreden.

4. Toetreding geschiedt door nederlegging van een akte van toetreding bij de Secretaris-Generaal van de Verenigde Naties.

5. De Secretaris-Generaal van de Verenigde Naties stelt alle Staten die dit Protocol hebben ondertekend of tot dit Protocol zijn toegetreden in kennis van de nederlegging van iedere akte van bekrachtiging of toetreding.

Art. 9

Inwerkingtreding

1. Mits het Verdrag in werking is getreden, treedt dit Protocol in werking drie maanden na de datum van nederlegging bij de Secretaris-Generaal van de Verenigde Naties van de tiende akte van bekrachtiging of van toetreding.

2. Voor elke Staat die na de nederlegging van de tiende akte van bekrachtiging of van toetreding dit Protocol bekrachtigt of tot dit Protocol toetreedt, treedt dit Protocol in werking drie maanden na de datum van nederlegging van zijn akte van bekrachtiging of toetreding.

Art. 10

Werkingssfeer

De bepalingen van dit Protocol strekken zich uit tot alle delen van federale Staten, zonder enige beperking of uitzondering.

Art. 11

Wijzigingen

1. Iedere Staat die partij is bij dit Protocol kan een wijziging daarvan voorstellen en deze indienen bij de Secretaris-Generaal van de Verenigde Naties. De Secretaris-Generaal deelt vervolgens iedere voorgestelde wijziging aan de Staten die partij zijn bij dit Protocol mede, met het verzoek hem te berichten of zij een conferentie van Staten die partij zijn verlangen ten einde dit voorstel te bestuderen en in stemming te brengen. Indien ten minste een derde van de Staten die partij zijn zulk een conferentie verlangt, roept de Secretaris-Generaal deze conferentie onder auspiciën van de Verenigde Naties bijeen. Iedere wijziging die door een meerderheid van de ter conferentie aanwezige Staten die partij zijn en die hun stem uitbrengen wordt aangenomen, wordt ter goedkeuring voorgelegd aan de Algemene Vergadering van de Verenigde Naties.

2. Wijzigingen worden van kracht nadat zij door de Algemene Vergadering van de Verenigde Naties zijn goedgekeurd en door een twee-derde meerderheid van de Staten die partij zijn bij dit Protocol, overeenkomstig hun onderscheiden staatsrechtelijke procedures, zijn aangenomen.
3. Wanneer wijzigingen van kracht worden, zijn zij bindend voor de Staten die partij zijn en die ze hebben aangenomen, terwijl de andere Staten die partij zijn, gebonden zullen blijven door de bepalingen van dit Protocol en door iedere voorgaande wijziging die zij wel hebben aangenomen.

Art. 12

Opzegging

1. Iedere Staat die partij is, kan dit Protocol te allen tijde opzeggen door middel van een schriftelijke aan de Secretaris-Generaal van de Verenigde Naties gerichte kennisgeving. De opzegging wordt van kracht drie maanden na de datum van ontvangst van de kennisgeving door de Secretaris-Generaal.
2. Opzegging heeft geen invloed op de verdere toepassing van de bepalingen van dit Protocol op een kennisgeving die vóór de datum waarop de opzegging van kracht wordt krachtens artikel 2 is ingediend.

Art. 13

Informatie

Ongeacht de krachtens artikel 8, lid 5, van dit Protocol gedane kennisgevingen, stelt de Secretaris-Generaal van de Verenigde Naties alle in artikel 48, eerste lid, van het Verdrag bedoelde Staten van het volgende in kennis:
(a) ondertekeningen, bekrachtigingen en toetredingen krachtens artikel 8;
(b) de datum van inwerkingtreding van dit Protocol krachtens artikel 9 en de datum van het van kracht worden van eventuele wijzigingen krachtens artikel 11;
(c) opzeggingen krachtens artikel 12.

Art. 14

1. Dit Protocol, waarvan de Chinese, de Engelse, de Franse, de Russische en de Spaanse tekst gelijkelijk authentiek zijn, wordt nedergelegd in het archief van de Verenigde Naties.
2. De Secretaris-Generaal van de Verenigde Naties doet aan alle in artikel 48 van het Verdrag bedoelde Staten gewaarmerkte afschriften van dit Protocol toekomen.

Inhoudsopgave

PART I	Art. 1
PART II	Art. 2
PART III	Art. 6
Part IV	Art. 16
PART V	Art. 26
DEEL I	Art. 1
DEEL II	Art. 2
DEEL III	Art. 6
DEEL IV	Art. 16
DEEL V	Art. 26

Internationaal Verdrag inzake economische, sociale en culturele rechten[1]

De Staten die partij zijn bij dit Verdrag,
Overwegende, dat, overeenkomstig de in het Handvest der Verenigde Naties verkondigde beginselen, erkenning van de inherente waardigheid en van de gelijke en onvervreemdbare rechten van alle leden van de mensengemeenschap grondslag is voor de vrijheid, gerechtigheid en vrede in de wereld,
Erkennende, dat deze rechten voortvloeien uit de inherente waardigheid van de menselijke persoon,
Erkennende, dat, overeenkomstig de Universele Verklaring van de Rechten van de Mens, het ideaal van de vrije mens, vrij van vrees en gebrek, slechts kan worden verwezenlijkt indien er omstandigheden worden geschapen, waarin een ieder zijn economische, sociale en culturele rechten, alsmede zijn burgerrechten en zijn politieke rechten kan uitoefenen,
Overwegende, dat, krachtens het Handvest der Verenigde Naties, de Staten verplicht zijn de universele eerbied voor en de inachtneming van de rechten en vrijheden van de mens te bevorderen,
Zich ervan bewust dat op de individuele mens, uit hoofde van de plichten die hij heeft tegenover anderen en tegenover de gemeenschap waartoe hij behoort, de verantwoordelijkheid rust te streven naar bevordering en inachtneming van de in dit Verdrag erkende rechten,
Zijn overeengekomen als volgt:

DEEL I

Art. 1

Zelfbeschikkingsrecht der volken

1. Alle volken bezitten zelfbeschikkingsrecht. Uit hoofde van dit recht bepalen zij in alle vrijheid hun politieke status en streven zij vrijelijk hun economische, sociale en culturele ontwikkeling na.

Vrije beschikking over natuurlijke hulpbronnen

2. Alle volken kunnen ter verwezenlijking van hun doeleinden vrijelijk beschikken over hun natuurlijke rijkdommen en hulpbronnen, evenwel onverminderd eventuele verplichtingen voortvloeiende uit internationale economische samenwerking, gegrondvest op het beginsel van wederzijds voordeel, en uit het internationale recht. In geen geval mogen een volk zijn bestaansmiddelen worden ontnomen.

Staten bevorderen en eerbiedigen deze rechten

3. De Staten die partij zijn bij dit Verdrag, met inbegrip van de Staten die verantwoordelijk zijn voor het beheer van gebieden zonder zelfbestuur en van trustgebieden, bevorderen de verwezenlijking van het zelfbeschikkingsrecht en eerbiedigen dit recht overeenkomstig de bepalingen van het Handvest der Verenigde Naties.

DEEL II

Art. 2

Staten streven naar verwezenlijking der erkende rechten

1. Iedere Staat die partij is bij dit Verdrag verbindt zich maatregelen te nemen, zowel zelfstandig als binnen het kader van de internationale hulp en samenwerking, met name op economisch en technisch gebied, en met volledige gebruikmaking van de hem ter beschikking staande hulpbronnen, ten einde met alle passende middelen, inzonderheid de invoering van wettelijke maatregelen, steeds nader tot een algehele verwezenlijking van de in dit Verdrag erkende rechten te komen.

Zij waarborgen uitoefening zonder discriminatie

2. De Staten die partij zijn bij dit Verdrag verbinden zich te waarborgen dat de in dit Verdrag opgesomde rechten zullen worden uitgeoefend zonder discriminatie van welke aard ook, wat betreft ras, huidskleur, geslacht, taal, godsdienst, politieke of andere overtuiging, nationale of maatschappelijke afkomst, eigendom, geboorte of andere status.

3. De ontwikkelingslanden kunnen, daarbij behoorlijk rekening houdend met de rechten van de mens en hun nationale economie, bepalen in hoeverre zij de in dit Verdrag erkende economische rechten aan niet-onderdanen zullen waarborgen.

Art. 3

Gelijk recht voor mannen en vrouwen

De Staten die partij zijn bij dit Verdrag verbinden zich het gelijke recht van mannen en vrouwen op het genot van de in dit Verdrag genoemde economische, sociale en culturele rechten te verzekeren.

---

1 Inwerkingtredingsdatum: 11-03-1979.

Art. 4

Wettelijke beperkingen der rechten

De Staten die partij zijn bij dit Verdrag erkennen dat, wat het genot van de door de Staat overeenkomstig dit Verdrag verleende rechten betreft, de Staat deze rechten slechts mag onderwerpen aan bij de wet vastgestelde beperkingen en alleen voor zover dit niet in strijd is met de aard van deze rechten, en uitsluitend met het doel het algemeen welzijn in een democratische samenleving te bevorderen.

Art. 5

Geen uitleg van verdrag t.b.v. verdragstrijdige activiteiten

1. Geen bepaling van dit Verdrag mag zodanig worden uitgelegd als zou zij voor een Staat, een groep of een persoon het recht inhouden enige activiteit te ontplooien of enige daad te verrichten, die ten doel heeft de rechten of vrijheden welke in dit Verdrag zijn erkend, te vernietigen of deze rechten en vrijheden meer te beperken dan bij dit Verdrag is voorzien.
2. Het is niet toegestaan enig fundamenteel recht van de mens dat in een land, ingevolge wettelijke bepalingen, overeenkomsten, voorschriften of gewoonten, wordt erkend of bestaat, te beperken of ervan af te wijken, onder voorwendsel dat dit Verdrag die rechten niet of slechts in beperkte mate erkent.

DEEL III

Art. 6

Recht op vrij gekozen arbeid

1. De Staten die partij zijn bij dit Verdrag erkennen het recht op arbeid, hetgeen insluit het recht van een ieder op de mogelijkheid in zijn onderhoud te voorzien door middel van vrijelijk gekozen of aanvaarde werkzaamheden; zij nemen passende maatregelen om dit recht veilig te stellen.

Maatregelen ter verwezenlijking van het recht

2. De door een Staat die partij is bij dit Verdrag te nemen maatregelen ter volledige verwezenlijking van dit recht, dienen onder meer te omvatten technische programma's, programma's voor beroepskeuzevoorlichting en opleidingsprogramma's, alsmede het voeren van een beleid en de toepassing van technieken gericht op gestadige economische, sociale en culturele ontwikkeling en op het scheppen van volledige gelegenheid tot het verrichten van produktieve arbeid onder omstandigheden die de individuele mens het genot waarborgen van de fundamentele politieke en economische vrijheden.

Art. 7

Recht op billijke en gunstige arbeidsvoorwaarden

De Staten die partij zijn bij dit Verdrag erkennen het recht van een ieder op billijke en gunstige arbeidsvoorwaarden, die in het bijzonder het volgende waarborgen:
(a) Een beloning die alle werknemers als minimum het volgende verschaft:
(i) Een billijk loon en gelijke beloning voor werk van gelijke waarde zonder onderscheid van welke aard ook; in het bijzonder dienen aan vrouwen arbeidsvoorwaarden te worden gewaarborgd die niet onderdoen voor die welke op mannen van toepassing zijn, met gelijke beloning voor gelijk werk;
(ii) Een behoorlijk levenspeil voor henzelf en hun gezin overeenkomstig de bepalingen van dit Verdrag;
(b) Veilige en hygiënische arbeidsomstandigheden;
(c) Gelijke kansen voor een ieder op bevordering in zijn werk naar een passende hogere positie, waarbij geen andere overwegingen mogen gelden dan die van anciënniteit en bekwaamheid;
(d) Rustpauzen, vrije tijd en een redelijke duur van de werktijd en periodieke vakanties met behoud van loon, alsmede behoud van loon op algemeen erkende feestdagen.

Art. 8

Recht van vakorganisatie

1. De Staten die partij zijn bij dit Verdrag verbinden zich het volgende te waarborgen:
(a) Het recht van een ieder vakverenigingen op te richten en zich aan te sluiten bij de vakvereniging van zijn keuze, slechts met inachtneming van de regels van de betrokken organisatie, ter bevordering en bescherming van zijn economische en sociale belangen. Aan de uitoefening van dit recht mogen geen beperkingen worden verbonden, behalve die welke bij de wet zijn voorgeschreven en die in een democratische samenleving geboden zijn in het belang van de nationale veiligheid of de openbare orde, dan wel voor de bescherming van de rechten en vrijheden van anderen;

Vakbonden van vakverenigingen

(b) Het recht van vakverenigingen nationale overkoepelende organen te vormen en het recht van deze laatste, internationale vakverenigingsorganisaties op te richten of zich daarbij aan te sluiten;

Wettelijke beperking activiteiten

(c) Het recht van vakverenigingen vrijelijk hun werkzaamheden te ontplooien, waarbij zij aan geen andere beperkingen zijn onderworpen dan die welke bij de wet zijn voorgeschreven en welke in een democratische samenleving geboden zijn in het belang van de nationale veiligheid of de openbare orde, dan wel voor de bescherming van de rechten en vrijheden van anderen;

Stakingsrecht

(d) Het stakingsrecht, mits dit wordt uitgeoefend overeenkomstig de wetten van het desbetreffende land.

2. Dit artikel verhindert niet het treffen van wettelijke maatregelen ter beperking van de uitoefening van deze rechten door leden van de gewapende macht, van de politie of van het ambtelijk apparaat.

Internationale Arbeidsorganisaties

3. Geen bepaling van dit artikel geeft de Staten die partij zijn bij het Verdrag van 1948 van de Internationale Arbeidsorganisatie betreffende de vrijheid tot het oprichten van vakverenigingen en de bescherming van het vakverenigingsrecht de bevoegdheden wetgevende maatregelen te treffen die de in dat Verdrag voorziene waarborgen in gevaar zouden brengen of de wet zodanig toe te passen dat deze in gevaar zouden worden gebracht.

Art. 9

Recht op sociale zekerheid

De Staten die partij zijn bij dit Verdrag erkennen het recht van een ieder op sociale zekerheid, daarbij inbegrepen sociale verzekering.

Art. 10

Gezinsbescherming

De Staten die partij zijn bij dit Verdrag erkennen het volgende:

1. De grootst mogelijke bescherming en bijstand dient te worden verleend aan het gezin, dat de natuurlijke en fundamentele kern van de maatschappij vormt, in het bijzonder bij de stichting daarvan en zolang het de verantwoording draagt voor de zorg voor en de opvoeding van kinderen die nog niet in eigen levensonderhoud kunnen voorzien. Een huwelijk moet door de aanstaande echtgenoten uit vrije wil worden aangegaan.

Bevallingsverlof

2. Aan moeders dient bijzondere bescherming te worden verleend gedurende een redelijke periode voor en na de geboorte van hun kind. Gedurende deze periode dient aan werkende moeders verlof met behoud van loon of verlof gekoppeld aan passende uitkeringen krachtens de sociale zekerheidswetgeving te worden toegekend.

Bescherming van jeugdigen, ook tegen uitbuiting

3. Bijzondere maatregelen ter bescherming van en ter verlening van bijstand aan kinderen en jeugdige personen dienen te worden genomen zonder enigerlei discriminatie ter zake van afstamming of anderszins. Kinderen en jeugdige personen dienen te worden beschermd tegen economische en sociale uitbuiting. Tewerkstelling van zulke personen voor het verrichten van arbeid die schadelijk is voor hun zedelijk of lichamelijk welzijn, levensgevaar oplevert, dan wel groot gevaar inhoudt dat hun normale ontwikkeling zal worden geremd, dient strafbaar te zijn bij de wet. De Staten dienen tevens leeftijdsgrenzen vast te stellen waarbeneden het verrichten van loonarbeid door kinderen verboden en strafbaar bij de wet dient te zijn.

Art. 11

Behoorlijke levensstandaard

1. De Staten die partij zijn bij dit Verdrag erkennen het recht van een ieder op een behoorlijke levensstandaard voor zichzelf en zijn gezin, daarbij inbegrepen toereikende voeding, kleding en huisvesting, en op steeds betere levensomstandigheden. De Staten die partij zijn bij dit Verdrag nemen passende maatregelen om de verwezenlijking van dit recht te verzekeren, daarbij het essentieel belang erkennende van vrijwillige internationale samenwerking.

Vrijwaring tegen honger

2. De Staten die partij zijn bij dit Verdrag, het fundamentele recht erkennende van een ieder gevrijwaard te zijn tegen honger, nemen zowel zelfstandig als door middel van internationale samenwerking de maatregelen, waaronder mede begrepen bijzondere programma's, die nodig zijn ten einde:

Betere productie enz. van voedsel

(a) De methoden voor de voortbrenging, verduurzaming en verdeling van voedsel te verbeteren door volledige gebruikmaking van de technische en wetenschappelijke kennis, door het geven van voorlichting omtrent de beginselen der voedingsleer en door het ontwikkelen of reorganiseren van agrarische stelsels op zodanige wijze dat de meest doelmatige ontwikkeling en benutting van natuurlijke hulpbronnen wordt verkregen;

Verdeling wereldvoedselvoorraden

(b) Een billijke verdeling van de wereldvoedselvoorraden in verhouding tot de behoefte te verzekeren, daarbij rekening houdende met de problemen van zowel de voedsel invoerende als de voedsel uitvoerende landen.

Art. 12

Recht op lichamelijke en geestelijke gezondheid

1. De Staten die partij zijn bij dit Verdrag erkennen het recht van een ieder op een zo goed mogelijke lichamelijke en geestelijke gezondheid.

2. De door de Staten die partij zijn bij dit Verdrag te nemen maatregelen ter volledige verwezenlijking van dit recht omvatten onder meer die welke nodig zijn om te komen tot:

(a) Vermindering van het aantal doodgeborenen en van de kindersterfte, alsmede een gezonde ontwikkeling van het kind;

(b) Verbetering van alle aspecten betreffende de hygiëne van het gewone milieu van de mens en van het arbeidsmilieu;

(c) Voorkoming, behandeling en bestrijding van epidemische én endemische ziekten, alsmede van beroepsziekten en andere ziekten;

(d) Het scheppen van omstandigheden die een ieder in geval van ziekte geneeskundige bijstand en verzorging waarborgen.

Art. 13

Recht op onderwijs dat ook gericht is op begrip onder de volken

1. De Staten die partij zijn bij dit Verdrag erkennen het recht van een ieder op onderwijs. Zij zijn van oordeel dat het onderwijs gericht dient te zijn op de volledige ontplooiing van de menselijke persoonlijkheid en van het besef van haar waardigheid en dat het dient bij te dragen tot de eerbied voor de rechten van de mens en de fundamentele vrijheden. Zij zijn voorts van oordeel dat het onderwijs een ieder in staat dient te stellen een nuttige rol te vervullen in een vrije samenleving en het begrip, de verdraagzaamheid en de vriendschap onder alle volken en alle rasgemeenschappen, etnische en godsdienstige groeperingen, alsmede de activiteiten van de Verenigde Naties voor de handhaving van de vrede dient te bevorderen.

Primair, secundair en hoger onderwijs

2. De Staten die partij zijn bij dit Verdrag erkennen dat, ten einde tot een volledige verwezenlijking van dit recht te komen:
(a) Het primaire onderwijs voor allen verplicht en kosteloos beschikbaar dient te zijn;
(b) Het secundair onderwijs in zijn verschillende vormen, waarbij inbegrepen het secundaire technische onderwijs en het beroepsonderwijs, door middel van alle passende maatregelen en in het bijzonder door de geleidelijke invoering van kosteloos onderwijs algemeen beschikbaar en voor allen toegankelijk dient te worden gemaakt;
(c) Het hoger onderwijs door middel van alle passende maatregelen en in het bijzonder door de geleidelijke invoering van kosteloos onderwijs voor een ieder op basis van bekwaamheid gelijkelijk toegankelijk dient te worden gemaakt;
(d) Het fundamenteel onderricht zoveel mogelijk dient te worden gestimuleerd of geïntensiveerd ten behoeve van personen die geen lager onderwijs hebben genoten of dit niet hebben voltooid;
(e) De ontwikkeling van een stelsel van scholen van alle niveaus met kracht dient te worden nagestreefd, een passend stelsel van studiebeurzen in het leven dient te worden geroepen en materiële omstandigheden van het onderwijzend personeel voortdurend dienen te worden verbeterd.

Keuzevrijheid van de ouders

3. De Staten die partij zijn bij dit Verdrag verbinden zich de vrijheid te eerbiedigen van ouders of wettige voogden om voor hun kinderen of pupillen andere dan door de overheid opgerichte scholen te kiezen, die beantwoorden aan de door de Staat vast te stellen of goed te keuren minimumonderwijsnormen en hun godsdienstige en zedelijke opvoeding te verzekeren overeenkomstig hun eigen overtuiging.

Geen aantasting van de vrijheid van onderwijs

4. Geen onderdeel van dit artikel mag zodanig worden uitgelegd dat het de vrijheid aantast van individuele personen of rechtspersonen inrichtingen voor onderwijs op te richten en daaraan leiding te geven, met inachtneming evenwel van de in het eerste lid van dit artikel neergelegde beginselen en van de voorwaarde dat het aan deze inrichtingen gegeven onderwijs beantwoordt aan door de Staat vastgestelde minimumnormen.

Art. 14

Plan voor invoering verplicht kosteloos primair onderwijs

Iedere Staat die partij is bij dit Verdrag en die op het tijdstip waarop hij partij werd in het moederland of in andere onder zijn rechtsmacht vallende gebieden verplicht kosteloos primair onderwijs nog niet heeft kunnen invoeren, verbindt zich binnen twee jaar een tot in bijzonderheden uitgewerkt plan voor de geleidelijke tenuitvoerlegging, binnen een redelijk in dit plan vast te stellen aantal jaren, van het beginsel van verplicht kosteloos primair onderwijs voor allen op te stellen en te aanvaarden.

Art. 15

Cultuur en wetenschap

1. De Staten die partij zijn bij dit Verdrag erkennen het recht van een ieder:
(a) Deel te nemen aan het culturele leven;
(b) De voordelen te genieten van de wetenschappelijke vooruitgang en de toepassing daarvan;
(c) De voordelen te genieten van de bescherming van de geestelijke en stoffelijke belangen voortvloeiende uit door hem verricht wetenschappelijk werk of uit een literair of artistiek werk waarvan hij de schepper is.
2. De door de Staten die partij zijn bij dit Verdrag te nemen maatregelen om tot de volledige verwezenlijking van dit recht te komen houden mede in die, welke noodzakelijk zijn voor het behoud, de ontwikkeling en de verbreiding van wetenschap en cultuur.

Vrijheid van wetenschappelijk onderzoek

3. De Staten die partij zijn bij dit Verdrag verbinden zich de vrijheid te eerbiedigen die onontbeerlijk is voor het verrichten van wetenschappelijk onderzoek en scheppend werk.
4. De Staten die partij zijn bij dit Verdrag erkennen de voordelen die de stimulering en ontwikkeling van internationale contacten en van internationale samenwerking op wetenschappelijk en cultureel gebied met zich brengen.

DEEL IV

Art. 16

Rapporten naar Economische en Sociale Raad

1. De Staten die partij zijn bij dit Verdrag verbinden zich overeenkomstig dit deel van het Verdrag rapporten in te dienen over de maatregelen die zij hebben genomen en de vorderingen die zij hebben gemaakt bij de totstandkoming van de in dit Verdrag erkende rechten.
2.
(a) Alle rapporten dienen bij de Secretaris-Generaal van de Verenigde Naties te worden ingediend; deze doet hiervan afschriften toekomen aan de Economische en Sociale Raad ter bestudering overeenkomstig de bepalingen van dit Verdrag.

(*b*) De Secretaris-Generaal van de Verenigde Naties doet tevens aan de gespecialiseerde organisaties afschriften van de rapporten, of van daarvoor in aanmerking komende delen daarvan, afkomstig van Staten die partij zijn bij dit Verdrag en die tevens lid zijn van die gespecialiseerde organisaties toekomen voor zover deze rapporten, of delen daarvan betrekking hebben op zaken die tot de verantwoordelijkheid behoren van die gespecialiseerde organisaties overeenkomstig hun statutaire bepalingen.

Art. 17

Schema van rapportering

1. De Staten die partij zijn bij dit Verdrag dienen hun rapporten in afleveringen in, overeenkomstig een door de Economische en Sociale Raad binnen een jaar na de inwerkingtreding van dit Verdrag in te stellen schema, na raadpleging van de Staten die partij zijn bij dit Verdrag en van de betrokken gespecialiseerde organisaties.

Vermelding van problemen

2. In de rapporten kunnen factoren en moeilijkheden die de mate van vervulling van de verplichtingen krachtens dit Verdrag ongunstig hebben beïnvloed worden vermeld.

3. In gevallen waarin reeds aan de Verenigde Naties of aan een gespecialiseerde organisatie door een Staat die partij is bij dit Verdrag van belang zijnde gegevens zijn verstrekt, is het niet nodig deze gegevens andermaal te verschaffen, doch kan met een nauwkeurige verwijzing naar de aldus verstrekte gegevens worden volstaan.

Art. 18

Rapportering door speciale organisaties

Ingevolge zijn verantwoordelijkheden krachtens het Handvest der Verenigde Naties op het gebied van de rechten van de mens en de fundamentele vrijheden, kan de Economische en Sociale Raad regelingen treffen met de gespecialiseerde organisaties met betrekking tot het rapporteren aan de Raad over de vorderingen die zijn gemaakt bij de inachtneming van de bepalingen van dit Verdrag die binnen het kader van hun werkzaamheden vallen. Deze rapporten kunnen onder meer gegevens bevatten betreffende de beslissingen en aanbevelingen die door de bevoegde organen ten aanzien van deze ten uitvoerlegging zijn genomen of aanvaard.

Art. 19

Rapporten naar Commissie voor de Rechten van de Mens

De Economische en Sociale Raad kan aan de Commissie voor de Rechten van de Mens ter bestudering en algemene aanbeveling of, in voorkomende gevallen, ter informatie doen toekomen de door de Staten overeenkomstig de artikelen 16 en 17 ingediende rapporten betreffende de rechten van de mens, alsmede die betreffende de rechten van de mens welke door de gespecialiseerde organisaties overeenkomstig artikel 18 zijn ingediend.

Art. 20

Opmerkingen over aanbevelingen naar Economische en Sociale Raad

De Staten die partij zijn bij dit Verdrag en de betrokken gespecialiseerde organisaties kunnen de Economische en Sociale Raad opmerkingen doen toekomen betreffende elke algemene aanbeveling gedaan krachtens artikel 19 of betreffende elke vermelding van zulk een algemene aanbeveling in enig rapport van de Commissie voor de Rechten van de Mens of in enig in dat rapport vermeld document.

Art. 21

Rapportage van de Raad aan de Algemene Vergadering

De Economische en Sociale Raad kan van tijd tot bij de Algemene Vergadering rapporten met aanbevelingen van algemene aard indienen, alsmede een samenvatting van de gegevens ontvangen van de Staten die partij zijn bij dit Verdrag en van de gespecialiseerde organisaties betreffende de maatregelen die zijn genomen en de vorderingen die zijn gemaakt om de algemene inachtneming van de in dit Verdrag erkende rechten te verzekeren.

Art. 22

Raad attendeert op het nemen van internationale maatregelen

De Economische en Sociale Raad kan de aandacht van andere organen van de Verenigde Naties, de daaronder ressorterende organen en gespecialiseerde organisaties die zich bezighouden met het verlenen van technische hulp, vestigen op alle aangelegenheden die uit de in dit deel van dit Verdrag bedoelde verslagen voortvloeien en die voor deze lichamen van nut kunnen zijn bij het nemen van beslissingen, elk binnen zijn eigen bevoegdheid, omtrent de raadzaamheid van het nemen van internationale maatregelen waarvan verwacht kan worden dat zij bijdragen tot een doelmatige en geleidelijke uitvoering van dit Verdrag.

Art. 23

Strekking van de maatregelen

De Staten die partij zijn bij dit Verdrag zijn van oordeel dat internationale maatregelen voor de instandkoming van de in dit Verdrag erkende rechten onder meer inhouden het sluiten van overeenkomsten, het aanvaarden van aanbevelingen, het verschaffen van technische hulp en het organiseren van regionale bijeenkomsten en technische bijeenkomsten voor overleg en studie, in samenwerking met de betrokken Regeringen.

Art. 24

Bevoegdheid van internationale organen

Geen bepaling van dit Verdrag mag worden uitgelegd als zijnde een aantasting van de bepalingen van het Handvest der Verenigde Naties en van de statuten van de gespecialiseerde organisaties, waarin de onderscheiden verantwoordelijkheden van de verschillende organen van de Verenigde Naties en van de gespecialiseerde organisaties met betrekking tot de in dit Verdrag geregelde materie zijn omschreven.

Art. 25

Beschikkingsrecht over natuurlijke hulpbronnen

Geen bepaling van dit Verdrag mag worden uitgelegd als zijnde een aantasting van het inherente recht van alle volken hun natuurlijke rijkdommen en hulpbronnen volledig en vrijelijk te benutten en hiervan volledig en vrijelijk te profiteren.

DEEL V

Art. 26

Staten en VN-organisaties kunnen tot het verdrag toetreden

1. Dit Verdrag staat open voor ondertekening door iedere Staat die lid is van de Verenigde Naties of van een of meer der gespecialiseerde organisaties daarvan, door elke Staat die partij is bij het Statuut van het Internationale Gerechtshof, alsmede door iedere andere Staat die door de Algemene Vergadering van de Verenigde Naties is uitgenodigd bij dit Verdrag partij te worden.
2. Dit Verdrag moet worden bekrachtigd. De akten van bekrachtiging worden nedergelegd bij de Secretaris-Generaal van de Verenigde Naties.
3. Dit Verdrag staat open voor toetreding door iedere in het eerste lid van dit artikel bedoelde Staat.
4. Toetreding geschiedt door middel van nederlegging van een akte van toetreding bij de Secretaris-Generaal van de Verenigde Naties.
5. De Secretaris-Generaal van de Verenigde Naties stelt alle Staten die dit Verdrag hebben ondertekend of tot dit Verdrag zijn toegetreden in kennis van de nederlegging van iedere akte van bekrachtiging of akte van toetreding.

Art. 27

Tijdstip van inwerkingtreding

1. Dit Verdrag treedt in werking drie maanden na de datum van nederlegging bij de Secretaris-Generaal van de Verenigde Naties van de vijfendertigste akte van bekrachtiging of akte van toetreding.
2. Ten aanzien van iedere Staat die na nederlegging van de vijfendertigste akte van bekrachtiging of akte van toetreding dit Verdrag bekrachtigt of tot dit Verdrag toetreedt, treedt dit Verdrag in werking drie maanden na de datum van nederlegging van zijn akte van bekrachtiging of akte van toetreding.

Art. 28

Federale staten

De bepalingen van dit Verdrag strekken zich uit tot alle delen van federale Staten, zonder enige beperking of uitzondering.

Art. 29

Wijzigingsprocedure

1. Iedere Staat die partij is bij dit Verdrag kan een wijziging daarvan voorstellen en deze indienen bij de Secretaris-Generaal van de Verenigde Naties. De Secretaris-Generaal deelt vervolgens iedere voorgestelde wijziging aan de Staten die partij zijn bij dit Verdrag mede, met het verzoek hem te berichten of zij een conferentie van Staten die partij zijn bij dit Verdrag verlangen ten einde dit voorstel te bestuderen en in stemming te brengen. Indien ten minste een derde van de Staten die partij zijn bij dit Verdrag zulk een conferentie verlangt, roept de Secretaris-Generaal deze conferentie onder auspiciën van de Verenigde Naties bijeen. Iedere wijziging die door een meerderheid van de ter conferentie aanwezige Staten die partij zijn bij dit Verdrag wordt aangenomen, wordt ter goedkeuring aan de Algemene Vergadering van de Verenigde Naties voorgelegd.

Van kracht worden van wijzigingen

2. Wijzigingen worden van kracht nadat zij door de Algemene Vergadering van de Verenigde Naties zijn goedgekeurd en door een twee derde meerderheid van de Staten die partij zijn bij dit Verdrag, overeenkomstig hun onderscheiden staatsrechtelijke procedures, zijn aangenomen.

Bindendheid voor de staten

3. Wanneer wijzigingen van kracht worden zijn zij bindend voor die Staten die partij zijn bij dit Verdrag die ze hebben aangenomen, terwijl de andere Staten die partij zijn bij dit Verdrag gebonden zullen blijven door de bepalingen van dit Verdrag en door iedere voorgaande wijziging die zij wel hebben aangenomen.

Art. 30

Ongeacht de krachtens artikel 26, lid 5, gedane kennisgeving, stelt de Secretaris-Generaal van de Verenigde Naties alle in het eerste lid van artikel 26 bedoelde Staten van het volgende in kennis:
(a) Ondertekeningen, bekrachtigingen en toetredingen krachtens artikel 26;
(b) De datum van inwerkingtreding van dit Verdrag krachtens artikel 27 en de datum van het van kracht worden van eventuele wijzigingen krachtens artikel 29.

Art. 31

1. Dit Verdrag, waarvan de Chinese, de Engelse, de Franse, de Russische en de Spaanse tekst gelijkelijk authentiek zijn, wordt nedergelegd in het archief van de Verenigde Naties.
2. De Secretaris-Generaal van de Verenigde Naties doet aan alle in artikel 26 bedoelde Staten gewaarmerkte afschriften van dit Verdrag toekomen.

Inhoudsopgave

PART I	Introduction	Art. 1
PART II	Conclusion and entry into force of treaties	Art. 6
SECTION 1	CONCLUSION OF TREATIES	Art. 6
SECTION 2	RESERVATIONS	Art. 19
SECTION 3	ENTRY INTO FORCE AND PROVISIONAL APPLICATION OF TREATIES	Art. 24
PART III	Observance, application and interpretation of treaties	Art. 26
SECTION 1	OBSERVANCE OF TREATIES	Art. 26
SECTION 2	APPLICATION OF TREATIES	Art. 28
SECTION 3	INTERPRETATION OF TREATIES	Art. 31
SECTION 4	TREATIES AND THIRD STATES	Art. 34
PART IV	Amendment and modification of treaties	Art. 39
PART V	Invalidity, termination and suspension of the operation of treaties	Art. 42
SECTION 1	GENERAL PROVISIONS	Art. 42
SECTION 2	INVALIDITY OF TREATIES	Art. 46
SECTION 3	TERMINATION AND SUSPENSION OF THE OPERATION OF TREATIES	Art. 54
SECTION 4	PROCEDURE	Art. 65
SECTION 5	CONSEQUENCES OF THE INVALIDITY, TERMINATION OR SUSPENSION OF THE OPERATION OF A TREATY	Art. 69
PART VI	Miscellaneous provisions	Art. 73
PART VII	Depositaries, notifications, corrections and registration	Art. 76
PART VIII	Final provisions	Art. 81
DEEL I	Inleiding	Art. 1
DEEL II	Het sluiten en de inwerkingtreding van verdragen	Art. 6
AFDELING 1	HET SLUITEN VAN VERDRAGEN	Art. 6
AFDELING 2	VOORBEHOUDEN	Art. 19
AFDELING 3	INWERKINGTREDING VAN VERDRAGEN EN VOORLOPIGE TOEPASSING	Art. 24
DEEL III	Naleving, toepassing en uitlegging van verdragen	Art. 26
AFDELING 1	NALEVING VAN VERDRAGEN	Art. 26
AFDELING 2	TOEPASSING VAN VERDRAGEN	Art. 28
AFDELING 3	UITLEGGING VAN VERDRAGEN	Art. 31
AFDELING 4	VERDRAGEN EN DERDE STATEN	Art. 34
DEEL IV	Amendering en wijziging van verdragen	Art. 39
DEEL V	Ongeldigheid, beëindiging en opschorting van de werking van verdragen	Art. 42
AFDELING 1	ALGEMENE BEPALINGEN	Art. 42
AFDELING 2	ONGELDIGHEID VAN VERDRAGEN	Art. 46
AFDELING 3	BEËINDIGING VAN VERDRAGEN EN OPSCHORTING VAN DE WERKING VAN VERDRAGEN	Art. 54
AFDELING 4	PROCEDURE	Art. 65
AFDELING 5	GEVOLGEN VAN DE ONGELDIGHEID, BEËINDIGING OF OPSCHORTING VAN DE WERKING VAN EEN VERDRAG	Art. 69
DEEL VI	Onderscheidene bepalingen	Art. 73
DEEL VII	Depositarissen, kennisgevingen, verbeteringen en registratie	Art. 76
DEEL VIII	Slotbepalingen	Art. 81

Verdrag van Wenen inzake het verdragenrecht[1]

De Staten die Partij zijn bij dit Verdrag,
In overweging nemend de fundamentele rol van verdragen in de geschiedenis van de internationale betrekkingen,
Zich bewust van het steeds toenemend belang van verdragen als bron van volkenrecht en als middel ter ontwikkeling van de vreedzame samenwerking tussen de naties, ongeacht hun constitutionele en sociale stelsels,
Vaststellend dat de beginselen van vrijwillige instemming en van goede trouw en de regel *pacta sunt servanda* algemeen erkend worden,
Bevestigend dat geschillen betreffende verdragen, evenals andere internationale geschillen, dienen te worden geregeld langs vreedzame weg en overeenkomstig de beginselen van gerechtigheid en het volkenrecht,
Herinnerend aan de vastbeslotenheid van de volken van de Verenigde Naties tot het scheppen van de voorwaarden die noodzakelijk zijn voor het handhaven van de gerechtigheid en de eerbiediging van de uit verdragen voortvloeiende verplichtingen,
Indachtig de beginselen van het volkenrecht, neergelegd in het Handvest van de Verenigde Naties, als daar zijn de beginselen van de gelijkgerechtigdheid der volken en hun recht op zelfbeschikking, de soevereine gelijkheid en de onafhankelijkheid van alle Staten, het zich niet mengen in binnenlandse aangelegenheden van Staten, het verbod van het dreigen met of het gebruikmaken van geweld en de universele en daadwerkelijke eerbied voor de rechten van de mens en fundamentele vrijheden voor allen,
Van oordeel zijnde dat de codificatie en de geleidelijke ontwikkeling van het in dit Verdrag neergelegde verdragenrecht de in het Handvest omschreven doelstellingen van de Verenigde Naties zullen bevorderen, te weten: het handhaven van de internationale vrede en veiligheid, het ontwikkelen van vriendschappelijke betrekkingen tussen de naties en de verwezenlijking van de internationale samenwerking,
Bevestigend dat de vraagstukken die niet door de bepalingen van dit Verdrag worden geregeld, zullen worden beheerst door de regels van het internationale gewoonterecht,
Zijn overeengekomen als volgt:

DEEL I
Inleiding

Art. 1 Werkingssfeer van dit Verdrag

Werkingssfeer

Dit Verdrag is van toepassing op verdragen tussen Staten.

Art. 2 Gebezigde uitdrukkingen

Definities

1. Voor de toepassing van dit Verdrag betekent

Verdrag

a) „verdrag": een internationale overeenkomst in geschrifte tussen Staten gesloten en beheerst door het volkenrecht, hetzij nedergelegd in een enkele akte, hetzij in twee of meer samenhangende akten, en ongeacht haar bijzondere benaming;

Bekrachtiging e.a.

b) „bekrachtiging", „aanvaarding", „goedkeuring" en „toetreding": al naar gelang het geval, de internationale handeling van die naam, waarmee een Staat op internationaal niveau zijn instemming door een verdrag gebonden te worden vastlegt;

Volmacht

c) „volmacht": een van de bevoegde autoriteit van een Staat uitgaand document waarbij een of meer personen worden aangewezen om de Staat te vertegenwoordigen bij de onderhandelingen over, de aanneming of de authentificatie van een verdragstekst, om de instemming van de Staat door een verdrag gebonden te worden tot uitdrukking te brengen, of om elke andere handeling te verrichten met betrekking tot een verdrag;

Voorbehoud

d) „voorbehoud": een eenzijdige verklaring, ongeacht haar bewoording of haar benaming, afgelegd door een Staat wanneer hij een verdrag ondertekent, bekrachtigt, aanvaardt of goedkeurt of daartoe toetreedt, waarbij hij te kennen geeft het rechtsgevolg van zekere bepalingen van het verdrag in hun toepassing met betrekking tot deze Staat uit te sluiten of te wijzigen;

Deelnemende Staat

e) „Staat die heeft deelgenomen aan de onderhandelingen": een Staat die heeft deelgenomen aan de voorbereiding en de aanneming van de verdragstekst;

Verdragsluitende Staat

f) „verdragsluitende Staat": een Staat die heeft ingestemd door het verdrag gebonden te worden, of het verdrag in werking is getreden of niet;

1 Inwerkingtredingsdatum: 09-05-1985.

Partij
g) „partij": een Staat die heeft ingestemd door het verdrag gebonden te worden en voor welke het verdrag in werking is getreden;

Derde Staat
h) „derde Staat": een Staat die geen partij is bij het verdrag;

Internationale Organisatie
i) „internationale organisatie": een intergouvernementele organisatie.

2. De bepalingen van het eerste lid aangaande de in dit Verdrag gebezigde uitdrukkingen laten onverlet het gebruik van deze termen of de betekenis die er in het nationale recht van een Staat aan kan worden gehecht.

Art. 3 Internationale overeenkomsten die buiten de werkingssfeer van dit Verdrag vallen

Nadere bepaling werkingssfeer

Het feit dat dit Verdrag noch op internationale overeenkomsten gesloten tussen Staten en andere subjecten van volkenrecht of tussen deze andere subjecten van volkenrecht, noch op niet in geschrifte tot stand gebrachte internationale overeenkomsten van toepassing is, doet geen afbreuk aan:
a) de rechtskracht van zodanige overeenkomsten;
b) de toepassing op deze overeenkomsten van alle in dit Verdrag vastgelegde regels waaraan zij onafhankelijk van dit Verdrag krachtens het volkenrecht zouden zijn onderworpen;
c) de toepassing van het Verdrag op de betrekkingen tussen Staten, geregeld door internationale overeenkomsten waarbij andere subjecten van volkenrecht eveneens partij zijn.

Art. 4 De niet-terugwerkende kracht van dit Verdrag

Niet retro-actief

Onverminderd de toepassing van de in dit Verdrag vastgelegde regels waaraan verdragen krachtens het volkenrecht los van dit Verdrag zouden zijn onderworpen, is dit Verdrag slechts van toepassing op verdragen gesloten door Staten na zijn inwerkingtreding voor die Staten.

Art. 5 Verdragen ter oprichting van internationale organisaties en verdragen aangenomen binnen een internationale organisatie

Verdragen rond internationale organisaties

Dit Verdrag is van toepassing op elk verdrag dat de oprichtingsakte van een internationale organisatie vormt en op elk verdrag, aangenomen binnen een internationale organisatie, behoudens de ter zake dienende regels van de organisatie.

DEEL II
Het sluiten en de inwerkingtreding van verdragen

AFDELING 1
HET SLUITEN VAN VERDRAGEN

Art. 6 Bevoegdheid der Staten tot het sluiten van verdragen

Bevoegde Staat

Elke Staat is bevoegd tot het sluiten van verdragen.

Art. 7 Volmacht

Gevolmachtigden

1. Een persoon wordt beschouwd een Staat te vertegenwoordigen ter zake van de aanneming of de authentificatie van een verdragstekst of om de instemming van de Staat door een verdrag gebonden te worden tot uitdrukking te brengen, indien:
a) hij een voor dat doel verleende volmacht toont; of
b) uit de praktijk van de betrokken Staten of uit andere omstandigheden blijkt dat het hun bedoeling was deze persoon als vertegenwoordiger van de Staat ten dezen te beschouwen en niet de overlegging van een volmacht te verlangen.

2. Op grond van hun functies en zonder dat zij een volmacht behoeven te tonen, worden als vertegenwoordiger van hun Staat beschouwd:
a) Staatshoofden, Regeringsleiders en Ministers van Buitenlandse Zaken, voor alle handelingen met betrekking tot het sluiten van een verdrag;
b) hoofden van diplomatieke missies voor de aanneming van de tekst van een verdrag tussen de accrediterende Staat en de Staat waar zij geaccrediteerd zijn;
c) geaccrediteerde vertegenwoordigers van Staten bij een internationale conferentie of een internationale organisatie of een van haar organen, voor de aanneming van een verdragstekst in deze conferentie, deze organisatie of dit orgaan.

Art. 8 Bevestiging achteraf van een zonder machtiging verrichte handeling

Bevestiging

Een handeling met betrekking tot het sluiten van een verdrag, verricht door een persoon die niet krachtens artikel 7 beschouwd kan worden gemachtigd te zijn een Staat ten dezen te vertegenwoordigen, is zonder rechtsgevolg tenzij zij achteraf door die Staat wordt bevestigd.

Art. 9 Aanneming van de tekst

Aanneming

1. De aanneming van een verdragstekst geschiedt door de instemming van alle Staten die betrokken zijn bij het opstellen, met uitzondering van gevallen voorzien in het tweede lid.

2. De aanneming van een verdragstekst op een internationale conferentie geschiedt door een meerderheid van twee derden van de stemmen van de aanwezige en stemuitbrengende Staten, tenzij die Staten met dezelfde meerderheid besluiten een afwijkende regel toe te passen.

Art. 10 Authentificatie van de tekst

Authentificatie

De verdragstekst wordt als authentiek en definitief vastgesteld:

a) door de procedure, vastgesteld in die tekst of overeengekomen door de aan de opstelling van het verdrag deelnemende Staten; of
b) indien in een dergelijke procedure niet is voorzien, door ondertekening, ondertekening *ad referendum* of parafering door de vertegenwoordigers van die Staten van de verdragstekst of de slotakte van een conferentie waarin de tekst is opgenomen.

Art. 11 Middelen om de instemming door een verdrag gebonden te worden tot uitdrukking te brengen

Binding

De instemming van een Staat door een verdrag gebonden te worden, kan tot uitdrukking worden gebracht door ondertekening, door uitwisseling van akten die een verdrag vormen, door bekrachtiging, aanvaarding, goedkeuring of toetreding, of door ieder ander overeengekomen middel.

Art. 12 Het door ondertekening tot uitdrukking brengen van instemming door een verdrag gebonden te worden

Ondertekening

1. De instemming van een Staat door een verdrag gebonden te worden, wordt tot uitdrukking gebracht door de ondertekening door de vertegenwoordiger van deze Staat, indien:
a) het verdrag er in voorziet dat de ondertekening dit gevolg heeft;
b) het op andere wijze vaststaat, dat de Staten die aan de onderhandelingen hebben deelgenomen zijn overeengekomen dat de ondertekening dit gevolg heeft; of
c) de bedoeling van de Staat om de ondertekening dit gevolg te geven uit de volmacht van zijn vertegenwoordiger blijkt of tijdens de onderhandelingen te kennen is gegeven.
2. Voor de toepassing van het eerste lid:
a) geldt de parafering van een tekst als ondertekening van het verdrag indien het vaststaat dat de Staten die aan de onderhandelingen hebben deelgenomen aldus zijn overeengekomen;
b) geldt de ondertekening *ad referendum* van een verdrag door de vertegenwoordiger van een Staat, indien zij door die Staat wordt bevestigd, als definitieve ondertekening van het verdrag.

Art. 13 Het door uitwisseling van akten die een verdrag vormen tot uitdrukking brengen van de instemming door een verdrag gebonden te worden

Uitwisseling akten

De instemming van Staten gebonden te worden door een verdrag, dat wordt gevormd door tussen hen uitgewisselde akten, wordt tot uitdrukking gebracht door deze uitwisseling, indien:
a) de akten er in voorzien dat hun uitwisseling dit gevolg heeft; of
b) het op andere wijze vaststaat, dat die Staten zijn overeengekomen dat de uitwisseling van akten dit gevolg heeft.

Art. 14 Het door bekrachtiging, aanvaarding of goedkeuring tot uitdrukking brengen van de instemming door een verdrag gebonden te worden

Bekrachtiging

1. De instemming van een Staat door een verdrag gebonden te worden, wordt tot uitdrukking gebracht door bekrachtiging, indien:
a) het verdrag er in voorziet dat deze instemming door bekrachtiging tot uitdrukking wordt gebracht;
b) het op andere wijze vaststaat, dat de Staten die aan de onderhandelingen hebben deelgenomen, waren overeengekomen dat bekrachtiging is vereist;
c) de vertegenwoordiger van deze Staat het verdrag onder voorbehoud van bekrachtiging heeft ondertekend; of
d) de bedoeling van deze Staat om het verdrag te ondertekenen onder voorbehoud van bekrachtiging uit de volmacht van zijn vertegenwoordiger blijkt of tijdens de onderhandelingen te kennen is gegeven.

Aanvaarding of goedkeuring

2. De instemming van een Staat door een verdrag gebonden te worden, wordt tot uitdrukking gebracht door aanvaarding of goedkeuring op soortgelijke voorwaarden als die welke gelden voor bekrachtiging.

Art. 15 Het door toetreding tot uitdrukking brengen van instemming door een verdrag gebonden te worden

Toetreding

De instemming van een Staat door een verdrag gebonden te worden, wordt tot uitdrukking gebracht door toetreding, indien:
a) het verdrag er in voorziet, dat deze instemming door deze Staat tot uitdrukking kan worden gebracht door toetreding;
b) het op andere wijze vaststaat, dat de Staten die hebben deelgenomen aan de onderhandelingen zijn overeengekomen dat deze instemming door deze Staat tot uitdrukking kan worden gebracht door toetreding; of
c) alle partijen nadien zijn overeengekomen dat deze instemming door deze Staat tot uitdrukking kan worden gebracht door toetreding.

Art. 16 Uitwisseling of nederlegging van de akten van bekrachtiging, aanvaarding, goedkeuring of toetreding

Vastleggen binding

Tenzij het verdrag anders bepaalt, leggen de akten van bekrachtiging, aanvaarding, goedkeuring of toetreding de instemming van een Staat vast om door een verdrag gebonden te worden op het ogenblik van:
a) hun uitwisseling tussen de verdragsluitende Staten;

b) hun nederlegging bij de depositaris; of
c) hun kennisgeving aan de verdragsluitende Staten of de depositaris, indien aldus is overeengekomen.

Art. 17 Instemming door een deel van een verdrag gebonden te worden en keuze tussen verschillende bepalingen

Binding door gedeelte

1. Onverminderd het bepaalde in de artikelen 19 tot 23 heeft de instemming van een Staat gebonden te worden door een deel van een verdrag slechts gevolgen indien het verdrag dit toelaat of indien de andere verdragsluitende Staten hiermede instemmen.
2. De instemming van een Staat gebonden te worden door een verdrag dat een keuze veroorlooft uit verschillende bepalingen, heeft slechts gevolgen indien duidelijk is aangegeven op welke van de bepalingen de instemming betrekking heeft.

Art. 18 Verplichting voorwerp en doel van een verdrag niet ongedaan te maken alvorens zijn inwerkingtreding

Verboden handelingen vóór inwerkingtreding

Een Staat moet zich onthouden van handelingen die een verdrag zijn voorwerp en zijn doel zouden ontnemen, indien:
a) hij het verdrag heeft ondertekend of de akten die het verdrag vormen heeft uitgewisseld onder voorbehoud van bekrachtiging, aanvaarding of goedkeuring, totdat hij zijn bedoeling geen partij te willen worden bij het verdrag kenbaar heeft gemaakt; of
b) hij zijn instemming door het verdrag gebonden te worden tot uitdrukking heeft gebracht in de periode die aan de inwerkingtreding van het verdrag voorafgaat op voorwaarde dat deze inwerkingtreding niet onnodig wordt vertraagd.

AFDELING 2
VOORBEHOUDEN

Art. 19 Het maken van voorbehouden

Een Staat kan op het ogenblik van ondertekening, bekrachtiging, aanvaarding of goedkeuring van een verdrag of toetreding tot een verdrag een voorbehoud maken, tenzij:
a) dit voorbehoud is verboden door het verdrag;
b) het verdrag bepaalt dat slechts bepaalde voorbehouden, waaronder niet het voorbehoud in kwestie, kunnen worden gemaakt; of
c) voor zover het andere gevallen dan omschreven onder a) en b) betreft, het voorbehoud niet verenigbaar is met voorwerp en doel van het verdrag.

Art. 20 Aanvaarding van en bezwaar tegen voorbehouden

Aanvaarding voorbehoud

1. Een door een verdrag uitdrukkelijk toegestaan voorbehoud behoeft niet nadien door de andere verdragsluitende partijen te worden aanvaard, tenzij het verdrag dat voorschrijft.
2. Indien uit het beperkte aantal Staten dat aan de onderhandelingen heeft deelgenomen en uit het voorwerp en doel van het verdrag blijkt, dat de toepassing van het verdrag in zijn geheel tussen alle partijen een wezenlijke voorwaarde is voor de instemming van elk hunner door het verdrag gebonden te worden, dient een voorbehoud door alle partijen te worden aanvaard.
3. Indien een verdrag een oprichtingsakte van een internationale organisatie is en indien het niet anders bepaalt, dient een voorbehoud door het bevoegde orgaan van deze organisatie te worden aanvaard.
4. In andere gevallen dan die waarin de voorgaande leden voorzien en indien het verdrag niet anders bepaalt:
a) maakt de aanvaarding van een voorbehoud door een andere verdragsluitende Staat de Staat die het voorbehoud heeft gemaakt partij bij het verdrag met betrekking tot deze andere Staat, indien het verdrag in werking is of wanneer het in werking treedt voor deze Staten;
b) verhindert het bezwaar van een andere verdragsluitende Staat tegen een voorbehoud niet de inwerkingtreding van het verdrag tussen de Staat die het bezwaar heeft aangetekend en de Staat die het voorbehoud heeft gemaakt, tenzij de tegengestelde bedoeling duidelijk is uitgedrukt door de Staat die het bezwaar heeft aangetekend;
c) wordt een akte, waarin de instemming van een Staat door het verdrag gebonden te worden tot uitdrukking wordt gebracht en die een voorbehoud bevat, van kracht zodra ten minste één andere verdragsluitende Staat het voorbehoud heeft aanvaard.

Bezwaar

5. Voor de toepassing van het tweede en vierde lid en indien het verdrag niet anders bepaalt, wordt een voorbehoud geacht te zijn aanvaard door een Staat, indien deze geen bezwaar heeft gemaakt tegen het voorbehoud binnen twaalf maanden na de datum waarop hij de kennisgeving daarvan ontvangen heeft, of op de dag, waarop hij zijn instemming door het verdrag gebonden te worden tot uitdrukking heeft gebracht indien deze dag op een latere datum valt.

Art. 21 Rechtsgevolgen van voorbehouden en bezwaren tegen voorbehouden

Rechtsgevolg voorbehoud

1. Een voorbehoud, gemaakt ten aanzien van een andere partij overeenkomstig de artikelen 19, 20 en 23:

a) wijzigt voor de Staat die het voorbehoud heeft gemaakt in zijn betrekkingen met deze andere partij de bepalingen van het verdrag waarop het voorbehoud betrekking heeft, in de mate voorzien in dit voorbehoud; en
b) wijzigt deze bepalingen in dezelfde mate voor deze andere partij in haar betrekkingen met de Staat die het voorbehoud heeft gemaakt.
2. Het voorbehoud wijzigt niet de bepalingen van het verdrag voor de andere partijen bij het verdrag *inter se.*
3. Indien een Staat die bezwaar heeft gemaakt tegen een voorbehoud zich niet heeft verzet tegen de inwerkingtreding van het verdrag tussen hem en de Staat die het voorbehoud heeft gemaakt, zijn de bepalingen waarop het voorbehoud betrekking heeft niet van toepassing tussen de beide Staten in de mate voorzien in het voorbehoud.

Rechtsgevolg bezwaar

Art. 22 Het intrekken van voorbehouden en bezwaren tegen voorbehouden

Intrekking voorbehoud

1. Tenzij het verdrag anders bepaalt, kan een voorbehoud elk ogenblik worden ingetrokken zonder dat daarvoor de instemming nodig is van de Staat die het voorbehoud heeft aanvaard.
2. Tenzij het verdrag anders bepaalt, kan een bezwaar tegen een voorbehoud te allen tijde worden ingetrokken.
3. Tenzij het verdrag anders bepaalt of indien anders is overeengekomen:
a) wordt het intrekken van een voorbehoud eerst ten aanzien van een andere verdragsluitende Staat van kracht wanneer die Staat een kennisgeving dienaangaande heeft ontvangen;
b) wordt het intrekken van een bezwaar tegen een voorbehoud pas van kracht wanneer de Staat die het voorbehoud heeft gemaakt een kennisgeving van de intrekking heeft ontvangen.

Intrekking bezwaar

Art. 23 Procedure betreffende voorbehouden

Procedure rond voorbehouden

1. Een voorbehoud, een uitdrukkelijke aanvaarding van een voorbehoud en een bezwaar tegen een voorbehoud moeten schriftelijk worden vastgelegd en aan de verdragsluitende Staten en aan andere Staten die gerechtigd zijn partij bij het verdrag te worden, worden medegedeeld.
2. Indien een voorbehoud wordt gemaakt bij de ondertekening van het verdrag onder voorbehoud van bekrachtiging, aanvaarding of goedkeuring, moet het formeel bevestigd worden door de Staat die het voorbehoud heeft gemaakt op het ogenblik dat hij zijn instemming door het verdrag gebonden te worden, tot uitdrukking brengt. In een dergelijk geval zal het voorbehoud worden beschouwd als te zijn gemaakt op de dag van bevestiging.
3. Een uitdrukkelijke aanvaarding van een voorbehoud of een bezwaar tegen een voorbehoud behoeft, indien voorafgegaan aan een bevestiging van dat voorbehoud, zelf niet te worden bevestigd.
4. Het intrekken van een voorbehoud of een bezwaar tegen een voorbehoud dient schriftelijk te geschieden.

AFDELING 3
INWERKINGTREDING VAN VERDRAGEN EN VOORLOPIGE TOEPASSING

Art. 24 Inwerkingtreding

Inwerkingtreding van een verdrag

1. Een verdrag treedt in werking op de wijze en op de dag zoals voorzien in zijn bepalingen, of krachtens overeenstemming tussen de Staten die hebben deelgenomen aan de onderhandelingen.
2. Indien dergelijke bepalingen of een dergelijke overeenstemming ontbreken, treedt een verdrag in werking zodra de instemming door het verdrag gebonden te worden, vaststaat voor alle Staten die hebben deelgenomen aan de onderhandelingen.
3. Indien de instemming van een Staat door een verdrag gebonden te worden tot uitdrukking wordt gebracht op een datum na de inwerkingtreding van dit verdrag treedt het in werking voor deze Staat op deze datum, tenzij het verdrag anders bepaalt.
4. De bepalingen van een verdrag, die de authentificatie van de tekst, het tot uitdrukking brengen van de instemming van de Staten door het verdrag gebonden te worden, de wijze of de datum van inwerkingtreding, de voorbehouden, de werkzaamheden van de depositaris, alsmede de andere vraagstukken die zich noodzakelijkerwijze voordoen voor de inwerkingtreding van het verdrag regelen, zijn van toepassing vanaf het tijdstip van de aanneming van de tekst.

Art. 25 Voorlopige toepassing

Voorlopige toepassing

1. Een verdrag of een deel van een verdrag wordt voorlopig toegepast in afwachting van zijn inwerkingtreding, indien
a) het verdrag zulks bepaalt; of
b) indien de Staten die hebben deelgenomen aan de onderhandelingen op een andere wijze aldus zijn overeengekomen.
2. Tenzij het verdrag anders bepaalt of de Staten die aan de onderhandelingen hebben deelgenomen anders zijn overeengekomen, houdt de voorlopige toepassing van een verdrag of een deel van een verdrag voor een Staat op, als deze Staat de andere Staten waartussen het verdrag voorlopig wordt toegepast, in kennis stelt van zijn voornemen geen partij te worden bij het verdrag.

DEEL III
Naleving, toepassing en uitlegging van verdragen

AFDELING 1
NALEVING VAN VERDRAGEN

Art. 26 Pacta sunt servanda

Naleving

Elk in werking getreden verdrag verbindt de partijen en moet door hen te goeder trouw ten uitvoer worden gelegd.

Art. 27 Nationaal recht en naleving van verdragen

Nationaal recht

Een partij mag zich niet beroepen op de bepalingen van zijn nationale recht om het niet ten uitvoer leggen van een verdrag te rechtvaardigen. Deze regel geldt onverminderd artikel 46.

AFDELING 2
TOEPASSING VAN VERDRAGEN

Art. 28 Niet-terugwerkende kracht van verdragen

Retro-actie

Tenzij uit het verdrag of op andere wijze een andere bedoeling blijkt, binden de bepalingen van een verdrag een partij niet met betrekking tot een handeling of feit, voorafgaand aan de datum van inwerkingtreding van dit verdrag voor deze partij, of enige situatie die op die datum niet meer bestond.

Art. 29 Territoriale gelding van verdragen

Territorialiteit

Tenzij een andere bedoeling uit het verdrag blijkt of op een andere wijze is komen vast te staan, bindt een verdrag elke partij ten opzichte van haar gehele grondgebied.

Art. 30 Toepassing van achtereenvolgende verdragen die betrekking hebben op eenzelfde onderwerp

Chronologische verdragen

1. Onder voorbehoud van de bepalingen van artikel 103 van het Handvest van de Verenigde Naties worden de rechten en verplichtingen van Staten die partij zijn bij achtereenvolgende verdragen die betrekking hebben op eenzelfde onderwerp bepaald overeenkomstig de volgende leden.

Uitdrukkelijke voorrang

2. Indien een verdrag uitdrukkelijk vermeldt dat het ondergeschikt is aan een eerder of later verdrag of dat het niet als onverenigbaar met dit andere verdrag moet worden beschouwd, hebben de bepalingen van dat andere verdrag voorrang.

Verenigbare bepalingen

3. Indien alle partijen bij het eerdere verdrag eveneens partij zijn bij het latere verdrag, zonder dat het eerdere verdrag beëindigd is of zijn werking is opgeschort krachtens artikel 59, is het eerdere verdrag slechts van toepassing in de mate waarin zijn bepalingen verenigbaar zijn met die van het latere verdrag.

Nieuwe partijen

4. Indien de partijen bij het eerdere verdrag niet alle partij zijn bij het latere verdrag:
a) is in de betrekkingen tussen Staten die partij zijn bij beide verdragen de regel van toepassing die in het derde lid is vastgelegd;
b) regelt in de betrekkingen tussen een Staat die partij is bij beide verdragen en een Staat die slechts partij is bij een van deze verdragen het verdrag waarbij beide Staten partij zijn hun wederzijdse rechten en verplichtingen.

Onverenigbare bepalingen

5. Het vierde lid is van toepassing onverminderd artikel 41 of enig vraagstuk aangaande de beëindiging of de opschorting van de werking van een verdrag op grond van artikel 60 of enig vraagstuk aangaande verantwoordelijkheid die voor een Staat kan ontstaan uit het sluiten of de toepassing van een verdrag waarvan de bepalingen onverenigbaar zijn met de verplichtingen die op hem rusten ten aanzien van een andere Staat krachtens een ander verdrag.

AFDELING 3
UITLEGGING VAN VERDRAGEN

Art. 31 Algemene regel van uitlegging

Goeder trouw

1. Een verdrag moet te goeder trouw worden uitgelegd overeenkomstig de gewone betekenis van de termen van het Verdrag in hun context en in het licht van voorwerp en doel van het Verdrag.

Context

2. Voor de uitlegging van een verdrag omvat de context, behalve de tekst, met inbegrip van preambule en bijlagen:
a) iedere overeenstemming die betrekking heeft op het verdrag en die bij het sluiten van het verdrag tussen alle partijen is bereikt;
b) iedere akte opgesteld door een of meer partijen bij het sluiten van het verdrag en door de andere partijen erkend als betrekking hebbende op het verdrag.

3. Behalve met de context dient ook rekening te worden gehouden met:
a) iedere later tot stand gekomen overeenstemming tussen de partijen met betrekking tot de uitlegging van het verdrag of de toepassing van zijn bepalingen;

b) ieder later gebruik in de toepassing van het verdrag waardoor overeenstemming van de partijen inzake de uitlegging van het verdrag is ontstaan;
c) iedere ter zake dienende regel van het volkenrecht die op de betrekkingen tussen de partijen kan worden toegepast.

4. Een term dient in een bijzondere betekenis verstaan te worden als vaststaat, dat dit de bedoeling van de partijen is geweest. Terminologie

Art. 32 Aanvullende middelen van uitlegging

Nadere middelen uitlegging

Er kan een beroep worden gedaan op aanvullende middelen van uitlegging en in het bijzonder op de voorbereidende werkzaamheden en de omstandigheden waaronder het verdrag is gesloten, om de betekenis die voortvloeit uit de toepassing van artikel 31 te bevestigen of de betekenis te bepalen indien de uitlegging, geschied overeenkomstig artikel 31:
a) de betekenis dubbelzinnig of duister laat; of
b) leidt tot een resultaat dat duidelijk ongerijmd of onredelijk is.

Art. 33 Uitlegging van in twee of meer talen geauthentiseerde verdragen

Authentieke talen

1. Indien een verdrag geauthentiseerd is in twee of meer talen, heeft de tekst in elk der talen rechtskracht, tenzij het verdrag bepaalt of de partijen overeenkomen dat in geval van verschil een bepaalde tekst moet prevaleren.

2. Een versie van het verdrag in een andere taal dan een van de talen waarin de tekst geauthentiseerd is, wordt slechts beschouwd als een authentieke tekst, indien het verdrag daarin voorziet of als de partijen het daarover eens zijn geworden.

3. De termen van een verdrag worden geacht dezelfde betekenis te hebben in de onderscheidene authentieke teksten.

Verzoening teksten

4. Behalve in het geval dat een bepaalde tekst overeenkomstig het eerste lid prevaleert, dient men, wanneer de vergelijking van de authentieke teksten een verschil in betekenis oplevert dat niet door toepassing van de artikelen 31 en 32 wordt weggenomen, de betekenis aan te nemen die, rekening houdend met het voorwerp en doel van het verdrag deze teksten het best met elkaar verzoent.

AFDELING 4
VERDRAGEN EN DERDE STATEN

Art. 34 Algemene regel betreffende derde Staten

Derde Staten

Een verdrag schept geen verplichtingen of rechten voor een derde Staat zonder diens instemming.

Art. 35 Verdragen die voorzien in verplichtingen voor derde Staten

Verplichting aan derde Staat

Voor een derde Staat ontstaat ten gevolge van een bepaling van een verdrag een verplichting, indien de partijen bij het verdrag door middel van deze bepaling de verplichting beogen te scheppen en indien de derde Staat deze verplichting uitdrukkelijk schriftelijk aanvaardt.

Art. 36 Verdragen die voorzien in rechten voor derde Staten

Rechten voor derde Staat

1. Voor een derde Staat ontstaat ten gevolge van een bepaling van een verdrag een recht, indien de partijen bij het verdrag door deze bepaling dit recht willen verlenen aan de derde Staat of aan een groep Staten waartoe hij behoort, of aan alle Staten, en indien de derde Staat daarmede instemt. De instemming wordt geacht te zijn gegeven zolang er geen aanwijzing van het tegendeel bestaat, tenzij het verdrag anders bepaalt.

2. Een Staat die van een recht, overeenkomstig het eerste lid, gebruik maakt, is voor de uitoefening van dat recht gehouden, de voorwaarden, voorzien in het verdrag of overeenkomstig zijn bepalingen vastgesteld, te eerbiedigen.

Art. 37 Herroeping of wijziging van verplichtingen of rechten van derde Staten

Herroeping of wijziging

1. Wanneer overeenkomstig artikel 35 een verplichting voor een derde Staat is ontstaan, kan deze verplichting slechts worden herroepen of gewijzigd met instemming van de partijen bij het verdrag en van de derde Staat, tenzij vaststaat dat zij anders zijn overeengekomen.

2. Wanneer overeenkomstig artikel 36 een recht voor een derde Staat is ontstaan, kan dit recht niet door de partijen worden herroepen of gewijzigd indien vaststaat, dat het de bedoeling was het recht niet te herroepen of te wijzigen zonder instemming van de derde Staat.

Art. 38 Verdragsregels die door internationale gewoonte voor derde Staten bindend worden

Niets in de artikelen 34 tot 37 belet, dat een in een verdrag neergelegde regel bindend wordt voor een derde Staat als een regel van internationaal gewoonterecht, die als zodanig wordt erkend.

DEEL IV
Amendering en wijziging van verdragen

Art. 39 Algemene regel met betrekking tot het amenderen van verdragen

Amendering

Een verdrag kan bij overeenkomst tussen de partijen worden geamendeerd. Op een dergelijke overeenkomst vinden de regels neergelegd in deel II toepassing behalve in zoverre het verdrag anders bepaalt.

Art. 40 Het amenderen van multilaterale verdragen

Bij multilaterale verdragen

1. Tenzij het verdrag anders bepaalt, wordt het amenderen van multilaterale verdragen beheerst door de volgende leden:
2. Elk voorstel tot amendering van een multilateraal verdrag in de verhoudingen tussen alle partijen moet worden medegedeeld aan alle verdragsluitende Staten, en ieder van hen heeft het recht deel te nemen aan:
a) de beslissing over hetgeen ten aanzien van dit voorstel moet worden verricht;
b) de onderhandelingen en het sluiten van elke overeenkomst ter amendering van het verdrag.
3. Iedere Staat die gerechtigd is partij te worden bij het verdrag is evenzeer gerechtigd partij te worden bij het aldus geamendeerde verdrag.
4. De overeenkomst tot amendering bindt niet de Staten die reeds partij zijn bij het verdrag en die geen partij worden bij deze overeenkomst; artikel 30, vierde lid, letter b) is op deze Staten van toepassing.

Latere toetreding

5. Elke Staat die partij wordt bij een verdrag na de inwerkingtreding van de overeenkomst tot amendering wordt, indien hij geen andere bedoeling heeft kenbaar gemaakt, beschouwd als:
a) partij bij het verdrag zoals het geamendeerd is; en
b) partij bij het niet-geamendeerde verdrag met betrekking tot iedere partij bij het verdrag die niet is gebonden door de overeenkomst tot amendering.

Art. 41 Overeenkomsten tot wijziging van multilaterale verdragen tussen slechts bepaalde partijen

Wijziging tussen bepaalde partijen

1. Twee of meer partijen bij een multilateraal verdrag kunnen een overeenkomst tot wijziging van het verdrag tussen hen onderling slechts sluiten, indien:
a) het verdrag voorziet in de mogelijkheid van een zodanige wijziging; of
b) de wijziging in kwestie niet verboden is door het verdrag, en zij
i) noch het genot der aan de andere partijen op grond van het verdrag toekomende rechten, noch het nakomen van hun verplichtingen aantast; en
ii) zich niet uitstrekt tot een bepaling, waarvan niet mag worden afgeweken als dit onverenigbaar is met de doeltreffende verwezenlijking van voorwerp en doel van het verdrag in zijn geheel.

Inkennisstelling

2. Tenzij in een geval als voorzien in het eerste lid, letter a, het verdrag anders bepaalt, dienen de partijen in kwestie de andere partijen in kennis te stellen van hun voornemen de overeenkomst te sluiten en van de wijzigingen die deze ten gevolge heeft voor het verdrag.

DEEL V
Ongeldigheid, beëindiging en opschorting van de werking van verdragen

AFDELING 1
ALGEMENE BEPALINGEN

Art. 42 Geldigheid en het in werking blijven van verdragen

Geldigheid

1. De geldigheid van een verdrag of van de instemming van een Staat door een verdrag gebonden te worden, mag slechts worden betwist door toepassing van dit Verdrag.

Beëindiging/opschorting

2. De beëindiging van een verdrag, de opzegging ervan of de terugtrekking van een partij kan slechts plaatsvinden door toepassing van de bepalingen van het verdrag of van dit Verdrag. Dezelfde regel geldt voor de opschorting van de werking van een verdrag.

Art. 43 Verplichtingen opgelegd door het internationale recht onafhankelijk van een verdrag

Primaat algemeen volkenrecht

De ongeldigheid, beëindiging of opzegging van een verdrag, de terugtrekking van een partij of de opschorting van de werking van het verdrag ten gevolge van de toepassing van dit Verdrag of van de bepalingen van het verdrag, tast op geen enkele wijze de plicht van een Staat aan tot het nakomen van de verplichtingen die voortvloeien uit het verdrag en waaraan hij krachtens het volkenrecht onafhankelijk van het genoemde verdrag, is onderworpen.

Art. 44 Splitsbaarheid van de verdragsbepalingen

Splitsing van verdragsbepalingen

1. Het recht van een partij, voorzien in een verdrag of voortvloeiend uit artikel 56, het verdrag op te zeggen, zich terug te trekken of de werking van het verdrag op te schorten, mag slechts worden uitgeoefend met betrekking tot het verdrag als geheel, tenzij het verdrag anders voorziet of de partijen anders overeenkomen.
2. Een grond voor ongeldigheid of beëindiging van een verdrag, voor de terugtrekking van een der partijen of voor opschorting van de werking van het verdrag, die wordt erkend door

dit Verdrag, mag slechts worden aangevoerd ten aanzien van het verdrag als geheel, behalve in het geval als voorzien in de volgende leden of in artikel 60.

3. Indien de grond slechts op bepaalde clausules betrekking heeft, mag hij slechts worden aangevoerd ten aanzien van die clausules wanneer:

a) deze clausules scheidbaar zijn van de rest van het verdrag wat hun uitvoering betreft;

b) uit het verdrag blijkt of op andere wijze vaststaat dat de aanvaarding van deze clausules voor de andere partij of partijen bij het verdrag geen wezenlijke voorwaarde voor de instemming was door het verdrag als geheel gebonden te worden; en

c) het niet onrechtvaardig zou zijn de uitvoering van de rest van het verdrag voort te zetten.

4. In de gevallen vallende onder de artikelen 49 en 50 mag de Staat die het recht heeft zich te beroepen op bedrog of corruptie dit doen ten aanzien van het gehele verdrag of, in het geval bedoeld in het derde lid, slechts ten aanzien van enige bepaalde clausules.

5. In de gevallen als voorzien in de artikelen 51, 52 en 53 is geen scheiding tussen de bepalingen van een verdrag toegestaan. **Uitzondering**

Art. 45 Verlies van het recht tot het aanvoeren van gronden voor ongeldigheid of beëindiging van een verdrag of tot terugtrekking uit een verdrag of voor de opschorting van zijn werking

Acceptatie geldigheid

Een Staat mag niet langer gronden aanvoeren tot ongeldigheid of beëindiging van een verdrag of tot terugtrekking uit een verdrag of tot opschorting van de werking ervan krachtens de artikelen 46 tot 50 of de artikelen 60 en 62, als deze Staat, na kennis te hebben genomen van de feiten:

a) uitdrukkelijk heeft aanvaard dat het verdrag, al naargelang het geval, geldig is, in werking blijft of van toepassing blijft; of

b) op grond van zijn gedrag moet worden beschouwd als te hebben berust in, al naargelang het geval, de geldigheid van het verdrag of zijn in werking of van toepassing blijven.

AFDELING 2
ONGELDIGHEID VAN VERDRAGEN

Art. 46 Bepalingen van het nationale recht met betrekking tot de bevoegdheid tot het sluiten van verdragen

Ongeldigheid door nationaal recht

1. Het feit dat de instemming van een Staat door een verdrag gebonden te worden, is gegeven in strijd met een bepaling van zijn nationale recht betreffende de bevoegdheid tot het sluiten van verdragen, mag door die Staat niet worden aangevoerd ter ongeldigverklaring van die instemming, tenzij die strijdigheid onmiskenbaar was en een regel van fundamenteel belang van het nationale recht van die Staat betrof.

2. Een strijdigheid is onmiskenbaar indien zij bij objectieve beschouwing duidelijk is voor iedere Staat die zich ten dezen overeenkomstig het gangbaar gebruik en te goeder trouw gedraagt.

Art. 47 Bijzondere beperkingen ten aanzien van de volmacht om de instemming van een Staat tot uitdrukking te brengen

Beperkingen volmacht

Indien de volmacht van een vertegenwoordiger om de instemming van een Staat door een bepaald verdrag gebonden te worden tot uitdrukking te brengen aan een bijzondere beperking is onderworpen, mag het feit dat deze vertegenwoordiger daarmede geen rekening heeft gehouden niet worden aangevoerd ter ongeldigverklaring van de door hem tot uitdrukking gebrachte instemming, tenzij de beperking aan de andere Staten die hebben deelgenomen aan de onderhandelingen ter kennis was gebracht alvorens de instemming tot uitdrukking werd gebracht.

Art. 48 Dwaling

Dwaling

1. Een Staat mag zich ten einde zijn instemming door een verdrag gebonden te worden ongeldig te verklaren beroepen op een dwaling in het verdrag, indien de dwaling betrekking heeft op een feit of een situatie, door deze Staat beschouwd als te bestaan op het tijdstip van de sluiting van het verdrag en indien dit feit of deze situatie een wezenlijke grond vormde voor de instemming van deze Staat door het verdrag gebonden te worden.

2. Het eerste lid is niet van toepassing wanneer bedoelde Staat door zijn gedrag tot deze dwaling heeft bijgedragen of wanneer de omstandigheden van dien aard waren dat hij bedacht had moeten zijn op de mogelijkheid van een dwaling. **Uitzonderingen**

3. Een dwaling die slechts betrekking heeft op de redactie van de tekst van een verdrag tast de geldigheid ervan niet aan; artikel 79 is in dat geval van toepassing.

Art. 49 Bedrog

Bedrog

Indien een Staat er door het bedrieglijke gedrag van een andere Staat die aan de onderhandelingen heeft deelgenomen toe is gebracht een verdrag te sluiten, mag hij het bedrog aanvoeren om zijn instemming door het verdrag gebonden te worden ongeldig te verklaren.

Art. 50 Corruptie van een vertegenwoordiger van een Staat

Corruptie

Indien het tot uitdrukking brengen van de instemming van een Staat door een verdrag gebonden te worden, is verkregen door directe of indirecte corruptie van zijn vertegenwoordiger door een andere Staat die aan de onderhandelingen heeft deelgenomen, mag de Staat deze corruptie aanvoeren om zijn instemming door het verdrag gebonden te worden, ongeldig te verklaren.

Art. 51 Dwang op de vertegenwoordiger van een Staat uitgeoefend

Dwang op vertegenwoordiger

De instemming van een Staat door een verdrag gebonden te worden, die is verkregen door dwang, uitgeoefend op zijn vertegenwoordiger door middel van tegen hem gerichte handelingen of bedreigingen, heeft geen enkel rechtsgevolg.

Art. 52 Dwang, uitgeoefend op een Staat door bedreiging met of gebruik van geweld

Geweld

Elk verdrag is nietig, waarvan de totstandkoming is bereikt door bedreiging met of gebruik van geweld in strijd met de beginselen van het volkenrecht, neergelegd in het Handvest van de Verenigde Naties.

Art. 53 Verdragen strijdig met een dwingende norm van algemeen volkenrecht (jus cogens)

Dwingende norm algemeen volkenrecht

Elk verdrag dat op het tijdstip van zijn totstandkoming in strijd is met een dwingende norm van algemeen volkenrecht, is nietig. Voor de toepassing van dit Verdrag is een dwingende norm van algemeen volkenrecht een norm die aanvaard en erkend is door de internationale gemeenschap van Staten in haar geheel als een norm, waarvan geen afwijking is toegestaan en die slechts kan worden gewijzigd door een latere norm van algemeen volkenrecht van dezelfde aard.

AFDELING 3
BEËINDIGING VAN VERDRAGEN EN OPSCHORTING VAN DE WERKING VAN VERDRAGEN

Art. 54 Beëindiging van een verdrag of de terugtrekking uit een verdrag krachtens de bepalingen van het verdrag of door overeenstemming tussen de partijen

Beëindiging van een verdrag of de terugtrekking kan plaatsvinden:
a) overeenkomstig de bepalingen van het verdrag; of
b) te allen tijde door overeenstemming tussen alle partijen na raadpleging van de andere verdragsluitende Staten.

Art. 55 Vermindering van het aantal partijen bij een multilateraal verdrag tot beneden het voor de inwerkingtreding verplichte aantal

Tenzij het verdrag anders bepaalt, eindigt een multilateraal verdrag niet uitsluitend doordat het aantal partijen is gedaald tot onder het voor zijn inwerkingtreding vereiste aantal.

Art. 56 Opzegging of de terugtrekking uit een verdrag dat geen bepalingen bevat aangaande beëindiging, opzegging of terugtrekking

1. Bij een verdrag dat geen bepalingen bevat aangaande zijn beëindiging en niet voorziet in opzegging of terugtrekking is opzegging of terugtrekking niet mogelijk, tenzij:
a) vaststaat, dat de partijen de bedoeling hadden de mogelijkheid van opzegging of terugtrekking toe te laten; of
b) het recht op opzegging of terugtrekking uit de aard van het verdrag kan worden afgeleid.
2. Een partij dient ten minste twaalf maanden tevoren haar voornemen een verdrag op te zeggen of zich uit het verdrag terug te trekken overeenkomstig de bepalingen van het eerste lid kenbaar te maken.

Art. 57 Opschorting van de werking van een verdrag krachtens zijn bepalingen of door overeenstemming tussen de partijen

Opschorting

De werking van een verdrag kan ten aanzien van alle partijen of van een bepaalde partij worden opgeschort
a) overeenkomstig de bepalingen van het verdrag; of
b) te allen tijde door overeenstemming tussen alle partijen, na raadpleging van de andere verdragsluitende Staten.

Art. 58 Opschorting van de werking van een multilateraal verdrag bij overeenkomst tussen slechts bepaalde partijen

Opschorting tussen bepaalde partijen

1. Twee of meer partijen bij een multilateraal verdrag kunnen een overeenkomst sluiten om, tijdelijk en uitsluitend tussen hen, de werking van bepalingen van het verdrag op te schorten, indien:
a) in de mogelijkheid tot een zodanige opschorting in het verdrag is voorzien; of
b) indien deze opschorting niet is verboden door het verdrag en
i) noch het genot der aan de andere partijen op grond van het verdrag toekomende rechten, noch het nakomen van hun verplichtingen aantast; en
ii) niet onverenigbaar is met het voorwerp en doel van het verdrag.

Inkennisstelling

2. Tenzij in een geval als bedoeld in het eerste lid, letter a, het verdrag anders bepaalt, dienen de partijen in kwestie de andere partijen in kennis te stellen van hun voornemen de overeenkomst te sluiten en van de bepalingen in het verdrag waarvan zij voornemens zijn de werking op te schorten.

Art. 59 Beëindiging van een verdrag of opschorting van de werking van een verdrag ten gevolge van het sluiten van een later verdrag

Latere verdrag

1. Een verdrag wordt als beëindigd beschouwd wanneer alle partijen bij dit verdrag een later verdrag sluiten betreffende hetzelfde onderwerp en:
a) uit het latere verdrag blijkt of anderszins vaststaat dat het de bedoeling van de partijen is de materie door dit verdrag te regelen; of
b) de bepalingen van het latere verdrag dermate onverenigbaar zijn met die van het eerdere verdrag, dat het onmogelijk is de beide verdragen tegelijkertijd toe te passen.
2. Het eerdere verdrag zal geacht worden als alleen maar in zijn werking te zijn opgeschort als uit het latere verdrag blijkt, of op andere wijze vaststaat, dat dit de bedoeling van de partijen was.

Art. 60 Beëindiging van een verdrag of opschorting van zijn werking ten gevolge van schending van het verdrag

Materiële schending

1. Een materiële schending van een bilateraal verdrag door een van de partijen geeft de andere partij het recht de schending aan te voeren als grond voor het beëindigen van het verdrag of het geheel of gedeeltelijk opschorten van de werking van het verdrag.
2. Een materiële schending van een multilateraal verdrag door een der partijen geeft het recht:
a) aan de andere partijen bij unanieme overeenstemming de werking van het verdrag in zijn geheel of gedeeltelijk op te schorten of het verdrag te beëindigen:
i) hetzij in de betrekkingen tussen henzelf en de Staat die het verdrag heeft geschonden,
ii) hetzij tussen alle partijen;
b) aan een in het bijzonder door de schending getroffen partij de schending aan te voeren als grond voor het geheel of gedeeltelijk opschorten van de werking van het verdrag in de betrekkingen tussen hemzelf en de Staat die het verdrag heeft geschonden;
c) aan elke partij, behalve de Staat die het verdrag schendt, deze schending aan te voeren als grond voor het geheel of gedeeltelijk opschorten van de werking van het verdrag, wat haarzelf betreft als dit verdrag van zodanige aard is, dat een materiële schending van zijn bepalingen door een partij de positie van elke partij wat betreft de verdere uitvoering van haar verplichtingen krachtens het verdrag geheel en al wijzigt.

Definitie

3. Voor de toepassing van dit artikel bestaat een materiële schending van een verdrag uit:
a) een verwerping van het verdrag die niet toegestaan is door dit Verdrag; of
b) de schending van een bepaling die van wezenlijk belang is voor de uitvoering van het verdrag wat zijn voorwerp of doel betreft.
4. De voorgaande leden tasten geen enkele bepaling in het verdrag aan die van toepassing is in geval van schending.

Uitzondering

5. De leden 1 tot en met 3 zijn niet van toepassing op bepalingen betreffende bescherming van de menselijke persoon, opgenomen in verdragen van humanitaire aard, in het bijzonder bepalingen die elke vorm van represailles verbieden tegen door genoemde verdragen beschermde personen.

Art. 61 Intreden van een situatie die de uitvoering onmogelijk maakt

Onmogelijkheid van uitvoering

1. Een partij mag de onmogelijkheid tot uitvoering van een verdrag als grond aanvoeren om het te beëindigen of zich daaruit terug te trekken indien deze onmogelijkheid een gevolg is van de definitieve verdwijning of vernietiging van een voorwerp, onmisbaar voor de uitvoering van het verdrag. Indien de onmogelijkheid tijdelijk is, kan zij slechts worden aangevoerd als grond voor opschorting van de werking van het verdrag.
2. Een partij mag niet de onmogelijkheid van uitvoering aanvoeren als grond voor de beëindiging van het verdrag, voor de terugtrekking daaruit of voor het opschorten van de werking ervan, als deze onmogelijkheid het gevolg is van een schending door die partij hetzij van een verplichting voortvloeiend uit het verdrag, hetzij van iedere andere internationale verplichting met betrekking tot iedere andere partij bij het verdrag.

Art. 62 Wezenlijke verandering der omstandigheden

Veranderde omstandigheden

1. Een wezenlijke verandering der omstandigheden, ingetreden ten aanzien van die welke op het tijdstip van de totstandkoming van een verdrag bestonden en die niet door de partijen was voorzien, kan niet als grond voor de beëindiging van het verdrag of voor de terugtrekking daaruit worden aangevoerd, tenzij:
a) het bestaan van deze omstandigheden een wezenlijke grond vormde voor de instemming van de partijen om door het verdrag gebonden te worden; en
b) het gevolg van de wijziging is, dat de strekking van de krachtens het verdrag nog na te komen verplichtingen geheel en al wordt gewijzigd.
2. Een wezenlijke verandering der omstandigheden kan niet worden aangevoerd als grond voor de beëindiging van een verdrag of voor de terugtrekking daaruit:
a) indien het verdrag een grens vaststelt; of

b) indien de wezenlijke verandering een gevolg is van schending door de partij die de grond aanvoert, hetzij van een verplichting voortvloeiend uit het verdrag, hetzij van iedere andere internationale verplichting met betrekking tot iedere andere partij bij het verdrag.
3. Als een partij overeenkomstig de voorgaande leden als grond voor het beëindigen van een verdrag of het zich daaruit terugtrekken een wezenlijke verandering van omstandigheden kan aanvoeren, mag zij eveneens de wijziging aanvoeren als grond voor de opschorting van de werking van het verdrag.

Art. 63 Het verbreken van diplomatieke of consulaire betrekkingen

Verbreken betrekkingen

Het verbreken van de diplomatieke of de consulaire betrekkingen tussen partijen bij een verdrag heeft geen gevolgen voor de rechtsbetrekkingen, door het verdrag tussen hen geschapen, behalve in zoverre het bestaan van diplomatieke of consulaire betrekkingen onontbeerlijk is voor de toepassing van het verdrag.

Art. 64 Een nieuwe dwingende norm van algemeen volkenrecht (jus cogens)

Nieuwe dwingende norm volkenrecht

Ingeval van een nieuwe dwingende norm van algemeen volkenrecht, wordt elk bestaand verdrag dat in strijd is met deze norm nietig en eindigt het.

AFDELING 4
PROCEDURE

Art. 65 Procedure te volgen bij ongeldigheid, beëindiging van een verdrag, terugtrekking uit een verdrag of opschorting van de werking van het verdrag

Procedure bij ongeldigheid; beëindiging; terugtrekking; opschorting

1. De partij die op grond van de bepalingen van dit Verdrag zich beroept op hetzij een gebrek in zijn instemming door een verdrag gebonden te worden, hetzij een motief om de geldigheid van een verdrag te betwisten, het te beëindigen, zich daaruit terug te trekken of de werking ervan op te schorten, moet de andere partijen van zijn eis in kennis stellen. De kennisgeving dient aan te geven welke maatregel tegen het verdrag wordt beoogd alsmede de redenen daarvoor.
2. Als, na afloop van een periode die, behalve in geval van bijzondere noodzaak, niet korter mag zijn dan drie maanden te rekenen vanaf de ontvangst van de kennisgeving, geen partij bezwaar heeft gemaakt, kan de partij, die de kennisgeving heeft gedaan op de wijze als beschreven in artikel 67, de door haar beoogde maatregel nemen.
3. Als echter bezwaar wordt gemaakt door een andere partij, dienen de partijen een oplossing te zoeken met behulp van de middelen, aangegeven in artikel 33 van het Handvest van de Verenigde Naties.
4. Niets in de voorgaande leden tast de rechten of de verplichtingen van partijen aan voortvloeiende uit de tussen hen van kracht zijnde bepalingen betreffende de regeling van geschillen.
5. Onverminderd artikel 45 verhindert het feit dat een Staat niet de in het eerste lid voorgeschreven kennisgeving heeft gedaan hem niet alsnog een dergelijke kennisgeving te doen ten antwoord aan een andere partij die de uitvoering van een verdrag eist of de schending ervan aanvoert.

Art. 66 Procedures voor rechtspraak, arbitrage en conciliatie

Conflictoplossing

Als binnen een periode van twaalf maanden volgend op de datum waarop bezwaar is gemaakt het niet mogelijk is gebleken een oplossing te bereiken overeenkomstig artikel 65, derde lid, worden de volgende procedures toegepast:
a) elke partij bij een geschil betreffende de toepassing of uitlegging van de artikelen 53 of 64 kan door middel van een verzoekschrift dit geschil ter beslissing voorleggen aan het Internationale Gerechtshof tenzij de partijen in gezamenlijke overeenstemming besluiten het geschil aan arbitrage te onderwerpen;
b) iedere partij bij een geschil betreffende de toepassing of de uitlegging van een van de andere artikelen van Deel V van dit Verdrag kan de in de Bijlage bij dit Verdrag aangegeven procedure aanhangig maken door hiertoe een verzoek te richten tot de Secretaris-Generaal van de Verenigde Naties.

Art. 67 Akten ter ongeldigverklaring of beëindiging van een verdrag, ter terugtrekking uit een verdrag of ter opschorting van de werking van een verdrag

Akte ex art. 65

1. De kennisgeving voorzien in artikel 65, eerste lid, dient schriftelijk te geschieden.
2. Iedere akte ter ongeldigverklaring of beëindiging van een verdrag, iedere akte ter terugtrekking uit een verdrag of iedere akte ter opschorting van de werking van een verdrag op grond van zijn bepalingen of van artikel 65, tweede of derde lid, moet worden neergelegd in een akte, medegedeeld aan de andere partijen. Als de akte niet is ondertekend door het Staatshoofd, het hoofd van de Regering of de Minister van Buitenlandse Zaken, kan de vertegenwoordiger van de Staat die de mededeling doet uitgenodigd worden zijn volmacht te tonen.

Art. 68 Herroeping van kennisgevingen en akten als voorzien in de artikelen 65 en 67

Herroeping akte

Een kennisgeving of een akte als voorzien in de artikelen 65 en 67 kan te allen tijde worden herroepen, voordat zij van kracht is geworden.

AFDELING 5
GEVOLGEN VAN DE ONGELDIGHEID, BEËINDIGING OF OPSCHORTING VAN DE WERKING VAN EEN VERDRAG

Art. 69 Gevolgen van de ongeldigheid van een verdrag

Gevolgen nietigheid

1. Een verdrag waarvan de ongeldigheid krachtens dit Verdrag wordt vastgesteld, is nietig. De bepalingen van een nietig verdrag hebben geen rechtskracht.

Reeds verrichte handelingen

2. Als niettemin handelingen zijn verricht op grond van een zodanig verdrag:
a) kan elke partij van elke andere partij eisen, dat zij, voor zover zulks in hun wederzijdse betrekkingen mogelijk is, de situatie tot stand brengt die zou hebben bestaan indien deze handelingen niet zouden zijn verricht;
b) zijn handelingen, te goeder trouw verricht voordat de ongeldigheid was aangevoerd, niet onrechtmatig geworden uitsluitend doordat het verdrag ongeldig is geworden.
3. In gevallen, waarop de artikelen 49, 50, 51 of 52 betrekking hebben, is het tweede lid niet van toepassing op de partij waaraan het bedrog, de corruptiehandeling of de dwang is toe te rekenen.
4. Ingeval van ongeldigheid van de instemming van een Staat door een multilateraal verdrag gebonden te worden, zijn de voorgaande regels van toepassing op de betrekkingen tussen de genoemde Staat en de partijen bij het verdrag.

Art. 70 Gevolgen van de beëindiging van een verdrag

Gevolgen beëindiging

1. De beëindiging van een verdrag krachtens zijn bepalingen of overeenkomstig dit Verdrag
a) ontslaat de partijen van de verplichting de uitvoering van het verdrag voort te zetten;
b) tast geen enkel recht, geen enkele verplichting of geen enkele rechtspositie van partijen aan, die door de uitvoering van het verdrag vóór zijn beëindiging is ontstaan;
tenzij het verdrag anders bepaalt of de partijen anders overeenkomen.
2. Indien een Staat een multilateraal verdrag opzegt of zich daaruit terugtrekt, is met ingang van de datum waarop deze opzegging of terugtrekking effect krijgt het eerste lid van toepassing op de betrekkingen tussen deze Staat en ieder der andere partijen bij het verdrag.

Art. 71 Gevolgen van de nietigheid van een verdrag dat strijdig is met een dwingende norm van algemeen volkenrecht

Gevolgen strijd dwingende norm

1. Ingeval een verdrag nietig is krachtens artikel 53, zijn de partijen gehouden:
a) zoveel als mogelijk is de gevolgen weg te nemen van iedere handeling verricht op grond van een bepaling die strijdig is met de dwingende norm van algemeen volkenrecht; en
b) hun wederzijdse betrekkingen in overeenstemming te brengen met de dwingende norm van algemeen volkenrecht.
2. Ingeval een verdrag nietig wordt en eindigt krachtens artikel 64:
a) ontslaat de beëindiging van het verdrag de partijen van de verplichting de uitvoering van het verdrag voort te zetten;
b) tast de beëindiging van het verdrag geen enkel recht, geen enkele verplichting of geen enkele rechtspositie van partijen aan, die door de uitvoering van het verdrag vóór zijn beëindiging is ontstaan; deze rechten, verplichtingen en rechtspositie kunnen daarna echter slechts worden gehandhaafd in zoverre deze handhaving op zich niet strijdig is met de nieuwe dwingende norm van algemeen volkenrecht.

Art. 72 Gevolgen van de opschorting van de werking van een verdrag

Gevolgen opschorting

1. De opschorting van de werking van een verdrag op grond van zijn bepalingen of overeenkomstig dit Verdrag - tenzij het verdrag anders bepaalt of de partijen anders overeenkomen:
a) ontslaat de partijen tussen welke de werking van het verdrag is opgeschort van de verplichting het verdrag uit te voeren in hun onderlinge betrekkingen gedurende de tijd van opschorting;
b) tast voor het overige de door het verdrag geschapen rechtsbetrekkingen tussen de partijen niet aan.
2. Gedurende de tijd van opschorting moeten de partijen zich onthouden van alle handelingen die een belemmering voor een hervatte werking van het verdrag kunnen vormen.

DEEL VI
Onderscheidene bepalingen

Art. 73 Gevallen van Statenopvolging, van Staatsaansprakelijkheid of van het uitbreken van vijandelijkheden

De bepalingen van dit Verdrag mogen niet vooruitlopen op vraagstukken die zich met betrekking tot een verdrag kunnen voordoen op grond van Statenopvolging, de internationale Staatsaansprakelijkheid of het uitbreken van vijandelijkheden tussen Staten.

Art. 74 Diplomatieke of consulaire betrekkingen en het sluiten van verdragen

Het verbreken of de afwezigheid van diplomatieke of consulaire betrekkingen tussen twee of meer Staten is geen belemmering voor het sluiten van verdragen tussen deze Staten. Het sluiten van een verdrag heeft op zichzelf geen gevolg voor de diplomatieke of consulaire betrekkingen.

Art. 75 Geval van een aanvallende Staat

De bepalingen van dit Verdrag laten onverlet de verplichtingen die met betrekking tot een verdrag voor een aanvallende Staat kunnen voortvloeien uit maatregelen, genomen overeenkomstig het Handvest van de Verenigde Naties ter zake van door deze Staat gepleegde agressie.

DEEL VII
Depositarissen, kennisgevingen, verbeteringen en registratie

Art. 76 Depositarissen van verdragen

Aanwijzing depositaris

1. De aanwijzing van de depositaris van een verdrag kan geschieden door de aan de onderhandelingen deelgenomen hebbende Staten, hetzij in het verdrag zelf, hetzij op andere wijze. De depositaris kan zijn: een of meer Staten, een internationale organisatie of de voornaamste administratieve functionaris van een zodanige organisatie.

2. De functies van de depositaris zijn internationaal van aard en de depositaris is gehouden onpartijdig te handelen bij het vervullen van zijn functies. Met name het feit dat een verdrag niet in werking is getreden tussen bepaalde partijen of dat er een verschil van mening is ontstaan tussen een Staat en een depositaris met betrekking tot de uitvoering van de functies van deze laatste mag geen invloed hebben op deze verplichting.

Art. 77 Functies van de depositarissen

Functies depositaris

1. Tenzij het verdrag anders bepaalt of de verdragsluitende partijen anders zijn overeengekomen, zijn de functies van de depositaris in het bijzonder de volgende:
a) het onder zijn berusting houden van de originele tekst van het verdrag en de volmachten die aan de depositaris zijn overgelegd;
b) voor gelijkluidend gewaarmerkte afschriften te doen vervaardigen van de originele tekst en alle andere teksten van het verdrag in andere talen die door het verdrag kunnen zijn voorgeschreven en die te doen toekomen aan de partijen bij het verdrag en de Staten die gerechtigd zijn het te worden;
c) alle ondertekeningen van het verdrag in ontvangst te nemen, alle akten, kennisgevingen en mededelingen met betrekking tot het verdrag in ontvangst te nemen en te bewaren;
d) te onderzoeken of een ondertekening, een akte, een kennisgeving of een mededeling betrekking hebbend op het verdrag, in goede en behoorlijke vorm is en, indien nodig, de zaak onder de aandacht van de betrokken Staat te brengen;
e) de partijen bij het verdrag en de Staten die gerechtigd zijn het te worden in te lichten over akten, kennisgevingen en mededelingen betreffende het verdrag;
f) de Staten die gerechtigd zijn partij te worden bij het verdrag in te lichten over de datum waarop het voor de inwerkingtreding van het verdrag vereiste aantal ondertekeningen of akten van bekrachtiging, aanvaarding, goedkeuring of toetreding is ontvangen of nedergelegd;
g) zorg te dragen voor de registratie van het verdrag bij het Secretariaat van de Verenigde Naties;
h) de functies te vervullen die nader zijn omschreven in de andere bepalingen van dit Verdrag.

Conflict met depositaris

2. Indien zich een verschil van mening voordoet tussen een Staat en de depositaris met betrekking tot de vervulling van de functies van laatstgenoemde, moet de depositaris deze kwestie onder de aandacht brengen van de ondertekenende Staten en de verdragsluitende Staten of, indien nodig, van het bevoegde orgaan van de betreffende internationale organisatie.

Art. 78 Kennisgevingen en mededelingen

Kennisgevingen mededelingen

Behalve in het geval waarin het verdrag of dit Verdrag anders bepaalt, moet een kennisgeving of mededeling die door een Staat moet worden gedaan krachtens dit Verdrag:
a) indien er geen depositaris is, rechtstreeks gericht worden aan de Staten waarvoor zij is bestemd, of indien er een depositaris is, aan deze;
b) worden beschouwd als gedaan door de betrokken Staat eerst vanaf de ontvangst door de Staat waaraan zij is gericht of, al naar gelang het geval, vanaf de ontvangst door de depositaris;
c) indien zij is gericht aan de depositaris worden beschouwd als ontvangen door de Staat waarvoor zij is bestemd, eerst wanneer deze Staat door de depositaris in overeenstemming met artikel 77, eerste lid, letter e, daarover is ingelicht.

Art. 79 Verbetering van fouten in de teksten of in de voor gelijkluidend gewaarmerkte afschriften van verdragen

Verbetering van fouten

1. Als, na de authentificatie van de tekst van een verdrag de ondertekenende Staten en de verdragsluitende Staten het er over eens zijn, dat deze tekst een fout bevat, moet de fout worden hersteld op een van de hierna genoemde wijzen, tenzij de genoemde Staten tot een andere wijze van verbetering besluiten:
a) verbetering van de tekst in de juiste zin en parafering van de verbetering door behoorlijk gevolmachtigde vertegenwoordigers;
b) opstelling van een akte of uitwisseling van akten waarin de verbetering is vastgesteld die men is overeengekomen aan te brengen in de tekst; of
c) opstelling van een verbeterde tekst van het gehele verdrag, daarbij dezelfde procedure volgend als voor de originele tekst.

2. Wanneer het een verdrag betreft waarvoor een depositaris bestaat, brengt deze aan de ondertekenende Staten en de verdragsluitende Staten de fout ter kennis alsmede het voorstel tot verbetering en stelt een redelijke termijn vast waarbinnen bezwaar kan worden gemaakt tegen de voorgestelde verbetering. Als na afloop van deze termijn:
a) geen bezwaar is gemaakt, brengt de depositaris de verbetering in de tekst aan en parafeert haar, maakt een proces-verbaal op van de verbetering van de tekst en stuurt een kopie daarvan aan de partijen bij het verdrag en aan de partijen die gerechtigd zijn dit te worden;
b) een bezwaar is gemaakt, deelt de depositaris het bezwaar mede aan de ondertekenende Staten en de verdragsluitende Staten.
3. De regels, neergelegd in het eerste en tweede lid, zijn eveneens van toepassing indien de tekst was geauthentiseerd in twee of meer talen en zich ten aanzien van de eensluidendheid een gebrek voordoet dat, op grond van overeenstemming tussen de ondertekenende Staten en de verdragsluitende Staten, moet worden hersteld.
4. De verbeterde tekst vervangt *ab initio* de gebrekkige tekst tenzij de ondertekenende Staten en de verdragsluitende Staten daarover anders beslissen. **Rechtskracht verbeterde tekst**
5. De verbetering van een geregistreerde verdragstekst wordt ter kennis gebracht van het Secretariaat van de Verenigde Naties.
6. Wanneer een fout is ontdekt in een voor gelijkluidend gewaarmerkt afschrift van een verdrag moet de depositaris een proces-verbaal van de verbetering opstellen en er een kopie van sturen aan de ondertekenende Staten en aan de verdragsluitende Staten.

Art. 80 Registratie en publikatie van verdragen

Registratie en publicatie

1. Na hun inwerkingtreding moeten de verdragen gezonden worden aan het Secretariaat van de Verenigde Naties ter fine van, al naar gelang het geval, registratie of inschrijving in het register, alsmede voor publikatie.
2. De aanwijzing van een depositaris vormt diens machtiging om de in het voorgaande lid omschreven handelingen uit te voeren.

DEEL VIII
Slotbepalingen

Art. 81 Ondertekening

Ondertekening van dit Verdrag

Dit Verdrag staat open voor ondertekening door alle Lid-Staten van de Verenigde Naties, Leden van een van de Gespecialiseerde Organisaties of van de Internationale Organisatie voor Atoomenergie, alsook voor iedere Staat die partij is bij het Statuut van het Internationale Gerechtshof en voor elke andere Staat, door de Algemene Vergadering van de Verenigde Naties uitgenodigd om partij te worden bij dit Verdrag, en wel als volgt: tot 30 november 1969 op het Bondsministerie van Buitenlandse Zaken van de Republiek Oostenrijk en vervolgens tot 30 april 1970 op de zetel van de Verenigde Naties te New York.

Art. 82 Bekrachtiging

Dit Verdrag dient te worden bekrachtigd. De akten van bekrachtiging worden nedergelegd bij de Secretaris-Generaal van de Verenigde Naties.

Art. 83 Toetreding

Dit Verdrag staat open voor toetreding door iedere Staat behorend tot een van de in artikel 81 genoemde categorieën. De akten van toetreding moeten worden nedergelegd bij de Secretaris-Generaal van de Verenigde Naties.

Art. 84 Inwerkingtreding

Inwerkingtreding van dit Verdrag

1. Dit Verdrag treedt in werking op de dertigste dag na de datum van nederlegging van de vijfendertigste akte van bekrachtiging of toetreding.
2. Voor iedere Staat die na de nederlegging van de vijfendertigste akte van bekrachtiging of toetreding het Verdrag bekrachtigt of tot het Verdrag toetreedt, treedt het Verdrag in werking op de dertigste dag na de nederlegging door deze Staat van zijn akte van bekrachtiging of toetreding.

Art. 85 Authentieke teksten

Het origineel van dit Verdrag, waarvan de Chinese, Engelse, Franse, Russische en Spaanse tekst gelijkelijk authentiek zijn, zal bij de Secretaris-Generaal van de Verenigde Naties worden nedergelegd.

Bijlage

1. De Secretaris-Generaal van de Verenigde Naties maakt een lijst van bemiddelaars op, samengesteld uit bekwame juristen, en houdt deze lijst bij. Te dien einde wordt iedere Lid-Staat van de Verenigde Naties of Staat die partij is bij dit Verdrag uitgenodigd twee bemiddelaars aan te wijzen en de namen van de op deze wijze aangewezen personen vormen de lijst. De aanwijzing van de bemiddelaars, daarbij inbegrepen degenen die aangewezen worden om een voorkomende vacature te vervullen, wordt gedaan voor een verlengbare periode van vijf jaar. Bij het einde

van de periode waarvoor de bemiddelaars zijn aangewezen, gaan zij voort met het uitoefenen van de functies waarvoor zij zijn gekozen overeenkomstig het volgende lid.
2. Wanneer overeenkomstig artikel 66 een verzoek is gericht aan de Secretaris-Generaal legt hij het geschil voor aan een Bemiddelingscommissie die als volgt is samengesteld:
De Staat of de Staten, welke een der partijen bij het geschil vormen, benoemen:
a) een bemiddelaar met de nationaliteit van deze Staat of een van deze Staten, al dan niet gekozen uit de in het eerste lid bedoelde lijst; en
b) een bemiddelaar die niet de nationaliteit bezit van deze Staat of een van deze Staten, gekozen uit de lijst.
De Staat of de Staten die de andere partij in het geschil vormen, benoemen op dezelfde wijze twee bemiddelaars. De vier bemiddelaars, gekozen door de partijen, moeten worden benoemd binnen zestig dagen te rekenen vanaf de dag waarop de Secretaris-Generaal het verzoek heeft ontvangen.
Binnen zestig dagen volgende op de datum van de benoeming van de laatste van hen, benoemen de vier bemiddelaars een vijfde bemiddelaar, gekozen uit de lijst, die voorzitter zal zijn.
Als de benoeming van de voorzitter of van een van de andere bemiddelaars niet binnen de voor deze benoeming hierboven voorgeschreven termijn geschiedt, wordt zij verricht door de Secretaris-Generaal binnen zestig dagen na het verstrijken van deze termijn. De Secretaris-Generaal kan als voorzitter aanwijzen, hetzij een van de in de lijst opgenomen personen, hetzij een van de leden van de Commissie voor het internationale recht. Elke periode waarbinnen een benoeming dient te geschieden, mag worden verlengd als de partijen bij het geschil het daarover eens zijn.
Iedere vacature moet worden vervuld op de wijze die omschreven is voor de eerste benoeming.
3. De Bemiddelingscommissie stelt zelf haar werkwijze vast. De Commissie kan, met instemming van de partijen bij het geschil, iedere partij bij het verdrag uitnodigen aan haar haar zienswijze mondeling of schriftelijk kenbaar te maken. De beslissingen en aanbevelingen van de Commissie worden genomen bij meerderheid van stemmen van haar vijf leden.
4. De Commissie mag iedere maatregel welke een minnelijke schikking zou kunnen vergemakkelijken onder de aandacht brengen van de partijen bij het geschil.
5. De Commissie hoort de partijen, onderzoekt de aanspraken en bezwaren en doet voorstellen aan de partijen om hen bij te staan in het bereiken van een minnelijke schikking van het geschil.
6. De Commissie brengt binnen twaalf maanden na haar instelling verslag uit. Dit verslag wordt nedergelegd bij de Secretaris-Generaal en toegezonden aan de partijen bij het geschil. Het verslag van de Commissie, met inbegrip van alle daarin vermelde gevolgtrekkingen ten aanzien van feiten of rechtskwesties, is niet bindend voor de partijen en zal geen andere betekenis hebben dan die van aanbevelingen, die ter overweging aan de partijen worden voorgelegd ten einde een minnelijke schikking van het geschil te vergemakkelijken.
7. De Secretaris-Generaal verschaft de Commissie de hulp en de faciliteiten die zij behoeft. De uitgaven van de Commissie worden gedragen door de Verenigde Naties.

Inhoudsopgave

PART I	Art. 1
PART II	Art. 42
PART III	Art. 46
DEEL I	Art. 1
DEEL II	Art. 42
DEEL III	Art. 46

Verdrag inzake de rechten van het kind[1]

De Staten die partij zijn bij dit Verdrag,
Overwegende dat, in overeenstemming met de in het Handvest van de Verenigde Naties verkondigde beginselen, erkenning van de waardigheid inherent aan, alsmede van de gelijke en onvervreemdbare rechten van, alle leden van de mensengemeenschap de grondslag is voor vrijheid, gerechtigheid en vrede in de wereld,
Indachtig dat de volkeren van de Verenigde Naties in het Handvest hun vertrouwen in de fundamentele rechten van de mens en in de waardigheid en de waarde van de mens opnieuw hebben bevestigd en hebben besloten sociale vooruitgang en een hogere levensstandaard in groter vrijheid te bevorderen,
Erkennende dat de Verenigde Naties in de Universele Verklaring van de Rechten van de Mens en in de Internationale Verdragen inzake de Rechten van de Mens hebben verkondigd en zijn overeengekomen dat een ieder recht heeft op alle rechten en vrijheden die daarin worden beschreven, zonder onderscheid van welke aard ook, zoals naar ras, huidskleur, geslacht, taal, godsdienst, politieke of andere overtuiging, nationale of sociale afkomst, eigendom, geboorte of andere status,
Eraan herinnerende dat de Verenigde Naties in de Universele Verklaring van de Rechten van de Mens hebben verkondigd dat kinderen recht hebben op bijzondere zorg en bijstand,
Ervan overtuigd dat aan het gezin, als de kern van de samenleving en de natuurlijke omgeving voor de ontplooiing en het welzijn van al haar leden en van kinderen in het bijzonder, de nodige bescherming en bijstand dient te worden verleend opdat het zijn verantwoordelijkheden binnen de gemeenschap volledig kan dragen,
Erkennende dat het kind, voor de volledige en harmonische ontplooiing van zijn of haar persoonlijkheid, dient op te groeien in een gezinsomgeving, in een sfeer van geluk, liefde en begrip,
Overwegende dat het kind volledig dient te worden voorbereid op het leiden van een zelfstandig leven in de samenleving, en dient te worden opgevoed in de geest van de in het Handvest van de Verenigde Naties verkondigde idealen, en in het bijzonder in de geest van vrede, waardigheid, verdraagzaamheid, vrijheid, gelijkheid en solidariteit,
Indachtig dat de noodzaak van het verlenen van bijzondere zorg aan het kind is vermeld in de Verklaring van Genève inzake de Rechten van het Kind van 1924 en in de Verklaring van de Rechten van het Kind, aangenomen door de Algemene Vergadering op 20 november 1959 en is erkend in de Universele Verklaring van de Rechten van de Mens, in het Internationaal Verdrag inzake Burgerrechten en Politieke Rechten (met name in de artikelen 23 en 24), in het Internationaal Verdrag inzake Economische, Sociale en Culturele Rechten (met name in artikel 10) en in de statuten en desbetreffende akten van gespecialiseerde organisaties en internationale organisaties die zich bezighouden met het welzijn van kinderen,
Indachtig dat, zoals aangegeven in de Verklaring van; de Rechten van het Kind, „het kind op grond van zijn lichamelijke en geestelijke onrijpheid bijzondere bescherming en zorg nodig heeft, met inbegrip van geëigende wettelijke bescherming, zowel vóór als na zijn geboorte",
Herinnerende aan de bepalingen van de Verklaring inzake Sociale en Juridische Beginselen betreffende de Bescherming en het Welzijn van Kinderen, in het bijzonder met betrekking tot Plaatsing in een Pleeggezin en Adoptie, zowel Nationaal als Internationaal; de Standaard Minimumregels van de Verenigde Naties voor de Toepassing van het Recht op Jongeren (de Beijingregels); en de Verklaring inzake de Bescherming van Vrouwen en Kinderen in Noodsituaties en Gewapende Conflicten,
Erkennende dat er, in alle landen van de wereld, kinderen zijn die in uitzonderlijk moeilijke omstandigheden leven, en dat deze kinderen bijzondere aandacht behoeven,
Op passende wijze rekening houdend met het belang van de tradities en culturele waarde die ieder volk hecht aan de bescherming en de harmonische ontwikkeling van het kind,
Het belang erkennende van internationale samenwerking ter verbetering van de levensomstandigheden van kinderen in ieder land, in het bijzonder in de ontwikkelingslanden,
Zijn het volgende overeengekomen:

DEEL I

Art. 1

Kind

Voor de toepassing van dit Verdrag wordt onder een kind verstaan ieder mens jonger dan achttien jaar, tenzij volgens het op het kind van toepassing zijnde recht de meerderjarigheid eerder wordt bereikt.

1 Inwerkingtredingsdatum: 08-03-1995; zoals laatstelijk gewijzigd bij: Trb. 1996, 188.

Art. 2

1. De Staten die partij zijn bij dit Verdrag, eerbiedigen en waarborgen de in het Verdrag beschreven rechten voor ieder kind onder hun rechtsbevoegdheid zonder discriminatie van welke aard ook, ongeacht ras, huidskleur, geslacht, taal, godsdienst, politieke of andere overtuiging, nationale, etnische of maatschappelijke afkomst, welstand, handicap, geboorte of andere omstandigheid van het kind of van zijn of haar ouder of wettige voogd. **Discriminatieverbod**

2. De Staten die partij zijn, nemen alle passende maatregelen om te waarborgen dat het kind wordt beschermd tegen alle vormen van discriminatie of bestraffing op grond van de omstandigheden of de activiteiten van, de meningen geuit door of de overtuigingen van de ouders, wettige voogden of familieleden van het kind. **Staten nemen maatregelen tegen discriminatie**

Art. 3

1. Bij alle maatregelen betreffende kinderen, ongeacht of deze worden genomen door openbare of particuliere instellingen voor maatschappelijk welzijn of door rechterlijke instanties, bestuurlijke autoriteiten of wetgevende lichamen, vormen de belangen van het kind de eerste overweging. **Belang van het kind voorop bij maatregelen**

2. De Staten die partij zijn, verbinden zich ertoe het kind te verzekeren van de bescherming en de zorg die nodig zijn voor zijn of haar welzijn, rekening houdend met de rechten en plichten van zijn of haar ouders, wettige voogden of anderen die wettelijk verantwoordelijk voor het kind zijn, en nemen hiertoe alle passende wettelijke en bestuurlijke maatregelen. **Bescherming en zorg**

3. De Staten die partij zijn, waarborgen dat de instellingen, diensten en voorzieningen die verantwoordelijk zijn voor de zorg voor of de bescherming van kinderen voldoen aan de door de bevoegde autoriteiten vastgestelde normen, met name ten aanzien van de veiligheid, de gezondheid, het aantal personeelsleden en hun geschiktheid, alsmede bevoegd toezicht.

Art. 4

De Staten die partij zijn, nemen alle passende wettelijke, bestuurlijke en andere maatregelen om de in dit Verdrag erkende rechten te verwezenlijken. Ten aanzien van economische, sociale en culturele rechten nemen de Staten die Partij zijn deze maatregelen in de ruimste mate waarin de hun ter beschikking staande middelen dit toelaten en, indien nodig, in het kader van internationale samenwerking. **Maatregelen door Staten**

Art. 5

De Staten die partij zijn, eerbiedigen de verantwoordelijkheden, rechten en plichten van de ouders of, indien van toepassing, van de leden van de familie in ruimere zin of de gemeenschap al naar gelang het plaatselijk gebruik, van wettige voogden of anderen die wettelijk verantwoordelijk zijn voor het kind, voor het voorzien in passende leiding en begeleiding bij de uitoefening door het kind van de in dit Verdrag erkende rechten, op een wijze die verenigbaar is met de zich ontwikkelende vermogens van het kind. **Eerbiediging van de positie van ouders etc.**

Art. 6

1. De Staten die partij zijn, erkennen dat ieder kind het inherente recht op leven heeft. **Recht op leven**

2. De Staten die partij zijn, waarborgen in de ruimst mogelijke mate de mogelijkheden tot overleven en de ontwikkeling van het kind.

Art. 7

1. Het kind wordt onmiddellijk na de geboorte ingeschreven en heeft vanaf de geboorte het recht op een naam, het recht een nationaliteit te verwerven en, voor zover mogelijk, het recht zijn of haar ouders te kennen, en door hen te worden verzorgd. **Recht op naam, nationaliteit, ouders**

2. De Staten die partij zijn, waarborgen de verwezenlijking van deze rechten in overeenstemming met hun nationale recht en hun verplichtingen krachtens de desbetreffende internationale akten op dit gebied, in het bijzonder wanneer het kind anders staatloos zou zijn.

Art. 8

1. De Staten die partij zijn, verbinden zich tot eerbiediging van het recht van het kind zijn of haar identiteit te behouden, met inbegrip van nationaliteit, naam en familiebetrekkingen zoals wettelijk erkend, zonder onrechtmatige inmenging. **Recht op eerbiediging identiteit**

2. Wanneer een kind op niet rechtmatige wijze wordt beroofd van enige of alle bestanddelen van zijn of haar identiteit, verlenen de Staten die partij zijn passende bijstand en bescherming, teneinde zijn identiteit snel te herstellen.

Art. 9

1. De Staten die partij zijn, waarborgen dat een kind niet wordt gescheiden van zijn of haar ouders tegen hun wil, tenzij de bevoegde autoriteiten, onder voorbehoud van de mogelijkheid van rechterlijke toetsing, in overeenstemming met het toepasselijke recht en de toepasselijke procedures, beslissen dat deze scheiding noodzakelijk is in het belang van het kind. Een dergelijke beslissing kan noodzakelijk zijn in een bepaald geval, zoals wanneer er sprake is van misbruik of verwaarlozing van het kind door de ouders, of wanneer de ouders gescheiden leven en er een beslissing moet worden genomen ten aanzien van de verblijfplaats van het kind. **Recht op gezinsleven**

2. In procedures ingevolge het eerste lid van dit artikel dienen alle betrokken partijen de gelegenheid te krijgen aan de procedures deel te nemen en hun standpunten naar voren te brengen.

3. De Staten die partij zijn, eerbiedigen het recht van het kind dat van een ouder of beide ouders is gescheiden, op regelmatige basis persoonlijke betrekkingen en rechtstreeks contact met beide ouders te onderhouden, tenzij dit in strijd is met het belang van het kind.
4. Indien een dergelijke scheiding voortvloeit uit een maatregel genomen door een Staat die partij is, zoals de inhechtenisneming, gevangenneming, verbanning, deportatie, of uit een maatregel het overlijden ten gevolge hebbend (met inbegrip van overlijden, door welke oorzaak ook, terwijl de betrokkene door de Staat in bewaring wordt gehouden) van één ouder of beide ouders of van het kind, verstrekt die Staat, op verzoek, aan de ouders, aan het kind of, indien van toepassing, aan een ander familielid van het kind de noodzakelijke inlichtingen over waar het afwezige lid van het gezin zich bevindt of waar de afwezige leden van het gezin zich bevinden, tenzij het verstrekken van die inlichtingen het welzijn van het kind zou schaden. De Staten die partij zijn, waarborgen voorts dat het indienen van een dergelijk verzoek op zich geen nadelige gevolgen heeft voor de betrokkene(n).

Art. 10

Gezinshereniging

1. In overeenstemming met de verplichting van de Staten die partij zijn krachtens artikel 9, eerste lid, worden aanvragen van een kind of van zijn ouders om een Staat die partij is, voor gezinshereniging binnen te gaan of te verlaten, door de Staten die partij zijn met welwillendheid, menselijkheid en spoed behandeld. De Staten die partij zijn, waarborgen voorts dat het indienen van een dergelijke aanvraag geen nadelige gevolgen heeft voor de aanvragers en hun familieleden.
2. Een kind van wie de ouders in verschillende Staten verblijven, heeft het recht op regelmatige basis, behalve in uitzonderlijke omstandigheden, persoonlijke betrekkingen en rechtstreekse contacten met beide ouders te onderhouden. Hiertoe, en in overeenstemming met de verplichting van de Staten die partij zijn krachtens artikel 9, eerste lid, eerbiedigen de Staten die partij zijn het recht van het kind en van zijn of haar ouders welk land ook, met inbegrip van het eigen land, te verlaten, en het eigen land binnen te gaan. Het recht welk land ook te verlaten is slechts onderworpen aan de beperkingen die bij de wet zijn voorzien en die nodig zijn ter bescherming van de nationale veiligheid, de openbare orde, de volksgezondheid of de goede zeden, of van de rechten en vrijheden van anderen, en verenigbaar zijn met de andere in dit Verdrag erkende rechten.

Art. 11

Internationale ontvoering

1. De Staten die partij zijn, nemen maatregelen ter bestrijding van de ongeoorloofde overbrenging van kinderen naar en het niet doen terugkeren van kinderen uit het buitenland.
2. Hiertoe bevorderen de Staten die partij zijn het sluiten van bilaterale of multilaterale overeenkomsten of het toetreden tot bestaande overeenkomsten.

Art. 12

Horen van het kind

1. De Staten die partij zijn, verzekeren het kind dat in staat is zijn of haar eigen mening te vormen, het recht die mening vrijelijk te uiten in alle aangelegenheden die het kind betreffen, waarbij aan de mening van het kind passend belang wordt gehecht in overeenstemming met zijn of haar leeftijd en rijpheid.
2. Hiertoe wordt het kind met name in de gelegenheid gesteld te worden gehoord in iedere gerechtelijke en bestuurlijke procedure die het kind betreft, hetzij rechtstreeks, hetzij door tussenkomst van een vertegenwoordiger of een daarvoor geschikte instelling, op een wijze die verenigbaar is met de procedureregels van het nationale recht.

Art. 13

Vrijheid van meningsuiting

1. Het kind heeft het recht op vrijheid van meningsuiting; dit recht omvat mede de vrijheid inlichtingen en denkbeelden van welke aard ook te vergaren, te ontvangen en door te geven, ongeacht landsgrenzen, hetzij mondeling, hetzij in geschreven of gedrukte vorm, in de vorm van kunst, of met behulp van andere media naar zijn of haar keuze.
2. De uitoefening van dit recht kan aan bepaalde beperkingen worden gebonden, doch alleen aan de beperkingen die bij de wet zijn voorzien en die nodig zijn:
a. voor de eerbiediging van de rechten of de goede naam van anderen; of
b. ter bescherming van de nationale veiligheid of van de openbare orde, de volksgezondheid of de goede zeden.

Art. 14

Vrijheid van gedachte, geweten, godsdienst

1. De Staten die partij zijn, eerbiedigen het recht van het kind op vrijheid van gedachte, geweten en godsdienst.
2. De Staten die partij zijn, eerbiedigen de rechten en plichten van de ouders en, indien van toepassing, van de wettige voogden, om het kind te leiden in de uitoefening van zijn of haar recht op een wijze die verenigbaar is met de zich ontwikkelende vermogens van het kind.
3. De vrijheid van een ieder zijn godsdienst of levensovertuiging tot uiting te brengen kan slechts in die mate worden beperkt als wordt voorgeschreven door de wet en noodzakelijk is ter bescherming van de openbare veiligheid, de openbare orde, de volksgezondheid of de goede zeden, of van de fundamentele rechten en vrijheden van anderen.

Art. 15

Vrijheid van vereniging en vergadering

1. De Staten die partij zijn, erkennen de rechten van het kind op vrijheid van vereniging en vrijheid van vreedzame vergadering.

2. De uitoefening van deze rechten kan aan geen andere beperkingen worden onderworpen dan die welke in overeenstemming met de wet worden opgelegd en die in een democratische samenleving geboden zijn in het belang van de nationale veiligheid of de openbare veiligheid, de openbare orde, de bescherming van de volksgezondheid of de goede zeden, of de bescherming van de rechten en vrijheden van anderen.

Art. 16

Recht op privacy

1. Geen enkel kind mag worden onderworpen aan willekeurige of onrechtmatige inmenging in zijn of haar privéleven, in zijn of haar gezinsleven, zijn of haar woning of zijn of haar correspondentie, noch aan enige onrechtmatige aantasting van zijn of haar eer en goede naam.

2. Het kind heeft recht op bescherming door de wet tegen zodanige inmenging of aantasting.

Art. 17

Toegang tot media

De Staten die partij zijn, erkennen de belangrijke functie van de massamedia en waarborgen dat het kind toegang heeft tot informatie en materiaal uit een verscheidenheid van nationale en internationale bronnen, in het bijzonder informatie en materiaal gericht op het bevorderen van zijn of haar sociale, psychische en morele welzijn en zijn of haar lichamelijke en geestelijke gezondheid. Hiertoe dienen de Staten die partij zijn:

a. de massamedia aan te moedigen informatie en materiaal te verspreiden die tot sociaal en cultureel nut zijn voor het kind en in overeenstemming zijn met de strekking van artikel 29;

b. internationale samenwerking aan te moedigen bij de vervaardiging, uitwisseling en verspreiding van dergelijke informatie en materiaal uit een verscheidenheid van culturele, nationale en internationale bronnen;

c. de vervaardiging en verspreiding van kinderboeken aan te moedigen;

d. de massamedia aan te moedigen in het bijzonder rekening te houden met de behoeften op het gebied van de taal van het kind dat tot een minderheid of tot de oorspronkelijke bevolking behoort;

e. de ontwikkeling aan te moedigen van passende richtlijnen voor de bescherming van het kind tegen informatie en materiaal die schadelijk zijn voor zijn of haar welzijn, indachtig de bepalingen van de artikelen 13 en 18.

Art. 18

Beide ouders verantwoordelijk

1. De Staten die partij zijn, doen alles wat in hun vermogen ligt om de erkenning te verzekeren van het beginsel dat beide ouders de gezamenlijke verantwoordelijkheid dragen voor de opvoeding en de ontwikkeling van het kind. Ouders of, al naar gelang het geval, wettige voogden, hebben de eerste verantwoordelijkheid voor de opvoeding en de ontwikkeling van het kind. Het belang van het kind is hun allereerste zorg.

2. Om de toepassing van de in dit Verdrag genoemde rechten te waarborgen en te bevorderen, verlenen de Staten die partij zijn passende bijstand aan ouders en wettige voogden bij de uitoefening van hun verantwoordelijkheden die de opvoeding van het kind betreffen, en waarborgen zij de ontwikkeling van instellingen, voorzieningen en diensten voor kinderzorg.

3. De Staten die partij zijn, nemen alle passende maatregelen om te waarborgen dat kinderen van werkende ouders recht hebben op gebruikmaking van diensten en voorzieningen voor kinderzorg waarvoor zij in aanmerking komen.

Art. 19

Maatregelen tegen geweld

1. De Staten die partij zijn, nemen alle passende wettelijke en bestuurlijke maatregelen en maatregelen op sociaal en opvoedkundig gebied om het kind te beschermen tegen alle vormen van lichamelijk of geestelijk geweld, letsel of misbruik, lichamelijke of geestelijke verwaarlozing of nalatige behandeling, mishandeling of exploitatie, met inbegrip van sexueel misbruik, terwijl het kind onder de hoede is van de ouder(s), wettige voogd(en) of iemand anders die de zorg voor het kind heeft.

2. Deze maatregelen ter bescherming dienen, indien van toepassing, doeltreffende procedures te omvatten voor de invoering van sociale programma's om te voorzien in de nodige ondersteuning van het kind en van degenen die de zorg voor het kind hebben, alsmede procedures voor andere vormen van voorkoming van en voor opsporing, melding, verwijzing, onderzoek, behandeling en follow-up van gevallen van kindermishandeling zoals hierboven beschreven, en, indien van toepassing, voor inschakeling van rechterlijke instanties.

Art. 20

Gezinsvervangende zorg

1. Een kind dat tijdelijk of blijvend het verblijf in het gezin waartoe het behoort, moet missen, of dat men in zijn of haar eigen belang niet kan toestaan in het gezin te blijven, heeft recht op bijzondere bescherming en bijstand van staatswege.

2. De Staten die partij zijn, waarborgen, in overeenstemming met hun nationale recht, een andere vorm van zorg voor dat kind.

3. Deze zorg kan, onder andere, plaatsing in een pleeggezin omvatten, kafalah volgens het Islamitische recht, adoptie, of, indien noodzakelijk, plaatsing in geschikte instellingen voor kinderzorg. Bij het overwegen van oplossingen wordt op passende wijze rekening gehouden met de wenselijkheid van continuïteit in de opvoeding van het kind en met de etnische, godsdienstige en culturele achtergrond van het kind en met zijn of haar achtergrond wat betreft de taal.

Art. 21

Adoptie

De Staten die partij zijn en die de methode van adoptie erkennen en/of toestaan, waarborgen dat het belang van het kind daarbij de voornaamste overweging is, en:

a. waarborgen dat de adoptie van een kind slechts wordt toegestaan mits daartoe bevoegde autoriteiten, in overeenstemming met de van toepassing zijnde wetten en procedures en op grond van alle van belang zijnde en betrouwbare gegevens, bepalen dat de adoptie kan worden toegestaan gelet op de verhoudingen van het kind met zijn of haar ouders, familieleden en wettige voogden, en mits, indien vereist, de betrokkenen, na volledig te zijn ingelicht, op grond van de adviezen die noodzakelijk worden geacht, daarmee hebben ingestemd;

b. erkennen dat interlandelijke adoptie kan worden overwogen als andere oplossing voor de zorg voor het kind, indien het kind niet in een pleeg- of adoptiegezin kan worden geplaatst en op geen enkele andere passende wijze kan worden verzorgd in het land van zijn of haar herkomst;

c. verzekeren dat voor het kind dat bij een interlandelijke adoptie is betrokken waarborgen en normen gelden die gelijkwaardig zijn aan die welke bestaan bij adoptie in het eigen land;

d. nemen alle passende maatregelen om te waarborgen dat, in het geval van interlandelijke adoptie, de plaatsing niet leidt tot ongepast geldelijk voordeel voor de betrokkenen;

e. bevorderen, wanneer passend, de verwezenlijking van de doeleinden van dit artikel door het aangaan van bilaterale of multilaterale regelingen of overeenkomsten, en spannen zich in om, in het kader daarvan, te waarborgen dat de plaatsing van het kind in een ander land wordt uitgevoerd door bevoegde autoriteiten of instellingen.

Art. 22

Vluchtelingen

1. De Staten die partij zijn, nemen passende maatregelen om te waarborgen dat een kind dat de vluchtelingenstatus wil verkrijgen of dat in overeenstemming met het toepasselijke internationale of nationale recht en de toepasselijke procedures als vluchteling wordt beschouwd, ongeacht of het al dan niet door zijn of haar ouders of door iemand anders wordt begeleid, passende bescherming en humanitaire bijstand krijgt bij het genot van de van toepassing zijnde rechten beschreven in dit Verdrag en in andere internationale akten inzake de rechten van de mens of humanitaire akten waarbij de bedoelde Staten partij zijn.

2. Hiertoe verlenen de Staten die partij zijn, naar zij passend achten, hun medewerking aan alle inspanningen van de Verenigde Naties en andere bevoegde intergouvernementele organisaties of niet-gouvernementele organisaties die met de Verenigde Naties samenwerken, om dat kind te beschermen en bij te staan en de ouders of andere gezinsleden op te sporen van een kind dat vluchteling is, teneinde de nodige inlichtingen te verkrijgen voor hereniging van het kind met het gezin waartoe het behoort. In gevallen waarin geen ouders of andere familieleden kunnen worden gevonden, wordt aan het kind dezelfde bescherming verleend als aan ieder ander kind dat om welke reden ook, blijvend of tijdelijk het leven in een gezin moet ontberen, zoals beschreven in dit Verdrag.

Art. 23

Gehandicapte kinderen

1. De Staten die partij zijn, erkennen dat een geestelijk of lichamelijk gehandicapt kind een volwaardig en behoorlijk leven dient te hebben, in omstandigheden die de waardigheid van het kind verzekeren, zijn zelfstandigheid bevorderen en zijn actieve deelneming aan het gemeenschapsleven vergemakkelijken.

2. De Staten die partij zijn, erkennen het recht van het gehandicapte kind op bijzondere zorg, en stimuleren en waarborgen dat aan het daarvoor in aanmerking komende kind en degenen die verantwoordelijk zijn voor zijn of haar verzorging, afhankelijk van de beschikbare middelen, de bijstand wordt verleend die is aangevraagd en die passend is gezien de gesteldheid van het kind en de omstandigheden van de ouders of anderen die voor het kind zorgen.

3. Onder erkenning van de bijzondere behoeften van het gehandicapte kind, dient de in overeenstemming met het tweede lid geboden bijstand, wanneer mogelijk, gratis te worden verleend, rekening houdend met de financiële middelen van de ouders of anderen die voor het kind zorgen. Deze bijstand dient erop gericht te zijn te waarborgen dat het gehandicapte kind daadwerkelijk toegang heeft tot onderwijs, opleiding, voorzieningen voor gezondheidszorg en revalidatie, voorbereiding voor een beroep, en recreatiemogelijkheden, op een wijze die ertoe bijdraagt dat het kind een zo volledig mogelijke integratie in de maatschappij en persoonlijke ontwikkeling bereikt, met inbegrip van zijn of haar culturele en intellectuele ontwikkeling.

4. De Staten die partij zijn, bevorderen, in de geest van internationale samenwerking, de uitwisseling van passende informatie op het gebied van preventieve gezondheidszorg en van medische en psychologische behandeling van, en behandeling van functionele stoornissen bij, gehandicapte kinderen, met inbegrip van de verspreiding van en de toegang tot informatie betreffende revalidatiemethoden, onderwijs en beroepsopleidingen, met als doel de Staten die partij zijn, in staat te stellen hun vermogens en vaardigheden te verbeteren en hun ervaring op deze gebieden te verruimen. Wat dit betreft wordt in het bijzonder rekening gehouden met de behoeften van ontwikkelingslanden.

Art. 24

Recht op gezondheidszorg

1. De Staten die partij zijn, erkennen het recht van het kind op het genot van de grootst mogelijke mate van gezondheid en op voorzieningen voor de behandeling van ziekte en het herstel van de gezondheid. De Staten die partij zijn, streven ernaar te waarborgen dat geen enkel kind zijn of haar recht op toegang tot deze voorzieningen voor gezondheidszorg wordt onthouden.
2. De Staten die partij zijn, streven de volledige verwezenlijking van dit recht na en nemen passende maatregelen, met name:
a. om baby- en kindersterfte te verminderen;
b. om de verlening van de nodige medische hulp en gezondheidszorg aan alle kinderen te waarborgen, met nadruk op de ontwikkeling van de eerste-lijnsgezondheidszorg;
c. om ziekte, ondervoeding en slechte voeding te bestrijden, mede binnen het kader van de eerste-lijnsgezondheidszorg, door onder andere het toepassen van gemakkelijk beschikbare technologie en door het voorzien in voedsel met voldoende voedingswaarde en zuiver drinkwater, de gevaren en risico's van milieuverontreiniging in aanmerking nemend;
d. om passende pre- en postnatale gezondheidszorg voor moeders te waarborgen;
e. om te waarborgen dat alle geledingen van de samenleving, met name ouders en kinderen, worden voorgelicht over, toegang hebben tot onderwijs over, en worden gesteund in het gebruik van de fundamentele kennis van de gezondheid van en de voeding van kinderen, de voordelen van borstvoeding, hygiëne en sanitaire voorzieningen en het voorkomen van ongevallen;
f. om preventieve gezondheidszorg, begeleiding voor ouders, en voorzieningen voor en voorlichting over gezinsplanning te ontwikkelen.
3. De Staten die partij zijn, nemen alle doeltreffende en passende maatregelen teneinde traditionele gebruiken die schadelijk zijn voor de gezondheid van kinderen af te schaffen.
4. De Staten die partij zijn, verbinden zich ertoe internationale samenwerking te bevorderen en aan te moedigen teneinde geleidelijk de algehele verwezenlijking van het in dit artikel erkende recht te bewerkstelligen. Wat dit betreft wordt in het bijzonder rekening gehouden met de behoeften van ontwikkelingslanden.

Art. 25

Evaluatie uithuisplaatsing

De Staten die partij zijn, erkennen het recht van een kind dat door de bevoegde autoriteiten uit huis is geplaatst ter verzorging, bescherming of behandeling in verband met zijn of haar lichamelijke of geestelijke gezondheid, op een periodieke evaluatie van de behandeling die het kind krijgt en van alle andere omstandigheden die verband houden met zijn of haar plaatsing.

Art. 26

Recht op sociale zekerheid

1. De Staten die partij zijn, erkennen voor ieder kind het recht de voordelen te genieten van voorzieningen voor sociale zekerheid, met inbegrip van sociale verzekering, en nemen de nodige maatregelen om de algehele verwezenlijking van dit recht te bewerkstelligen in overeenstemming met hun nationale recht.
2. De voordelen dienen, indien van toepassing, te worden verleend, waarbij rekening wordt gehouden met de middelen en de omstandigheden van het kind en de personen die verantwoordelijk zijn voor zijn of haar onderhoud, alsmede iedere andere overweging die van belang is voor de beoordeling van een verzoek daartoe dat door of namens het kind wordt ingediend.

Art. 27

Recht op toereikende levensstandaard

1. De Staten die partij zijn, erkennen het recht van ieder kind op een levensstandaard die toereikend is voor de lichamelijke, geestelijke, intellectuele, zedelijke en maatschappelijke ontwikkeling van het kind.
2. De ouder(s) of anderen die verantwoordelijk zijn voor het kind, hebben de primaire verantwoordelijkheid voor het waarborgen, naar vermogen en binnen de grenzen van hun financiële mogelijkheden, van de levensomstandigheden die nodig zijn voor de ontwikkeling van het kind.
3. De Staten die partij zijn, nemen, in overeenstemming met de nationale omstandigheden en met de middelen die hun ten dienste staan, passende maatregelen om ouders en anderen die verantwoordelijk zijn voor het kind te helpen dit recht te verwezenlijken, en voorzien, indien de behoefte daaraan bestaat, in programma's voor materiële bijstand en ondersteuning, met name wat betreft voeding, kleding en huisvesting.
4. De Staten die partij zijn, nemen alle passende maatregelen om het verhaal te waarborgen van uitkeringen tot onderhoud van het kind door de ouders of andere personen die de financiële verantwoordelijkheid voor het kind dragen, zowel binnen de Staat die partij is als vanuit het buitenland. Met name voor gevallen waarin degene die de financiële verantwoordelijkheid voor het kind draagt, in een andere Staat woont dan die van het kind, bevorderen de Staten die partij zijn de toetreding tot internationale overeenkomsten of het sluiten van dergelijke overeenkomsten, alsmede het treffen van andere passende regelingen.

Art. 28

Recht op onderwijs

1. De Staten die partij zijn, erkennen het recht van het kind op onderwijs, en teneinde dit recht geleidelijk en op basis van gelijke kansen te verwezenlijken, verbinden zij zich er met name toe:
a. primair onderwijs verplicht te stellen en voor iedereen gratis beschikbaar te stellen;
b. de ontwikkeling van verschillende vormen van voortgezet onderwijs aan te moedigen, met inbegrip van algemeen onderwijs en beroepsonderwijs, deze vormen voor ieder kind beschikbaar te stellen en toegankelijk te maken, en passende maatregelen te nemen zoals de invoering van gratis onderwijs en het bieden van financiële bijstand indien noodzakelijk;
c. met behulp van alle passende middelen hoger onderwijs toegankelijk te maken voor een ieder naar gelang zijn capaciteiten;
d. informatie over en begeleiding bij onderwijs- en beroepskeuze voor alle kinderen beschikbaar te stellen en toegankelijk te maken;
e. maatregelen te nemen om regelmatig schoolbezoek te bevorderen en het aantal kinderen dat de school vroegtijdig verlaat, te verminderen.
2. De Staten die partij zijn, nemen alle passende maatregelen om te verzekeren dat de wijze van handhaving van de discipline op scholen verenigbaar is met de menselijke waardigheid van het kind en in overeenstemming is met dit Verdrag.
3. De Staten die partij zijn, bevorderen en stimuleren internationale samenwerking in aangelegenheden die verband houden met onderwijs, met name teneinde bij te dragen tot de uitbanning van onwetendheid en analfabetisme in de gehele wereld, en de toegankelijkheid van wetenschappelijke en technische kennis en moderne onderwijsmethoden te vergroten. In dit opzicht wordt met name rekening gehouden met de behoeften van de ontwikkelingslanden.

Art. 29

Doelen van het onderwijs

1. De Staten die partij zijn, komen overeen dat het onderwijs aan het kind dient te zijn gericht op:
a. de zo volledig mogelijke ontplooiing van de persoonlijkheid, talenten en geestelijke en lichamelijke vermogens van het kind;
b. het bijbrengen van eerbied voor de rechten van de mens en de fundamentele vrijheden, en voor de in het Handvest van de Verenigde Naties vastgelegde beginselen;
c. het bijbrengen van eerbied voor de ouders van het kind, voor zijn of haar eigen culturele identiteit, taal en waarden, voor de nationale waarden van het land waar het kind woont, het land waar het is geboren, en voor andere beschavingen dan de zijne of hare;
d. de voorbereiding van het kind op een verantwoord leven in een vrije samenleving, in de geest van begrip, vrede, verdraagzaamheid, gelijkheid van geslachten, en vriendschap tussen alle volken, etnische, nationale en godsdienstige groepen en personen behorend tot de oorspronkelijke bevolking;
e. het bijbrengen van eerbied voor de natuurlijke omgeving.
2. Geen enkel gedeelte van dit artikel of van artikel 28 mag zo worden uitgelegd dat het de vrijheid aantast van individuele personen en rechtspersonen, onderwijsinstellingen op te richten en daaraan leiding te geven, evenwel altijd met inachtneming van de in het eerste lid van dit artikel vervatte beginselen, en van het vereiste dat het aan die instellingen gegeven onderwijs voldoet aan de door de Staat vastgestelde minimumnormen.

Art. 30

Onderwijs eigen taal en cultuur

In die Staten waarin etnische of godsdienstige minderheden, taalminderheden of personen behorend tot de oorspronkelijke bevolking voorkomen, wordt het kind dat daartoe behoort niet het recht ontzegd te zamen met andere leden van zijn of haar groep zijn of haar cultuur te beleven, zijn of haar eigen godsdienst te belijden en ernaar te leven, of zich van zijn of haar eigen taal te bedienen.

Art. 31

Recht op rust

1. De Staten die partij zijn, erkennen het recht van het kind op rust en vrije tijd, op deelneming aan spel en recreatieve bezigheden passend bij de leeftijd van het kind, en op vrije deelneming aan het culturele en artistieke leven.
2. De Staten die partij zijn, eerbiedigen het recht van het kind volledig deel te nemen aan het culturele en artistieke leven, bevorderen de verwezenlijking van dit recht, en stimuleren het bieden van passende en voor ieder gelijke kansen op culturele, artistieke en recreatieve bezigheden en vrijetijdsbesteding.

Art. 32

Bescherming tegen exploitatie

1. De Staten die partij zijn, erkennen het recht van het kind te worden beschermd tegen economische exploitatie en tegen het verrichten van werk dat naar alle waarschijnlijkheid gevaarlijk is of de opvoeding van het kind zal hinderen, of schadelijk zal zijn voor de gezondheid of de lichamelijke, geestelijke, intellectuele, zedelijke of maatschappelijke ontwikkeling van het kind.
2. De Staten die partij zijn, nemen wettelijke, bestuurlijke en sociale maatregelen en maatregelen op onderwijsterrein om de toepassing van dit artikel te waarborgen. Hiertoe, en de desbetreffende bepalingen van andere internationale akten in acht nemend, verbinden de Staten die partij zijn zich er in het bijzonder toe:

a. een minimumleeftijd of minimumleeftijden voor toelating tot betaald werk voor te schrijven;
b. voorschriften te geven voor een passende regeling van werktijden en arbeidsvoorwaarden;
c. passende straffen of andere maatregelen voor te schrijven ter waarborging van de daadwerkelijke uitvoering van dit artikel.

Art. 33

Bescherming tegen drugs

De Staten die partij zijn, nemen alle passende maatregelen, met inbegrip van wettelijke, bestuurlijke en sociale maatregelen en maatregelen op onderwijsterrein, om kinderen te beschermen tegen het illegale gebruik van verdovende middelen en psychotrope stoffen zoals omschreven in de desbetreffende internationale verdragen, en om inschakeling van kinderen bij de illegale produktie van en de sluikhandel in deze middelen en stoffen te voorkomen.

Art. 34

Bescherming tegen seksueel misbruik

De Staten die partij zijn, verbinden zich ertoe het kind te beschermen tegen alle vormen van sexuele exploitatie en sexueel misbruik. Hiertoe nemen de Staten die partij zijn met name alle passende nationale, bilaterale en multilaterale maatregelen om te voorkomen dat:
a. een kind ertoe wordt aangespoord of gedwongen deel te nemen aan onwettige sexuele activiteiten;
b. kinderen worden geëxploiteerd in de prostitutie of andere onwettige sexuele praktijken;
c. kinderen worden geëxploiteerd in pornografische voorstellingen en pornografisch materiaal.

Art. 35

Voorkoming kinderhandel etc.

De Staten die partij zijn, nemen alle passende nationale, bilaterale en multilaterale maatregelen ter voorkoming van de ontvoering of de verkoop van of van de handel in kinderen voor welk doel ook of in welke vorm ook.

Art. 36

De Staten die partij zijn, beschermen het kind tegen alle andere vormen van exploitatie die schadelijk zijn voor enig aspect van het welzijn van het kind.

Art. 37

Verbod van foltering; geen doodstraf onder de achttien

De Staten die partij zijn, waarborgen dat:
a. geen enkel kind wordt onderworpen aan foltering of aan een andere wrede, onmenselijke of onterende behandeling of bestraffing. Doodstraf noch levenslange gevangenisstraf zonder de mogelijkheid van vrijlating wordt opgelegd voor strafbare feiten gepleegd door personen jonger dan achttien jaar;
b. geen enkel kind op onwettige of willekeurige wijze van zijn of haar vrijheid wordt beroofd. De aanhouding, inhechtenisneming of gevangenneming van een kind geschiedt overeenkomstig de wet en wordt slechts gehanteerd als uiterste maatregel en voor de kortst mogelijke passende duur;
c. ieder kind dat van zijn of haar vrijheid is beroofd, wordt behandeld met menselijkheid en met eerbied voor de waardigheid inherent aan de menselijke persoon, en zodanig dat rekening wordt gehouden met de behoeften van een persoon van zijn of haar leeftijd. Met name wordt ieder kind dat van zijn of haar vrijheid is beroofd, gescheiden van volwassenen tenzij het in het belang van het kind wordt geacht dit niet te doen, en heeft ieder kind het recht contact met zijn of haar familie te onderhouden door middel van correspondentie en bezoeken, behalve in uitzonderlijke omstandigheden;
d. ieder kind dat van zijn of haar vrijheid is beroofd het recht heeft onverwijld te beschikken over juridische en andere passende bijstand, alsmede het recht de wettigheid van zijn vrijheidsberoving te betwisten ten overstaan van een rechter of een andere bevoegde, onafhankelijke en onpartijdige autoriteit, en op een onverwijlde beslissing ten aanzien van dat beroep.

Art. 38

Internationaal humanitair recht bij gewapende conflicten

1. De Staten die partij zijn, verbinden zich ertoe eerbied te hebben voor en de eerbiediging te waarborgen van tijdens gewapende conflicten op hen van toepassing zijnde regels van internationaal humanitair recht die betrekking hebben op kinderen.
2. De Staten die partij zijn, nemen alle uitvoerbare maatregelen om te waarborgen dat personen jonger dan vijftien jaar niet rechtstreeks deelnemen aan vijandelijkheden.
3. De Staten die partij zijn, onthouden zich ervan personen jonger dan vijftien jaar in hun strijdkrachten op te nemen of in te lijven. Bij het opnemen of inlijven van personen die de leeftijd van vijftien jaar hebben bereikt, maar niet de leeftijd van achttien jaar, streven de Staten die partij zijn ernaar voorrang te geven aan diegenen die het oudste zijn.
4. In overeenstemming met hun verplichtingen krachtens het internationale humanitaire recht om de burgerbevolking te beschermen in gewapende conflicten, nemen de Staten die partij zijn alle uitvoerbare maatregelen ter waarborging van de bescherming en de verzorging van kinderen die worden getroffen door een gewapend conflict.

Art. 39

Hulp aan slachtoffers

De Staten die partij zijn, nemen alle passende maatregelen ter bevordering van het lichamelijk en geestelijk herstel en de herintegratie in de maatschappij van een kind dat het slachtoffer is van: welke vorm ook van verwaarlozing, exploitatie of misbruik; foltering of welke andere vorm ook van wrede, onmenselijke of onterende behandeling of bestraffing; of gewapende conflicten.

Dit herstel en deze herintegratie vinden plaats in een omgeving die bevorderlijk is voor de gezondheid, het zelfrespect en de waardigheid van het kind.

Art. 40

Kind in het strafrecht

1. De Staten die partij zijn, erkennen het recht van ieder kind dat wordt verdacht van, vervolgd wegens of veroordeeld terzake van het begaan van een strafbaar feit, op een wijze van behandeling die geen afbreuk doet aan het gevoel van waardigheid en eigenwaarde van het kind, die de eerbied van het kind voor de rechten van de mens en de fundamentele vrijheden van anderen vergroot, en waarbij rekening wordt gehouden met de leeftijd van het kind en met de wenselijkheid van het bevorderen van de herintegratie van het kind en van de aanvaarding door het kind van een opbouwende rol in de samenleving.
2. Hiertoe, en met inachtneming van de desbetreffende bepalingen van internationale akten, waarborgen de Staten die partij zijn met name dat:
a. geen enkel kind wordt verdacht van, vervolgd wegens of veroordeeld terzake van het begaan van een strafbaar feit op grond van enig handelen of nalaten dat niet volgens het nationale of internationale recht verboden was op het tijdstip van het handelen of nalaten;
b. ieder kind dat wordt verdacht van of vervolgd wegens het begaan van een strafbaar feit, ten minste de volgende garanties heeft:
(i) dat het voor onschuldig wordt gehouden tot zijn of haar schuld volgens de wet is bewezen;
(ii) dat het onverwijld en rechtstreeks in kennis wordt gesteld van de tegen hem of haar ingebrachte beschuldigingen, indien van toepassing door tussenkomst van zijn of haar ouders of wettige voogd, en dat het juridische of andere passende bijstand krijgt in de voorbereiding en het voeren van zijn of haar verdediging;
(iii) dat de aangelegenheid zonder vertraging wordt beslist door een bevoegde, onafhankelijke en onpartijdige autoriteit of rechterlijke instantie in een eerlijke behandeling overeenkomstig de wet, in aanwezigheid van een rechtskundige of anderszins deskundige raadsman of -vrouw, en, tenzij dit wordt geacht niet in het belang van het kind te zijn, met name gezien zijn of haar leeftijd of omstandigheden, in aanwezigheid van zijn of haar ouders of wettige voogden;
(iv) dat het er niet toe wordt gedwongen een getuigenis af te leggen of schuld te bekennen; dat het getuigen à charge kan ondervragen of doen ondervragen en dat het de deelneming en ondervraging van getuigen à decharge op gelijke voorwaarden kan doen geschieden;
(v) indien het schuldig wordt geacht aan het begaan van een strafbaar feit, dat dit oordeel en iedere maatregel die dientengevolge wordt opgelegd, opnieuw wordt beoordeeld door een hogere bevoegde, onafhankelijke en onpartijdige autoriteit of rechterlijke instantie overeenkomstig de wet;
(vi) dat het kind kosteloze bijstand krijgt van een tolk indien het de gebruikte taal niet verstaat of spreekt;
(vii) dat zijn of haar privéleven volledig wordt geëerbiedigd tijdens alle stadia van het proces.
3. De Staten die partij zijn, streven ernaar de totstandkoming te bevorderen van wetten, procedures, autoriteiten en instellingen die in het bijzonder bedoeld zijn voor kinderen die worden verdacht van, vervolgd wegens of veroordeeld terzake van het begaan van een strafbaar feit, en, in het bijzonder:
a. de vaststelling van een minimumleeftijd onder welke kinderen niet in staat worden geacht een strafbaar feit te begaan;
b. de invoering, wanneer passend en wenselijk, van maatregelen voor de handelwijze ten aanzien van deze kinderen zonder dat men zijn toevlucht neemt tot gerechtelijke stappen, mits de rechten van de mens en de wettelijke garanties volledig worden geëerbiedigd.
4. Een verscheidenheid van regelingen, zoals rechterlijke bevelen voor zorg, begeleiding en toezicht; adviezen; jeugdreclassering; pleegzorg; programma's voor onderwijs en beroepsopleiding en andere alternatieven voor institutionele zorg dient beschikbaar te zijn om te verzekeren dat de handelwijze ten aanzien van kinderen hun welzijn niet schaadt en in de juiste verhouding staat zowel tot hun omstandigheden als tot het strafbare feit.

Art. 41

Verdergaande bepalingen

Geen enkele bepaling van dit Verdrag tast bepalingen aan die meer bijdragen tot de verwezenlijking van de rechten van het kind en die zijn vervat in:
a. het recht van een Staat die partij is; of
b. het in die Staat geldende internationale recht.

DEEL II

Art. 42

Bekendmaking

De Staten die partij zijn, verbinden zich ertoe de beginselen en de bepalingen van dit Verdrag op passende en doeltreffende wijze algemeen bekend te maken, zowel aan volwassenen als aan kinderen.

Art. 43

1. Ter beoordeling van de voortgang die de Staten die partij zijn, boeken bij het nakomen van de in dit Verdrag aangegane verplichtingen, wordt een Comité voor de Rechten van het Kind ingesteld, dat de hieronder te noemen functies uitoefent. **Comité voor de Rechten van het Kind**

2. Het Comité bestaat uit achttien deskundigen van hoog zedelijk aanzien en met erkende bekwaamheid op het gebied dat dit Verdrag bestrijkt. De leden van het Comité worden door de Staten die partij zijn, gekozen uit hun onderdanen, en treden op in hun persoonlijke hoedanigheid, waarbij aandacht wordt geschonken aan een evenredige geografische verdeling, alsmede aan de vertegenwoordiging van de voornaamste rechtsstelsels. **Deskundigen**

3. De leden van het Comité worden bij geheime stemming gekozen van een lijst van personen die zijn voorgedragen door de Staten die partij zijn. Iedere Staat die partij is, mag één persoon voordragen, die onderdaan van die Staat is. **Verkiezing**

4. De eerste verkiezing van het Comité wordt niet later gehouden dan zes maanden na de datum van inwerkingtreding van dit Verdrag, en daarna iedere twee jaar. Ten minste vier maanden vóór de datum waarop een verkiezing plaatsvindt, richt de Secretaris-Generaal van de Verenigde Naties aan de Staten die partij zijn een schriftelijk verzoek hun voordrachten binnen twee maanden in te dienen. De Secretaris-Generaal stelt vervolgens een alfabetische lijst op van alle aldus voorgedragen personen, onder aanduiding van de Staten die partij zijn die hen hebben voorgedragen, en legt deze voor aan de Staten die partij zijn bij dit Verdrag.

5. De verkiezingen worden gehouden tijdens vergaderingen van de Staten die partij zijn, belegd door de Secretaris-Generaal, ten hoofdkantore van de Verenigde Naties. Tijdens die vergaderingen, waarvoor twee derde van de Staten die partij zijn het quorum vormen, zijn degenen die in het Comité worden gekozen die voorgedragen personen die het grootste aantal stemmen op zich verenigen alsmede een absolute meerderheid van de stemmen van de aanwezige vertegenwoordigers van de Staten die partij zijn en die hun stem uitbrengen.

6. De leden van het Comité worden gekozen voor een ambtstermijn van vier jaar. Zij zijn herkiesbaar indien zij opnieuw worden voorgedragen. De ambtstermijn van vijf van de leden die bij de eerste verkiezing zijn gekozen, loopt na twee jaar af; onmiddellijk na de eerste verkiezing worden deze vijf leden bij loting aangewezen door de Voorzitter van de vergadering. **Ambtstermijn**

7. Indien een lid van het Comité overlijdt of aftreedt of verklaart om welke andere reden ook niet langer de taken van het Comité te kunnen vervullen, benoemt de Staat die partij is die het lid heeft voorgedragen een andere deskundige die onderdaan van die Staat is om de taken te vervullen gedurende het resterende gedeelte van de ambtstermijn, onder voorbehoud van de goedkeuring van het Comité.

8. Het Comité stelt zijn eigen huishoudelijk reglement vast. **Huishoudelijk reglement**

9. Het Comité kiest zijn functionarissen voor een ambtstermijn van twee jaar.

10. De vergaderingen van het Comité worden in de regel gehouden ten hoofdkantore van de Verenigde Naties of op iedere andere geschikte plaats, te bepalen door het Comité. Het Comité komt in de regel eens per jaar bijeen. De duur van de vergaderingen van het Comité wordt vastgesteld en, indien noodzakelijk, herzien door een vergadering van de Staten die partij zijn bij dit Verdrag, onder voorbehoud van de goedkeuring van de Algemene Vergadering. **Vergaderplaats**

11. De Secretaris-Generaal van de Verenigde Naties stelt de nodige medewerkers en faciliteiten beschikbaar voor de doeltreffende uitoefening van de functies van het Comité krachtens dit Verdrag.

12. Met de goedkeuring van de Algemene Vergadering ontvangen de leden van het krachtens dit Verdrag ingesteld Comité emolumenten uit de middelen van de Verenigde Naties op door de Algemene Vergadering vast te stellen voorwaarden.

Art. 44

1. De Staten die partij zijn, nemen de verplichting op zich aan het Comité, door tussenkomst van de Secretaris-Generaal van de Verenigde Naties, verslag uit te brengen over de door hen genomen maatregelen die uitvoering geven aan de in dit Verdrag erkende rechten, alsmede over de vooruitgang die is geboekt ten aanzien van het genot van die rechten: **Rapportage**

a. binnen twee jaar na de inwerkingtreding van het Verdrag voor de betrokken Staat die partij is;

b. vervolgens iedere vijf jaar.

2. In de krachtens dit artikel opgestelde rapporten dienen de factoren en eventuele moeilijkheden te worden aangegeven die van invloed zijn op de nakoming van de verplichtingen krachtens dit Verdrag. De rapporten bevatten ook voldoende gegevens om het Comité een goed inzicht te verschaffen in de toepassing van het Verdrag in het desbetreffende land.

3. Een Staat die partij is die een uitvoerig eerste rapport aan het Comité heeft overgelegd, behoeft in de volgende rapporten die deze Staat in overeenstemming met het eerste lid, letter b, overlegt, basisgegevens die eerder zijn verstrekt, niet te herhalen.

4. Het Comité kan Staten die partij zijn verzoeken om nadere gegevens die verband houden met de toepassing van het Verdrag.

5. Het Comité legt aan de Algemene Vergadering, door tussenkomst van de Economische en Sociale Raad, iedere twee jaar rapporten over aangaande zijn werkzaamheden.
6. De Staten die partij zijn, dragen er zorg voor dat hun rapporten algemeen beschikbaar zijn in hun land.

Art. 45

Coördinatie; samenwerking met UNICEF etc.

Teneinde de daadwerkelijke toepassing van het Verdrag te bevorderen en internationale samenwerking op het gebied dat het Verdrag bestrijkt, aan te moedigen:
a. hebben de gespecialiseerde organisaties, het Kinderfonds van de Verenigde Naties en andere organen van de Verenigde Naties het recht vertegenwoordigd te zijn bij het overleg over de toepassing van die bepalingen van dit Verdrag welke binnen de werkingssfeer van hun mandaat vallen. Het Comité kan de gespecialiseerde organisaties, het Kinderfonds van de Verenigde Naties en andere bevoegde instellingen die zij passend acht, uitnodigen deskundig advies te geven over de toepassing van het Verdrag op gebieden die binnen de werkingssfeer van hun onderscheiden mandaten vallen. Het Comité kan de gespecialiseerde organisaties, het Kinderfonds van de Verenigde Naties en andere organen van de Verenigde Naties uitnodigen rapporten over te leggen over de toepassing van het Verdrag op gebieden waarop zij werkzaam zijn;
b. doet het Comité, naar hij passend acht, aan de gespecialiseerde organisaties, het Kinderfonds van de Verenigde Naties en andere bevoegde instellingen, alle rapporten van Staten die partij zijn, toekomen die een verzoek bevatten om, of waaruit een behoefte blijkt aan, technisch advies of technische ondersteuning, vergezeld van eventuele opmerkingen en suggesties van het Comité aangaande deze verzoeken of deze gebleken behoefte;
c. kan het Comité aan de Algemene Vergadering aanbevelen de Secretaris-Generaal te verzoeken namens het Comité onderzoeken te doen naar specifieke thema's die verband houden met de rechten van het kind;
d. kan het Comité suggesties en algemene aanbevelingen doen gebaseerd op de ingevolge de artikelen 44 en 45 van dit Verdrag ontvangen gegevens. Deze suggesties en algemene aanbevelingen worden aan iedere betrokken Staat die partij is, toegezonden, en medegedeeld aan de Algemene Vergadering, vergezeld van eventuele commentaren van de Staten die partij zijn.

DEEL III

Art. 46

Ondertekening

Dit Verdrag staat open voor ondertekening door alle Staten.

Art. 47

Bekrachtiging

Dit Verdrag dient te worden bekrachtigd. De akten van bekrachtiging worden nedergelegd bij de Secretaris-Generaal van de Verenigde Naties.

Art. 48

Toetreding

Dit Verdrag blijft open voor toetreding door iedere Staat. De akten van toetreding worden nedergelegd bij de Secretaris-Generaal van de Verenigde Naties.

Art. 49

Inwerkingtreding

1. Dit Verdrag treedt in werking op de dertigste dag die volgt op de datum van nederlegging bij de Secretaris-Generaal van de Verenigde Naties van de twintigste akte van bekrachtiging of toetreding.
2. Voor iedere Staat die dit Verdrag bekrachtigt of ertoe toetreedt na de nederlegging van de twintigste akte van bekrachtiging of toetreding, treedt het Verdrag in werking op de dertigste dag na de nederlegging door die Staat van zijn akte van bekrachtiging of toetreding.

Art. 50

Wijziging

1. Iedere Staat die partij is, kan een wijziging voorstellen en deze indienen bij de Secretaris-Generaal van de Verenigde Naties. De Secretaris-Generaal deelt de voorgestelde wijziging vervolgens mede aan de Staten die partij zijn, met het verzoek hem te berichten of zij een conferentie van Staten die partij zijn, verlangen teneinde de voorstellen te bestuderen en in stemming te brengen. Indien, binnen vier maanden na de datum van deze mededeling, ten minste een derde van de Staten die partij zijn een dergelijke conferentie verlangt, roept de Secretaris-Generaal de vergadering onder auspiciën van de Verenigde Naties bijeen. Iedere wijziging die door een meerderheid van de ter conferentie aanwezige Staten die partij zijn en die hun stem uitbrengen, wordt aangenomen, wordt ter goedkeuring voorgelegd aan de Algemene Vergadering
2. Een wijziging die in overeenstemming met het eerste lid van dit artikel wordt aangenomen, treedt in werking wanneer zij is goedgekeurd door de Algemene Vergadering van de Verenigde Naties en is aanvaard door een meerderheid van twee derde van de Staten die partij zijn.
3. Wanneer een wijziging in werking treedt, is zij bindend voor de Staten die partij zijn die haar hebben aanvaard, terwijl de andere Staten die partij zijn gebonden zullen blijven door de bepalingen van dit Verdrag en door iedere voorgaande wijziging die zij hebben aanvaard.

Art. 51

Voorbehouden

1. De Secretaris-Generaal van de Verenigde Naties ontvangt de teksten van de voorbehouden die de Staten op het tijdstip van bekrachtiging of toetreding maken, en stuurt deze rond aan alle Staten.
2. Een voorbehoud dat niet verenigbaar is met doel en strekking van dit Verdrag is niet toegestaan.
3. Een voorbehoud kan te allen tijde worden ingetrokken door een daartoe strekkende mededeling gericht aan de Secretaris-Generaal van de Verenigde Naties, die vervolgens alle Staten hiervan in kennis stelt. Deze mededeling wordt van kracht op de datum van ontvangst door de Secretaris-Generaal.

Art. 52

Opzegging

Een Staat die partij is, kan dit Verdrag opzeggen door een schriftelijke mededeling aan de Secretaris-Generaal van de Verenigde Naties. De opzegging wordt van kracht één jaar na de datum van ontvangst van de mededeling door de Secretaris-Generaal.

Art. 53

De Secretaris-Generaal van de Verenigde Naties wordt aangewezen als de depositaris van dit Verdrag.

Art. 54

Het oorspronkelijke exemplaar van dit Verdrag, waarvan de Arabische, de Chinese, de Engelse, de Franse, de Russische en de Spaanse tekst gelijkelijk authentiek zijn, wordt nedergelegd bij de Secretaris-Generaal van de Verenigde Naties.

Inhoudsopgave

SECTION I	Rights and freedoms	Art. 2
SECTION II	European Court of Human Rights	Art. 19
SECTION III	Miscellaneous provisions	Art. 52
TITEL I	RECHTEN EN VRIJHEDEN	Art. 2
TITEL II	EUROPEES HOF VOOR DE RECHTEN VAN DE MENS	Art. 19
TITEL III	DIVERSE BEPALINGEN	Art. 52

Verdrag tot bescherming van de rechten van de mens en de fundamentele vrijheden[1]

De Regeringen die dit Verdrag hebben ondertekend, Leden van de Raad van Europa,
Gelet op de Universele Verklaring van de Rechten van de Mens die op 10 december 1948 door de Algemene Vergadering van de Verenigde Naties is afgekondigd;
Overwegende, dat deze Verklaring ten doel heeft de universele en daadwerkelijke erkenning en toepassing van de rechten die daarin zijn nedergelegd te verzekeren;
Overwegende, dat het doel van de Raad van Europa is het bereiken van een grotere eenheid tussen zijn Leden en dat een van de middelen om dit doel te bereiken is de handhaving en de verdere verwezenlijking van de rechten van de mens en de fundamentele vrijheden;
Opnieuw haar diep geloof bevestigende in deze fundamentele vrijheden die de grondslag vormen voor gerechtigheid en vrede in de wereld en welker handhaving vooral steunt, enerzijds op een waarlijk democratische regeringsvorm, anderzijds op het gemeenschappelijk begrip en de gemeenschappelijke eerbiediging van de rechten van de mens waarvan die vrijheden afhankelijk zijn;
Vastbesloten om, als Regeringen van gelijkgestemde Europese staten, die een gemeenschappelijk erfdeel bezitten van politieke tradities, idealen, vrijheid en heerschappij van het recht, de eerste stappen te doen voor de collectieve handhaving van sommige der in de Universele Verklaring vermelde rechten;
Zijn het volgende overeengekomen:

Art. 1 Verplichting tot eerbiediging van de rechten van de mens

De Hoge Verdragsluitende Partijen verzekeren een ieder die ressorteert onder haar rechtsmacht de rechten en vrijheden die zijn vastgesteld in de Eerste Titel van dit Verdrag.

Mensenrechten, plicht tot eerbiediging

TITEL I
RECHTEN EN VRIJHEDEN

Art. 2 Recht op leven

1. Het recht van een ieder op leven wordt beschermd door de wet. Niemand mag opzettelijk van het leven worden beroofd, behoudens door de tenuitvoerlegging van een gerechtelijk vonnis wegens een misdrijf waarvoor de wet in de doodstraf voorziet.

Mensenrechten, recht op leven

2. De beroving van het leven wordt niet geacht in strijd met dit artikel te zijn geschied ingeval zij het gevolg is van het gebruik van geweld, dat absoluut noodzakelijk is:
a. ter verdediging van wie dan ook tegen onrechtmatig geweld;
b. teneinde een rechtmatige arrestatie te bewerkstelligen of het ontsnappen van iemand die op rechtmatige wijze is gedetineerd, te voorkomen;
c. teneinde in overeenstemming met de wet een oproer of opstand te onderdrukken.

Mensenrechten, beroving van het leven door noodzakelijk geweld

Art. 3 Verbod van foltering

Niemand mag worden onderworpen aan folteringen of aan onmenselijke of vernederende behandelingen of bestraffingen.

Mensenrechten, verbod foltering of onmenselijke behandelingen

Art. 4 Verbod van slavernij en dwangarbeid

1. Niemand mag in slavernij of dienstbaarheid worden gehouden.

Mensenrechten, verbod slavernij/dwangarbeid

2. Niemand mag gedwongen worden dwangarbeid of verplichte arbeid te verrichten.
3. Niet als „dwangarbeid of verplichte arbeid” in de zin van dit artikel worden beschouwd:
a. elk werk dat gewoonlijk wordt vereist van iemand die is gedetineerd overeenkomstig de bepalingen van artikel 5 van dit Verdrag, of gedurende zijn voorwaardelijke invrijheidstelling;
b. elke dienst van militaire aard of, in het geval van gewetensbezwaarden in landen waarin hun gewetensbezwaren worden erkend, diensten die gevorderd worden in plaats van de verplichte militaire dienst;
c. elke dienst die wordt gevorderd in het geval van een noodtoestand of ramp die het leven of het welzijn van de gemeenschap bedreigt;
d. elk werk of elke dienst die deel uitmaakt van normale burgerplichten.

1 Inwerkingtredingsdatum: 31-08-1954; zoals laatstelijk gewijzigd bij: Trb. 1990, 156.

Art. 5 Recht op vrijheid en veiligheid

Mensenrechten, recht op vrijheid/veiligheid

1. Een ieder heeft recht op vrijheid en veiligheid van zijn persoon. Niemand mag zijn vrijheid worden ontnomen, behalve in de navolgende gevallen en overeenkomstig een wettelijk voorgeschreven procedure:
a. indien hij op rechtmatige wijze is gedetineerd na veroordeling door een daartoe bevoegde rechter;
b. indien hij op rechtmatige wijze is gearresteerd of gedetineerd, wegens het niet naleven van een overeenkomstig de wet door een gerecht gegeven bevel of teneinde de nakoming van een door de wet voorgeschreven verplichting te verzekeren;
c. indien hij op rechtmatige wijze is gearresteerd of gedetineerd teneinde voor de bevoegde rechterlijke instantie te worden geleid, wanneer er een redelijke verdenking bestaat, dat hij een strafbaar feit heeft begaan of indien het redelijkerwijs noodzakelijk is hem te beletten een strafbaar feit te begaan of te ontvluchten nadat hij dit heeft begaan;
d. in het geval van rechtmatige detentie van een minderjarige met het doel toe te zien op zijn opvoeding of in het geval van zijn rechtmatige detentie, teneinde hem voor de bevoegde instantie te geleiden;
e. in het geval van rechtmatige detentie van personen ter voorkoming van de verspreiding van besmettelijke ziekten, van geesteszieken, van verslaafden aan alcohol of verdovende middelen of van landlopers;
f. in het geval van rechtmatige arrestatie of detentie van een persoon teneinde hem te beletten op onrechtmatige wijze het land binnen te komen, of van een persoon waartegen een uitwijzings- of uitleveringsprocedure hangende is.
2. Een ieder die gearresteerd is moet onverwijld en in een taal die hij verstaat op de hoogte worden gebracht van de redenen van zijn arrestatie en van alle beschuldigingen die tegen hem zijn ingebracht.
3. Een ieder die is gearresteerd of gedetineerd, overeenkomstig lid 1.c van dit artikel, moet onverwijld voor een rechter worden geleid of voor een andere magistraat die door de wet bevoegd verklaard is rechterlijke macht uit te oefenen en heeft het recht binnen een redelijke termijn berecht te worden of hangende het proces in vrijheid te worden gesteld. De invrijheidstelling kan afhankelijk worden gesteld van een waarborg voor de verschijning van de betrokkene ter terechtzitting.
4. Een ieder, wie door arrestatie of detentie zijn vrijheid is ontnomen, heeft het recht voorziening te vragen bij het gerecht opdat deze spoedig beslist over de rechtmatigheid van zijn detentie en zijn invrijheidstelling beveelt, indien de detentie onrechtmatig is.
5. Een ieder die het slachtoffer is geweest van een arrestatie of een detentie in strijd met de bepalingen van dit artikel, heeft recht op schadeloosstelling.

Art. 6 Recht op een eerlijk proces

Mensenrechten, recht op eerlijk proces

1. Bij het vaststellen van zijn burgerlijke rechten en verplichtingen of bij het bepalen van de gegrondheid van een tegen hem ingestelde vervolging heeft een ieder recht op een eerlijke en openbare behandeling van zijn zaak, binnen een redelijke termijn, door een onafhankelijk en onpartijdig gerecht dat bij de wet is ingesteld. De uitspraak moet in het openbaar worden gewezen maar de toegang tot de rechtszaal kan aan de pers en het publiek worden ontzegd, gedurende de gehele terechtzitting of een deel daarvan, in het belang van de goede zeden, van de openbare orde of nationale veiligheid in een democratische samenleving, wanneer de belangen van minderjarigen of de bescherming van het privé leven van procespartijen dit eisen of, in die mate als door de rechter onder bijzondere omstandigheden strikt noodzakelijk wordt geoordeeld, wanneer de openbaarheid de belangen van een behoorlijke rechtspleging zou schaden.
2. Een ieder tegen wie een vervolging is ingesteld, wordt voor onschuldig gehouden totdat zijn schuld in rechte is komen vast te staan.
3. Een ieder tegen wie een vervolging is ingesteld, heeft in het bijzonder de volgende rechten:
a. onverwijld, in een taal die hij verstaat en in bijzonderheden, op de hoogte te worden gesteld van de aard en de reden van de tegen hem ingebrachte beschuldiging;
b. te beschikken over de tijd en faciliteiten die nodig zijn voor de voorbereiding van zijn verdediging;
c. zich zelf te verdedigen of daarbij de bijstand te hebben van een raadsman naar eigen keuze of, indien hij niet over voldoende middelen beschikt om een raadsman te bekostigen, kosteloos door een toegevoegd advocaat te kunnen worden bijgestaan, indien de belangen van een behoorlijke rechtspleging dit eisen;
d. de getuigen à charge te ondervragen of te doen ondervragen en het oproepen en de ondervraging van getuigen à décharge te doen geschieden onder dezelfde voorwaarden als het geval is met de getuigen à charge;
e. zich kosteloos te doen bijstaan door een tolk, indien hij de taal die ter terechtzitting wordt gebezigd niet verstaat of niet spreekt.

Art. 7 Geen straf zonder wet

Mensenrechten, geen straf zonder wet

1. Niemand mag worden veroordeeld wegens een handelen of nalaten, dat geen strafbaar feit naar nationaal of internationaal recht uitmaakte ten tijde dat het handelen of nalaten geschiedde. Evenmin mag een zwaardere straf worden opgelegd dan die, die ten tijde van het begaan van het strafbare feit van toepassing was.
2. Dit artikel staat niet in de weg aan de berechting en bestraffing van iemand, die schuldig is aan een handelen of nalaten, dat ten tijde van het handelen of nalaten, een misdrijf was overeenkomstig de algemene rechtsbeginselen die door de beschaafde volken worden erkend.

Art. 8 Recht op eerbiediging van privé-, familie- en gezinsleven

Recht op privacy

1. Een ieder heeft recht op respect voor zijn privé leven, zijn familie- en gezinsleven, zijn woning en zijn correspondentie.

Wettelijke beperkingen

2. Geen inmenging van enig openbaar gezag is toegestaan in de uitoefening van dit recht, dan voor zover bij de wet is voorzien en in een democratische samenleving noodzakelijk is in het belang van de nationale veiligheid, de openbare veiligheid of het economisch welzijn van het land, het voorkomen van wanordelijkheden en strafbare feiten, de bescherming van de gezondheid of de goede zeden of voor de bescherming van de rechten en vrijheden van anderen.

Art. 9 Vrijheid van gedachte, geweten en godsdienst

Vrijheid van geweten en godsdienst

1. Een ieder heeft recht op vrijheid van gedachte, geweten en godsdienst; dit recht omvat tevens de vrijheid om van godsdienst of overtuiging te veranderen, alsmede de vrijheid hetzij alleen, hetzij met anderen, zowel in het openbaar als privé zijn godsdienst te belijden of overtuiging tot uitdrukking te brengen in erediensten, in onderricht, in practische toepassing ervan en in het onderhouden van geboden en voorschriften.

Wettelijke beperkingen

2. De vrijheid zijn godsdienst te belijden of overtuiging tot uiting te brengen kan aan geen andere beperkingen worden onderworpen dan die die bij de wet zijn voorzien en in een democratische samenleving noodzakelijk zijn in het belang van de openbare veiligheid, voor de bescherming van de openbare orde, gezondheid of goede zeden of voor de bescherming van de rechten en vrijheden van anderen.

Art. 10 Vrijheid van meningsuiting

Vrijheid van meningsuiting

1. Een ieder heeft recht op vrijheid van meningsuiting. Dit recht omvat de vrijheid een mening te koesteren en de vrijheid om inlichtingen of denkbeelden te ontvangen of te verstrekken, zonder inmenging van enig openbaar gezag en ongeacht grenzen. Dit artikel belet Staten niet radio- omroep-, bioscoop- of televisieondernemingen te onderwerpen aan een systeem van vergunningen.

Wettelijke beperkingen

2. Daar de uitoefening van deze vrijheden plichten en verantwoordelijkheden met zich brengt, kan zij worden onderworpen aan bepaalde formaliteiten, voorwaarden, beperkingen of sancties, die bij de wet zijn voorzien en die in een democratische samenleving noodzakelijk zijn in het belang van de nationale veiligheid, territoriale integriteit of openbare veiligheid, het voorkomen van wanordelijkheden en strafbare feiten, de bescherming van de gezondheid of de goede zeden, de bescherming van de goede naam of de rechten van anderen, om de verspreiding van vertrouwelijke mededelingen te voorkomen of om het gezag en de onpartijdigheid van de rechterlijke macht te waarborgen.

Art. 11 Vrijheid van vergadering en vereniging

Mensenrechten, vrijheid van vergadering/vereniging

1. Een ieder heeft recht op vrijheid van vreedzame vergadering en op vrijheid van vereniging, met inbegrip van het recht met anderen vakverenigingen op te richten en zich bij vakverenigingen aan te sluiten voor de bescherming van zijn belangen.
2. De uitoefening van deze rechten mag aan geen andere beperkingen worden onderworpen dan die, die bij de wet zijn voorzien en die in een democratische samenleving noodzakelijk zijn in het belang van de nationale veiligheid, de openbare veiligheid, het voorkomen van wanordelijkheden en strafbare feiten, voor de bescherming van de gezondheid of de goede zeden of de bescherming van de rechten en vrijheden van anderen. Dit artikel verbiedt niet dat rechtmatige beperkingen worden gesteld aan de uitoefening van deze rechten door leden van de krijgsmacht, van de politie of van het ambtelijk apparaat van de Staat.

Art. 12 Recht te huwen

Mensenrechten, recht om te huwen

Mannen en vrouwen van huwbare leeftijd hebben het recht te huwen en een gezin te stichten volgens de nationale wetten die de uitoefening van dit recht beheersen.

Art. 13 Recht op een daadwerkelijk rechtsmiddel

Mensenrechten, recht op daadwerkelijk rechtsmiddel

Een ieder wiens rechten en vrijheden die in dit Verdrag zijn vermeld, zijn geschonden, heeft recht op een daadwerkelijk rechtsmiddel voor een nationale instantie, ook indien deze schending is begaan door personen in de uitoefening van hun ambtelijke functie.

Art. 14 Verbod van discriminatie

Mensenrechten, verbod op discriminatie

Het genot van de rechten en vrijheden die in dit Verdrag zijn vermeld, moet worden verzekerd zonder enig onderscheid op welke grond ook, zoals geslacht, ras, kleur, taal, godsdienst, politieke of andere mening, nationale of maatschappelijke afkomst, het behoren tot een nationale minderheid, vermogen, geboorte of andere status.

Mensenrechten, noodtoestand

Art. 15 Afwijking in geval van noodtoestand

1. In tijd van oorlog of in geval van enig andere algemene noodtoestand die het bestaan van het land bedreigt, kan iedere Hoge Verdragsluitende Partij maatregelen nemen die afwijken van zijn verplichtingen ingevolge dit Verdrag, voor zover de ernst van de situatie deze maatregelen strikt vereist en op voorwaarde dat deze niet in strijd zijn met andere verplichtingen die voortvloeien uit het internationale recht.
2. De voorgaande bepaling staat geen enkele afwijking toe van artikel 2, behalve ingeval van dood als gevolg van rechtmatige oorlogshandelingen, en van de artikelen 3, 4, eerste lid, en 7.
3. Elke Hoge Verdragsluitende Partij die gebruik maakt van dit recht om af te wijken, moet de Secretaris-Generaal van de Raad van Europa volledig op de hoogte houden van de genomen maatregelen en van de beweegredenen daarvoor. Zij moet de Secretaris-Generaal van de Raad van Europa eveneens in kennis stellen van de datum waarop deze maatregelen hebben opgehouden van kracht te zijn en de bepalingen van het Verdrag opnieuw volledig worden toegepast.

Mensenrechten, politieke activiteiten van vreemdelingen

Art. 16 Beperkingen op politieke activiteiten van vreemdelingen

Geen der bepalingen van de artikelen 10, 11 en 14 mag beschouwd worden als een beletsel voor de Hoge Verdragsluitende Partijen beperkingen op te leggen aan politieke activiteiten van vreemdelingen.

Mensenrechten, verbod van misbruik van recht

Art. 17 Verbod van misbruik van recht

Geen der bepalingen van dit Verdrag mag worden uitgelegd als zou zij voor een Staat, een groep of een persoon een recht inhouden enige activiteit aan de dag te leggen of enige daad te verrichten met als doel de rechten of vrijheden die in dit Verdrag zijn vermeld teniet te doen of deze verdergaand te beperken dan bij dit Verdrag is voorzien.

Mensenrechten, inperking van toepassing van beperkingen op rechten

Art. 18 Inperking van de toepassing van beperkingen op rechten

De beperkingen die volgens dit Verdrag op de omschreven rechten en vrijheden zijn toegestaan, mogen slechts worden toegepast ten behoeve van het doel waarvoor zij zijn gegeven.

TITEL II
EUROPEES HOF VOOR DE RECHTEN VAN DE MENS

Mensenrechten, instelling Europees Hof

Art. 19 Instelling van het Hof

Teneinde de nakoming te verzekeren van de verplichtingen die de Hoge Verdragsluitende Partijen in het Verdrag en de Protocollen daarbij op zich hebben genomen, wordt een Europees Hof voor de Rechten van de Mens ingesteld, hierna te noemen „het Hof". Het functioneert op een permanente basis.

Europees hof, aantal rechters

Art. 20 Aantal rechters

Het Hof bestaat uit een aantal rechters dat gelijk is aan het aantal Hoge Verdragsluitende Partijen.

Europees hof, eisen aan rechters

Art. 21 Voorwaarden voor uitoefening van de functie

1. De rechters moeten het hoogst mogelijk zedelijk aanzien genieten en in zich verenigen de voorwaarden die worden vereist voor het uitoefenen van een hoge functie bij de rechterlijke macht, ofwel rechtsgeleerden zijn van erkende bekwaamheid.
2. De rechters hebben zitting in het Hof op persoonlijke titel.
3. Gedurende hun ambtstermijn mogen de rechters geen activiteiten verrichten die onverenigbaar zijn met hun onafhankelijkheid, onpartijdigheid of met de eisen van een volledige dagtaak; het Hof beslist over alle vragen met betrekking tot de toepassing van dit lid.

Europees hof, verkiezing rechters

Art. 22 Verkiezing van rechters

Voor elke Hoge Verdragsluitende Partij worden de rechters gekozen door de Parlementaire Vergadering, met een meerderheid van de uitgebrachte stemmen, uit een lijst van drie kandidaten, voorgedragen door de Hoge Verdragsluitende Partij.

Europees hof, ambtstermijn rechters

Art. 23 – Ambtstermijn en ontheffing uit het ambt

1. De rechters worden gekozen voor een periode van negen jaar. Zij zijn niet herkiesbaar.
2. De ambtstermijn van rechters eindigt wanneer zij de leeftijd van 70 jaar bereiken.
3. De rechters blijven in functie tot hun vervanging. Zij handelen evenwel de zaken af die zij reeds in behandeling hebben.
4. Een rechter kan slechts van zijn functie worden ontheven indien de overige rechters bij een meerderheid van tweederde besluiten dat die rechter niet meer aan de vereiste voorwaarden voldoet.

Europees hof, griffie en referendarissen

Art. 24 – Griffie en rapporteurs

1. Het Hof beschikt over een griffie, waarvan de taken en de organisatie worden vastgesteld in het reglement van het Hof.
2. Indien het Hof zitting houdt als alleenzittende rechter, wordt het bijgestaan door rapporteurs die fungeren onder de bevoegdheid van de President van het Hof. Zij maken deel uit van de griffie van het Hof.

Art. 25 Hof in voltallige vergadering bijeen

Europees hof, beslissingen in voltallige vergadering

Het Hof in voltallige vergadering bijeen:
a. kiest zijn President en één of twee Vice-Presidenten voor een periode van drie jaar; zij zijn herkiesbaar;
b. stelt Kamers in, voor bepaalde tijd;
c. kiest de Voorzitters van de Kamers van het Hof; zij zijn herkiesbaar;
d. neemt het reglement van het Hof aan;
e. kiest de Griffier en één of twee Plaatsvervangend Griffiers;
f. dient verzoeken in uit hoofde van artikel 26, tweede lid.

Art. 26 – Alleenzittende rechters, comités, Kamers en Grote Kamer

Europees hof, alleenzittende rechters/ comités/ Kamers/ Grote Kamer

1. Ter behandeling van bij het Hof aanhangig gemaakte zaken, houdt het Hof zitting als alleenzittende rechter, in comités van drie rechters, in Kamers van zeven rechters en in een Grote Kamer van zeventien rechters. De Kamers van het Hof stellen comités in voor bepaalde tijd.
2. Op verzoek van het Hof in voltallige vergadering bijeen, kan het Comité van Ministers, bij eenparig besluit, en voor een bepaalde termijn, het aantal rechters van de Kamers beperken tot vijf.
3. Alleenzittende rechters behandelen geen verzoekschriften ingediend tegen de Hoge Verdragsluitende Partij voor welke die rechters zijn gekozen.
4. De rechter die is gekozen voor de betrokken Hoge Verdragsluitende Partij maakt van rechtswege deel uit van de Kamer en de Grote Kamer. In geval van ontstentenis of belet van die rechter, wijst de President van het Hof een persoon van een vooraf door die Partij overgelegde lijst aan om daarin als rechter zitting te hebben.
5. De Grote Kamer bestaat mede uit de President van het Hof, de Vice-Presidenten, de Voorzitters van de Kamers en andere rechters, aangewezen overeenkomstig het reglement van het Hof. Wanneer een zaak op grond van artikel 43 naar de Grote Kamer wordt verwezen, mag een rechter van de Kamer die uitspraak heeft gedaan, geen zitting nemen in de Grote Kamer, met uitzondering van de voorzitter van de Kamer en de rechter die daarin zitting had voor de betrokken Hoge Verdragsluitende Partij.

Art. 27 – Bevoegdheden van de alleenzittende rechters

Europees hof, bevoegdheden alleenzittende rechters

1. De alleenzittende rechter kan een op grond van artikel 34 ingediend verzoekschrift niet-ontvankelijk verklaren of van de rol van het Hof schrappen, indien deze beslissing zonder nader onderzoek kan worden genomen.
2. De beslissing geldt als einduitspraak.
3. Indien de alleenzittende rechter een verzoekschrift niet niet-ontvankelijk verklaart of niet van de rol schrapt, verwijst deze het door naar een comité of Kamer voor verdere behandeling.

Art. 28 – Bevoegdheden van comités

Europees hof, bevoegdheden comités

1. Ter zake van een op grond van artikel 34 ingediend verzoekschrift kan het comité, met eenparigheid van stemmen,
a. het niet-ontvankelijk verklaren of van de rol schrappen, wanneer deze beslissing zonder nader onderzoek kan worden genomen; of
b. het ontvankelijk verklaren en tegelijkertijd uitspraak doen over de gegrondheid, indien de onderliggende vraag van de zaak, betreffende de interpretatie of de toepassing van het Verdrag of de Protocollen daarbij, reeds behoort tot de vaste rechtspraak van het Hof.
2. Beslissingen en uitspraken op grond van het eerste lid gelden als einduitspraken.
3. Indien de rechter die voor de betrokken Hoge Verdragsluitende Partij is gekozen geen lid is van het comité, kan het comité die rechter in elk stadium van de procedure uitnodigen de plaats in te nemen van een van de leden van het comité, met inachtneming van alle relevante factoren, waaronder de vraag of die Partij bezwaar heeft gemaakt tegen de toepassing van de procedure vervat in het eerste lid, onderdeel b.

Art. 29 Beslissingen van Kamers inzake ontvankelijkheid en gegrondheid

Europees hof, beslissing ontvankelijkheid en gegrondheid verzoekschrift

1. Indien geen beslissing ingevolge artikel 27 of 28 is genomen, of geen uitspraak is gedaan uit hoofde van artikel 28, doet een Kamer uitspraak over de ontvankelijkheid en gegrondheid van individuele verzoekschriften ingediend op grond van artikel 34. De beslissing inzake ontvankelijkheid kan afzonderlijk worden genomen.
2. Een Kamer doet uitspraak over de ontvankelijkheid en de gegrondheid van interstatelijke verzoekschriften, ingediend op grond van artikel 33. De beslissing inzake de ontvankelijkheid wordt afzonderlijk genomen, tenzij het Hof, in uitzonderlijke gevallen, anders beslist.

Art. 30 Afstand van rechtsmacht ten gunste van de Grote Kamer

Europees hof, afstand van rechtsmacht Kamer

Indien de bij een Kamer aanhangige zaak aanleiding geeft tot een ernstige vraag betreffende de interpretatie van het Verdrag of de Protocollen daarbij of wanneer de oplossing van een vraag aanhangig voor een Kamer een resultaat kan hebben dat strijdig is met een eerdere uitspraak van het Hof, kan de Kamer, te allen tijde voordat zij uitspraak doet, afstand doen van rechtsmacht ten gunste van de Grote Kamer, tenzij één van de betrokken partijen daartegen bezwaar maakt.

Art. 31 Bevoegdheden van de Grote Kamer

Europees hof, bevoegdheden Grote Kamer

De Grote Kamer,
a. doet uitspraak over op grond van artikel 33 of artikel 34 ingediende verzoekschriften wanneer een Kamer ingevolge artikel 30 afstand van rechtsmacht heeft gedaan of wanneer de zaak ingevolge artikel 43 naar de Grote Kamer is verwezen;
b doet uitspraak over door het Comité van Ministers in overeenstemming met artikel 46, vierde lid, aan het Hof voorgelegde kwesties; en
c. behandelt verzoeken om advies, gedaan ingevolge artikel 47.

Art. 32 Rechtsmacht van het Hof

Europees hof, rechtsmacht

1. De rechtsmacht van het Hof strekt zich uit tot alle kwesties met betrekking tot de interpretatie en de toepassing van het Verdrag en de Protocollen daarbij die aan het Hof worden voorgelegd zoals bepaald in de artikelen 33, 34, 46 en 47.
2. In geval van een meningsverschil met betrekking tot de vraag of het Hof rechtsmacht heeft, beslist het Hof.

Art. 33 Interstatelijke zaken

Europees hof, aanhangig maken niet-nakoming bepalingen Verdrag en Protocollen

Elke Hoge Verdragsluitende Partij kan elke vermeende niet-nakoming van de bepalingen van het Verdrag en de Protocollen daarbij door een andere Hoge Verdragsluitende Partij bij het Hof aanhangig maken.

Art. 34 Individuele verzoekschriften

Individuele verzoekschriften

Het Hof kan verzoekschriften ontvangen van ieder natuurlijk persoon, iedere niet-gouvernementele organisatie of iedere groep personen die beweert slachtoffer te zijn van een schending door een van de Hoge Verdragsluitende Partijen van de rechten die in het Verdrag of de Protocollen daarbij zijn vervat. De Hoge Verdragsluitende Partijen verplichten zich ertoe de doeltreffende uitoefening van dit recht op generlei wijze te belemmeren.

Art. 35 Voorwaarden voor ontvankelijkheid

Europees hof, voorwaarden in behandeling nemen verzoekschrift

1. Het Hof kan een zaak pas in behandeling nemen nadat alle nationale rechtsmiddelen zijn uitgeput, overeenkomstig de algemeen erkende regels van internationaal recht, en binnen een termijn van zes maanden na de datum van de definitieve nationale beslissing.
2. Het Hof behandelt geen enkel individueel verzoekschrift, ingediend op grond van artikel 34, dat
a. anoniem is; of
b. in wezen gelijk is aan een zaak die reeds eerder door het Hof is onderzocht of reeds aan een andere internationale instantie voor onderzoek of regeling is voorgelegd en geen nieuwe feiten bevat.
3. Het Hof verklaart elk individueel verzoekschrift, ingediend op grond van artikel 34, niet ontvankelijk, wanneer het van oordeel is dat:
a. het verzoekschrift niet verenigbaar is met de bepalingen van het Verdrag of de Protocollen daarbij, kennelijk ongegrond is of een misbruik betekent van het recht tot het indienen van een verzoekschrift; of
b. de verzoeker geen wezenlijk nadeel heeft geleden, tenzij de eerbiediging van de in het Verdrag en de Protocollen daarbij omschreven rechten van de mens noopt tot onderzoek van het verzoekschrift naar de gegrondheid ervan en mits op deze grond geen zaken worden afgewezen die niet naar behoren zijn behandeld door een nationaal gerecht.
4. Het Hof verwerpt elk verzoekschrift dat het ingevolge dit artikel als niet ontvankelijk beschouwt. Dit kan het in elk stadium van de procedure doen.

Art. 36 Tussenkomst door derden

Europees hof, tussenkomst lidstaten

1. In alle zaken die voor een Kamer of de Grote Kamer aanhangig zijn, heeft een Hoge Verdragsluitende Partij waarvan een onderdaan verzoeker is het recht schriftelijke conclusies in te dienen en aan zittingen deel te nemen.
2. De President van het Hof kan, in het belang van een goede rechtsbedeling, elke Hoge Verdragsluitende Partij die geen partij bij de procedure is of elke belanghebbende die niet de verzoeker is, uitnodigen schriftelijke conclusies in te dienen of aan zittingen deel te nemen.
3. In alle zaken die voor een Kamer of de Grote Kamer aanhangig zijn, kan de Commissaris voor de Mensenrechten van de Raad van Europa schriftelijke conclusies indienen en aan hoorzittingen deelnemen.

Art. 37 Schrapping van de rol

Europees hof, schrappen verzoekschrift van de rol

1. Het Hof kan in elk stadium van de procedure beslissen een verzoekschrift van de rol te schrappen wanneer de omstandigheden tot de conclusie leiden dat
a. de verzoeker niet voornemens is zijn verzoekschrift te handhaven; of
b. het geschil is opgelost; of
c. het om een andere door het Hof vastgestelde reden niet meer gerechtvaardigd is de behandeling van het verzoekschrift voort te zetten.
Het Hof zet de behandeling van het verzoekschrift evenwel voort, indien de eerbiediging van de in het Verdrag en de Protocollen daarbij omschreven rechten van de mens zulks vereist.

2. Het Hof kan beslissen een verzoekschrift opnieuw op de rol te plaatsen wanneer het van oordeel is dat de omstandigheden zulks rechtvaardigen.

Art. 38 – Behandeling van de zaak

Het Hof behandelt de zaak tezamen met de vertegenwoordigers van de partijen en verricht, indien nodig, nader onderzoek, voor de goede voortgang waarvan de betrokken Hoge Verdragsluitende Partijen alle noodzakelijke faciliteiten leveren. Europees hof, behandeling zaak

Art. 39 – Minnelijke schikkingen

1. In elk stadium van de procedure kan het Hof zich ter beschikking stellen van de betrokken partijen teneinde tot een minnelijke schikking van de zaak te komen op basis van eerbiediging van de in het Verdrag en de Protocollen daarbij omschreven rechten van de mens. Europees hof, minnelijke schikking
2. De in het eerste lid omschreven procedure is vertrouwelijk.
3. Indien het tot een minnelijke schikking komt, schrapt het Hof de zaak van de rol bij een beslissing, die beperkt blijft tot een korte uiteenzetting van de feiten en de bereikte oplossing.
4. De beslissing wordt toegezonden aan het Comité van Ministers dat toeziet op de tenuitvoerlegging van de voorwaarden van de minnelijke schikking als vervat in de beslissing.

Art. 40 Openbare zittingen en toegang tot de stukken

1. De zittingen zijn openbaar, tenzij het Hof wegens buitengewone omstandigheden anders beslist. Europees hof, openbaarheid zittingen
2. De ter griffie gedeponeerde stukken zijn toegankelijk voor het publiek, tenzij de President van het Hof anders beslist. Europees hof, toegang tot stukken

Art. 41 Billijke genoegdoening

Indien het Hof vaststelt dat er een schending van het Verdrag of van de Protocollen daarbij heeft plaatsgevonden en indien het nationale recht van de betrokken Hoge Verdragsluitende Partij slechts gedeeltelijk rechtsherstel toelaat, kent het Hof, indien nodig, een billijke genoegdoening toe aan de benadeelde. Europees hof, toekenning billijke genoegdoening aan benadeelde

Art. 42 Uitspraken van Kamers

Uitspraken van Kamers gelden als einduitspraak in overeenstemming met de bepalingen van artikel 44, tweede lid. Europees hof, einduitspraak Kamer

Art. 43 Verwijzing naar de Grote Kamer

1. Binnen een termijn van drie maanden na de datum van de uitspraak van een Kamer kan elke bij de zaak betrokken partij, in uitzonderlijke gevallen, verzoeken om verwijzing van de zaak naar de Grote Kamer. Europees hof, verwijzing zaak naar Grote Kamer
2. Een college van vijf rechters van de Grote Kamer aanvaardt het verzoek indien de zaak aanleiding geeft tot een ernstige vraag betreffende de interpretatie of toepassing van het Verdrag of de Protocollen daarbij, dan wel een ernstige kwestie van algemeen belang.
3. Indien het college het verzoek aanvaardt, doet de Grote Kamer uitspraak in de zaak.

Art. 44 Einduitspraken

1. De uitspraak van de Grote Kamer geldt als einduitspraak. Europees hof, einduitspraak Grote Kamer

2. De uitspraak van een Kamer geldt als einduitspraak
a. wanneer de partijen verklaren dat zij niet zullen verzoeken om verwijzing van de zaak naar de Grote Kamer; of
b. drie maanden na de datum van de uitspraak, indien niet is verzocht om verwijzing van de zaak naar de Grote Kamer; of
c. wanneer het college van de Grote Kamer het in artikel 43 bedoelde verzoek verwerpt.
3. De einduitspraak wordt openbaar gemaakt.

Art. 45 Redenen die aan uitspraken en beslissingen ten grondslag liggen

1. Uitspraken, alsmede beslissingen waarbij verzoekschriften al dan niet ontvankelijk worden verklaard, dienen met redenen te worden omkleed. Europees hof, motivering uitspraken
2. Indien een uitspraak niet, geheel of gedeeltelijk, de eenstemmige mening van de rechters weergeeft, heeft iedere rechter het recht een uiteenzetting van zijn persoonlijke mening toe te voegen.

Art. 46 – Bindende kracht en tenuitvoerlegging van uitspraken

1. De Hoge Verdragsluitende Partijen verbinden zich ertoe zich te houden aan de einduitspraak van het Hof in de zaken waarbij zij partij zijn. Europees hof, bindende kracht uitspraken
2. De einduitspraak van het Hof wordt toegezonden aan het Comité van Ministers dat toeziet op de tenuitvoerlegging ervan.
3. Indien het Comité van Ministers van mening is dat het toezicht op de tenuitvoerlegging van een einduitspraak wordt belemmerd vanwege een probleem met de interpretatie van de uitspraak, kan het de zaak voorleggen aan het Hof voor een uitspraak over vragen betreffende de interpretatie. Beslissingen tot verwijzing dienen te worden genomen met een tweederde meerderheid van de vertegenwoordigers die gerechtigd zijn in het Comité zitting te hebben.
4. Indien het Comité van Ministers van mening is dat een Hoge Verdragsluitende Partij weigert zich te houden aan een einduitspraak in een zaak waarbij zij partij is, kan het, na die Partij daarvan formeel in kennis te hebben gesteld en op grond van een beslissing genomen met een

meerderheid van tweederden van de vertegenwoordigers die gerechtigd zijn in het Comité zitting te hebben, aan het Hof de vraag voorleggen of die Partij verzuimd heeft te voldoen aan haar verplichtingen uit hoofde van het eerste lid.

5. Indien het Hof constateert dat er sprake is van een schending van het eerste lid, legt het de zaak voor aan het Comité van Ministers teneinde te overwegen welke maatregelen dienen te worden getroffen. Indien het Hof constateert dat er geen sprake is van een schending van het eerste lid, legt het de zaak voor aan het Comité van Ministers dat het onderzoek van de zaak sluit.

Art. 47 Adviezen

Europees hof, adviezen

1. Het Hof kan, op verzoek van het Comité van Ministers, adviezen uitbrengen over rechtsvragen betreffende de interpretatie van het Verdrag en de Protocollen daarbij.

2. Deze adviezen mogen geen betrekking hebben op vragen die verband houden met de inhoud of strekking van de in Titel I van het Verdrag en de Protocollen daarbij omschreven rechten en vrijheden, noch op andere vragen waarvan het Hof of het Comité van Ministers kennis zou moeten kunnen nemen ten gevolge van het instellen van een procedure overeenkomstig het Verdrag.

3. Besluiten van het Comité van Ministers waarbij het Hof om advies wordt gevraagd, dienen te worden genomen met een meerderheid van de vertegenwoordigers die gerechtigd zijn in het Comité zitting te hebben.

Art. 48 Bevoegdheid van het Hof met betrekking tot adviezen

Europees hof, bevoegdheid Hof tot geven advies

Het Hof beslist of een verzoek om advies van het Comité van Ministers behoort tot zijn bevoegdheid als omschreven in artikel 47.

Art. 49 Redenen die aan adviezen ten grondslag liggen

Europees hof, motivering adviezen

1. Adviezen van het Hof dienen met redenen te worden omkleed.

2. Indien een advies niet, geheel of gedeeltelijk, de eenstemmige mening van de rechters weergeeft, heeft iedere rechter het recht een uiteenzetting van zijn persoonlijke mening toe te voegen.

3. Adviezen van het Hof worden ter kennis gebracht van het Comité van Ministers.

Art. 50 Kosten van het Hof

Europees hof, kosten

De kosten van het Hof worden gedragen door de Raad van Europa.

Art. 51 Voorrechten en immuniteiten van de rechters

Europees hof, voorrechten en immuniteit rechters

De rechters genieten, gedurende de uitoefening van hun functie, de voorrechten en immuniteiten bedoeld in artikel 40 van het Statuut van de Raad van Europa en de op grond van dat artikel gesloten overeenkomsten.

TITEL III
DIVERSE BEPALINGEN

Art. 52 Verzoeken om inlichtingen van de Secretaris-Generaal

Mensenrechten, informatie over waarborging van uitvoering van dit Verdrag

Iedere Hoge Verdragsluitende Partij verschaft op verzoek van de Secretaris-Generaal van de Raad van Europa een uiteenzetting van de wijze waarop haar nationaal recht de daadwerkelijke uitvoering waarborgt van iedere bepaling van dit Verdrag.

Art. 53 Waarborging van bestaande rechten van de mens

Mensenrechten, waarborging bestaande mensenrechten

Geen bepaling van dit Verdrag zal worden uitgelegd als beperkingen op te leggen of inbreuk te maken op de rechten van de mens en de fundamentele vrijheden die verzekerd kunnen worden ingevolge de wetten van enige Hoge Verdragsluitende Partij of ingevolge enig ander Verdrag waarbij de Hoge Verdragsluitende Partij partij is.

Art. 54 Bevoegdheden van het Comité van Ministers

Mensenrechten, bevoegdheden Comité van Ministers

Geen bepaling van dit Verdrag maakt inbreuk op de bevoegdheden door het Statuut van de Raad van Europa verleend aan het Comité van Ministers.

Art. 55 Uitsluiting van andere wijzen van geschillenregeling

Mensenrechten, uitsluiting andere wijzen van geschillenregeling

De Hoge Verdragsluitende Partijen komen overeen dat zij, behoudens bijzondere overeenkomsten, zich niet zullen beroepen op tussen haar van kracht zijnde verdragen, overeenkomsten of verklaringen om door middel van een verzoekschrift een geschil, hetwelk is ontstaan uit de interpretatie of toepassing van dit Verdrag te onderwerpen aan een andere wijze van regeling dan die die bij dit Verdrag zijn voorzien.

Art. 56 Territoriale werkingssfeer

Mensenrechten, werkingssfeer

1. Iedere Staat kan, ten tijde van de bekrachtiging of op elk later tijdstip door middel van een kennisgeving gericht aan de Secretaris-Generaal van de Raad van Europa verklaren, dat dit Verdrag met inachtneming van het vierde lid van dit artikel van toepassing zal zijn op alle of

op één of meer van de gebieden voor welker buitenlandse betrekkingen hij verantwoordelijk is.

2. Het Verdrag zal van toepassing zijn op het gebied of op de gebieden die in de kennisgeving zijn vermeld, vanaf de dertigste dag die volgt op die waarop de Secretaris-Generaal van de Raad van Europa deze kennisgeving heeft ontvangen.

3. In de voornoemde gebieden zullen de bepalingen van dit Verdrag worden toegepast, evenwel met inachtneming van de plaatselijke behoeften.

4. Iedere Staat die een verklaring heeft afgelegd overeenkomstig het eerste lid van dit artikel, kan op elk later tijdstip, met betrekking tot één of meer van de gebieden die in de verklaring worden bedoeld, verklaren dat hij de bevoegdheid van het Hof aanvaardt om kennis te nemen van verzoekschriften van natuurlijke personen, (niet gouvernementele) organisaties of groepen van particulieren, zoals bepaald in artikel 34 van het Verdrag.

Art. 57 Voorbehouden

Mensenrechten, voorbehouden

1. Iedere Staat kan, ten tijde van de ondertekening van dit Verdrag of van de nederlegging van zijn akte van bekrachtiging, een voorbehoud maken met betrekking tot een specifieke bepaling van dit Verdrag, voor zover een wet die op dat tijdstip op zijn grondgebied van kracht is, niet in overeenstemming is met deze bepaling. Voorbehouden van algemene aard zijn niet toegestaan krachtens dit artikel.

2. Elk voorbehoud hetwelk overeenkomstig dit artikel wordt gemaakt, dient een korte uiteenzetting van de betrokken wet te bevatten.

Art. 58 Opzegging

Mensenrechten, opzegging Verdrag

1. Een Hoge Verdragsluitende Partij kan dit Verdrag slechts opzeggen na verloop van een termijn van 5 jaar na de datum waarop het Verdrag voor haar in werking is getreden en met een opzeggingstermijn van 6 maanden, vervat in een kennisgeving gericht aan de Secretaris-Generaal van de Raad van Europa, die de andere Hoge Verdragsluitende Partijen hiervan in kennis stelt.

2. Deze opzegging kan niet tot gevolg hebben dat zij de betrokken Hoge Verdragsluitende Partij ontslaat van de verplichtingen, nedergelegd in dit Verdrag, die betrekking hebben op daden die een schending van deze verplichtingen zouden kunnen betekenen en door haar gepleegd zouden zijn voor het tijdstip waarop de opzegging van kracht werd.

Mensenrechten, einde lidmaatschap van Raad van Europa

3. Onder dezelfde voorwaarden zal iedere Hoge Verdragsluitende Partij die ophoudt Lid van de Raad van Europa te zijn, ophouden Partij bij dit Verdrag te zijn.

4. Het Verdrag kan worden opgezegd overeenkomstig de bepalingen van de voorafgaande leden met betrekking tot ieder gebied waarop het overeenkomstig artikel 56 van toepassing is verklaard.

Art. 59 Ondertekening en bekrachtiging

Mensenrechten, bekrachtiging

1. Dit Verdrag is voor ondertekening door de Leden van de Raad van Europa opengesteld. Het zal worden bekrachtigd. De akten van bekrachtiging zullen worden nedergelegd bij de Secretaris-Generaal van de Raad van Europa.

2. De Europese Unie kan toetreden tot dit Verdrag.

Inwerkingtreding

3. Dit Verdrag zal in werking treden na de nederlegging van tien akten van bekrachtiging.

4. Met betrekking tot iedere ondertekenaar die het daarna bekrachtigt, zal het Verdrag in werking treden op de dag van de nederlegging der akte van bekrachtiging.

5. De Secretaris-Generaal van de Raad van Europa geeft aan alle Leden van de Raad van Europa kennis van de inwerkingtreding van het Verdrag, van de namen der Hoge Verdragsluitende Partijen die het bekrachtigd hebben, evenals van de nederlegging van iedere akte van bekrachtiging die later heeft plaats gehad.

Verdrag inzake de rechten van personen met een handicap, New York, 13 december 2006

Verdrag inzake de rechten van personen met een handicap[1]

Preambule

De Staten die Partij zijn bij dit Verdrag,

a. Indachtig de beginselen vastgelegd in het Handvest van de Verenigde Naties, waarin de inherente waardigheid en waarde en de gelijke en onvervreemdbare rechten van alle leden van de mensheid worden erkend als de grondvesten van vrijheid, gerechtigheid en vrede in de wereld,

b. Erkennend dat de Verenigde Naties in de Universele Verklaring van de Rechten van de Mens en de internationale mensenrechtenverdragen hebben verklaard en zijn overeengekomen dat eenieder aanspraak heeft op alle daarin genoemde rechten en vrijheden, zonder enig onderscheid van welke aard dan ook,

c. Opnieuw het universele en ondeelbare karakter bevestigend van, alsmede de onderlinge afhankelijkheid en de nauwe samenhang tussen alle mensenrechten en fundamentele vrijheden, en de noodzaak dat personen met een handicap gegarandeerd wordt dat zij deze ten volle en zonder discriminatie kunnen uitoefenen,

d. In herinnering roepend het Internationaal Verdrag inzake Economische, Sociale en Culturele Rechten, het Internationaal Verdrag inzake Burgerrechten en Politieke Rechten, het Internationaal Verdrag inzake de uitbanning van alle vormen van rassendiscriminatie, het Verdrag inzake de uitbanning van alle vormen van discriminatie van vrouwen, het Verdrag tegen foltering en andere wrede, onmenselijke of onterende behandeling of bestraffing, het Verdrag inzake de rechten van het kind en het Internationaal Verdrag inzake de bescherming van de rechten van alle migrerende werknemers en hun gezinsleden,

e. Erkennend dat het begrip handicap aan verandering onderhevig is en voortvloeit uit de wisselwerking tussen personen met functiebeperkingen en sociale en fysieke drempels die hen belet ten volle, effectief en op voet van gelijkheid met anderen te participeren in de samenleving,

f. Het belang erkennend van de beginselen en beleidsrichtlijnen, vervat in het Wereldactieplan met betrekking tot personen met een handicap en in de Standaardregels voor het bevorderen van gelijke kansen voor personen met een handicap bij het beïnvloeden van de bevordering, formulering en beoordeling van het beleid, de plannen, programma's en maatregelen op nationaal, regionaal en internationaal niveau teneinde gelijke kansen voor personen met een handicap verder te bevorderen,

g. Het belang benadrukkend van de integratie van aan handicap gerelateerde vraagstukken in het beleid als integraal onderdeel van de relevante strategieën voor duurzame ontwikkeling,

h. Tevens erkennend dat discriminatie van iedere persoon op grond van handicap een schending vormt van de inherente waardigheid en waarde van de mens,

i. Zich voorts rekenschap gevend van de diversiteit van personen met een handicap,

j. De noodzaak erkennend de mensenrechten van alle personen met een handicap, met inbegrip van hen die intensievere ondersteuning behoeven, te bevorderen en beschermen,

k. Bezorgd over het feit dat personen met een handicap ondanks deze uiteenlopende instrumenten en initiatieven overal ter wereld nog steeds geconfronteerd worden met obstakels die hun participatie in de samenleving als gelijkwaardige leden belemmeren, alsmede met schendingen van hun mensenrechten,

l. Het belang onderkennend van internationale samenwerking ter verbetering van de levensomstandigheden van personen met een handicap in alle landen, in het bijzonder in ontwikkelingslanden,

m. De gewaardeerde bestaande en potentiële bijdragen erkennend van personen met een handicap aan het algemeen welzijn en de diversiteit van hun gemeenschappen, en onderkennend dat bevordering van het volledige genot van de mensenrechten en fundamentele vrijheden en de volwaardige participatie door personen met een handicap ertoe zal leiden dat zij sterker gaan beseffen dat zij erbij horen en zal resulteren in wezenlijke vorderingen in de humane, sociale en economische ontwikkeling van de maatschappij en de uitbanning van armoede,

n. Het belang voor personen met een handicap erkennend van individuele autonomie en onafhankelijkheid, met inbegrip van de vrijheid hun eigen keuzes te maken,

o. Overwegend dat personen met een handicap in de gelegenheid moeten worden gesteld actief betrokken te zijn bij de besluitvormingsprocessen over beleid en programma's, met inbegrip van degenen die hen direct betreffen,

1 Door Nederland ondertekend, maar nog niet geratificeerd.

p. Bezorgd over de moeilijke situaties waarmee personen met een handicap worden geconfronteerd die het slachtoffer zijn van meervoudige en/of zeer ernstige vormen van discriminatie op grond van hun ras, huidskleur, sekse, taal, religie, politieke of andere mening, nationale, etnische of sociale herkomst, vermogen, geboorte, leeftijd of andere status,
q. Erkennend dat het risico het slachtoffer te worden van geweld, verwonding of misbruik, verwaarlozing, nalatige behandeling, mishandeling of uitbuiting voor vrouwen en meisjes met een handicap, zowel binnens- als buitenshuis, vaak groter is,
r. Erkennend dat kinderen met een handicap op voet van gelijkheid met andere kinderen alle mensenrechten en fundamentele vrijheden ten volle moeten kunnen genieten, daarbij in herinnering roepend de toezeggingen die de Staten die Partij zijn bij het Verdrag inzake de rechten van het kind in dat verband hebben gedaan,
s. De noodzaak benadrukkend dat bij alle pogingen om het volledige genot van de mensenrechten en fundamentele vrijheden door personen met een handicap te bevorderen rekening dient te worden gehouden met het genderperspectief,
t. Met nadruk wijzend op het feit dat de meerderheid van personen met een handicap in armoedige omstandigheden leeft en in dit verband erkennend dat het zeer noodzakelijk is dat de negatieve gevolgen van armoede voor personen met een handicap worden aangepakt,
u. Indachtig het feit dat vreedzame en veilige omstandigheden op basis van eerbiediging van alle doelstellingen en beginselen vervat in het Handvest van de Verenigde Naties en naleving van de van toepassing zijnde mensenrechteninstrumenten onontbeerlijk zijn voor de volledige bescherming van personen met een handicap, in het bijzonder tijdens gewapende conflicten en buitenlandse bezetting,
v. De noodzaak erkennend van een toegankelijke fysieke, sociale, economische en culturele omgeving, de toegang tot gezondheidszorg, onderwijs en tot informatie en communicatie, teneinde personen met een handicap in staat te stellen alle mensenrechten en fundamentele vrijheden ten volle te genieten,
w. Beseffend dat mensen, die verantwoordelijkheid dragen tegenover hun medemensen en de gemeenschap waartoe zij behoren, verplicht zijn te streven naar de bevordering en eerbiediging van de rechten die erkend worden in het Internationaal Statuut van de Rechten van Mens,
x. Ervan overtuigd dat het gezin de natuurlijke hoeksteen van de samenleving vormt en recht heeft op bescherming door de samenleving en de Staat en dat personen met een handicap en hun gezinsleden de nodige bescherming en ondersteuning dienen te ontvangen, teneinde hun gezinnen in staat te stellen bij te dragen aan het volledige genot van de rechten van personen met een handicap en wel op voet van gelijkheid met anderen,
y. Ervan overtuigd dat een allesomvattend en integraal internationaal verdrag om de rechten en waardigheid van personen met een handicap te bevorderen en te beschermen, een wezenlijke bijdrage zal vormen aan het aanpakken van de grote sociale achterstand van personen met een handicap en hun participatie in het burgerlijke, politieke, economische, sociale en culturele leven met gelijke kansen, in zowel ontwikkelde landen, als ontwikkelingslanden zal bevorderen,
Zijn het volgende overeengekomen:

Art. 1 Doelstelling

Doelstelling

Doel van dit Verdrag is het volledige genot door alle personen met een handicap van alle mensenrechten en fundamentele vrijheden op voet van gelijkheid te bevorderen, beschermen en waarborgen, en ook de eerbiediging van hun inherente waardigheid te bevorderen. Personen met een handicap omvat personen met langdurige fysieke, mentale, intellectuele of zintuiglijke beperkingen die hen in wisselwerking met diverse drempels kunnen beletten volledig, effectief en op voet van gelijkheid met anderen te participeren in de samenleving.

Art. 2 Begripsomschrijvingen

Begripsbepalingen

Voor de toepassing van dit Verdrag:
„communicatie" omvat talen, weergave van tekst, braille, tactiele communicatie, grootletterdruk, toegankelijke multimedia, alsmede geschreven teksten, audioteksten, eenvoudige taal, gesproken tekst, ondersteunende communicatie en alternatieve methoden, middelen en vormen voor communicatie, waaronder toegankelijke informatie- en communicatietechnologieën;
„taal" omvat gesproken talen en gebarentalen en andere vormen van niet-gesproken taal;
„discriminatie op grond van handicap": elk onderscheid en elke uitsluiting of beperking op grond van een handicap dat of die ten doel of tot gevolg heeft dat de erkenning, het genot of de uitoefening, op voet van gelijkheid met anderen van de mensenrechten en fundamentele vrijheden in het politieke, economische, sociale, culturele of burgerlijke leven, of op andere gebieden aangetast of onmogelijk gemaakt wordt. Het omvat alle vormen van discriminatie, met inbegrip van de weigering van redelijke aanpassingen;
„redelijke aanpassingen": noodzakelijke en passende wijzigingen, en aanpassingen die geen disproportionele of onevenredige, of onnodige last opleggen, indien zij in een specifiek geval nodig zijn om te waarborgen dat personen met een handicap alle mensenrechten en fundamentele vrijheden op voet van gelijkheid met anderen kunnen genieten of uitoefenen;

„universeel ontwerp": ontwerpen van producten, omgevingen, programma's en diensten die door iedereen in de ruimst mogelijke zin gebruikt kunnen worden zonder dat aanpassing of een speciaal ontwerp nodig is. "Universeel ontwerp" omvat tevens ondersteunende middelen voor specifieke groepen personen met een handicap, indien die nodig zijn.

Art. 3 Algemene beginselen

Grondbeginselen

De grondbeginselen van dit Verdrag zijn:
a. Respect voor de inherente waardigheid, persoonlijke autonomie, met inbegrip van de vrijheid zelf keuzes te maken en de onafhankelijkheid van personen;
b. Non-discriminatie;
c. Volledige en daadwerkelijke participatie in, en opname in de samenleving;
d. Respect voor verschillen en aanvaarding dat personen met een handicap deel uitmaken van de mensheid en menselijke diversiteit;
e. Gelijke kansen;
f. Toegankelijkheid;
g. Gelijkheid van man en vrouw;
h. Respect voor de zich ontwikkelende capaciteiten van kinderen met een handicap en eerbiediging van het recht van kinderen met een handicap op het behoud van hun eigen identiteit.

Art. 4 Algemene verplichtingen

Algemene verplichtingen verdragsluitende Staten

1. De Staten die Partij zijn verplichten zich te waarborgen en bevorderen dat alle personen met een handicap zonder enige vorm van discriminatie op grond van hun handicap ten volle alle mensenrechten en fundamentele vrijheden kunnen uitoefenen. Hiertoe verplichten de Staten die Partij zijn zich:
a. tot het aannemen van alle relevante wetgevende, bestuurlijke en andere maatregelen voor de implementatie van de rechten die in dit Verdrag erkend worden;
b. tot het nemen van alle relevante maatregelen, met inbegrip van wetgeving, teneinde bestaande wetten, voorschriften, gebruiken en praktijken aan te passen, of af te schaffen die discriminatie vormen van personen met een handicap;
c. bij al hun beleid en programma's rekenschap te geven van de bescherming en bevordering van de mensenrechten van personen met een handicap;
d. te onthouden van elke handeling of praktijk die onverenigbaar is met dit Verdrag en te waarborgen dat de overheidsautoriteiten en -instellingen handelen in overeenstemming met dit Verdrag;
e. tot het nemen van alle passende maatregelen om discriminatie op grond van een handicap door personen, organisaties of particuliere ondernemingen uit te bannen;
f. tot het uitvoeren of bevorderen van onderzoek naar en ontwikkeling van universeel ontworpen goederen, diensten, uitrusting en faciliteiten zoals omschreven in artikel 2 van dit Verdrag, die zo min mogelijk behoeven te worden aangepast en tegen de laagste kosten, om te beantwoorden aan de specifieke behoeften van personen met een handicap, het bevorderen van de beschikbaarheid en het gebruik ervan, en het bevorderen van universele ontwerpen bij de ontwikkeling van normen en richtlijnen;
g. tot het uitvoeren of bevorderen van onderzoek naar en ontwikkeling van, en het bevorderen van de beschikbaarheid en het gebruik van nieuwe technologieën, met inbegrip van informatie- en communicatietechnologieën, mobiliteitshulpmiddelen, instrumenten en ondersteunende technologieën, die geschikt zijn voor personen met een handicap, waarbij de prioriteit uitgaat naar betaalbare technologieën;
h. tot het verschaffen van toegankelijke informatie aan personen met een handicap over mobiliteitshulpmiddelen, instrumenten en ondersteunende technologieën, met inbegrip van nieuwe technologieën, alsmede andere vormen van hulp, ondersteunende diensten en faciliteiten;
i. de training te bevorderen van vakspecialisten en personeel die werken met personen met een handicap, op het gebied van de rechten die in dit Verdrag worden erkend, teneinde de door deze rechten gewaarborgde hulp en diensten beter te kunnen verlenen.
2. Wat betreft economische, sociale en culturele rechten, verplicht elke Staat die Partij is zich maatregelen te nemen met volledige gebruikmaking van de hem ter beschikking staande hulpbronnen en, waar nodig, in het kader van internationale samenwerking, teneinde steeds nader tot een algehele verwezenlijking van de in dit Verdrag erkende rechten te komen, onverminderd de in dit Verdrag vervatte verplichtingen die volgens het internationale recht onverwijld van toepassing zijn.
3. Bij de ontwikkeling en implementatie van wetgeving en beleid tot uitvoering van dit Verdrag en bij andere besluitvormingsprocessen betreffende aangelegenheden die betrekking hebben op personen met een handicap, plegen de Staten die Partij zijn nauw overleg met personen met een handicap, met inbegrip van kinderen met een handicap, en betrekken hen daar via hun representatieve organisaties actief bij.
4. Geen enkele bepaling van dit Verdrag tast bepalingen aan die in sterkere mate bijdragen aan de verwezenlijking van de rechten van personen met een handicap en die vervat kunnen zijn in het recht van een Staat die Partij is, of in het internationale recht dat voor die Staat van

kracht is. Het is niet toegestaan enig mensenrecht dat, of fundamentele vrijheid die in een Staat die Partij is bij dit Verdrag, ingevolge wettelijke bepalingen, overeenkomsten, voorschriften of gewoonten wordt erkend of bestaat, te beperken of ervan af te wijken, onder voorwendsel dat dit Verdrag die rechten of vrijheden niet of in mindere mate erkent.

5. De bepalingen van dit Verdrag strekken zich zonder beperking of uitzondering uit tot alle delen van federale Staten.

Art. 5 Gelijkheid en non-discriminatie

Gelijkheid en non-discriminatie

1. De Staten die Partij zijn, erkennen dat eenieder gelijk is voor de wet en zonder aanziens des persoons recht heeft op dezelfde bescherming door, en hetzelfde voordeel van de wet.

2. De Staten die Partij zijn, verbieden alle discriminatie op grond van handicap en garanderen personen met een handicap op voet van gelijkheid effectieve wettelijke bescherming tegen discriminatie op welke grond dan ook.

3. Teneinde gelijkheid te bevorderen en discriminatie uit te bannen, nemen de Staten die Partij zijn alle passende maatregelen om te waarborgen dat redelijke aanpassingen worden verricht.

4. Specifieke maatregelen die nodig zijn om de feitelijke gelijkheid van personen met een handicap te bespoedigen of verwezenlijken, worden niet aangemerkt als discriminatie in de zin van dit Verdrag.

Art. 6 Vrouwen met een handicap

Rechten vrouwen/meisjes met een handicap

1. De Staten die Partij zijn erkennen dat vrouwen en meisjes met een handicap onderworpen zijn aan meervoudige discriminatie en nemen in dat verband maatregelen om hen op voet van gelijkheid het volledige genot van alle mensenrechten en fundamentele vrijheden te garanderen.

2. De Staten die Partij zijn nemen alle passende maatregelen om de volledige ontwikkeling, positieverbetering en mondigheid van vrouwen te waarborgen, teneinde hen de uitoefening en het genot van de mensenrechten en fundamentele vrijheden, vervat in dit Verdrag, te garanderen.

Art. 7 Kinderen met een handicap

Rechten kinderen met een handicap

1. De Staten die Partij zijn nemen alle nodige maatregelen om te waarborgen dat kinderen met een handicap op voet van gelijkheid met andere kinderen ten volle alle mensenrechten en fundamentele vrijheden genieten.

2. Bij alle beslissingen betreffende kinderen met een handicap vormen de belangen van het kind een eerste overweging.

3. De Staten die Partij zijn waarborgen dat kinderen met een handicap het recht hebben vrijelijk blijk te geven van hun opvattingen over alle aangelegenheden die hen betreffen, waarbij op voet van gelijkheid met andere kinderen en in overeenstemming met hun leeftijd en ontwikkeling naar behoren rekening wordt gehouden met hun opvattingen en waarbij zij bij hun handicap en leeftijd passende ondersteuning krijgen om dat recht te realiseren.

Art. 8 Bevordering van bewustwording

Bewustwording

1. De Staten die Partij zijn verplichten zich onmiddellijke, doeltreffende en passende maatregelen te nemen:

a. teneinde binnen de gehele maatschappij, waaronder ook op gezinsniveau, de bewustwording te bevorderen ten aanzien van personen met een handicap, en de eerbiediging van de rechten en waardigheid van personen met een handicap te stimuleren;

b. om op alle terreinen van het leven stigmatisering, vooroordelen en schadelijke praktijken ten opzichte van personen met een handicap te bestrijden, met inbegrip van die gebaseerd op grond van sekse en leeftijd;

c. om de bewustwording van de capaciteiten en bijdragen van personen met een handicap te bevorderen.

2. Maatregelen daartoe omvatten:

a. het initiëren en handhaven van effectieve bewustwordingscampagnes om:

i. ervoor zorg te dragen dat de samenleving openstaat voor de rechten van personen met een handicap;

ii. een positieve beeldvorming van, en grotere sociale bewustwording ten opzichte van personen met een handicap te bevorderen;

iii. de erkenning van de vaardigheden, verdiensten en talenten van personen met een handicap en van hun bijdragen op de werkplek en arbeidsmarkt te bevorderen;

b. het op alle niveaus van het onderwijssysteem, dus ook onder jonge kinderen, bevorderen van een respectvolle houding ten opzichte van de rechten van personen met een handicap;

c. het aanmoedigen van alle onderdelen van de media, personen met een handicap te portretteren op een wijze die verenigbaar is met het doel van dit Verdrag;

d. het aanmoedigen van het organiseren van programma's voor bewustwordingstrainingen met betrekking tot personen met een handicap en de rechten van personen met een handicap.

Art. 9 Toegankelijkheid

Toegankelijkheid tot fysieke omgeving en tot vervoer/informatie/communicatie/diensten

1. Teneinde personen met een handicap in staat te stellen zelfstandig te leven en volledig deel te nemen aan alle facetten van het leven, nemen de Staten die Partij zijn passende maatregelen om personen met een handicap op voet van gelijkheid met anderen de toegang te garanderen tot de fysieke omgeving, tot vervoer, informatie en communicatie, met inbegrip van informatie- en communicatietechnologieën en –systemen, en tot andere voorzieningen en diensten die openstaan voor, of verleend worden aan het publiek, in zowel stedelijke als landelijke gebieden. Deze maatregelen, die mede de identificatie en bestrijding van obstakels en barrières voor de toegankelijkheid omvatten, zijn onder andere van toepassing op:
a. gebouwen, wegen, vervoer en andere voorzieningen in gebouwen en daarbuiten, met inbegrip van scholen, huisvesting, medische voorzieningen en werkplekken;
b. informatie, communicatie en andere diensten, met inbegrip van elektronische diensten en nooddiensten.
2. De Staten die Partij zijn nemen tevens passende maatregelen om:
a. de implementatie van minimumnormen en richtlijnen voor de toegankelijkheid van faciliteiten en diensten die openstaan voor, of verleend worden aan het publiek, te ontwikkelen, af te kondigen en te monitoren;
b. te waarborgen dat private instellingen die faciliteiten en diensten die openstaan voor, of verleend worden aan het publiek aanbieden, zich rekenschap geven van alle aspecten van de toegankelijkheid voor personen met een handicap;
c. betrokkenen te trainen inzake kwesties op het gebied van de toegankelijkheid waarmee personen met een handicap geconfronteerd worden;
d. openbare gebouwen en andere faciliteiten te voorzien van bewegwijzering in braille en in makkelijk te lezen en te begrijpen vormen;
e. te voorzien in vormen van hulp en bemiddeling door mensen, met inbegrip van begeleiders, mensen die voorlezen en professionele doventolken om de toegang tot gebouwen en andere faciliteiten, die openstaan voor het publiek te faciliteren;
f. andere passende vormen van hulp en ondersteuning aan personen met een handicap te bevorderen, teneinde te waarborgen dat zij toegang hebben tot informatie;
g. de toegang voor personen met een handicap tot nieuwe informatie- en communicatietechnologieën en -systemen, met inbegrip van het internet, te bevorderen;
h. het ontwerp, de ontwikkeling, productie en distributie van toegankelijke informatie- en communicatietechnologieën, en communicatiesystemen in een vroeg stadium te bevorderen, opdat deze technologieën en systemen tegen minimale kosten toegankelijk worden.

Art. 10 Recht op leven

Recht op leven

De Staten die Partij zijn bevestigen opnieuw dat eenieder beschikt over het inherente recht op leven en nemen alle noodzakelijke maatregelen om te waarborgen dat personen met een handicap dat op voet van gelijkheid met anderen ten volle kunnen genieten.

Art. 11 Risicovolle situaties en humanitaire noodsituaties

Bescherming tegen risicovolle situaties en humanitaire noodsituaties

De Staten die Partij zijn nemen in overeenstemming met hun verplichtingen uit hoofde van het internationale recht, met inbegrip van het internationale humanitaire recht en internationale mensenrechtenverdragen alle nodige maatregelen om de bescherming en veiligheid van personen met een handicap in risicovolle situaties, met inbegrip van gewapende conflicten, humanitaire noodsituaties en natuurrampen, te waarborgen.

Art. 12 Gelijkheid voor de wet

Gelijkheid voor de wet

1. De Staten die Partij zijn bevestigen opnieuw dat personen met een handicap overal als persoon erkend worden voor de wet.
2. De Staten die Partij zijn erkennen dat personen met een handicap op voet van gelijkheid met anderen in alle aspecten van het leven handelingsbekwaam zijn.
3. De Staten die Partij zijn nemen passende maatregelen om personen met een handicap toegang te verschaffen tot de ondersteuning die zij mogelijk behoeven bij de uitoefening van hun handelingsbekwaamheid.
4. De Staten die Partij zijn waarborgen dat alle maatregelen die betrekking hebben op de uitoefening van handelingsbekwaamheid, voorzien in passende en doeltreffende waarborgen in overeenstemming met het internationale recht inzake de mensenrechten om misbruik te voorkomen. Deze waarborgen dienen te verzekeren dat maatregelen met betrekking tot de uitoefening van handelingsbekwaamheid de rechten, wil en voorkeuren van de desbetreffende persoon respecteren, vrij zijn van conflicterende belangen of onbehoorlijke beïnvloeding, proportioneel zijn en toegesneden op de omstandigheden van de persoon in kwestie, van toepassing zijn gedurende een zo kort mogelijke periode en onderworpen zijn aan een regelmatige beoordeling door een bevoegde, onafhankelijke en onpartijdige autoriteit of gerechtelijke instantie. De waarborgen dienen evenredig te zijn aan de mate waarin deze maatregelen van invloed zijn op de rechten en belangen van de persoon in kwestie.
5. Met inachtneming van de bepalingen van dit artikel nemen de Staten die Partij zijn alle passende en doeltreffende maatregelen om de gelijke rechten te garanderen van personen met

een handicap op eigendom of het erven van vermogen en te waarborgen dat zij hun eigen financiële zaken kunnen behartigen en op voet van gelijkheid toegang hebben tot bankleningen, hypotheken en andere vormen van financiële kredietverstrekking en verzekeren zij dat het vermogen van personen met een handicap hen niet willekeurig wordt ontnomen.

Art. 13 Toegang tot de rechter

Toegang tot rechterlijke instanties

1. De Staten die Partij zijn waarborgen personen met een handicap op voet van gelijkheid met anderen de toegang tot een rechterlijke instantie, met inbegrip van procedurele en leeftijdsconforme voorzieningen, teneinde hun effectieve rol als directe en indirecte partij, waaronder als getuige, in alle juridische procedures, met inbegrip van de onderzoeksfase en andere voorbereidende fasen, te faciliteren.

2. Teneinde effectieve toegang tot rechterlijke instanties voor personen met een handicap te helpen waarborgen, bevorderen de Staten die Partij zijn passende training voor diegenen die werkzaam zijn in de rechtsbedeling, met inbegrip van medewerkers van politie en het gevangeniswezen.

Art. 14 Vrijheid en veiligheid van de persoon

Recht op vrijheid en veiligheid van de persoon

1. De Staten die Partij zijn waarborgen dat personen met een handicap op voet van gelijkheid met anderen:

a. het recht op vrijheid en veiligheid van hun persoon genieten;

b. niet onrechtmatig of willekeurig van hun vrijheid worden beroofd, en dat iedere vorm van vrijheidsontneming geschiedt in overeenstemming met de wet, en dat het bestaan van een handicap in geen geval vrijheidsontneming rechtvaardigt.

2. De Staten die Partij zijn waarborgen dat indien personen met een handicap op grond van enig proces van hun vrijheid worden beroofd, zij op voet van gelijkheid met anderen recht hebben op de waarborgen in overeenstemming met internationale mensenrechtenverdragen en in overeenstemming met de doelstellingen en beginselen van dit Verdrag worden behandeld, met inbegrip van de verschaffing van redelijke aanpassingen.

Art. 15 Vrijwaring van foltering en andere wrede, onmenselijke of vernederende behandeling of bestraffing

Vrijwaring van wrede, onmenselijke of vernederende behandeling/bestraffing

1. Niemand zal worden onderworpen aan folteringen of aan wrede, onmenselijke of vernederende behandelingen of bestraffingen. In het bijzonder zal niemand zonder zijn of haar in vrijheid gegeven toestemming worden onderworpen aan medische of wetenschappelijke experimenten.

2. De Staten die Partij zijn nemen alle doeltreffende wetgevende, bestuurlijke, juridische of andere maatregelen om, op gelijke wijze als voor anderen, te voorkomen dat personen met een handicap worden onderworpen aan folteringen of aan wrede, onmenselijke of vernederende behandelingen of bestraffingen.

Art. 16 Vrijwaring van uitbuiting, geweld en misbruik

Vrijwaring van uitbuiting/geweld/misbruik

1. De Staten die Partij zijn nemen alle passende wetgevende, bestuurlijke, sociale, educatieve en andere maatregelen om personen met een handicap, zowel binnen- als buitenshuis, te beschermen tegen alle vormen van uitbuiting, geweld en misbruik, met inbegrip van de op sekse gebaseerde aspecten daarvan.

2. De Staten die Partij zijn nemen voorts alle passende maatregelen om alle vormen van uitbuiting, geweld en misbruik te voorkomen door voor personen met een handicap, hun gezinnen en verzorgers onder andere passende vormen van op sekse en leeftijd toegesneden hulp en ondersteuning te waarborgen, met inbegrip van het verschaffen van informatie en scholing omtrent het voorkomen, herkennen en melden van uitbuiting, geweld en misbruik. De Staten die Partij zijn waarborgen dat de dienstverlening op het gebied van bescherming is toegesneden op leeftijd, sekse en handicap.

3. Teneinde alle vormen van uitbuiting, geweld en misbruik te voorkomen, waarborgen de Staten die Partij zijn, dat alle faciliteiten en programma's die zijn ontwikkeld om personen met een handicap te dienen, effectief worden gemonitord door onafhankelijke autoriteiten.

4. De Staten die Partij zijn nemen alle passende maatregelen om het fysieke, cognitieve en psychologische herstel, de rehabilitatie en de terugkeer in de maatschappij van personen met een handicap die het slachtoffer zijn van enige vorm van uitbuiting, geweld of misbruik te bevorderen, waaronder door middel van het verschaffen van dienstverlening op het gebied van bescherming. Het herstel en de terugkeer dienen plaats te vinden in een omgeving die bevorderlijk is voor de gezondheid, het welzijn, het zelfrespect, de waardigheid en autonomie van de persoon en houden rekening met sekse- en leeftijd-specifieke behoeften.

5. De Staten die Partij zijn implementeren doeltreffende wetgeving en doeltreffend beleid, met inbegrip van wetgeving en beleid, specifiek gericht op vrouwen en kinderen, om te waarborgen dat gevallen van uitbuiting, geweld en misbruik van personen met een handicap worden geïdentificeerd en onderzocht en, indien daartoe aanleiding bestaat, waar aangewezen, strafrechtelijk worden vervolgd.

Art. 17 Bescherming van de persoonlijke integriteit

Recht op eerbiediging persoonlijke integriteit

Elke persoon met een handicap heeft op voet van gelijkheid met anderen recht op eerbiediging van zijn lichamelijke en geestelijke integriteit.

Art. 18 Vrijheid van verplaatsing en nationaliteit

Recht op vrijheid van verplaatsing/nationaliteit

1. De Staten die Partij zijn erkennen het recht van personen met een handicap, op voet van gelijkheid met anderen, zich vrijelijk te verplaatsen, vrijelijk hun verblijfplaats te kiezen en het recht op een nationaliteit, onder andere door te waarborgen dat personen met een handicap:

a. het recht hebben een nationaliteit te verwerven en daarvan te veranderen en dat hun nationaliteit hen niet op willekeurige gronden of op grond van hun handicap wordt ontnomen;

b. niet op grond van hun handicap beroofd worden van de mogelijkheid om documenten inzake hun nationaliteit of identiteit te verwerven, bezitten en gebruiken, of om gebruik te maken van procedures dienaangaande, zoals immigratieprocedures die nodig kunnen zijn om de uitoefening van het recht zich vrijelijk te verplaatsen, te faciliteren;

c. vrij zijn welk land ook, met inbegrip van het eigen land, te verlaten;

d. niet willekeurig of op grond van hun handicap het recht wordt onthouden hun eigen land binnen te komen.

2. Kinderen met een handicap worden onverwijld na hun geboorte ingeschreven en hebben vanaf hun geboorte recht op een naam, het recht een nationaliteit te verwerven en, voor zover mogelijk, het recht hun ouders te kennen en door hen te worden verzorgd.

Art. 19 Zelfstandig wonen en deel uitmaken van de maatschappij

Recht op zelfstandig wonen en deel uitmaken van de maatschappij

De Staten die Partij zijn bij dit Verdrag erkennen het gelijke recht van alle personen met een handicap om in de maatschappij te wonen met dezelfde keuzemogelijkheden als anderen en nemen doeltreffende en passende maatregelen om het personen met een handicap gemakkelijker te maken dit recht ten volle te genieten en volledig deel uit te maken van, en te participeren in de maatschappij, onder meer door te waarborgen dat:

a. personen met een handicap de kans hebben, op voet van gelijkheid met anderen, vrijelijk hun verblijfplaats te kiezen, alsmede waar en met wie zij leven, en niet verplicht zijn te leven in een bepaalde leefregeling;

b. personen met een handicap toegang hebben tot een reeks van thuis, residentiële en andere maatschappij-ondersteunende diensten, waaronder persoonlijke assistentie, noodzakelijk om het wonen en de opname in de maatschappij te ondersteunen en isolatie of uitsluiting uit de maatschappij te voorkomen;

c. de maatschappijdiensten en -faciliteiten voor het algemene publiek op voet van gelijkheid beschikbaar zijn voor personen met een handicap en beantwoorden aan hun behoeften.

Art. 20 Persoonlijke mobiliteit

Waarborgen persoonlijke mobiliteit

De Staten die Partij zijn nemen alle effectieve maatregelen om de persoonlijke mobiliteit van personen met een handicap met de grootst mogelijke mate van zelfstandigheid te waarborgen onder meer door:

a. de persoonlijke mobiliteit van personen met een handicap te faciliteren op de wijze en op het tijdstip van hun keuze en tegen een betaalbare prijs;

b. de toegang voor personen met een handicap tot hoogwaardige mobiliteitshulpmiddelen, -instrumenten, ondersteunende technologieën en vormen van assistentie en bemiddeling door mensen te faciliteren, onder meer door deze beschikbaar te maken tegen een betaalbare prijs;

c. personen met een handicap en gespecialiseerd personeel dat met personen met een handicap werkt, training in mobiliteitsvaardigheden te verschaffen;

d. instellingen die mobiliteitshulpmiddelen, -instrumenten en ondersteunende technologieën produceren, aan te moedigen rekening te houden met alle aspecten van mobiliteit voor personen met een handicap.

Art. 21 Vrijheid van mening en meningsuiting en toegang tot informatie

Waarborgen vrijheid van mening/meningsuiting en toegang tot infomatie

De Staten die Partij zijn nemen alle passende maatregelen om te waarborgen dat personen met een handicap het recht op vrijheid van mening en meningsuiting kunnen uitoefenen, met inbegrip van de vrijheid om op voet van gelijkheid met anderen informatie en denkbeelden te vergaren, te ontvangen en te verstrekken middels elk communicatiemiddel van hun keuze, zoals omschreven in artikel 2 van dit Verdrag, onder meer door:

a. personen met een handicap tijdig en zonder extra kosten voor het publiek bedoelde informatie te verschaffen in toegankelijke vormen en technologieën, geschikt voor de verschillende soorten handicaps;

b. het aanvaarden en faciliteren van het gebruik van gebarentalen, braille, ondersteunende communicatie en alternatieve vormen van communicatie en alle andere toegankelijke middelen, communicatiemogelijkheden en -formats naar keuze van personen met een handicap in officiële contacten;

c. private instellingen die diensten verlenen aan het publiek, ook via het internet, aan te sporen informatie en diensten ook in voor personen met een handicap toegankelijke en bruikbare vorm te verlenen;

d. de massamedia, met inbegrip van informatieverstrekkers via het internet, aan te moedigen hun diensten toegankelijk te maken voor personen met een handicap;
e. het gebruik van gebarentalen te erkennen en te bevorderen.

Art. 22 Eerbiediging van de privacy

Recht op eerbiediging privacy

1. Geen enkele persoon met een handicap, ongeacht zijn of haar woonplaats of woonsituatie, zal worden blootgesteld aan willekeurige of onrechtmatige inmenging in zijn of haar privéleven, gezinsleven, woning of correspondentie, of andere vormen van communicatie, of aan onrechtmatige aantasting van zijn of haar eer en reputatie. Personen met een handicap hebben recht op wettelijke bescherming tegen dergelijke vormen van inmenging of aantasting.
2. De Staten die Partij zijn beschermen de privacy van personen met een handicap met betrekking tot persoonsgegevens en informatie omtrent hun gezondheid en revalidatie op voet van gelijkheid met anderen.

Art. 23 Eerbiediging van de woning en het gezinsleven

Recht op eerbiediging woning en gezinsleven

1. De Staten die Partij zijn nemen doeltreffende en passende maatregelen om discriminatie van personen met een handicap uit te bannen op het gebied van huwelijk, gezinsleven, ouderschap en relaties op voet van gelijkheid met anderen, teneinde te waarborgen dat:
a. het recht van alle personen met een handicap van huwbare leeftijd om in vrijheid en met volledige instemming van de beide partners in het huwelijk te treden en een gezin te stichten, wordt erkend;
b. de rechten van personen met een handicap om in vrijheid en bewust te beslissen over het gewenste aantal kinderen en geboortespreiding en op toegang tot leeftijdsrelevante informatie, voorlichting over reproductieve gezondheid en geboorteplanning worden erkend en dat zij worden voorzien van de noodzakelijke middelen om deze rechten te kunnen uitoefenen;
c. personen met een handicap, met inbegrip van kinderen, op voet van gelijkheid met anderen hun vruchtbaarheid behouden.
2. De Staten die Partij zijn waarborgen de rechten en verantwoordelijkheden van personen met een handicap, met betrekking tot de voogdij, curatele, zaakwaarneming, adoptie van kinderen of soortgelijke instituties, indien deze begrippen voorkomen in de nationale wetgeving; in alle gevallen dienen de belangen van het kind voorop te staan. De Staten die Partij zijn verlenen passende hulp aan personen met een handicap bij het verrichten van hun verantwoordelijkheden op het gebied van de verzorging en opvoeding van hun kinderen.
3. De Staten die Partij zijn waarborgen dat kinderen met een handicap gelijke rechten hebben op het gebied van het familieleven. Teneinde deze rechten te realiseren en te voorkomen dat kinderen met een handicap worden verborgen, verstoten, verwaarloosd of buitengesloten, verplichten de Staten die Partij zijn zich tijdige en uitvoerige informatie, diensten en ondersteuning te bieden aan kinderen met een handicap en hun families.
4. De Staten die Partij zijn waarborgen dat een kind niet tegen zijn wil of die van de ouders van hen wordt gescheiden, tenzij de bevoegde autoriteiten, onderworpen aan rechterlijke toetsing, in overeenstemming met de toepasselijke wet en procedures bepalen dat zulks noodzakelijk is in het belang van het kind. In geen geval zal een kind van zijn ouders worden gescheiden op grond van een handicap van het kind of die van een of beide ouders.
5. De Staten die Partij zijn stellen alles in het werk om, indien de naaste familieleden niet in staat zijn voor een kind met een handicap te zorgen, alternatieve zorg te bewerkstelligen binnen de ruimere familiekring en bij ontbreken daarvan in een gezinsvervangend verband binnen de gemeenschap.

Art. 24 Onderwijs

Recht op onderwijs

1. De Staten die Partij zijn erkennen het recht van personen met een handicap op onderwijs. Teneinde dit recht zonder discriminatie en op basis van gelijke kansen te verwezenlijken, waarborgen Staten die Partij zijn een inclusief onderwijssysteem op alle niveaus en voorzieningen voor een leven lang leren en wel met de volgende doelen:
a. de volledige ontwikkeling van het menselijk potentieel en het gevoel van waardigheid en eigenwaarde en de versterking van de eerbiediging van mensenrechten, fundamentele vrijheden en de menselijke diversiteit;
b. de optimale ontwikkeling door personen met een handicap van hun persoonlijkheid, talenten en creativiteit, alsmede hun mentale en fysieke mogelijkheden, naar staat van vermogen;
c. het in staat stellen van personen met een handicap om effectief te participeren in een vrije maatschappij.
2. Bij de verwezenlijking van dit recht waarborgen de Staten die Partij zijn dat:
a. personen met een handicap niet op grond van hun handicap worden uitgesloten van het algemene onderwijssysteem, en dat kinderen met een handicap niet op grond van hun handicap worden uitgesloten van gratis en verplicht basisonderwijs of van het voortgezet onderwijs;
b. personen met een handicap toegang hebben tot inclusief, hoogwaardig en gratis basisonderwijs en tot voortgezet onderwijs en wel op basis van gelijkheid met anderen in de gemeenschap waarin zij leven;
c. redelijke aanpassingen worden verschaft naar gelang de behoefte van de persoon in kwestie;

d. personen met een handicap, binnen het algemene onderwijssysteem, de ondersteuning ontvangen die zij nodig hebben om effectieve deelname aan het onderwijs te faciliteren;
e. doeltreffende, op het individu toegesneden, ondersteunende maatregelen worden genomen in omgevingen waarin de cognitieve en sociale ontwikkeling wordt geoptimaliseerd, overeenkomstig het doel van onderwijs waarbij niemand wordt uitgesloten.
3. De Staten die Partij zijn stellen personen met een handicap in staat praktische en sociale vaardigheden op te doen, teneinde hun volledige deelname aan het onderwijs en als leden van de gemeenschap op voet van gelijkheid te faciliteren. Daartoe nemen de Staten die Partij zijn passende maatregelen, waaronder:
a. het faciliteren van het leren van braille, alternatieve schrijfwijzen, het gebruik van ondersteunende en alternatieve communicatiemethoden, -middelen en -vormen, alsmede het opdoen van vaardigheden op het gebied van oriëntatie en mobiliteit en het faciliteren van ondersteuning en begeleiding door lotgenoten;
b. het leren van gebarentaal faciliteren en de taalkundige identiteit van de gemeenschap van doven bevorderen;
c. waarborgen dat het onderwijs voor personen, en in het bijzonder voor kinderen, die blind, doof of doofblind zijn, plaatsvindt in de talen en met de communicatiemethoden en -middelen die het meest geschikt zijn voor de desbetreffende persoon en in een omgeving waarin hun cognitieve en sociale ontwikkeling worden geoptimaliseerd.
4. Teneinde te helpen waarborgen dat dit recht verwezenlijkt kan worden, nemen de Staten die Partij zijn passende maatregelen om leerkrachten aan te stellen, met inbegrip van leerkrachten met een handicap, die zijn opgeleid voor gebarentaal en/of braille, en leidinggevenden en medewerkers op te leiden die op alle niveaus van het onderwijs werkzaam zijn. Bij deze opleiding moeten de studenten worden getraind in het omgaan met personen met een handicap en het gebruik van de desbetreffende ondersteunende communicatie en andere methoden, middelen en vormen van en voor communicatie, onderwijstechnieken en materialen om personen met een handicap te ondersteunen.
5. De Staten die Partij zijn waarborgen dat personen met een handicap, zonder discriminatie en op voet van gelijkheid met anderen, toegang verkrijgen tot algemeen universitair en hoger beroepsonderwijs, beroepsonderwijs, volwasseneneducatie en een leven lang leren. Daartoe waarborgen de Staten die Partij zijn dat redelijke aanpassingen worden verschaft aan personen met een handicap.

Art. 25 Gezondheid

Recht op hoogst haalbare niveau van gezondheid

De Staten die Partij zijn erkennen dat personen met een handicap zonder discriminatie op grond van hun handicap recht hebben op het genot van het hoogst haalbare niveau van gezondheid. De Staten die Partij zijn nemen alle passende maatregelen om personen met een handicap de toegang te waarborgen tot diensten op het gebied van seksespecifieke gezondheidszorg, met inbegrip van revalidatie. In het bijzonder zullen de Staten die Partij zijn:
a. personen met een handicap voorzien van hetzelfde aanbod met dezelfde kwaliteit en volgens dezelfde normen voor gratis of betaalbare gezondheidszorg en –programma's die aan anderen worden verstrekt, waaronder op het gebied van seksuele en reproductieve gezondheid, en op de populatie toegesneden programma's op het gebied van volksgezondheid;
b. die diensten op het gebied van gezondheidszorg verschaffen die personen met een handicap in het bijzonder vanwege hun handicap behoeven, waaronder vroegtijdig opsporen en, zo nodig, ingrijpen, diensten om het ontstaan van nieuwe handicaps te beperken en te voorkomen, ook onder kinderen en ouderen;
c. deze gezondheidsdiensten zo dicht mogelijk bij de eigen gemeenschap van de mensen verschaffen, ook op het platteland;
d. van vakspecialisten in de gezondheidszorg eisen dat zij aan personen met een handicap zorg van dezelfde kwaliteit verlenen als aan anderen, met name dat zij de in vrijheid, op basis van goede informatie, gegeven toestemming verkrijgen van de betrokken gehandicapte, door onder andere het bewustzijn bij het personeel van de mensenrechten, waardigheid, autonomie en behoeften van personen met een handicap te vergroten door middel van training en het vaststellen van ethische normen voor de publieke en private gezondheidszorg;
e. discriminatie van personen met een handicap verbieden bij de verstrekking van een ziektekostenverzekering, en van een levensverzekering indien een dergelijke verzekering is toegestaan volgens het nationale recht, welke verstrekking naar redelijkheid en billijkheid zal plaatsvinden;
f. voorkomen dat gezondheidszorg, gezondheidsdiensten, voedsel en vloeistoffen op discriminatoire gronden vanwege een handicap worden ontzegd.

Art. 26 Habilitatie en revalidatie

Habilitatie en revalidatie

1. Staten die Partij zijn nemen doeltreffende en passende maatregelen, onder andere via ondersteuning door lotgenoten, om personen met een handicap in staat te stellen de maximaal mogelijke onafhankelijkheid, fysieke, mentale, sociale en beroepsmatige vaardigheden te verwerven en volledige opname in en participatie in alle aspecten van het leven. Daartoe organiseren en versterken de Staten die Partij zijn uitgebreide diensten en programma's op het gebied van

habilitatie en revalidatie en breiden zij deze uit, met name op het gebied van gezondheid, werkgelegenheid, onderwijs en sociale diensten en wel zodanig dat deze diensten en programma's:
a. in een zo vroeg mogelijk stadium beginnen en gebaseerd zijn op een multidisciplinaire inventarisatie van de behoeften en mogelijkheden van de persoon in kwestie;
b. de participatie in en opname in de gemeenschap en alle aspecten van de samenleving ondersteunen, vrijwillig zijn en beschikbaar zijn voor personen met een handicap, zo dicht mogelijk bij hun eigen gemeenschappen, ook op het platteland.
2. De Staten die Partij zijn stimuleren de ontwikkeling van basis- en vervolgtrainingen voor vakspecialisten en personeel dat werkzaam is in de dienstverlening op het gebied van habilitatie en revalidatie.
3. De Staten die Partij zijn stimuleren de beschikbaarheid, kennis en het gebruik van ondersteunende instrumenten en technologieën die zijn ontworpen voor personen met een handicap, voor zover zij betrekking hebben op habilitatie en revalidatie.

Art. 27 Werk en werkgelegenheid

Recht op werk en werkgelegenheid

1. De Staten die Partij zijn erkennen het recht van personen met een handicap op werk, op voet van gelijkheid met anderen; dit omvat het recht op de mogelijkheid in het levensonderhoud te voorzien door middel van in vrijheid gekozen of aanvaard werk op een arbeidsmarkt en in een werkomgeving die open zijn, waarbij niemand wordt uitgesloten, en die toegankelijk zijn voor personen met een handicap. De Staten die Partij zijn waarborgen en bevorderen de verwezenlijking van het recht op werk, met inbegrip van personen die gehandicapt raken tijdens de uitoefening van hun functie, door het nemen van passende maatregelen, onder meer door middel van wetgeving, teneinde onder andere:
a. discriminatie op grond van handicap te verbieden met betrekking tot alle aangelegenheden betreffende alle vormen van werkgelegenheid, waaronder voorwaarden voor de werving, aanstelling en indienstreding, voortzetting van het dienstverband, carrièremogelijkheden en een veilige en gezonde werkomgeving;
b. het recht van personen met een handicap op voet van gelijkheid met anderen te beschermen op rechtvaardige en gunstige arbeidsomstandigheden, met inbegrip van gelijke kansen en gelijke beloning voor werk van gelijke waarde, een veilige en gezonde werkomgeving, waaronder bescherming tegen intimidatie, alsmede de mogelijkheid tot rechtsherstel bij grieven;
c. te waarborgen dat personen met een handicap hun arbeids- en vakbondsrechten op voet van gelijkheid met anderen kunnen uitoefenen;
d. personen met een handicap in staat te stellen effectieve toegang te krijgen tot technische en algemene beroepskeuzevoorlichtingsprogramma's, arbeidsbemiddeling, beroepsonderwijs en vervolgopleidingen;
e. de kans op werk en carrièremogelijkheden voor personen met een handicap op de arbeidsmarkt te bevorderen, alsmede hen te ondersteunen bij het vinden, verwerven en behouden van werk, dan wel de terugkeer naar werk;
f. de kansen te bevorderen om te werken als zelfstandige, op het ondernemerschap, het ontwikkelen van samenwerkingsverbanden en een eigen bedrijf te beginnen;
g. personen met een handicap in dienst te nemen in de publieke sector;
h. de werkgelegenheid voor personen met een handicap in de private sector te bevorderen door middel van passend beleid en passende maatregelen, waaronder voorkeursbeleid, aanmoedigingspremies en andere maatregelen;
i. te waarborgen dat op de werkplek wordt voorzien in redelijke aanpassingen voor personen met een handicap;
j. te bevorderen dat personen met een handicap werkervaring kunnen opdoen op de vrije arbeidsmarkt;
k. de beroepsmatige en professionele re-integratie van en programma's ten behoeve van het behoud van hun baan en terugkeer naar werk voor personen met een handicap te bevorderen.
2. De Staten die Partij zijn waarborgen dat personen met een handicap niet in slavernij worden gehouden of anderszins worden gedwongen tot het verrichten van arbeid en op voet van gelijkheid met anderen worden beschermd tegen gedwongen of verplichte arbeid.

Art. 28 Behoorlijke levensstandaard en sociale bescherming

Recht op behoorlijke levensstandaard en sociale bescherming

1. De Staten die Partij zijn erkennen het recht van personen met een handicap op een behoorlijke levensstandaard voor henzelf en voor hun gezinnen, met inbegrip van voldoende voeding, kleding en huisvesting en op de voortdurende verbetering van hun levensomstandigheden, en nemen passende maatregelen om de verwezenlijking van dit recht zonder discriminatie op grond van handicap te beschermen en te bevorderen.
2. De Staten die Partij zijn erkennen het recht van personen met een handicap op sociale bescherming en op het genot van dat recht zonder discriminatie op grond van handicap, en nemen passende maatregelen om de verwezenlijking van dat recht te waarborgen en te stimuleren, met inbegrip van maatregelen om:

a. de gelijke toegang voor personen met een handicap tot voorzieningen op het gebied van schoon water te waarborgen, alsmede toegang te waarborgen tot passende en betaalbare diensten, instrumenten en andere vormen van ondersteuning voor aan de handicap gerelateerde behoeften;
b. de toegang voor personen met een handicap, in het bijzonder voor vrouwen, meisjes en ouderen met een handicap, tot programma's ten behoeve van sociale bescherming en het terugdringen van de armoede te waarborgen;
c. voor personen met een handicap en hun gezinnen die in armoede leven de toegang tot hulp van de Staat te waarborgen, voor aan de handicap gerelateerde kosten, met inbegrip van adequate training, advisering, financiële hulp en respijtzorg;
d. de toegang voor personen met een handicap te waarborgen tot volkshuisvestingsprogramma's;
e. de toegang voor personen met een handicap te waarborgen tot pensioenuitkeringen en -programma's.

Art. 29 Participatie in het politieke en openbare leven

Recht op participatie in politieke en openbare leven

De Staten die Partij zijn garanderen personen met een handicap politieke rechten en de mogelijkheid deze op voet van gelijkheid met anderen te genieten, en verplichten zich:
a. te waarborgen dat personen met een handicap effectief en ten volle kunnen participeren in het politieke en openbare leven, hetzij rechtstreeks, hetzij via in vrijheid gekozen vertegenwoordigers, met inbegrip van het recht, en de gelegenheid, voor personen met een handicap hun stem uit te brengen en gekozen te worden, onder andere door:
i. te waarborgen dat de stemprocedures, -faciliteiten en voorzieningen adequaat, toegankelijk en gemakkelijk te begrijpen en te gebruiken zijn;
ii. het recht van personen met een handicap te beschermen om in het geheim hun stem uit te brengen bij verkiezingen en publieksreferenda zonder intimidatie en om zich verkiesbaar te stellen, op alle niveaus van de overheid een functie te bekleden en alle openbare taken uit te oefenen, waarbij het gebruik van ondersteunende en nieuwe technologieën, indien van toepassing, wordt gefaciliteerd;
iii. de vrije wilsuiting van personen met een handicap als kiezers te waarborgen en daartoe, waar nodig, op hun verzoek ondersteuning toe te staan bij het uitbrengen van hun stem door een persoon van hun eigen keuze;
b. actief een omgeving te bevorderen waarin personen met een handicap effectief en ten volle kunnen participeren in de uitoefening van openbare functies, zonder discriminatie en op voet van gelijkheid met anderen en hun participatie in publieke aangelegenheden aan te moedigen, waaronder:
i. de participatie in non-gouvernementele organisaties en verenigingen die zich bezighouden met het openbare en politieke leven in het land en in de activiteiten en het bestuur van politieke partijen;
ii. het oprichten en zich aansluiten bij organisaties van personen met een handicap die personen met een handicap vertegenwoordigen op internationaal, nationaal, regionaal en lokaal niveau.

Art. 30 Deelname aan het culturele leven, recreatie, vrijetijdsbesteding en sport

Recht op deelname aan culturele leven, recreatie, vrijetijdsbesteding en sport

1. De Staten die Partij zijn erkennen het recht van personen met een handicap op voet van gelijkheid met anderen deel te nemen aan het culturele leven en nemen alle passende maatregelen om te waarborgen dat personen met een handicap:
a. toegang hebben tot cultuuruitingen in toegankelijke vorm;
b. toegang hebben tot televisieprogramma's, films, theater en andere culturele activiteiten in toegankelijke vorm;
c. toegang hebben tot plaatsen voor culturele uitvoeringen of diensten, zoals theaters, musea, bioscopen, bibliotheken en dienstverlening op het gebied van toerisme en zo veel mogelijk toegang tot monumenten en plaatsen van nationaal cultureel belang.
2. De Staten die Partij zijn nemen alle passende maatregelen om personen met een handicap de kans te bieden hun creatieve, artistieke en intellectuele potentieel te ontwikkelen en gebruiken, niet alleen ten eigen bate maar ook ter verrijking van de maatschappij.
3. De Staten die Partij zijn nemen alle passende maatregelen in overeenstemming met het internationale recht om te waarborgen dat wetgeving ter bescherming van de intellectuele eigendom geen onredelijke of discriminatoire belemmering vormt voor de toegang van personen met een handicap tot cultuuruitingen.
4. Personen met een handicap hebben op voet van gelijkheid met anderen recht op erkenning en ondersteuning van hun specifieke culturele en taalkundige identiteit, met inbegrip van gebarentalen en de dovencultuur.
5. Teneinde personen met een handicap in staat te stellen op voet van gelijkheid met anderen deel te nemen aan recreatie, vrijetijdsbesteding en sportactiviteiten, nemen de Staten die Partij zijn passende maatregelen:
a. teneinde deelname van personen met een handicap aan algemene sportactiviteiten op alle niveaus zo veel mogelijk aan te moedigen en te bevorderen;

b. teneinde te waarborgen dat personen met een handicap de kans krijgen handicapspecifieke sport- en recreatieactiviteiten te organiseren, ontwikkelen en daaraan deel te nemen en daartoe te bevorderen dat hen op voet van gelijkheid met anderen passende instructie, training en middelen worden verschaft;
c. teneinde te waarborgen dat personen met een handicap toegang hebben tot sport-, recreatie- en toeristische locaties;
d. teneinde te waarborgen dat kinderen met een handicap op voet van gelijkheid met andere kinderen kunnen deelnemen aan spel-, recreatie-, vrijetijds- en sportactiviteiten, met inbegrip van activiteiten in schoolverband;
e. teneinde te waarborgen dat personen met een handicap toegang hebben tot diensten van degenen die betrokken zijn bij de organisatie van recreatie-, toeristische, vrijetijds- en sportactiviteiten.

Art. 31 Statistieken en het verzamelen van gegevens

Statistieken en het verzamelen van gegevens

1. De Staten die Partij zijn verplichten zich relevante informatie te verzamelen, met inbegrip van statistische en onderzoeksgegevens, teneinde hen in staat te stellen beleid te formuleren en te implementeren ter uitvoering van dit Verdrag. De procedures voor het verzamelen en actualiseren van deze informatie:
a. dienen te voldoen aan wettelijk vastgestelde waarborgen, met inbegrip van wetgeving inzake de bescherming van persoonsgegevens teneinde de vertrouwelijkheid en de eerbiediging van de privacy van personen met een handicap te waarborgen;
b. dienen te voldoen aan internationaal aanvaarde normen ter bescherming van de rechten van de mens en fundamentele vrijheden en ethische grondbeginselen bij het verzamelen en gebruik van statistieken.
2. De in overeenstemming met dit artikel verzamelde informatie wordt op passende wijze gespecificeerd en gebruikt voor de implementatie van de verplichtingen van de Staten die Partij zijn uit hoofde van dit Verdrag en bij het opsporen en aanpakken van de belemmeringen waarmee personen met een handicap geconfronteerd worden bij het uitoefenen van hun rechten.
3. De Staten die Partij zijn aanvaarden de verantwoordelijkheid voor de verspreiding van deze statistieken en waarborgen dat deze toegankelijk zijn voor zowel personen met een handicap als anderen.

Art. 32 Internationale samenwerking

Internationale samenwerking

1. De Staten die Partij zijn onderkennen het belang van internationale samenwerking en de bevordering daarvan ter ondersteuning van nationale inspanningen ter verwezenlijking van de doelstellingen van dit Verdrag, en treffen passende en doeltreffende maatregelen in dit verband tussen Staten en, waar toepasselijk, in de vorm van een samenwerkingsverband met relevante internationale en regionale organisaties en het maatschappelijk middenveld, in het bijzonder organisaties van personen met een handicap. Deze maatregelen kunnen onder meer bestaan uit:
a. het waarborgen dat internationale samenwerking, met inbegrip van internationale ontwikkelingsprogramma's, toegankelijk is voor personen met een handicap en dat daarbij niemand uitgesloten wordt;
b. het faciliteren en ondersteunen van capaciteitsopbouw, onder meer door het uitwisselen en delen van informatie, ervaringen, trainingsprogramma's en goede praktijken;
c. het faciliteren van samenwerking bij onderzoek en toegang tot wetenschappelijke en technische kennis;
d. het waar nodig verschaffen van technische en economische ondersteuning, onder meer door het faciliteren van de toegang tot en het delen van toegankelijke en ondersteunende technologieën en door de overdracht van technologieën.
2. De bepalingen van dit artikel laten de verplichtingen uit hoofde van dit Verdrag van alle Staten die Partij zijn onverlet.

Art. 33 Nationale implementatie en toezicht

Nationale implementatie en toezicht

1. De Staten die Partij zijn wijzen binnen hun bestuurlijke organisatie een of meer contactpunten aan voor aangelegenheden die betrekking hebben op de uitvoering van dit Verdrag en besteden naar behoren aandacht aan het instellen van een coördinatiesysteem binnen de overheid teneinde de maatregelen in verschillende sectoren en op verschillende niveaus te faciliteren.
2. In overeenstemming met hun rechts- en bestuurssysteem onderhouden en versterken de Staten die Partij zijn op hun grondgebied een kader, met onder meer een of twee onafhankelijke instanties, al naargelang van toepassing is, om de uitvoering van dit Verdrag te bevorderen, te beschermen en te monitoren of wijzen daarvoor een instantie aan of richten die op. Bij het aanwijzen of oprichten van een dergelijke instantie houden de Staten die Partij zijn rekening met de beginselen betreffende de status en het functioneren van nationale instellingen voor de bescherming en bevordering van de rechten van de mens.

3. Het maatschappelijk middenveld, in het bijzonder personen met een handicap en de organisaties die hen vertegenwoordigen, wordt betrokken bij en participeert volledig in het monitoringproces.

Art. 34 Comité voor de rechten van personen met een handicap

Comité voor de rechten van personen met een handicap

1. Er wordt een Comité voor de Rechten van Personen met een Handicap ingesteld (hierna te noemen „het Comité") dat de hieronder te noemen functies uitoefent.

2. Het Comité zal, op het tijdstip waarop dit Verdrag in werking treedt, bestaan uit twaalf deskundigen. Zodra nogmaals zestig Staten het Verdrag hebben bekrachtigd of ertoe zijn toegetreden, nemen nog zes personen zitting in het Comité, zodat het maximum aantal leden van 18 wordt bereikt.
3. De leden van het Comité nemen op persoonlijke titel zitting en dienen van hoog zedelijk aanzien en erkende bekwaamheid, op het gebied dat dit Verdrag bestrijkt, te zijn. De Staten die Partij zijn worden verzocht bij de voordracht van hun kandidaten naar behoren rekening te houden met de bepaling vervat in artikel 4, derde lid, van dit Verdrag.
4. De leden van het Comité worden gekozen door de Staten die Partij zijn, waarbij rekening wordt gehouden met een billijke geografische spreiding, vertegenwoordiging van de uiteenlopende beschavingen en van de voornaamste rechtsstelsels, een evenwichtige verdeling tussen mannen en vrouwen en deelname door deskundigen met een handicap.
5. De leden van het Comité worden gekozen tijdens vergaderingen van de Conferentie van Staten die partij zijn door middel van geheime stemming uit een lijst van personen, die door de Staten die Partij zijn uit hun onderdanen worden aangewezen. Tijdens deze vergaderingen, waarvoor twee derde van de Staten die Partij zijn het quorum vormen, zijn degenen die in het Comité zijn gekozen, die personen, die het grootste aantal stemmen hebben verkregen, alsmede een absolute meerderheid van de stemmen van de aanwezige vertegenwoordigers van de Staten die Partij zijn die hun stem uitbrengen.
6. De eerste verkiezing wordt niet later gehouden dan zes maanden na de datum van inwerkingtreding van dit Verdrag. Uiterlijk vier maanden voor de datum van elke stemming zendt de Secretaris-Generaal van de Verenigde Naties een brief aan de Staten die Partij zijn, teneinde hen uit te nodigen hun voordrachten binnen twee maanden in te dienen. De Secretaris-Generaal stelt vervolgens een alfabetische lijst op van alle personen die aldus zijn voorgedragen, waarbij aangegeven wordt door welke Staat die Partij is, zij zijn voorgedragen en legt deze voor aan de Staten die Partij zijn bij dit Verdrag.
7. De leden van het Comité worden gekozen voor een termijn van vier jaar. Zij zijn eenmaal herkiesbaar. De termijn van zes bij de eerste verkiezing benoemde leden loopt na twee jaar af; terstond na de eerste verkiezing worden die leden bij loting aangewezen door de voorzitter van de in het vijfde lid van dit artikel bedoelde vergadering.
8. De verkiezing van de zes extra leden van het Comité vindt plaats ten tijde van de periodieke verkiezingen in overeenstemming met de desbetreffende bepalingen van dit artikel.
9. Indien een lid van het Comité overlijdt, terugtreedt of om andere redenen verklaart zijn of haar taken niet langer te kunnen vervullen, benoemt de Staat die Partij is die dat lid heeft voorgedragen een andere deskundige die beschikt over de kwalificaties en voldoet aan de vereisten vervat in de desbetreffende bepalingen van dit artikel om gedurende het resterende deel van de termijn zitting te nemen.
10. Het Comité stelt zijn reglement van orde vast.
11. De Secretaris-Generaal van de Verenigde Naties stelt de benodigde personeelsleden en voorzieningen ter beschikking, ten behoeve van de doeltreffende uitvoering van de taken van het Comité uit hoofde van dit Verdrag en belegt de eerste vergadering.
12. Na goedkeuring van de Algemene Vergadering ontvangen de leden van het Comité dat uit hoofde van dit Verdrag is opgericht, emolumenten uit de middelen van de Verenigde Naties onder de voorwaarden die door de Algemene Vergadering kunnen worden vastgesteld, waarbij rekening wordt gehouden met het belang van de verantwoordelijkheden van het Comité.
13. De leden van het Comité hebben recht op de faciliteiten, voorrechten en immuniteiten van deskundigen die een missie uitvoeren voor de Verenigde Naties, zoals vastgelegd in de desbetreffende artikelen van het Verdrag nopens de voorrechten en immuniteiten van de Verenigde Naties.

Art. 35 Rapportage door de Staten die Partij zijn

Rapportage nakoming verdragsverplichtingen door de verdragsluitende Staten

1. Elke Staat die Partij is dient, binnen twee jaar nadat dit Verdrag voor de desbetreffende Staat die Partij is in werking is getreden, via de Secretaris-Generaal van de Verenigde Naties een uitgebreid rapport in bij het Comité over de maatregelen die zijn genomen om zijn verplichtingen uit hoofde van dit Verdrag na te komen, alsmede over de vooruitgang die is geboekt in dat verband.
2. Daarna brengen de Staten die Partij zijn ten minste eenmaal per vier jaar een vervolgrapport uit en voorts wanneer het Comité daarom verzoekt.
3. Het Comité stelt richtlijnen vast die van toepassing zijn op de inhoud van de rapporten.

4. Een Staat die Partij is die een uitgebreid eerste rapport heeft ingediend bij het Comité, behoeft de informatie die eerder is verstrekt niet te herhalen in de vervolgrapporten. Bij het opstellen van de rapporten voor het Comité, worden de Staten die Partij zijn uitgenodigd te overwegen daarbij een open en transparante procedure te volgen en zich naar behoren rekenschap te geven van de bepaling vervat in artikel 4, derde lid, van dit Verdrag.
5. In de rapporten kunnen factoren en problemen worden vermeld die van invloed zijn op de mate waarin de verplichtingen uit hoofde van dit Verdrag worden vervuld.

Art. 36 Behandeling van rapporten

1. Elk rapport wordt behandeld door het Comité dat naar aanleiding daarvan suggesties en algemene aanbevelingen kan doen die het relevant acht en deze doen toekomen aan de desbetreffende Staat die Partij is. De Staat die Partij is, kan daarop reageren door door hem geselecteerde informatie te zenden aan het Comité. Het Comité kan de Staten die Partij zijn verzoeken om nadere informatie met betrekking tot de implementatie van dit Verdrag.
2. Indien een Staat die Partij is de termijn voor het indienen van een rapport aanmerkelijk overschreden heeft, kan het Comité de desbetreffende Staat die Partij is in kennis stellen van de noodzaak de implementatie van dit Verdrag in die Staat die Partij is te onderzoeken op grond van betrouwbare informatie waarover het Comité beschikt, indien het desbetreffende rapport niet binnen drie maanden na de kennisgeving wordt ingediend. Het Comité nodigt de desbetreffende Staat die Partij is uit deel te nemen aan dat onderzoek. Indien de Staat die Partij is antwoordt door het desbetreffende rapport in te dienen, zijn de bepalingen van het eerste lid van dit artikel van toepassing.
3. De Secretaris-Generaal van de Verenigde Naties stelt de rapporten ter beschikking aan alle Staten die Partij zijn.
4. De Staten die Partij zijn stellen hun rapport algemeen beschikbaar aan het publiek in hun eigen land en faciliteren de toegang tot suggesties en algemene aanbevelingen met betrekking tot deze rapporten.
5. Indien het dit opportuun acht, zendt het Comité de rapporten van de Staten die Partij zijn aan de gespecialiseerde organisaties, fondsen en programma's van de Verenigde Naties en andere bevoegde organen om daarin vervatte verzoeken om, of meldingen van hun behoefte aan technisch advies of ondersteuning tezamen met eventueel commentaar of aanbevelingen van het Comité ter zake van deze verzoeken of meldingen aan hen voor te leggen.

Art. 37 Samenwerking tussen Staten die Partij zijn en het Comité

Samenwerking tussen verdragsluitende Staten en Comité voor de rechten van personen met een handicap

1. Elke Staat die Partij is werkt samen met het Comité en ondersteunt zijn leden bij de uitvoering van hun mandaat.

2. In hun betrekkingen met de Staten die Partij zijn, besteedt het Comité voldoende aandacht aan de wegen en manieren om de nationale mogelijkheden voor de implementatie van dit Verdrag te verbeteren, onder andere door middel van internationale samenwerking.

Art. 38 Betrekkingen van het Comité met andere organen

Betrekkingen Comité voor de rechten van personen met een handicap met andere organen

Teneinde de daadwerkelijke implementatie van dit Verdrag te bevorderen, en de internationale samenwerking op het terrein waarop dit Verdrag betrekking heeft, aan te moedigen:
a. hebben de gespecialiseerde organisaties en andere organen van de Verenigde Naties het recht vertegenwoordigd te worden bij de behandeling van de implementatie van de bepalingen van dit Verdrag die vallen binnen het kader van hun mandaat. Indien het dat opportuun acht, kan het Comité de gespecialiseerde organisaties en andere bevoegde organen uitnodigen deskundig advies te verstrekken voor de implementatie van het Verdrag op terreinen die vallen binnen het kader van hun onderscheiden mandaten. Het Comité kan gespecialiseerde organisaties en andere organen van de Verenigde Naties uitnodigen rapporten in te dienen over de implementatie van het Verdrag op terreinen die vallen binnen het kader van hun werkzaamheden;
b. kan het Comité bij de uitvoering van zijn mandaat overleggen met andere bevoegde organen die zijn opgericht op grond van internationale mensenrechtenverdragen, teneinde de consistentie van hun onderscheiden rapportagerichtlijnen, suggesties en algemene aanbevelingen te waarborgen en dubbel werk en overlapping bij de vervulling van hun taken te voorkomen.

Art. 39 Rapportage door het Comité

Verslag door Comité voor de rechten van personen met een handicap over rapportages verdragsluitende Staten

Het Comité brengt eenmaal per twee jaar verslag uit aan de Algemene Vergadering en aan de Economische en Sociale Raad en kan suggesties en algemene aanbevelingen doen naar aanleiding van de bestudering van de rapporten en informatie ontvangen van de Staten die Partij zijn. Deze suggesties en algemene aanbevelingen dienen in het rapport van het Comité te worden opgenomen tezamen met het eventuele commentaar van de Staten die Partij zijn.

Conferentie verdragsluitende Staten betreffende implementatie

Art. 40 Conferentie van de Staten die Partij zijn

1. De Staten die Partij zijn komen periodiek bijeen in een Conferentie van de Staten die Partij zijn teneinde aangelegenheden te behandelen met betrekking tot de implementatie van dit Verdrag.
2. Uiterlijk zes maanden na de inwerkingtreding van dit Verdrag wordt de Conferentie van de Staten die Partij zijn bijeengeroepen door de Secretaris-Generaal van de Verenigde Naties. De Secretaris-Generaal van de Verenigde Naties belegt de volgende bijeenkomsten eenmaal per twee jaar of wanneer de Conferentie van de Staten die Partij zijn daartoe besluit.

Aanwijzing depositaris

Art. 41 Depositaris

De Secretaris-Generaal van de Verenigde Naties is depositaris van dit Verdrag.

Ondertekening

Art. 42 Ondertekening

Dit Verdrag staat vanaf 30 maart 2007 op het hoofdkwartier van de Verenigde Naties in New York open voor ondertekening door alle Staten en organisaties voor regionale integratie.

Bekrachtiging en bevestiging

Art. 43 Instemming te worden gebonden

Dit Verdrag dient te worden bekrachtigd door de ondertekenende Staten en formeel te worden bevestigd door de ondertekenende organisaties voor regionale integratie. Het staat open voor toetreding door elke Staat of organisatie voor regionale integratie die het Verdrag niet heeft ondertekend.

Organisaties voor regionale integratie

Art. 44 Organisaties voor regionale integratie

1. Een „organisatie voor regionale integratie" is een organisatie die is opgericht door soevereine Staten van een bepaalde regio waaraan haar lidstaten de bevoegdheid hebben overgedragen ter zake van aangelegenheden waarop dit Verdrag van toepassing is. Dergelijke organisaties leggen in hun akten van formele bevestiging of toetreding vast in welke mate zij bevoegd zijn ter zake van aangelegenheden waarop dit Verdrag van toepassing is. Deze organisaties doen de depositaris tevens mededeling van iedere relevante verandering in de reikwijdte van hun bevoegdheden.
2. Verwijzingen naar „Staten die Partij zijn" in dit Verdrag zijn binnen de reikwijdte van hun bevoegdheid tevens van toepassing op deze organisaties.
3. Voor de toepassing van artikel 45, eerste lid, en artikel 47, tweede en derde lid, worden akten, neergelegd door een organisatie voor regionale integratie, niet meegeteld.
4. Organisaties voor regionale integratie oefenen ter zake van binnen hun bevoegdheid vallende aangelegenheden hun stemrecht bij de Conferentie van de Staten die Partij zijn uit met een aantal stemmen dat gelijk is aan het aantal van hun lidstaten die partij zijn bij dit Verdrag. Bedoelde organisaties oefenen hun stemrecht niet uit indien een van hun lidstaten zijn stemrecht uitoefent, en omgekeerd.

Inwerkingtreding

Art. 45 Inwerkingtreding

1. Dit Verdrag treedt in werking dertig dagen na de nederlegging van de twintigste akte van bekrachtiging of toetreding.
2. Voor elke Staat of organisatie voor regionale integratie die het Verdrag na de nederlegging van de twintigste akte bekrachtigt, formeel bevestigt of ertoe toetreedt, treedt het Verdrag in werking dertig dagen na de nederlegging van zijn akte ter zake.

Voorbehouden

Art. 46 Voorbehouden

1. Voorbehouden die onverenigbaar zijn met het onderwerp en het doel van dit Verdrag zijn niet toegestaan.
2. Voorbehouden kunnen te allen tijde worden ingetrokken.

Wijzigingen

Art. 47 Wijzigingen

1. Elke Staat die Partij is kan een wijziging van dit Verdrag voorstellen en indienen bij de Secretaris-Generaal van de Verenigde Naties. De Secretaris-Generaal deelt voorgestelde wijzigingen mede aan de Staten die Partij zijn met het verzoek hem te berichten of zij een conferentie van de Staten die Partij zijn verlangen, teneinde de voorstellen te bestuderen en daarover te beslissen. Indien, binnen vier maanden na de datum van deze mededeling, ten minste een derde van de Staten die Partij zijn een dergelijke conferentie verlangt, roept de Secretaris-Generaal de vergadering onder auspiciën van de Verenigde Naties bijeen. Wijzigingen die worden aangenomen door een meerderheid van twee derde van de aanwezige Staten die Partij zijn en hun stem uitbrengen, worden door de Secretaris-Generaal voorgelegd aan de Algemene Vergadering en vervolgens ter aanvaarding aan alle Staten die Partij zijn.
2. Een overeenkomstig het eerste lid van dit artikel aangenomen en goedgekeurde wijziging, treedt in werking dertig dagen nadat het aantal neergelegde akten van aanvaarding twee derde bedraagt van het aantal Staten die Partij waren op de datum waarop de wijziging aangenomen werd. De wijziging treedt vervolgens voor elke Staat die Partij is in werking dertig dagen na de datum waarop deze zijn instrument van aanvaarding heeft nedergelegd. Een wijziging is uitsluitend bindend voor de Staten die Partij zijn die haar aanvaard hebben.
3. Indien daartoe bij consensus besloten is door de Conferentie van de Staten die Partij zijn, treedt een wijziging die is aangenomen en goedgekeurd in overeenstemming met het eerste lid van dit artikel en uitsluitend betrekking heeft op de artikelen 34, 38, 39 of 40 voor alle Staten die Partij zijn in werking, dertig dagen nadat het aantal neergelegde akten van aanvaarding

twee derde bedraagt van het aantal Staten die Partij waren op de datum waarop de wijziging werd aangenomen.

Art. 48 Opzegging

Opzegging

Een Staat die Partij is kan dit Verdrag opzeggen door middel van een schriftelijke kennisgeving aan de Secretaris-Generaal van de Verenigde Naties. De opzegging wordt van kracht een jaar na de datum van ontvangst van de kennisgeving door de Secretaris-Generaal.

Art. 49 Toegankelijk format

Beschikbaarstelling tekst

De tekst van dit Verdrag wordt beschikbaar gesteld in toegankelijke formats.

Art. 50 Authentieke teksten

Authentieke teksten

De Arabische, de Chinese, de Engelse, de Franse, de Russische en de Spaanse tekst van dit Verdrag zijn gelijkelijk authentiek.

Inhoudsopgave

CHAPTER I	General Provisions	Art. 1
CHAPTER II	Juridical Status	Art. 12
CHAPTER III	Gainful Employment	Art. 17
CHAPTER IV	Welfare	Art. 20
CHAPTER V	Administrative Measures	Art. 25
CHAPTER VI	Executory and Transitory Provisions	Art. 35
CHAPTER VII	Final Clauses	Art. 38
HOOFDSTUK I	Algemene bepalingen	Art. 1
HOOFDSTUK II	Juridische status	Art. 12
HOOFDSTUK III	Winstgevende arbeid	Art. 17
HOOFDSTUK IV	Welzijn	Art. 20
HOOFDSTUK V	Administratieve maatregelen	Art. 25
HOOFDSTUK VI	Uitvoerings- en overgangsbepalingen	Art. 35
HOOFDSTUK VII	Slotbepalingen	Art. 38

Verdrag betreffende de status van vluchtelingen[1]

Preambule

De HOGE VERDRAGSLUITENDE PARTIJEN,

OVERWEGENDE, dat het Handvest van de Verenigde Naties en de op 10 December 1948 door de Algemene Vergadering goedgekeurde Universele Verklaring van de Rechten van de Mens het beginsel hebben bevestigd, dat de menselijke wezens, zonder onderscheid, de fundamentele rechten van de mens en vrijheden dienen te genieten,

OVERWEGENDE, dat de Verenigde Naties bij verschillende gelegenheden blijk hebben gegeven van haar grote bezorgdheid voor de vluchtelingen en er naar gestreefd hebben de uitoefening van deze fundamentele rechten en vrijheden door de vluchtelingen in de grootst mogelijke mate te verzekeren,

OVERWEGENDE, dat het gewenst is de vroegere internationale overeenkomsten betreffende de status van vluchtelingen te herzien en te bevestigen en aan de toepassing van die overeenkomsten en aan de daarbij verleende bescherming uitbreiding te geven door middel van een nieuwe overeenkomst,

OVERWEGENDE, dat het verlenen van asyl voor bepaalde landen onevenredig grote lasten kan medebrengen en dat derhalve een bevredigende oplossing van een vraagstuk waarvan de Verenigde Naties de internationale omvang en het internationale karakter hebben erkend, niet zonder internationale solidariteit kan worden bereikt,

DE WENS TOT UITDRUKKING BRENGENDE, dat alle Staten, het sociale en humanitaire karakter van het vluchtelingenvraagstuk erkennende, al het mogelijke zullen doen om te voorkomen, dat dit vraagstuk een oorzaak van spanningen tussen Staten wordt,

ER VAN KENNIS NEMENDE, dat de Hoge Commissaris van de Verenigde Naties voor de Vluchtelingen belast is met het toezicht op de toepassing van internationale verdragen welke voorzien in de bescherming van vluchtelingen, en erkennende, dat de doeltreffende coördinatie van de maatregelen welke worden genomen om dit vraagstuk op te lossen, zal afhangen van de samenwerking van de Staten met de Hoge Commissaris,

ZIJN HET VOLGENDE OVEREENGEKOMEN:

HOOFDSTUK I
Algemene bepalingen

Art. 1 Definitie van de term „vluchteling"

Begripsbepalingen

A. Voor de toepassing van dit Verdrag geldt als „vluchteling" elke persoon:

(1) Die krachtens de Regelingen van 12 Mei 1926 en 30 Juni 1928 of krachtens de Overeenkomsten van 28 October 1933 en 10 Februari 1938, het Protocol van 14 September 1939 of het Statuut van de Internationale Vluchtelingenorganisatie als vluchteling werd beschouwd.

De door de Internationale Vluchtelingenorganisatie gedurende haar mandaat genomen beslissingen waarbij personen niet in aanmerking werden gebracht voor de bescherming en de hulp van die organisatie, vormen geen belemmering voor het verlenen van de status van vluchteling aan personen die aan de voorwaarden van lid 2 van deze afdeling voldoen;

(2) Die, ten gevolge van gebeurtenissen welke vóór 1 Januari 1951 hebben plaats gevonden, en uit gegronde vrees voor vervolging wegens zijn ras, godsdienst, nationaliteit, het behoren tot een bepaalde sociale groep of zijn politieke overtuiging, zich bevindt buiten het land waarvan hij de nationaliteit bezit, en die de bescherming van dat land niet kan of, uit hoofde van bovenbedoelde vrees, niet wil inroepen, of die, indien hij geen nationaliteit bezit en ten gevolge van bovenbedoelde gebeurtenissen verblijft buiten het land waar hij vroeger zijn gewone verblijfplaats had, daarheen niet kan of, uit hoofde van bovenbedoelde vrees, niet wil terugkeren.

Indien een persoon meer dan één nationaliteit bezit, betekent de term „het land waarvan hij de nationaliteit bezit" elk van de landen waarvan hij de nationaliteit bezit. Een persoon wordt niet geacht van de bescherming van het land waarvan hij de nationaliteit bezit, verstoken te zijn, indien hij, zonder geldige redenen ingegeven door gegronde vrees, de bescherming van één van de landen waarvan hij de nationaliteit bezit, niet inroept.

B.

(1) Voor de toepassing van dit Verdrag betekenen in artikel 1, afdeling A, de woorden „gebeurtenissen welke vóór 1 Januari 1951 hebben plaats gevonden" hetzij

(a) „gebeurtenissen welke vóór 1 Januari 1951 in Europa hebben plaats gevonden"; hetzij

1 Inwerkingtredingsdatum: 01-08-1956.

(b) „gebeurtenissen welke vóór 1 Januari 1951 in Europa of elders hebben plaats gevonden"; elke Verdragsluitende Staat zal bij de ondertekening, bekrachtiging of toetreding een verklaring afleggen, waarin wordt te kennen gegeven, welke van deze omschrijvingen hij voornemens is toe te passen met betrekking tot zijn verplichtingen krachtens dit Verdrag.
(2) Elke Verdragsluitende Staat die de omschrijving *(a)* heeft aanvaard, kan te allen tijde door middel van een kennisgeving aan de Secretaris-Generaal van de Verenigde Naties zijn verplichtingen uitbreiden door omschrijving *(b)* te aanvaarden.

Werkingssfeer

C. Dit Verdrag houdt op van toepassing te zijn op elke persoon die valt onder de bepalingen van afdeling A, indien:
(1) Hij vrijwillig wederom de bescherming inroept van het land waarvan hij de nationaliteit bezit;
(2) Hij, indien hij zijn nationaliteit had verloren, deze vrijwillig heeft herkregen;
(3) Hij een nieuwe nationaliteit heeft verkregen en de bescherming geniet van het land waarvan hij de nieuwe nationaliteit bezit;
(4) Hij zich vrijwillig opnieuw heeft gevestigd in het land dat hij had verlaten of waarbuiten hij uit vrees voor vervolging verblijf hield;
(5) Hij niet langer kan blijven weigeren de bescherming van het land waarvan hij de nationaliteit bezit, in te roepen, omdat de omstandigheden in verband waarmede hij was erkend als vluchteling, hebben opgehouden te bestaan;
Met dien verstande echter, dat dit lid niet van toepassing is op een vluchteling die onder lid 1 van afdeling A van dit artikel valt, en die dwingende redenen, voortvloeiende uit vroegere vervolging, kan aanvoeren om te weigeren de bescherming van het land waarvan hij de nationaliteit bezit, in te roepen;
(6) Hij, indien hij geen nationaliteit bezit, kan terugkeren naar het land waar hij vroeger zijn gewone verblijfplaats had, omdat de omstandigheden in verband waarmede hij was erkend als vluchteling, hebben opgehouden te bestaan;
Met dien verstande echter, dat dit lid niet van toepassing is op een vluchteling die onder lid 1 van afdeling A van dit artikel valt, en die dwingende redenen, voortvloeiende uit vroegere vervolging, kan aanvoeren om te weigeren naar het land waar hij vroeger zijn gewone verblijfplaats had, terug te keren.
D. Dit Verdrag is niet van toepassing op personen die thans bescherming of bijstand genieten van andere organen of instellingen van de Verenigde Naties dan van de Hoge Commissaris van de Verenigde Naties voor de Vluchtelingen.
Wanneer deze bescherming of bijstand om welke reden ook is opgehouden, zonder dat de positie van zodanige personen definitief geregeld is in overeenstemming met de desbetreffende resoluties van de Algemene Vergadering van de Verenigde Naties, zullen deze personen van rechtswege onder dit Verdrag vallen.
E. Dit Verdrag is niet van toepassing op een persoon die door de bevoegde autoriteiten van het land waar hij zich heeft gevestigd, beschouwd wordt de rechten en verplichtingen te hebben, aan het bezit van de nationaliteit van dat land verbonden.
F. De bepalingen van dit Verdrag zijn niet van toepassing op een persoon ten aanzien van wie er ernstige redenen zijn om te veronderstellen, dat:
(a) hij een misdrijf tegen de vrede, een oorlogsmisdrijf of een misdrijf tegen de menselijkheid heeft begaan, zoals omschreven in de internationale overeenkomsten welke zijn opgesteld om bepalingen met betrekking tot deze misdrijven in het leven te roepen;
(b) hij een ernstig, niet-politiek misdrijf heeft begaan buiten het land van toevlucht, voordat hij tot dit land als vluchteling is toegelaten;
(c) hij zich schuldig heeft gemaakt aan handelingen welke in strijd zijn met de doelstellingen en beginselen van de Verenigde Naties.

Art. 2 Algemene verplichtingen

Vluchteling, plichten

Elke vluchteling heeft plichten tegenover het land waarin hij zich bevindt. Deze plichten brengen in het bijzonder mede, dat de vluchteling zich houdt zowel aan de wetten en voorschriften als aan de maatregelen, genomen voor de handhaving van de openbare orde.

Art. 3 Non-discriminatie

Vluchteling, non-discriminatiebeginsel

De Verdragsluitende Staten zullen zonder onderscheid naar ras, godsdienst of land van herkomst de bepalingen van dit Verdrag op vluchtelingen toepassen.

Art. 4 Godsdienst

Vluchteling, vrijheid van godsdienst

De Verdragsluitende Staten zullen de vluchtelingen op hun grondgebied ten minste even gunstig behandelen als hun onderdanen, wat betreft de vrijheid tot uitoefening van hun godsdienst en de vrijheid ten aanzien van de godsdienstige opvoeding van hun kinderen.

Art. 5 Rechten onafhankelijk van dit Verdrag verleend

Vluchteling, geen inbreuk op andere rechten

Geen der bepalingen van dit Verdrag maakt inbreuk op de rechten en voordelen, welke door een Verdragsluitende Staat onafhankelijk van dit Verdrag aan vluchtelingen zijn verleend.

Art. 6 De term „onder dezelfde omstandigheden"

Voor de toepassing van dit Verdrag houdt de term „onder dezelfde omstandigheden" in, dat een vluchteling voor de uitoefening van een recht moet voldoen aan alle eisen (waaronder begrepen die betreffende de duur van en de voorwaarden voor tijdelijk verblijf of vestiging) waaraan hij zou moeten voldoen indien hij geen vluchteling was, met uitzondering van de eisen waaraan, wegens hun aard, een vluchteling niet kan voldoen.

Vluchteling, definitie 'onder dezelfde omstandigheden'

Art. 7 Vrijstelling van de voorwaarde van wederkerigheid

Vluchteling, vrijstelling van voorwaarde van wederkerigheid

1. Behoudens de gevallen dat dit Verdrag gunstiger bepalingen bevat, zal een Verdragsluitende Staat vluchtelingen op dezelfde wijze behandelen als vreemdelingen in het algemeen.
2. Na een driejarig verblijf genieten alle vluchtelingen vrijstelling van de voorwaarde van wettelijke wederkerigheid op het grondgebied van de Verdragsluitende Staten.
3. Elke Verdragsluitende Staat zal aan vluchtelingen de rechten en voordelen blijven toekennen waarop dezen, bij het ontbreken van de voorwaarde van wederkerigheid, reeds recht hadden op de datum van inwerkingtreding van dit Verdrag voor die Staat.
4. De Verdragsluitende Staten zullen in welwillende overweging nemen om aan vluchtelingen, bij het ontbreken van de voorwaarde van wederkerigheid, rechten en voordelen te verlenen buiten die waarop zij krachtens lid 2 en 3 aanspraak kunnen maken, alsmede om de vrijstelling van de voorwaarde van wederkerigheid uit te strekken tot vluchtelingen die niet aan de in lid 2 en 3 bedoelde voorwaarden voldoen.
5. De bepalingen van lid 2 en 3 zijn zowel van toepassing op de rechten en voordelen, bedoeld in de artikelen 13, 18, 19, 21 en 22 van dit Verdrag, als op de rechten en voordelen, waarin dit Verdrag niet voorziet.

Art. 8 Vrijstelling van buitengewone maatregelen

De Verdragsluitende Staten zullen de buitengewone maatregelen welke kunnen worden, genomen tegen de persoon, de goederen of de belangen van onderdanen van een vreemde Staat, niet enkel op grond van de nationaliteit toepassen op een vluchteling die formeel een onderdaan is van die Staat. De Verdragsluitende Staten die krachtens hun wetgeving niet het in dit artikel neergelegde algemene beginsel kunnen toepassen, zullen in de daarvoor in aanmerking komende gevallen vrijstelling ten gunste van zodanige vluchtelingen verlenen.

Vluchteling, vrijstelling van buitengewone maatregelen

Art. 9 Voorlopige maatregelen

Geen der bepalingen van dit Verdrag vormt een belemmering voor een Verdragsluitende Staat om, in tijd van oorlog of andere ernstige en buitengewone omstandigheden, ten aanzien van een bepaald persoon de voorlopige maatregelen te nemen, welke deze Staat noodzakelijk acht voor zijn nationale veiligheid, in afwachting van de vaststelling door de Verdragsluitende Staat, dat die persoon werkelijk een vluchteling is en dat de handhaving van die maatregelen te zijnen aanzien noodzakelijk is in het belang van de nationale veiligheid.

Vluchteling, maatregelen in belang van nationale veiligheid

Art. 10 Ononderbroken verblijf

Vluchteling, ononderbroken verblijf op grondgebied Verdragsluitende Staat

1. Wanneer een vluchteling gedurende de Tweede Wereldoorlog is gedeporteerd en overgebracht naar het grondgebied van een Verdragsluitende Staat en aldaar verblijft, wordt de periode van een zodanig gedwongen tijdelijk verblijf beschouwd als rechtmatig verblijf op dat grondgebied.
2. Wanneer een vluchteling gedurende de Tweede Wereldoorlog is gedeporteerd uit het grondgebied van een Verdragsluitende Staat en vóór de datum van inwerkingtreding van dit Verdrag daarheen is teruggekeerd teneinde aldaar te verblijven, wordt de periode van verblijf vóór en na deze gedwongen verplaatsing, voor alle doeleinden waarvoor ononderbroken verblijf is vereist, beschouwd als één enkele ononderbroken periode.

Art. 11 Vluchtelingen-zeelieden

Indien vluchtelingen geregeld als schepeling dienst doen aan boord van een schip dat de vlag voert van een Verdragsluitende Staat, zal die Staat in welwillende overweging nemen om hen toe te staan zich op zijn grondgebied te vestigen en om hun reisdocumenten te verstrekken of hen tijdelijk toe te laten op zijn grondgebied, in het bijzonder teneinde hun vestiging in een ander land te vergemakkelijken.

Vluchteling, zeelieden

HOOFDSTUK II
Juridische status

Art. 12 Persoonlijke staat

Vluchteling, persoonlijke staat

1. De persoonlijke staat van een vluchteling wordt beheerst door de wet van het land van zijn woonplaats, of, indien hij geen woonplaats heeft, van het land van zijn verblijf.
2. De rechten welke een vluchteling vroeger heeft verkregen en welke uit de persoonlijke staat voortvloeien, in het bijzonder de rechten, voortvloeiende uit het huwelijk, zullen door een Verdragsluitende Staat worden geëerbiedigd, behoudens dat, zo nodig, de vluchteling de door de wet van die Staat vereiste formaliteiten moet vervullen. Deze bepaling is alleen van toepassing op rechten welke door de wet van die Staat zouden zijn erkend indien de betrokkene geen vluchteling was geworden.

Art. 13 Roerende en onroerende goederen

Vluchteling, verkrijging roerende/onroerende goederen

De Verdragsluitende Staten zullen een vluchteling zo gunstig mogelijk behandelen en in elk geval niet minder gunstig dan vreemdelingen in het algemeen onder dezelfde omstandigheden, wat betreft het verkrijgen van roerende en onroerende goederen en andere daarop betrekking hebbende rechten, alsmede huur en andere overeenkomsten betreffende roerende en onroerende goederen.

Art. 14 Auteursrechten en industriële eigendom

Vluchteling, bescherming industriële eigendom en auteursrecht

Wat betreft de bescherming van de industriële eigendom, zoals uitvindingen, ontwerpen en modellen, handelsmerken, handelsnamen en de rechten op werken van letterkunde, kunst en wetenschap, geniet een vluchteling in het land waar hij zijn gewone verblijfplaats heeft, dezelfde bescherming als de onderdanen van dat land. Op het grondgebied van elke andere Verdragsluitende Staat geniet hij dezelfde bescherming als op dat grondgebied wordt verleend aan de onderdanen van het land waar hij zijn gewone verblijfplaats heeft.

Art. 15 Recht van vereniging

Vluchteling, recht van vereniging

Wat betreft niet-politieke verenigingen, verenigingen zonder het oogmerk om winst te maken en vakverenigingen, zullen de Verdragsluitende Staten aan de rechtmatig op hun grondgebied verblijvende vluchtelingen de meest gunstige behandeling verlenen, welke wordt toegekend aan onderdanen van een vreemd land onder dezelfde omstandigheden.

Art. 16 Rechtsingang

Vluchteling, rechtsingang

1. Een vluchteling heeft het genot van rechtsingang op het grondgebied van alle Verdragsluitende Staten.

2. Een vluchteling geniet in de Verdragsluitende Staat waar hij zijn gewone verblijfplaats heeft, dezelfde behandeling als een onderdaan, wat betreft rechtsingang, waaronder begrepen rechtsbijstand en vrijstelling van de *cautio judicatum solvi*.

3. In andere Verdragsluitende Staten dan die waar hij zijn gewone verblijfplaats heeft, geniet een vluchteling, wat betreft de in lid 2 bedoelde aangelegenheden, dezelfde behandeling als een onderdaan van het land waar hij zijn gewone verblijfplaats heeft.

HOOFDSTUK III
Winstgevende arbeid

Art. 17 Loonarbeid

Vluchteling, recht op verrichten loonarbeid

1. De Verdragsluitende Staten zullen aan de rechtmatig op hun grondgebied verblijvende vluchtelingen de meest gunstige behandeling verlenen, welke wordt toegekend aan onderdanen van een vreemd land onder dezelfde omstandigheden, wat betreft het recht om loonarbeid te verrichten.

2. In geen geval zullen de beperkende maatregelen welke voor vreemdelingen of voor de tewerkstelling van vreemdelingen ter bescherming van de nationale arbeidsmarkt gelden, worden toegepast op een vluchteling die er reeds van was vrijgesteld op de datum van inwerkingtreding van dit Verdrag voor de betrokken Verdragsluitende Staat, of die aan één van de volgende voorwaarden voldoet:

(a) dat hij reeds drie jaren in het land verblijft;

(b) dat hij gehuwd is met een persoon, die de nationaliteit bezit van het land waar hij verblijft. Een vluchteling kan zich niet op deze bepaling beroepen ingeval hij de bedoelde persoon heeft verlaten;

(c) dat hij één of meer kinderen heeft, die de nationaliteit bezitten van het land waar hij verblijft.

3. De Verdragsluitende Staten zullen in welwillende overweging nemen, de rechten van alle vluchtelingen met betrekking tot loonarbeid gelijk te stellen met die van hun onderdanen en in het bijzonder van die vluchtelingen die hun grondgebied zijn binnengekomen ingevolge programma's van aanwerving van arbeidskrachten of ingevolge immigratieplannen.

Art. 18 Zelfstandige beroepen

Vluchteling, recht op uitoefenen zelfstandig beroep

De Verdragsluitende Staten zullen een rechtmatig op hun grondgebied verblijvende vluchteling zo gunstig mogelijk behandelen en in elk geval niet minder gunstig dan vreemdelingen in het algemeen onder dezelfde omstandigheden, wat betreft het recht om voor eigen rekening in landbouw, industrie, ambacht en handel werkzaam te zijn en commerciële of industriële vennootschappen op te richten.

Art. 19 Vrije beroepen

Vluchteling, recht op uitoefenen vrij beroep

1. Elke Verdragsluitende Staat zal de rechtmatig op zijn grondgebied verblijvende vluchtelingen die houders zijn van diploma's welke door de bevoegde autoriteiten van die Staat worden erkend, en die een vrij beroep wensen uit te oefenen, zo gunstig mogelijk behandelen en in elk geval niet minder gunstig dan vreemdelingen in het algemeen onder dezelfde omstandigheden.

2. De Verdragsluitende Staten zullen al het mogelijke doen, overeenkomstig hun wetten en grondwetten, om de vestiging van zodanige vluchtelingen in gebieden buiten het moederland, voor welker internationale betrekkingen zij verantwoordelijk zijn, te verzekeren.

HOOFDSTUK IV
Welzijn

Art. 20 Distributie

Vluchteling, distributie schaarse goederen

Wanneer een distributie-stelsel bestaat, dat op de gehele bevolking van toepassing is en de algemene verdeling van schaarse goederen regelt, zullen de vluchtelingen op dezelfde wijze worden behandeld als de onderdanen.

Art. 21 Huisvesting

Vluchteling, huisvesting

Wat de huisvesting betreft, zullen de Verdragsluitende Staten, voor zover deze aangelegenheid geregeld is bij de wet of door voorschriften dan wel onderworpen is aan overheidstoezicht, de rechtmatig op hun grondgebied verblijvende vluchtelingen zo gunstig mogelijk behandelen en in elk geval niet minder gunstig dan vreemdelingen in het algemeen onder dezelfde omstandigheden.

Art. 22 Openbaar onderwijs

Vluchteling, onderwijs en studie

1. De Verdragsluitende Staten zullen, wat het lager onderwijs betreft, de vluchtelingen op dezelfde wijze behandelen als de onderdanen.

2. De Verdragsluitende Staten zullen de vluchtelingen zo gunstig mogelijk behandelen en in elk geval niet minder gunstig dan vreemdelingen in het algemeen onder dezelfde omstandigheden, wat betreft de andere categorieën van onderwijs dan lager onderwijs en, in het bijzonder, wat betreft de toelating tot de studie, de erkenning van buitenlandse schoolcertificaten, universitaire diploma's en graden, de vermindering van studiegelden en de toekenning van beurzen.

Art. 23 Ondersteuning van overheidswege

Vluchteling, overheidssteun levensonderhoud

De Verdragsluitende Staten zullen de rechtmatig op hun grondgebied verblijvende vluchtelingen, wat de ondersteuning en bijstand van overheidswege ter voorziening in het levensonderhoud betreft, op dezelfde wijze als hun onderdanen behandelen.

Art. 24 Arbeidswetgeving en sociale zekerheid

Vluchteling, arbeid en sociale zekerheid

1. De Verdragsluitende Staten zullen de rechtmatig op hun grondgebied verblijvende vluchtelingen op dezelfde wijze behandelen als de onderdanen, wat de volgende aangelegenheden betreft:

(a) Voor zover deze aangelegenheden zijn geregeld bij de wet of door voorschriften dan wel onderworpen zijn aan overheidstoezicht: beloning, niet inbegrip van gezinsuitkeringen welke daarvan deel uitmaken, werktijden, overwerk, betaald verlof, beperking van huisarbeid, minimum-leeftijd voor arbeid in loondienst, leerlingenstelsel en vakopleiding, arbeid van vrouwen en jeugdige personen, en aanspraken uit collectieve arbeidsovereenkomsten;

(b) Sociale zekerheid (wettelijke voorschriften betreffende arbeidsongevallen, beroepsziekten, moederschap, ziekte, invaliditeit, ouderdom, overlijden, werkloosheid, gezinslasten en elk ander risico dat, overeenkomstig de nationale wetgeving, valt onder een stelsel van sociale zekerheid), behoudens:

i) Passende regelingen voor de handhaving van verkregen rechten en van rechten welker verkrijging een aanvang heeft genomen;

ii) Bijzondere, door de nationale wetgeving van het land van verblijf voorgeschreven regelingen betreffende uitkeringen of gedeeltelijke uitkeringen, geheel betaalbaar uit openbare geldmiddelen, alsmede uitkeringen, gedaan aan hen die niet voldoen aan de voor de toekenning van een normale uitkering gestelde voorwaarden inzake bijdragen.

2. Het recht op schadeloosstelling wegens het overlijden van een vluchteling, veroorzaakt door een arbeidsongeval of een beroepsziekte, wordt niet aangetast door het feit, dat de rechthebbende buiten het grondgebied van de Verdragsluitende Staat is gevestigd.

3. De Verdragsluitende Staten zullen de voordelen van tussen hen gesloten of nog te sluiten overeenkomsten betreffende de handhaving van verkregen rechten of van rechten welker verkrijging een aanvang heeft genomen op het gebied van sociale zekerheid, uitstrekken tot vluchtelingen, voor zover deze voldoen aan de voorwaarden, gesteld aan de onderdanen van de Staten die partij zijn bij de overeenkomsten in kwestie.

4. De Verdragsluitende Staten zullen in welwillende overweging nemen om, voor zover mogelijk, de voordelen van soortgelijke overeenkomsten welke van kracht zijn of zullen worden tussen deze Verdragsluitende Staten en niet-Verdragsluitende Staten, uit te strekken tot vluchtelingen.

HOOFDSTUK V
Administratieve maatregelen

Art. 25 Administratieve bijstand

Vluchteling, administratieve bijstand

1. Wanneer de uitoefening van een recht door een vluchteling normaal de medewerking zou vereisen van buitenlandse autoriteiten op wie hij geen beroep kan doen, zullen de Verdragsluitende Staten op wier grondgebied hij verblijft, zorg dragen, dat zodanige medewerking hem wordt verleend door hun eigen autoriteiten of door een internationale autoriteit.

2. De in lid 1 bedoelde autoriteit of autoriteiten zullen aan vluchtelingen de documenten of verklaringen verstrekken of onder haar toezicht doen verstrekken, welke normaal aan vreemdelingen zouden worden verstrekt door of door tussenkomst van hun nationale autoriteiten.
3. De aldus verstrekte documenten of verklaringen zullen strekken tot vervanging van de officiële bewijsstukken welke aan vreemdelingen door of door tussenkomst van hun nationale autoriteiten worden afgegeven, en zullen geloof verdienen behoudens tegenbewijs.
4. Onverminderd de uitzonderingen welke ten gunste van behoeftigen worden toegestaan, mogen de in dit artikel genoemde diensten worden belast; maar deze heffingen moeten matig zijn en evenredig aan die welke aan de onderdanen voor soortgelijke diensten worden opgelegd.
5. De bepalingen van dit artikel doen geen afbreuk aan de artikelen 27 en 28.

Art. 26 Bewegingsvrijheid

Vluchteling, bewegingsvrijheid

Elke Verdragsluitende Staat zal aan de rechtmatig op zijn grondgebied vertoevende vluchtelingen het recht verlenen er hun verblijf te kiezen en zich vrij op dat grondgebied te bewegen, onverminderd de voorschriften welke op vreemdelingen in het algemeen van toepassing zijn onder dezelfde omstandigheden.

Art. 27 Identiteitspapieren

Vluchteling, identiteitspapieren

De Verdragsluitende Staten zullen identiteitspapieren verstrekken aan elke vluchteling op hun grondgebied, die niet in het bezit is van een geldig reisdocument.

Art. 28 Reisdocumenten

Vluchteling, reisdocumenten

1. De Verdragsluitende Staten zullen aan de rechtmatig op hun grondgebied verblijvende vluchtelingen reisdocumenten verstrekken voor het reizen buiten dat grondgebied, tenzij dwingende redenen van nationale veiligheid of openbare orde zich daartegen verzetten; de bepalingen van de Bijlage van dit Verdrag zijn van toepassing op deze documenten. De Verdragsluitende Staten kunnen een zodanig reisdocument verstrekken aan elke andere vluchteling op hun grondgebied; in het bijzonder zullen zij in welwillende overweging nemen, een zodanig reisdocument te verstrekken aan vluchtelingen op hun grondgebied, die niet in staat zijn een reisdocument te verkrijgen van het land van hun rechtmatig verblijf.
2. De reisdocumenten welke krachtens vroegere internationale overeenkomsten door partijen daarbij aan vluchtelingen zijn verstrekt, zullen door de Verdragsluitende Staten worden erkend en behandeld alsof zij krachtens dit artikel aan de vluchtelingen waren verstrekt.

Art. 29 Fiscale lasten

Vluchteling, belastingen

1. De Verdragsluitende Staten zullen vluchtelingen niet aan andere of hogere rechten, heffingen of belastingen, van welke benaming ook, onderwerpen dan die welke worden of kunnen worden geheven ten aanzien van hun onderdanen in soortgelijke omstandigheden.
2. Geen der bepalingen van het voorgaand lid vormt een belemmering voor de toepassing op vluchtelingen van de wetten en voorschriften betreffende de heffingen met betrekking tot de verstrekking aan vreemdelingen van administratieve documenten, waaronder begrepen identiteitspapieren.

Art. 30 Transfer van activa

Vluchteling, overmaken van activa

1. Elke Verdragsluitende Staat zal, overeenkomstig zijn wetten en voorschriften, aan vluchtelingen toestaan de activa welke zij binnen zijn grondgebied hebben gebracht, over te maken naar een ander land waar zij zijn toegelaten om zich opnieuw te vestigen.
2. Elke Verdragsluitende Staat zal de verzoeken in welwillende overweging nemen, welke worden ingediend door vluchtelingen om toestemming te verkrijgen alle andere activa over te maken, welke noodzakelijk zijn voor hun nieuwe vestiging in een ander land waar zij zijn toegelaten.

Art. 31 Illegale vluchtelingen in het land van toevlucht

Vluchteling, illegaal

1. De Verdragsluitende Staten zullen geen strafsancties, op grond van onrechtmatige binnenkomst of onrechtmatig verblijf, toepassen op vluchtelingen die, rechtstreeks komend van een grondgebied waar hun leven of vrijheid in de zin van artikel 1 werd bedreigd, zonder toestemming hun grondgebied binnenkomen of zich aldaar bevinden, mits zij zich onverwijld bij de autoriteiten melden en deze overtuigen, dat zij geldige redenen hebben voor hun onrechtmatige binnenkomst of onrechtmatige aanwezigheid.
2. De Verdragsluitende Staten zullen de bewegingsvrijheid van zodanige vluchtelingen niet verder beperken dan noodzakelijk; deze beperkingen zullen alleen worden toegepast totdat hun status in het land van toevlucht is geregeld of totdat zij er in geslaagd zijn toegelaten te worden in een ander land. De Verdragsluitende Staten zullen aan deze vluchtelingen een redelijk uitstel, alsmede de nodige faciliteiten, verlenen teneinde toelating te verkrijgen in een ander land.

Art. 32 Uitzetting

Vluchteling, uitzetting

1. De Verdragsluitende Staten zullen een rechtmatig op hun grondgebied vertoevende vluchteling niet uitzetten behoudens om redenen van nationale veiligheid of openbare orde.
2. De uitzetting van een zodanige vluchteling zal alleen mogen plaats vinden ter uitvoering van een besluit dat is genomen in overeenstemming met de wettelijk voorziene procedure. Behoudens indien dwingende redenen van nationale veiligheid zich daartegen verzetten, is het

de vluchteling toegestaan bewijs over te leggen om zich vrij te pleiten, alsmede zich te wenden tot een bevoegde autoriteit en zich te dien einde te doen vertegenwoordigen bij die autoriteit of bij één of meer speciaal door die bevoegde autoriteit aangewezen personen.

3. De Verdragsluitende Staten zullen een zodanige vluchteling een redelijk uitstel gunnen teneinde hem in staat te stellen te pogen in een ander land rechtmatig toegelaten te worden. De Verdragsluitende Staten behouden het recht, gedurende dat uitstel, zodanige interne maatregelen toe te passen als zij noodzakelijk achten.

Art. 33 Verbod tot uitzetting of terugleiding („refoulement")

Vluchteling, verbod op uitzetting/terugleiding

1. Geen der Verdragsluitende Staten zal, op welke wijze ook, een vluchteling uitzetten of terugleiden naar de grenzen van een grondgebied waar zijn leven of vrijheid bedreigd zou worden op grond van zijn ras, godsdienst, nationaliteit, het behoren tot een bepaalde sociale groep of zijn politieke overtuiging.

2. Op de voordelen van deze bepaling kan evenwel geen aanspraak worden gemaakt door een vluchteling ten aanzien van wie er ernstige redenen bestaan hem te beschouwen als een gevaar voor de veiligheid van het land waar hij zich bevindt, of die, bij gewijsde veroordeeld wegens een bijzonder ernstig misdrijf, een gevaar oplevert voor de gemeenschap van dat land.

Art. 34 Naturalisatie

Vluchteling, naturalisatie

De Verdragsluitende Staten zullen, voor zover mogelijk, de assimilatie en naturalisatie van vluchtelingen vergemakkelijken. Zij zullen in het bijzonder er naar streven de naturalisatieprocedure te bespoedigen en de tarieven en kosten van deze procedure zoveel mogelijk te verminderen.

HOOFDSTUK VI
Uitvoerings- en overgangsbepalingen

Art. 35 Samenwerking van de nationale autoriteiten met de Verenigde Naties

Uitvoeringsbepalingen

1. De Verdragsluitende Staten verbinden zich om met het Bureau van de Hoge Commissaris van de Verenigde Naties voor de Vluchtelingen, of elke andere organisatie van de Verenigde Naties die het mocht opvolgen, samen te werken in de uitoefening van zijn functie en zullen in het bijzonder zijn taak om toe te zien op de toepassing van de bepalingen van dit Verdrag vergemakkelijken.

2. Teneinde het Bureau van de Hoge Commissaris of elke andere organisatie van de Verenigde Naties die het mocht opvolgen, in staat te stellen rapporten in te dienen bij de bevoegde organen van de Verenigde Naties, verbinden de Verdragsluitende Staten zich om aan eerstgenoemde organisaties in de daarvoor in aanmerking komende vorm de gevraagde inlichtingen en statistische gegevens te verschaffen betreffende:

(a) de status van vluchtelingen;
(b) de tenuitvoerlegging van dit Verdrag;
(c) de wetten, voorschriften en besluiten, welke met betrekking tot vluchtelingen van kracht zijn of van kracht zullen worden.

Art. 36 Inlichtingen betreffende de nationale wetten en voorschriften

De Verdragsluitende Staten zullen aan de Secretaris-Generaal van de Verenigde Naties mededeling doen van de wetten en voorschriften, welke zij mochten aannemen om de toepassing van dit Verdrag te verzekeren.

Art. 37 Betrekking tot vroegere overeenkomsten

Overgangsbepalingen

Onverminderd de bepalingen van artikel 28, lid 2, vervangt dit Verdrag tussen de daarbij aangesloten partijen de Regelingen van 5 Juli 1922, 31 Mei 1924, 12 Mei 1926, 30 Juni 1928 en 30 Juli 1935, de Overeenkomsten van 28 October 1933 en 10 Februari 1938, het Protocol van 14 September 1939 en de Overeenkomst van 15 October 1946.

HOOFDSTUK VII
Slotbepalingen

Art. 38 Beslechting van geschillen

Slotbepalingen

Elk geschil tussen partijen bij dit Verdrag betreffende de uitlegging of toepassing daarvan, hetwelk niet op andere wijze kan worden beslecht, zal op verzoek van één van de partijen bij het geschil worden voorgelegd aan het Internationale Gerechtshof.

Art. 39 Ondertekening, bekrachtiging en toetreding

1. Dit Verdrag staat op 28 Juli 1951 te Genève open voor ondertekening en zal nadien worden nedergelegd bij de Secretaris-Generaal van de Verenigde Naties. Het zal op het Europees Bureau van de Verenigde Naties voor ondertekening; openstaan van 28 Juli tot 31 Augustus 1951, terwijl het opnieuw voor ondertekening zal worden opengesteld op de Zetel van de Verenigde Naties van 17 September 1951 tot 31 December 1952.

2. Dit Verdrag staat voor ondertekening open voor alle Staten-Leden van de Verenigde Naties, alsmede voor elke andere Staat die werd uitgenodigd voor de Diplomatieke Conferentie betreffende de status van vluchtelingen en staatloze personen, dan wel tot wie de Algemene Vergadering een uitnodiging tot ondertekenen zal hebben gericht. Het zal worden bekrachtigd en de akten van bekrachtiging zullen worden nedergelegd bij de Secretaris-Generaal van de Verenigde Naties.

3. Dit Verdrag staat van 28 Juli 1951 af open voor toetreding door de Staten, bedoeld in lid 2 van dit artikel. Toetreding zal plaats vinden door de neder legging van een akte van toetreding bij de Secretaris-Generaal van de Verenigde Naties.

Art. 40 Territoriale toepassingsclausule

1. Iedere Staat mag bij de ondertekening, bekrachtiging of toetreding verklaren, dat dit Verdrag eveneens van toepassing is op het geheel of een deel der grondgebieden voor welker internationale betrekkingen die Staat verantwoordelijk is. Een zodanige verklaring zal van kracht worden op het ogenblik van inwerkingtreding van het Verdrag voor de betrokken Staat.

2. Te allen tijde nadien zal een zodanige uitbreiding geschieden door middel van een tot de Secretaris-Generaal van de Verenigde Naties gerichte kennisgeving en van kracht worden op de negentigste dag, volgend op de datum waarop de Secretaris-Generaal van de Verenigde Naties de kennisgeving heeft ontvangen of op de datum van inwerkingtreding van het Verdrag voor de betrokken Staat, indien deze datum later is.

3. Wat betreft de grondgebieden waarop dit Verdrag bij de ondertekening, bekrachtiging of toetreding niet van toepassing is, zal elke betrokken Staat de mogelijkheid onderzoeken om zo spoedig mogelijk de nodige maatregelen te nemen teneinde de toepassing van dit Verdrag uit te breiden tot bedoelde gebieden, behoudens de toestemming der regeringen van deze gebieden, in de gevallen waarin zulks om constitutionele redenen vereist mocht zijn.

Art. 41 Federale clausule

In het geval van een federale of niet-eenheidsstaat, zijn de volgende bepalingen van toepassing:

(a) Wat betreft de artikelen van dit Verdrag, welke vallen binnen de wetgevende bevoegdheid van de federale wetgevende macht zullen de verplichtingen van de federale Regering in dit opzicht dezelfde zijn als die van de Partijen die geen federale Staten zijn;

(b) Wat betreft de artikelen van dit Verdrag, welke vallen binnen de wetgevende bevoegdheid van de samenstellende staten, provincies of kantons, die krachtens het constitutionele stelsel van de federatie niet gehouden zijn wetgevende maatregelen te nemen, zal de federale Regering bedoelde artikelen zo spoedig mogelijk met een gunstige aanbeveling ter kennis brengen van de bevoegde autoriteiten der staten, provincies of kantons;

(c) Een federale Staat die partij is bij dit Verdrag, zal, op het door tussenkomst van de Secretaris-Generaal van de Verenigde Naties overgebrachte verzoek van enige andere Verdragsluitende Staat, een verklaring verstrekken van de in de federatie en haar samenstellende delen geldende wetten en gebruiken met betrekking tot enige bepaling van het Verdrag, waaruit blijkt in hoeverre door een wettelijke of andere maatregel uitvoering is gegeven aan die bepaling.

Art. 42 Voorbehouden

1. Bij de ondertekening, bekrachtiging of toetreding mag elke Staat voorbehouden ten aanzien van artikelen van dit Verdrag maken, met uitzondering van de artikelen 1, 3, 4, 16 (1), 33, 36 tot en met 46.

2. Elke Verdragsluitende Staat die overeenkomstig lid 1 van dit artikel een voorbehoud maakt, kan het voorbehoud te allen tijde intrekken door middel van een daartoe strekkende mededeling aan de Secretaris-Generaal van de Verenigde Naties.

Art. 43 Inwerkingtreding

Inwerkingtreding

1. Dit Verdrag zal in werking treden op de negentigste dag, volgend op de datum van nederlegging van de zesde akte van bekrachtiging of toetreding.

2. Voor elke Staat die na de nederlegging van de zesde akte van bekrachtiging of toetreding het Verdrag bekrachtigt of daartoe toetreedt, zal het Verdrag in werking treden op de negentigste dag, volgend op de datum van de nederlegging door die Staat van zijn akte van bekrachtiging of toetreding.

Art. 44 Opzegging

1. Elke Verdragsluitende Partij mag dit Verdrag te allen tijde opzeggen door middel van een tot de Secretaris-Generaal van de Verenigde Naties gerichte kennisgeving.

2. De opzegging zal voor de betrokken Staat van kracht worden één jaar na de datum waarop de kennisgeving door de Secretaris-Generaal van de Verenigde Naties is ontvangen.

3. Elke Staat die op grond van artikel 40 een verklaring of een kennisgeving heeft gedaan, mag, te allen tijde nadien, door middel van een kennisgeving aan de Secretaris-Generaal van de Verenigde Naties, verklaren, dat één jaar nadat de Secretaris-Generaal deze kennisgeving heeft ontvangen, het Verdrag niet langer van toepassing zal zijn op het in de kennisgeving aangegeven grondgebied.

Art. 45 Herziening

1. Elke Verdragsluitende Staat mag te allen tijde, door middel van een kennisgeving aan de Secretaris-Generaal van de Verenigde Naties, om herziening van dit Verdrag verzoeken.

2. De Algemene Vergadering van de Verenigde Naties zal aanbevelen welke stappen, zo nodig, naar aanleiding van dit verzoek dienen te worden genomen.

Art. 46 Kennisgevingen door de Secretaris-Generaal van de Verenigde Naties

De Secretaris-Generaal van de Verenigde Naties zal aan alle Staten-Leden van de Verenigde Naties en aan de niet-Leden, bedoeld in artikel 39, mededeling doen van:
(a) de verklaringen en kennisgevingen overeenkomstig afdeling B van artikel 1;
(b) de ondertekeningen, bekrachtigingen en toetredingen overeenkomstig artikel 39;
(c) de verklaringen en kennisgevingen overeenkomstig artikel 40;
(d) de voorbehouden, gemaakt of ingetrokken overeenkomstig artikel 42;
(e) de datum waarop dit Verdrag in werking treedt overeenkomstig artikel 43;
(f) de opzeggingen en kennisgevingen overeenkomstig artikel 44;
(g) de verzoeken tot herziening overeenkomstig artikel 45.

BIJLAGE

Paragraaf 1

1. Het in artikel 28 van dit Verdrag bedoelde reisdocument zal overeenkomen met het als bijlage hieraan gehecht model.
2. Het document zal in twee talen worden opgesteld, waarvan één de Engelse of de Franse taal moet zijn.

Paragraaf 2

Onverminderd de in het land van afgifte geldende voorschriften, mogen kinderen worden vermeld in het reisdocument van één der ouders, of, in bijzondere omstandigheden, van een andere volwassen vluchteling.

Paragraaf 3

De terzake van de afgifte van het document te heffen rechten mogen niet het laagste, voor de nationale paspoorten geldend tarief overschrijden.

Paragraaf 4

Behoudens in bijzondere of uitzonderingsgevallen, zal het document geldig moeten zijn voor het grootst mogelijke aantal landen.

Paragraaf 5

De geldigheidsduur van het document zal, ter keuze van de autoriteit die het afgeeft, één of twee jaar zijn.

Paragraaf 6

1. De vernieuwing of de verlenging van de geldigheidsduur van het document behoort tot de bevoegdheid van de autoriteit die het heeft afgegeven, zolang de houder zich niet rechtmatig op een ander grondgebied heeft gevestigd en rechtmatig verblijft op het grondgebied van genoemde autoriteit. De afgifte van een nieuw document behoort, onder dezelfde voorwaarden, tot de bevoegdheid van de autoriteit die het vorige document heeft afgegeven.
2. De speciaal voor dit doel gemachtigde diplomatieke of consulaire vertegenwoordigers zijn bevoegd de geldigheid van de door hun onderscheiden regeringen verstrekte reisdocumenten voor de duur van ten hoogste zes maanden te verlengen.
3. De Verdragsluitende Staten zullen in welwillende overweging nemen, de geldigheidsduur van reisdocumenten te hernieuwen of te verlengen of nieuwe documenten te verstrekken aan de niet langer rechtmatig op hun grondgebied verblijvende vluchtelingen die niet in staat zijn een reisdocument te verkrijgen van het land van hun regelmatig verblijf.

Paragraaf 7

De Verdragsluitende Staten zullen de geldigheid erkennen van de overeenkomstig de bepalingen van artikel 28 van dit Verdrag verstrekte reisdocumenten.

Paragraaf 8

De bevoegde autoriteiten van het land waarheen de vluchteling zich wenst te begeven, zullen, indien zij bereid zijn hem toe te laten en ingeval een visum vereist is, een visum plaatsen op het document waarvan hij de houder is.

Paragraaf 9

1. De Verdragsluitende Staten verbinden zich, transit-visa te verstrekken aan vluchtelingen die het visum voor het land van uiteindelijke bestemming hebben verkregen.
2. De verstrekking van zodanige visa kan worden geweigerd op gronden waarop weigering van een visum aan elke andere vreemdeling terecht zou geschieden.

Paragraaf 10

De rechten wegens de afgifte van visa voor vertrek, toelating of transit mogen niet het laagste, voor visa op vreemde paspoorten geldend tarief overschrijden.

Paragraaf 11

Ingeval een vluchteling zich rechtmatig op het grondgebied van een andere Verdragsluitende Staat heeft gevestigd, berust de verantwoordelijkheid voor de afgifte van een nieuw reisdocument, overeenkomstig de bepalingen en voorwaarden van artikel 28, bij de bevoegde autoriteit van dat grondgebied; de vluchteling is gerechtigd zich daartoe tot die autoriteit te wenden.

Paragraaf 12

De autoriteit die een nieuw reisdocument afgeeft, is verplicht het oude document in te trekken en terug te zenden naar het land van afgifte, indien in dat document is vermeld, dat het behoort te worden teruggezonden; is zulks niet het geval, dan zal de autoriteit die het nieuwe document afgeeft, het oude intrekken en vernietigen.

Paragraaf 13

1. Elk der Verdragsluitende Staten verbindt zich, aan de houder van een door deze Staat overeenkomstig artikel 28 van dit Verdrag verstrekt reisdocument toe te staan te allen tijde gedurende de geldigheidsduur van het document op het grondgebied van die Staaf terug te keren.
2. Onverminderd de bepalingen van het voorgaand lid, mag een Verdragsluitende Staat eisen, dat de houder van het document zich onderwerpt aan alle formaliteiten welke voorgeschreven mochten zijn met betrekking tot het verlaten van of het terugkeren naar het grondgebied van die Staat.
3. De Verdragsluitende Staten behouden zich de bevoegdheid voor, in uitzonderingsgevallen, of in de gevallen waarin aan een vluchteling voor een bepaalde tijd verblijf is toegestaan, bij de verstrekking van het document de periode gedurende welke de vluchteling mag terugkeren, te beperken tot een termijn van niet minder dan 3 maanden.

Paragraaf 14

Slechts met uitzondering van het bepaalde in paragraaf 13, doen de bepalingen van deze Bijlage op geen wijze afbreuk aan de wetten en voorschriften, regelende de voorwaarden voor doorlating naar, transit door, verblijf of vestiging op en vertrek uit de grondgebieden van de Verdragsluitende Staten.

Paragraaf 15

Noch de afgifte van het document, noch de daarop gestelde aantekeningen bepalen of beïnvloeden de status van de houder, in het bijzonder wat zijn nationaliteit betreft.

Paragraaf 16

De afgifte van het document geeft de houder generlei recht op de bescherming van de diplomatieke of consulaire vertegenwoordigers van het land van afgifte en verleent aan deze vertegenwoordigers niet het recht tot bescherming.

BIJLAGE

Model-reisdocument

Het document zal de vorm van een boekje hebben (ongeveer 15 X 10 centimeter).
Het verdient aanbeveling om het document zodanig te doen afdrukken, dat raderingen of wijzigingen met scheikundige of andere middelen gemakkelijk ontdekt kunnen worden, alsmede om de woorden „Verdrag van 28 Juli 1951" bij het afdrukken op iedere bladzijde te herhalen in de taal van het land van afgifte.

Omslag van het boekje

REISDOCUMENT

(Verdrag van 28 Juli 1951)

No. ....

(1)

REISDOCUMENT

(Verdrag van 28 Juli 1951)

Dit document verliest zijn geldigheid op ....
behoudens verlenging of hernieuwing van de geldigheidsduur.

Naam ....

Voorna(am)(men) ....

Vergezeld van .... kind(eren).

1. Dit document is uitsluitend afgegeven teneinde de houder een reisdocument te verschaffen dat de plaats kan vervullen van een nationaal paspoort. Het document bepaalt niets omtrent de nationaliteit van de houder en is daarop niet van invloed.

2. De houder is gerechtigd naar ....
(aanduiding van het land welks autoriteiten het document afgeven) terug te keren tot ....
tenzij een latere datum hierna is vermeld. [De periode gedurende welke de houder gerechtigd is terug te keren, mag niet minder dan drie maanden zijn].

3. Indien de houder zich vestigt in een ander land dan dat waar dit document is afgegeven, moet hij, indien hij wederom wil reizen, een nieuw reisdocument aanvragen bij de bevoegde autoriteiten van het land van zijn verblijf. [Het oude document zal worden ingetrokken door de autoriteit die het nieuwe document afgeeft, en worden teruggezonden naar de autoriteit die het heeft afgegeven]. [1])

(Dit document bevat .... bladzijden, de omslag niet inbegrepen).

---

[1]) De zin tussen haken kan worden ingevoegd door de Regeringen die zulks wensen.

(2)

Geboorteplaats en -datum ....
Beroep ....
Tegenwoordige verblijfplaats ....
*) Naam (voor het huwelijk) en voorna(am)(men) van echtgenote
....
*) Naam en voorna(am)(men) van echtgenoot ....
....

Persoonsbeschrijving

Lengte ....
Haar ....
Kleur der ogen ....
Neus ....
Gelaatsvorm ....
Gelaatskleur ....
Bijzondere kentekenen ....

Kinderen die de houder vergezellen

Naam	Voorna(am)(men)	Geboorteplaats en -datum	Geslacht
....	....	....	....
....	....	....	....
....	....	....	....
....	....	....	....

*) Doorhalen wat niet van toepassing is.

(Dit document bevat .... bladzijden, de omslag niet inbegrepen).

(3)

Foto van de houder en stempel van de autoriteit die het document afgeeft.

Vingerafdrukken van de houder (indien vereist)

Handtekening van de houder ....

(Dit document bevat .... bladzijden, de omslag niet inbegrepen).

---

(4)

1. Dit document is geldig voor de volgende landen: ....
....
....
....

2. Stuk of stukken op grond waarvan dit document is afgegeven: ....
....
....
....

Afgegeven te ....

Datum ....

Handtekening en stempel van de autoriteit die het document afgeeft:

Betaalde leges:

(Dit document bevat .... bladzijden, de omslag niet inbegrepen).

---

(5)

Verlenging of hernieuwing van de geldigheidsduur

Betaalde leges: Van ....

Gegeven te .... Tot ....

Datum ....

Handtekening en stempel van de autoriteit die de geldigheidsduur van het document verlengt of hernieuwt:

Verlenging of hernieuwing van de geldigheidsduur

Betaalde leges: Van ....

Gegeven te .... Tot ....

Datum ....

Handtekening en stempel van de autoriteit die de geldigheidsduur van het document verlengt of hernieuwt:

(Dit document bevat .... bladzijden, de omslag niet inbegrepen).

---

(6)

Verlenging of hernieuwing van de geldigheidsduur

Betaalde leges: **Van** ....

Gegeven te .... **Tot** ....

Datum ....

Handtekening en stempel van de autoriteit die de geldigheidsduur van het document verlengt of hernieuwt:

Verlenging of hernieuwing van de geldigheidsduur

Betaalde leges: **Van** ....

Gegeven te .... **Tot** ....

Datum ....

Handtekening en stempel van de autoriteit die de geldigheidsduur van het document verlengt of hernieuwt:

(Dit document bevat .... bladzijden, de omslag niet inbegrepen).

(7—32)

Visa

In elk visum moet de naam van de houder worden vermeld.

(Dit document bevat .... bladzijden, de omslag niet inbegrepen).

SLOTAKTE VAN DE CONFERENTIE VAN GEVOLMACHTIGDEN VAN DE VERENIGDE NATIES BETREFFENDE DE STATUS VAN VLUCHTELINGEN EN STAATLOZE PERSONEN

I

De Algemene Vergadering van de Verenigde Naties heeft bij resolutie 429 (V) van 14 December 1950 besloten een Conferentie van Gevolmachtigden bijeen te roepen te Genève, teneinde de opstelling te voltooien en tot ondertekening over te gaan van een Verdrag betreffende de status van vluchtelingen, alsmede van een Protocol betreffende de status van staatloze personen.
De Conferentie heeft van 2 tot 25 Juli 1951 op het Europees Bureau van de Verenigde Naties te Genève vergaderd.
De Regeringen van de volgende zes en twintig Staten hadden vertegenwoordigers afgevaardigd, die allen geldige geloofsbrieven of andere volmachten tot deelneming aan de werkzaamheden der Conferentie hebben overgelegd.

Australië	Monaco
België	Nederland
Bondsrepubliek Duitsland	Noorwegen
Brazilië	Oostenrijk
Canada	Turkije
Columbia	Venezuela

Denemarken
Egypte
Frankrijk
Griekenland
Heilige Stoel
Irak
Israël
Italië
Luxemburg
Verenigd Koninkrijk van Groot-Britannië en Noord-Ierland
Verenigde Staten van Amerika
Zuidslavië
Zweden
Zwitserland (de Zwitserse delegatie vertegenwoordigde ook Liechtenstein)

De Regeringen van de twee volgende Staten waren door waarnemers vertegenwoordigd:
Cuba
Perzië
Overeenkomstig het verzoek van de Algemene Vergadering heeft de Hoge Commissaris van de Verenigde Naties voor de Vluchtelingen, zonder stemrecht, aan de beraadslagingen der Conferentie deelgenomen.
De Internationale Arbeidsorganisatie en de Internationale Vluchtelingenorganisatie waren op de Conferentie vertegenwoordigd, zonder stemrecht.
De Conferentie heeft de Raad van Europa uitgenodigd zich op de Conferentie te doen vertegenwoordigen, zonder stemrecht.
Vertegenwoordigers van de volgende niet-gouvernementele organisaties, die consultatieve status bij de Economische en Sociale Raad hebben, waren eveneens als waarnemers aanwezig:

Categorie A
Internationaal Verbond van Vrije Vakverenigingen
Internationale Federatie van Christelijke Vakverenigingen
Interparlementaire Unie

Categorie B
Agoedath Israël Wereld Organisatie
Caritas Internationalis
Katholieke Internationale Vereniging voor Sociaal Werk
Commissie van de Kerken voor Internationale Zaken
Raad van Advies van Joodse Organisaties
Joodse Coördinatie Commissie
Wereldconsultatiebureau der Quakers
Internationale Vereniging voor Strafrecht
Internationaal Bureau voor de Unificatie van het Strafrecht
Internationaal Comité van het Rode Kruis
Internationale Vrouwenraad
Internationale Federatie tot Behartiging van Belangen van Jonge Meisjes
Internationale Liga voor de Rechten van de Mens
Internationale Maatschappelijke Hulp
Internationale Vereniging voor Kinderbescherming
Internationale Katholieke Vrouwen Unie
Pax Romana
Internationale Vrouwenliga voor Vrede en Vrijheid
Adviescommissie voor het Joodse Wereldcongres
Wereld vereniging voor Liberale Joden
Wereldfederatie voor Jonge Vrouwen

Register
Internationaal Hulpcomité voor Intellectuelen
Liga van Rode Kruis Verenigingen
Permanente Commissie van Liefdadige Organisaties
Wereldbond van padvindsters
World University Service
De vertegenwoordigers van de niet-gouvernementele organisaties die consultatieve status bij de Economische en Sociale Raad hebben, en de vertegenwoordigers van de organisaties die door de Secretaris-Generaal zijn opgenomen in het, in paragraaf 17 van resolutie 288 B (X) van de Economische en Sociale Raad bedoelde register, hadden krachtens het door de Conferentie

aangenomen huishoudelijk reglement het recht schriftelijk of mondeling verklaringen af te leggen.
De Conferentie heeft de heer Knud Larsen, vertegenwoordiger van Denemarken, tot Voorzitter en de heer A. Herment, vertegenwoordiger van België, en de heer Talat Miras, vertegenwoordiger van Turkije, tot Vice-Voorzitters gekozen.
Op de tweede zitting heeft de Conferentie, op voorstel van de Egyptische vertegenwoordiger, met algemene stemmen besloten de Heilige Stoel uit te nodigen een gevolmachtigd vertegenwoordiger om deel te nemen aan de werkzaamheden van de Conferentie, af te vaardigen. Op 10 Juli 1951 heeft de vertegenwoordiger van de Heilige Stoel zijn plaats op de Conferentie ingenomen.
De Conferentie heeft als agenda aangenomen de voorlopig door de Secretaris-Generaal opgestelde agenda (A/CONF. 2/2/Rev. 1). Zij heeft eveneens het voorlopig, door de Secretaris-Generaal opgestelde huishoudelijk reglement aangenomen, onder toevoeging van een bepaling, op grond waarvan een vertegenwoordiger van de Raad van Europa werd gemachtigd zonder stemrecht aan de Conferentie deel te nemen en voorstellen in te dienen (A/CONF. 2/3/Rev. 1).
Overeenkomstig het huishoudelijk reglement van de Conferentie hebben de Voorzitter en de Vice-Voorzitters de geloofsbrieven van de vertegenwoordigers onderzocht en op 17 Juli 1951 van de resultaten van dit onderzoek verslag aan de Conferentie uitgebracht. De Conferentie heeft dit rapport aangenomen.
De Conferentie heeft als uitgangspunt voor haar besprekingen genomen het ontwerp-verdrag betreffende de status van vluchtelingen en het ontwerp-protocol betreffende de status van staatloze personen, opgesteld door de Commissie ad hoc betreffende vluchtelingen en staatloze personen tijdens haar tweede zitting, welke van 14 tot 25 Augustus 1950 te Genève plaats vond, met uitzondering van de preambule en artikel 1 (Definitie van de term „vluchteling") van het ontwerp-verdrag. De aan de Conferentie voorgelegde tekst van de preambule was die welke de Economische en Sociale Raad op 11 Augustus 1950 bij resolutie 319 B II (XI) had aangenomen. De aan de Conferentie voorgelegde tekst van artikel 1 was die welke de Algemene Vergadering op 14 December 1950 had aanbevolen en in de bijlage van resolutie 429 (V) is opgenomen. Deze tekst was de gewijzigde tekst welke door de Economische en Sociale Raad bij resolutie B II (XI) was aangenomen.[2]
De Conferentie heeft het Verdrag betreffende de status van vluchtelingen in twee lezingen aanvaard. Vóór de tweede lezing heeft zij een stijl-commissie ingesteld, bestaande uit de Voorzitter en de vertegenwoordigers van België, Frankrijk, Israël, Italië, het Verenigd Koninkrijk van Groot-Britannië en Noord-Ierland en de Verenigde Staten van Amerika, tezamen met de Hoge Commissaris voor de Vluchtelingen; deze commissie koos de heer G. Warren, vertegenwoordiger van de Verenigde Staten van Amerika, tot Voorzitter. De stijl-commissie heeft de door de Conferentie in eerste lezing aangenomen tekst gewijzigd in het bijzonder uit een oogpunt van taal en overeenstemming tussen de Engelse en Franse tekst.
Op 25 Juli werd het Verdrag met 24 tegen 0 stemmen en geen onthoudingen aangenomen. Het staat open voor ondertekening op het Europees Bureau van de Verenigde Naties van 28 Juli tot 31 Augustus 1951. Het zal wederom voor ondertekening worden opengesteld op de permanente Zetel van de Verenigde Naties te New-York van 17 September 1951 tot 31 December 1952.
De Engelse en Franse teksten van het Verdrag, welke gelijkelijk authentiek zijn, zijn aan deze Slotakte gehecht.

II
De Conferentie heeft met 17 tegen 3 stemmen en 3 onthoudingen besloten, dat de titels van de hoofdstukken en van de artikelen van het Verdrag voor practische doeleinden zijn opgenomen en geen interpretatief bestanddeel daarvan uitmaken.

III
Ten aanzien van het ontwerp-protocol betreffende de status van staatloze personen heeft de Conferentie de volgende resolutie aangenomen:
„De Conferentie,
„In beschouwing genomen hebbende het ontwerp-protocol betreffende de status van staatloze personen,
„Overwegende, dat dit onderwerp nog een diepgaande studie vereist,
„Besluit te dezer zake geen beslissing te nemen tijdens deze Conferentie en verwijst het ontwerp-protocol voor een nadere studie terug naar de daarvoor in aanmerking komende organen van de Verenigde Naties".

2 De in deze alinea genoemde teksten zijn vervat in document A/CONF.2/1.

IV
De Conferentie heeft met algemene stemmen de volgende aanbevelingen aangenomen:
A „De Conferentie,
„Overwegende, dat de verstrekking en erkenning van reisdocumenten noodzakelijk zijn om het reizen van vluchtelingen en, in het bijzonder, hun nieuwe vestiging te vergemakkelijken,
„Verzoekt uitdrukkelijk aan de Regeringen die partij zijn bij de op 15 October 1946 te Londen ondertekende Intergouvernementele Overeenkomst betreffende de afgifte van een reisdocument aan vluchtelingen, of die de geldigheid van de in overeenstemming met die Overeenkomst afgegeven reisdocumenten erkennen, voort te gaan zodanige reisdocumenten te verstrekken of te erkennen, en deze reisdocumenten te verstrekken aan vluchtelingen die onder de omschrijving van artikel 1 van het Verdrag betreffende de status van vluchtelingen vallen, of de aldus aan deze personen verstrekte reisdocumenten te erkennen, totdat zij de uit artikel 28 van genoemd Verdrag voortvloeiende verplichtingen op zich hebben genomen".
B „De Conferentie,
„Overwegende, dat de eenheid van het gezin - de natuurlijke en fundamentele groepseenheid van de maatschappij - een wezenlijk recht van de vluchteling is en dat deze eenheid voortdurend wordt bedreigd, en
„Met voldoening vaststellend, dat, volgens het officieel commentaar van de Commissie ad hoc betreffende de staatloosheid en aanverwante vraagstukken (E/1618, blz. 38) de aan een vluchteling verleende rechten eveneens van toepassing zijn op zijn gezinsleden,
„Beveelt de Regeringen aan, de nodige maatregelen te nemen voor de bescherming van het gezin van de vluchteling, in het bijzonder teneinde:
„*1)* De handhaving van de eenheid van het gezin van de vluchteling te verzekeren, in het bijzonder in de gevallen waarin het hoofd van het gezin aan de voor de toelating in een bepaald land vereiste voorwaarden heeft voldaan;
2) De bescherming van minderjarige vluchtelingen te verzekeren, in het bijzonder onbegeleide kinderen en jonge meisjes, met name wat betreft voogdij en adoptie".
C „De Conferentie,
„Overwegende, dat de vluchteling in moreel, wettelijk en materieel opzicht de steun behoeft van sociale diensten, in het bijzonder die van de bevoegde niet-gouvernementele organisaties,
„Beveelt de Regeringen en inter-gouvernementele organen aan, de werkzaamheden van de behoorlijk voor haar taak berekende organisaties te vergemakkelijken, aan te moedigen en te ondersteunen".
D „De Conferentie,
„Overwegende, dat nog velen hun land van herkomst om redenen van vervolging verlaten en dat zij op grond van hun bijzondere positie recht hebben op speciale bescherming,
„Beveelt de Regeringen aan, voort te gaan vluchtelingen op haar grondgebied op te nemen, en in een ware geest van internationale solidariteit samen te werken, opdat deze vluchtelingen asyl kunnen vinden en in staat worden gesteld zich opnieuw te vestigen".
E „De Conferentie,
„Geeft uiting aan de hoop, dat het Verdrag betreffende de status van vluchtelingen als een voorbeeld zal dienen, dat de grenzen van de contractuele betekenis van het "Verdrag zal overschrijden, en dat het alle Staten zal opwekken om de zich op hun grondgebied als vluchteling bevindende personen die niet onder de bepalingen van het Verdrag vallen, zoveel mogelijk dienovereenkomstig te behandelen".

Inhoudsopgave

PART I	Art. 1
PART II	Art. 1
PART III	Art. A
PART IV	Art. C
PART V	Art. E
PART VI	Art. K
PART II	Art. 1, paragraph 2
PART III	Art. A, paragraph 1
PART V	Art. E
DEEL I	Art. 1
DEEL II	Art.
DEEL III	Art. A
DEEL IV	Art. C
DEEL V	Art. E
DEEL VI	Art. K
DEEL II	Art. 1, tweede lid
DEEL III	Art. A, eerste lid
DEEL V	Art. E

Europees Sociaal Handvest (herzien)[1]

Preambule

De ondertekenende Regeringen, Leden van de Raad van Europa,

Overwegende dat het doel van de Raad van Europa is een grotere eenheid tussen zijn Leden tot stand te brengen teneinde de idealen en beginselen welke hun gemeenschappelijk erfdeel zijn, veilig te stellen en te verwezenlijken en hun economische en sociale vooruitgang te bevorderen, in het bijzonder door de handhaving en verdere verwezenlijking van de rechten van de mens en de fundamentele vrijheden;

Overwegende dat in het op 4 november 1950 te Rome ondertekende Verdrag tot bescherming van de rechten van de mens en de fundamentele vrijheden, en de daarbij behorende Protocollen, de Lidstaten van de Raad van Europa overeenkwamen dat zij hun volkeren de daarin opgesomde burgerlijke en politieke rechten en vrijheden zouden waarborgen;

Overwegende dat in het Europees Sociaal Handvest dat in Turijn op 18 oktober 1961 werd opengesteld voor ondertekening en de Protocollen daarbij, de Lidstaten van de Raad van Europa overeenkwamen dat zij hun volkeren de daarin opgesomde sociale rechten zouden waarborgen teneinde hun levensstandaard en hun welzijn te verbeteren;

In herinnering brengend dat de Ministersconferentie inzake de rechten van de mens die op 5 november 1990 plaatsvond te Rome, de noodzaak benadrukte enerzijds de ondeelbaarheid van alle rechten van de mens, zij het burgerrechten, politieke, economische, sociale of culturele rechten, te handhaven, en, anderzijds, het Europees Sociaal Handvest een nieuwe impuls te geven;

Vastbesloten, zoals is overeengekomen tijdens de Ministersconferentie die op 21 en 22 oktober 1991 plaatsvond te Turijn, de materiële inhoud van het Handvest te actualiseren en aan te passen teneinde met name rekening te houden met de fundamentele sociale veranderingen die zijn opgetreden sinds de tekst werd aangenomen;

Het voordeel erkennend van het in een Herzien Handvest, ontworpen om geleidelijk het Europees Sociaal Handvest te vervangen, opnemen van de rechten die door het Handvest, zoals gewijzigd, worden gewaarborgd, en van de rechten die door het Aanvullend Protocol van 1988 worden gewaarborgd en van het opnemen van nieuwe rechten,

Zijn het volgende overeengekomen:

DEEL I

De Partijen stellen zich ten doel met alle passende middelen, zowel op nationaal als internationaal terrein, zodanige voorwaarden te scheppen dat de hiernavolgende rechten en beginselen daadwerkelijk kunnen worden verwezenlijkt:

1

Europees Sociaal Handvest, vrije keuze werkzaamheden

Een ieder dient in staat te worden gesteld in zijn onderhoud te voorzien door werkzaamheden die hij vrijelijk heeft gekozen.

2

ESH, billijke arbeidsvoorwaarden

Alle werknemers hebben recht op billijke arbeidsvoorwaarden.

3

ESH, arbeidsvoorwaarden

Alle werknemers hebben recht op veilige en hygiënische arbeidsomstandigheden.

4

ESH, billijke beloning

Alle werknemers hebben recht op een billijke beloning welke hun en hun gezin een behoorlijke levensstandaard waarborgt.

5

ESH, vrijheid van vereniging

Alle werknemers en werkgevers hebben recht op vrijheid van vereniging in nationale of internationale organisaties voor de bescherming van hun economische en sociale belangen.

6

ESH, collectief onderhandelen

Alle werknemers en werkgevers hebben het recht collectief te onderhandelen.

7

ESH, bescherming tegen gevaren voor lichaam en geest

Kinderen en jeugdige personen hebben het recht op een bijzondere bescherming tegen de gevaren voor lichaam en geest waaraan zij blootstaan.

1 Inwerkingtredingsdatum: 01-07-2006.

8
Zwangere vrouwen hebben bij hun arbeid in dienstbetrekking recht op bijzondere bescherming. ESH, bescherming zwangere vrouwen

9
Een ieder heeft recht op een doelmatige beroepskeuzevoorlichting, die erop gericht is hem bij te staan bij de keuze van een beroep dat strookt met zijn persoonlijke aanleg en belangstelling. ESH, beroepskeuzevoorlichting

10
Een ieder heeft recht op een doelmatige vakopleiding. ESH, doelmatige vakopleiding

11
Een ieder heeft het recht om gebruik te maken van alle voorzieningen welke hem in staat stellen in een zo goed mogelijke gezondheid te verkeren. ESH, gezondheidsvoorzieningen

12
Alle werknemers en personen te hunnen laste hebben recht op sociale zekerheid. ESH, sociale zekerheid

13
Een ieder die geen voldoende middelen van bestaan heeft, heeft recht op sociale en geneeskundige bijstand. ESH, sociale en geneeskundige bijstand

14
Een ieder heeft recht op bijstand door diensten voor sociaal welzijn. ESH, bijstand sociaal welzijn

15
Personen met een handicap hebben recht op onafhankelijkheid, sociale integratie en participatie in het leven van de gemeenschap. ESH, rechten gehandicapten

16
Het gezin als fundamentele maatschappelijke eenheid heeft recht op een voor zijn volledige ontplooiing doelmatige sociale, wettelijke en economische bescherming. ESH, gezinsbescherming

17
Kinderen en jeugdige personen hebben recht op een passende sociale, wettelijke en economische bescherming. ESH, bescherming kinderen en jeugdigen

18
De onderdanen van de ene Partij hebben het recht op het grondgebied van elke andere Partij een op winst gerichte bezigheid uit te oefenen op voet van gelijkheid met de onderdanen van laatstgenoemde Partij, behoudens beperkingen op grond van economische of sociale redenen van dringende aard. ESH, winstgevende bezigheid op grondgebied van andere partij

19
Migrerende werknemers die onderdaan van een van de Partijen zijn, alsmede hun gezinnen, hebben recht op bescherming en bijstand op het grondgebied van elke andere Partij. ESH, bescherming migrerende werknemers

20
Alle werknemers hebben recht op gelijke kansen en gelijke behandeling ten aanzien van werkgelegenheid en beroepsuitoefening zonder discriminatie naar geslacht. ESH, gelijke kansen

21
Werknemers hebben recht op informatie en overleg binnen de onderneming. ESH, informatie en overleg

22
Werknemers hebben het recht deel te nemen aan de vaststelling en de verbetering van de arbeidsomstandigheden en de werkomgeving binnen de onderneming. ESH, arbeidsomstandigheden

23
Iedere oudere heeft recht op sociale bescherming. ESH, sociale bescherming ouderen

24
Alle werknemers hebben recht op bescherming in geval van beëindiging van de dienstbetrekking. ESH, beëindiging dienstbetrekking

25
Alle werknemers hebben recht op bescherming van hun aanspraken in geval van insolventie van hun werkgever. ESH, insolventie werkgever

26
Alle werknemers hebben recht op waardigheid op het werk. ESH, waardigheid

27
Alle personen met gezinsverantwoordelijkheden die een werkkring hebben aanvaard of wensen te aanvaarden hebben het recht dit te doen zonder te worden blootgesteld aan discriminatie en voor zover mogelijk zonder dat hun werkzaamheden conflicteren met hun gezinsverantwoordelijkheden. ESH, werknemers met gezin

28

ESH, werknemersvertegenwoordigers

Werknemersvertegenwoordigers in ondernemingen hebben recht op bescherming tegen voor hen schadelijke handelingen en dienen de beschikking te krijgen over passende voorzieningen om hun functie te kunnen uitoefenen.

29

ESH, collectief ontslag

Alle werknemers hebben recht op informatie en overleg in procedures voor collectief ontslag.

30

ESH, armoede en sociale uitsluiting

Een ieder heeft recht op bescherming tegen armoede en sociale uitsluiting.

31

ESH, huisvesting

Een ieder heeft recht op huisvesting.

DEEL II

De Partijen verbinden zich, overeenkomstig het bepaalde in Deel III, zich gebonden te achten door de verplichtingen vervat in de hiernavolgende artikelen en leden.

Art. 1 Recht op arbeid

Sociale rechten, arbeid

Teneinde de doeltreffende uitoefening van het recht op arbeid te waarborgen, verbinden de Partijen zich:
1. de totstandbrenging en handhaving van een zo hoog en stabiel mogelijk werkgelegenheidspeil, met het oogmerk een volledige werkgelegenheid te verwezenlijken, als een van hun voornaamste doelstellingen en verantwoordelijkheden te beschouwen;
2. het recht van de werknemer om in zijn onderhoud te voorzien door vrijelijk gekozen werkzaamheden daadwerkelijk te beschermen;
3. kosteloze arbeidsbemiddelingsdiensten in te stellen of in stand te houden voor alle werknemers;
4. te zorgen voor doelmatige beroepskeuzevoorlichting, vakopleiding en reïntegratie en deze te bevorderen.

Art. 2 Recht op billijke arbeidsvoorwaarden

Sociale rechten, billijke arbeidsvoorwaarden

Teneinde de doeltreffende uitoefening van het recht op billijke arbeidsvoorwaarden te waarborgen, verbinden de Partijen zich:
1. redelijke dagelijkse en wekelijkse arbeidstijden vast te stellen waarbij de werkweek geleidelijk dient te worden verkort voorzover de vermeerdering van de productiviteit en andere van invloed zijnde factoren zulks toelaten;
2. voor algemeen erkende feestdagen behoud van loon te waarborgen;
3. een jaarlijks verlof van ten minste vier weken met behoud van loon te waarborgen;
4. risico's in inherent gevaarlijke of ongezonde beroepen uit te bannen, en daar waar het nog niet mogelijk is deze risico's uit te bannen of voldoende terug te dringen, te voorzien in ofwel een beperking van de arbeidstijd ofwel aanvullend betaald verlof voor werknemers die in dergelijke beroepen werkzaam zijn;
5. een wekelijkse rusttijd te waarborgen die zoveel mogelijk samenvalt met de dag die volgens traditie of gewoonte in het betrokken land of in de betrokken streek als rustdag wordt erkend;
6. ervoor zorg te dragen dat werknemers zo spoedig mogelijk, en in ieder geval niet later dan twee maanden na de datum van indiensttreding, schriftelijk op de hoogte worden gesteld van de essentiële kenmerken van de overeenkomst of dienstbetrekking;
7. ervoor zorg te dragen dat werknemers die nachtarbeid verrichten baat hebben bij maatregelen die rekening houden met de bijzondere aard van de werkzaamheden.

Art. 3 Recht op veilige en gezonde arbeidsomstandigheden

Sociale rechten, veilige arbeidsomstandigheden

Teneinde de doeltreffende uitoefening van het recht op veilige en gezonde arbeidsomstandigheden te waarborgen, verbinden de Partijen zich, in overleg met organisaties van werkgevers en werknemers:
1. een samenhangend nationaal beleid inzake bedrijfsveiligheid, bedrijfsgezondheid en de werkomgeving te formuleren, ten uitvoer te leggen en periodiek te toetsen. De voornaamste doelstelling van dit beleid zal zijn het verbeteren van de veiligheid en gezondheid op het werk en het voorkomen van ongevallen en aantasting van de gezondheid die voortvloeien uit, verband houden met of zich voordoen bij werkzaamheden, met name door de oorzaken van gevaren die inherent zijn aan de werkomgeving tot een minimum te beperken;
2. voorschriften inzake veiligheid en gezondheid uit te vaardigen;
3. voor de naleving van dergelijke voorschriften door middel van controlemaatregelen zorg te dragen;
4. de geleidelijke uitbreiding van bedrijfsgezondheidsdiensten voor alle werknemers met hoofdzakelijk preventieve en adviserende functies te bevorderen.

Art. 4 Recht op billijke beloning

Sociale rechten, arbeid

Teneinde de doeltreffende uitoefening van het recht op een billijke beloning te waarborgen, verbinden de Partijen zich:

1. het recht van de werknemers op een zodanige beloning die hun en hun gezin een behoorlijke levensstandaard verschaft, te erkennen;

2. het recht van de werknemers op een hoger beloningstarief voor overwerk te erkennen, behoudens uitzonderingen in bijzondere gevallen;

3. het recht van mannelijke en vrouwelijke werknemers op gelijke beloning voor arbeid van gelijke waarde te erkennen;

4. het recht van alle werknemers op een redelijke opzeggingstermijn bij beëindiging van hun dienstbetrekking te erkennen;

5. inhoudingen op lonen alleen toe te staan op voorwaarden en in de mate als voorgeschreven door de nationale wet- of regelgeving of vastgesteld bij collectieve arbeidsovereenkomsten of scheidsrechterlijke uitspraken.

De uitoefening van deze rechten dient te worden verwezenlijkt door middel van vrijelijk gesloten collectieve arbeidsovereenkomsten, bij de wet ingestelde procedures voor loonvaststelling, of andere bij de nationale omstandigheden passende middelen.

Art. 5 Recht op vrijheid van organisatie

Sociale rechten, vrijheid van organisatie

Teneinde het recht van werknemers en werkgevers tot oprichting van plaatselijke, nationale of internationale organisaties voor de bescherming van hun economische en sociale belangen en tot aansluiting bij deze organisaties te waarborgen, verplichten de Partijen zich dit recht op generlei wijze door de nationale wetgeving of door de toepassing daarvan te laten beperken. De mate waarin de in dit artikel voorziene waarborgen van toepassing zullen zijn op de politie, wordt bepaald door de nationale wet- of regelgeving. Het beginsel volgens hetwelk deze waarborgen van toepassing zullen zijn ten aanzien van leden van de strijdkrachten, en de mate waarin deze waarborgen van toepassing zullen zijn op personen in deze categorie, wordt eveneens bepaald door de nationale wet- of regelgeving.

Art. 6 Recht op collectief onderhandelen

Sociale rechten, collectief onderhandelen

Teneinde de doeltreffende uitoefening van het recht op collectief onderhandelen te waarborgen, verbinden de Partijen zich:

1. paritair overleg tussen werknemers en werkgevers te bevorderen;

2. indien nodig en nuttig de totstandkoming van een procedure te bevorderen voor vrijwillige onderhandelingen tussen werkgevers of organisaties van werkgevers en organisaties van werknemers, met het oog op de bepaling van beloning en arbeidsvoorwaarden door middel van collectieve arbeidsovereenkomsten;

3. de instelling en toepassing van een doelmatige procedure voor bemiddeling en vrijwillige arbitrage inzake de beslechting van arbeidsgeschillen te bevorderen;

en erkennen;

4. het recht van werknemers en werkgevers op collectief optreden in gevallen van belangengeschillen, met inbegrip van het stakingsrecht, behoudens verplichtingen uit hoofde van reeds eerder gesloten collectieve arbeidsovereenkomsten.

Art. 7 Recht van kinderen en jeugdige personen op bescherming

Sociale rechten, kinder- en jeugdbescherming

Teneinde de doeltreffende uitoefening van het recht van kinderen en jeugdige personen op bescherming te waarborgen, verbinden de Partijen zich:

1. te bepalen dat de minimumleeftijd voor toelating tot tewerkstelling 15 jaar zal zijn, behoudens uitzonderingen voor kinderen die nader omschreven lichte werkzaamheden verrichten welke niet nadelig zijn voor hun gezondheid, geestelijk welzijn of ontwikkeling;

2. te bepalen dat de minimumleeftijd voor toelating tot tewerkstelling 18 jaar zal zijn ten aanzien van nader omschreven werkzaamheden welke als gevaarlijk of als schadelijk voor de gezondheid worden beschouwd;

3. te bepalen dat nog leerplichtige personen niet zodanig werk mogen verrichten dat zij niet ten volle het onderwijs kunnen volgen;

4. te bepalen dat de arbeidsduur van personen beneden de leeftijd van 18 jaar zal worden beperkt overeenkomstig de behoeften van hun ontwikkeling, in het bijzonder hun behoefte aan vakopleiding;

5. het recht van jeugdige werknemers en leerlingen op een billijke beloning of andere passende uitkeringen te erkennen;

6. te bepalen dat de door jeugdige personen gedurende hun normale arbeidstijd en met toestemming van de werkgever aan vakopleiding bestede tijd als deel van de werkdag zal worden beschouwd;

7. te bepalen dat tewerkgestelde personen beneden de leeftijd van 18 jaar recht zullen hebben op ten minste vier weken verlof per jaar met behoud van loon;

8. te bepalen dat personen beneden de leeftijd van 18 jaar geen nachtarbeid mogen verrichten, met uitzondering van bepaalde in de nationale wet- of regelgeving omschreven werkzaamheden;

9. te bepalen dat personen beneden de leeftijd van 18 jaar die nader in de nationale wet- of regelgeving omschreven werkzaamheden verrichten regelmatig een geneeskundig onderzoek moeten ondergaan;
10. een bijzondere bescherming tegen gevaren voor lichaam en geest, waaraan kinderen en jeugdige personen zijn blootgesteld, te waarborgen, in het bijzonder tegen die gevaren welke al dan niet rechtstreeks uit hun arbeid voortvloeien.

Art. 8 Recht van vrouwelijke werknemers op bescherming van het moederschap

Sociale rechten, bescherming moederschap

Teneinde de doeltreffende uitoefening van het recht van vrouwelijke werknemers op bescherming van het moederschap te waarborgen, verbinden de Partijen zich:
1. te bepalen dat vrouwen, hetzij door verlof met behoud van loon, dan wel door passende socialezekerheidsuitkeringen of uitkeringen uit openbare middelen, in staat worden gesteld voor en na de bevalling verlof te nemen gedurende een totaal van ten minste veertien weken;
2. het als onwettig te beschouwen indien een werkgever een vrouw haar ontslag aanzegt gedurende de periode vanaf het moment waarop zij haar werkgever van haar zwangerschap op de hoogte stelt tot het moment waarop haar bevallingsverlof eindigt, of haar ontslag aanzegt op een zodanig tijdstip dat de opzeggingstermijn gedurende een dergelijk verlof afloopt;
3. te bepalen dat moeders tijdens de lactatieperiode voldoende tijd daartoe krijgen;
4. het verrichten van nachtarbeid door vrouwen die zwanger zijn, vrouwen die onlangs zijn bevallen en vrouwen tijdens de lactatieperiode, te regelen;
5. de tewerkstelling van vrouwen die zwanger zijn, vrouwen die onlangs zijn bevallen en vrouwen tijdens de lactatieperiode voor ondergrondse mijnarbeid en alle andere arbeid die voor hen ongeschikt is op grond van de gevaarlijke, voor de gezondheid schadelijke of zware aard daarvan, te verbieden, en alle gepaste maatregelen te nemen om de rechten verbonden aan de arbeidsovereenkomst van deze vrouwen te beschermen.

Art. 9 Recht op beroepskeuzevoorlichting

Sociale rechten, beroepskeuzevoorlichting

Teneinde de doeltreffende uitoefening van het recht op beroepskeuzevoorlichting te waarborgen, verbinden de Partijen zich, zo nodig, een dienst in het leven te roepen of deze te bevorderen, die een ieder, met inbegrip van personen met een handicap, dient te helpen bij de oplossing van vraagstukken met betrekking tot beroepskeuze en loopbaanontwikkeling, met inachtneming van hun persoonlijke eigenschappen, alsmede van het verband tussen deze en de bestaande werkgelegenheid: deze hulp dient kosteloos te worden gegeven, zowel aan jeugdige personen, met inbegrip van schoolkinderen, als aan volwassenen.

Art. 10 Recht op vakopleiding

Sociale rechten, vakopleiding

Teneinde de doeltreffende uitoefening van het recht op vakopleiding te waarborgen, verbinden de Partijen zich:
1. in overleg met organisaties van werkgevers en werknemers te zorgen voor technische opleidingen en vakopleidingen waarvan een ieder, met inbegrip van personen met een handicap, kan profiteren, dan wel deze te bevorderen, en toelatingsmogelijkheden tot hoger technisch en universitair onderwijs te openen, uitsluitend berustend op persoonlijke geschiktheid;
2. Te zorgen voor een leerlingstelsel en andere algemene voorzieningen voor de opleiding van jongens en meisjes in hun onderscheiden beroepen of dit te bevorderen;
3. zo nodig te zorgen voor of te bevorderen:
a. doelmatige en gemakkelijk toegankelijke opleidingsmogelijkheden voor volwassen werknemers;
b. bijzondere voorzieningen voor de her- en omscholing van volwassen werknemers, voortvloeiende uit technische ontwikkelingen of uit nieuwe ontwikkelingen in de werkgelegenheid;
4. zo nodig te zorgen voor bijzondere maatregelen voor de her- en omscholing en reïntegratie van langdurig werklozen of deze te bevorderen;
5. door het nemen van passende maatregelen het volledige gebruik van doelmatige voorzieningen te bevorderen, zoals:
a. verlaging of afschaffing van alle kosten;
b. verlening van geldelijke bijstand in daarvoor in aanmerking komende gevallen;
c. de tijd welke de werknemer gedurende zijn tewerkstelling op verzoek van zijn werkgever voor aanvullende opleiding besteedt, aan te merken als deel van de normale arbeidstijd;
d. in overleg met de organisaties van werkgevers en werknemers, de doeltreffendheid van leerlingstelsels en andere opleidingsstelsels voor jeugdige werknemers door het uitoefenen van voldoende toezicht te waarborgen, alsmede zorg te dragen voor afdoende bescherming van jeugdige werknemers in het algemeen.

Art. 11 Recht op bescherming van de gezondheid

Sociale rechten, gezondheidsbescherming

Teneinde de doeltreffende uitoefening van het recht op bescherming van de gezondheid te waarborgen, verbinden de Partijen zich, hetzij rechtstreeks, hetzij in samenwerking met openbare of particuliere instanties, passende maatregelen te nemen onder andere met het oogmerk:
1. de oorzaken van een slechte gezondheid zoveel mogelijk weg te nemen;

2. ter bevordering van de volksgezondheid en de persoonlijke verantwoordelijkheid op het gebied van de gezondheid voorzieningen te treffen op het terrein van voorlichting en onderwijs;
3. epidemische, endemische en andere ziekten, alsmede ongevallen, zoveel mogelijk te voorkomen.

Art. 12 Recht op sociale zekerheid

Sociale rechten, sociale zekerheid

Teneinde de doeltreffende uitoefening van het recht op sociale zekerheid te waarborgen, verbinden de Partijen zich:
1. een stelsel van sociale zekerheid in te voeren of in stand te houden;
2. het stelsel van sociale zekerheid te houden op een toereikend niveau, dat ten minste gelijk is aan het niveau dat vereist is voor de bekrachtiging van de Europese code inzake sociale zekerheid;
3. te streven naar het geleidelijk optrekken van het stelsel van sociale zekerheid naar een hoger niveau;
4. stappen te ondernemen, door het sluiten van passende bilaterale en multilaterale verdragen of door andere middelen, en met inachtneming van de in zulke verdragen neergelegde voorwaarden, ter waarborging van:
a. een gelijke behandeling van de onderdanen van andere Partijen en de eigen onderdanen wat betreft rechten op het gebied van sociale zekerheid, met inbegrip van het behoud van uitkeringen uit hoofde van socialezekerheidswetgeving, ongeacht eventuele verplaatsingen van de beschermde personen tussen de grondgebieden van de Partijen;
b. de verlening, handhaving en het herstel van rechten op sociale zekerheid, onder andere door het samentellen van tijdvakken van verzekering of tewerkstelling van de betrokkenen overeenkomstig de wetgeving van elk der Partijen.

Art. 13 Recht op sociale en geneeskundige bijstand

Sociale rechten, sociale en geneeskundige bijstand

Teneinde de doeltreffende uitoefening van het recht op sociale en geneeskundige bijstand te waarborgen, verbinden de Partijen zich:
1. te waarborgen dat een ieder die geen toereikende inkomsten heeft en niet in staat is zulke inkomsten door eigen inspanning of met andere middelen te verwerven, in het bijzonder door uitkeringen krachtens een stelsel van sociale zekerheid voldoende bijstand verkrijgt en in geval van ziekte de voor zijn toestand vereiste verzorging geniet;
2. te waarborgen dat personen die zulk een bijstand ontvangen, niet om die reden een vermindering van hun politieke of sociale rechten ondergaan;
3. te bepalen dat een ieder van de bevoegde openbare of particuliere diensten de voorlichting en persoonlijke bijstand ontvangt die nodig zijn om zijn persoonlijke nood of die van zijn gezin te voorkomen, weg te nemen of te lenigen;
4. de bepalingen sub 1, 2 en 3 van dit artikel op onderdanen van andere Partijen die legaal binnen hun grondgebied verblijven, toe te passen op gelijke wijze als op hun eigen onderdanen, in overeenstemming met hun verplichtingen krachtens het Europees Verdrag betreffende sociale en medische bijstand, op 11 december 1953 te Parijs ondertekend.

Art. 14 Recht op het gebruik van diensten voor sociale zorg

Sociale rechten, bijstand sociaal welzijn

Teneinde de doeltreffende uitoefening van het recht op het gebruik van diensten voor sociale zorg te waarborgen, verbinden de Partijen zich:
1. te zorgen voor diensten welke door de toepassing van methoden van maatschappelijk werk kunnen bijdragen tot het welzijn en de ontwikkeling zowel van individuele personen als van groepen personen, alsmede tot hun aanpassing aan het sociale milieu, of deze te bevorderen;
2. deelneming van individuele personen en particuliere of andere organisaties aan de instelling en instandhouding van dergelijke diensten te stimuleren.

Art. 15 Recht van personen met een handicap op onafhankelijkheid, sociale integratie en participatie in het gemeenschapsleven

Sociale rechten, rechten gehandicapten

Teneinde de doeltreffende uitvoering van het recht van personen met een handicap, ongeacht hun leeftijd en de aard en oorsprong van hun handicap, op onafhankelijkheid, sociale integratie en participatie in het gemeenschapsleven te waarborgen, verbinden de Partijen zich met name:
1. de nodige maatregelen te nemen om personen met een handicap begeleiding, onderwijs en vakopleiding te geven waar mogelijk binnen het kader van algemene stelsels, of, waar dit niet mogelijk is, middels gespecialiseerde openbare of particuliere instellingen;
2. hun toegang tot werk te bevorderen door alle maatregelen te treffen die beogen werkgevers aan te moedigen personen met een handicap in een normale werkomgeving in dienst te nemen en in dienst te houden en de arbeidsomstandigheden aan te passen aan de behoeften van de personen met een handicap, of, waar dat vanwege de handicap niet mogelijk is, zorg te dragen voor beschutte arbeid die is aangepast aan het niveau van de handicap. In bepaalde gevallen kunnen dergelijke maatregelen inschakeling van gespecialiseerde bemiddelingsbureaus inhouden;
3. hun volledige sociale integratie en participatie in het gemeenschapsleven te bevorderen door in het bijzonder maatregelen te treffen, met inbegrip van technische hulpmiddelen, die gericht zijn op het overwinnen van belemmeringen met betrekking tot communicatie en mo-

biliteit en op het toegang verschaffen tot vervoer, huisvesting, culturele activiteiten en vrijetijdsbesteding.

Art. 16 Recht van het gezin op sociale, wettelijke en economische bescherming

Sociale rechten, gezinsbescherming

Teneinde de noodzakelijke voorwaarden te scheppen voor de volledige ontplooiing van het gezin, als fundamentele maatschappelijke eenheid, verbinden de Partijen zich de economische, wettelijke en sociale bescherming van het gezinsleven te bevorderen, onder andere door het doen van sociale en gezinsuitkeringen, het treffen van fiscale regelingen, het verschaffen van gezinshuisvesting en het doen van uitkeringen bij huwelijk.

Art. 17 Recht van kinderen en jeugdige personen op sociale, wettelijke en economische bescherming

Sociale rechten, bescherming kinderen en jeugdigen

Teneinde de doeltreffende uitoefening te waarborgen van het recht van kinderen en jeugdige personen op te groeien in een omgeving die de volledige ontwikkeling van hun persoonlijkheid en van hun fysieke en geestelijke capaciteiten bevordert, verbinden Partijen zich, hetzij rechtstreeks, hetzij in samenwerking met openbare of particuliere instanties, alle passende en noodzakelijke maatregelen te nemen die beogen:

1.

a. te waarborgen dat kinderen en jeugdige personen, met inachtneming van de rechten en plichten van hun ouders, beschikken over de verzorging, de ondersteuning, het onderwijs en de opleiding die zij nodig hebben, in het bijzonder door te zorgen voor de oprichting of instandhouding van instellingen en diensten die voor dit doel toereikend en voldoende zijn;

b. kinderen en jeugdige personen te beschermen tegen verwaarlozing, geweld of uitbuiting;

c. bescherming en bijzondere ondersteuning van overheidswege te geven aan kinderen en jeugdige personen die tijdelijk of definitief de steun van hun gezin moeten ontberen;

2. basisonderwijs en voortgezet onderwijs kosteloos beschikbaar te stellen voor kinderen en jeugdige personen, alsmede regelmatig schoolbezoek te bevorderen.

Art. 18 Recht op het uitoefenen van een op winst gerichte bezigheid op het grondgebied van andere Partijen

Sociale rechten, winstgevende bezigheid op grondgebied van andere partij

Teneinde de doeltreffende uitoefening van het recht op het uitoefenen van een op winst gerichte bezigheid op het grondgebied van elke andere Partij te waarborgen, verbinden de Partijen zich:

1. de bestaande regelingen zo ruim mogelijk toe te passen;

2. de bestaande formaliteiten te vereenvoudigen en de kanselarijrechten en andere kosten die buitenlandse werknemers of hun werkgevers moeten betalen, te verminderen of af te schaffen;

3. de regelingen met betrekking tot de tewerkstelling van buitenlandse werknemers individueel of gemeenschappelijk te versoepelen;

en erkennen:

4. het recht van hun onderdanen om het land te verlaten teneinde op het grondgebied van de andere Partijen een op winst gerichte bezigheid uit te oefenen.

Art. 19 Recht van migrerende werknemers en hun gezinnen op bescherming en bijstand

Sociale rechten, bescherming migrerende werknemers

Teneinde de doeltreffende uitoefening van het recht van migrerende werknemers en hun gezinnen op bescherming en bijstand op het grondgebied van elke andere Partij te waarborgen, verbinden de Partijen zich:

1. doelmatige en kosteloze diensten te onderhouden, dan wel zich ervan te vergewissen dat zulke diensten worden onderhouden, gericht op bijstand aan genoemde werknemers, in het bijzonder voor het verkrijgen van nauwkeurige voorlichting, en alle passende maatregelen te treffen, voor zover de nationale wet- en regelgeving zulks toelaat, tegen misleidende propaganda betreffende emigratie en immigratie;

2. passende maatregelen te treffen binnen hun eigen rechtsgebied ter vergemakkelijking van het vertrek, de reis en de ontvangst van genoemde werknemers en hun gezinnen, en binnen hun eigen rechtsgebied gedurende de reis te zorgen voor doelmatige diensten op het gebied van de gezondheid en medische behandeling, alsmede voor goede hygiënische omstandigheden;

3. waar nodig samenwerking tussen sociale diensten, zowel van openbare als van particuliere aard, in emigratie- en immigratielanden te bevorderen;

4. voor genoemde werknemers die legaal op hun grondgebied verblijven, voor zover deze aangelegenheden bij de wet- of regelgeving worden geregeld of onderworpen zijn aan het toezicht van bestuursautoriteiten, een behandeling te waarborgen die niet minder gunstig is dan die van hun eigen onderdanen wat betreft de volgende aangelegenheden:

a. de beloning en andere arbeidsvoorwaarden en arbeidsomstandigheden;

b. het lidmaatschap van vakbonden en het genot van de voordelen van collectieve onderhandelingen;

c. huisvesting;

5. voor genoemde werknemers die legaal op hun grondgebied verblijven, een behandeling te waarborgen die niet minder gunstig is dan die van hun eigen onderdanen wat betreft belastingen op uit dienstverband voortvloeiende beloning, en wat betreft kosten of bijdragen verschuldigd met betrekking tot de tewerkgestelde personen;

6. zoveel mogelijk de gezinshereniging van een migrerende werknemer die toestemming heeft verkregen om zich op het grondgebied te vestigen, te vergemakkelijken;
7. voor genoemde werknemers die legaal op hun grondgebied verblijven, een behandeling te waarborgen die niet minder gunstig is dan die van hun eigen onderdanen wat betreft gerechtelijke procedures in verband met de in dit artikel vermelde aangelegenheden;
8. te waarborgen dat genoemde werknemers die legaal op hun grondgebied verblijven, niet worden uitgezet tenzij zij de nationale veiligheid in gevaar brengen of inbreuk maken op de openbare orde of de goede zeden;
9. binnen de wettelijke grenzen toe te staan dat genoemde werknemers zoveel van hun verdiensten en spaargelden overmaken als zij zelf wensen;
10. de bescherming en bijstand, voorzien in dit artikel, uit te strekken tot migranten die zelfstandig een beroep uitoefenen, voor zover deze maatregelen van toepassing kunnen zijn;
11. het onderwijzen van de landstaal van de ontvangende staat of, indien er meerdere talen zijn, een van deze talen, aan migrerende werknemers en leden van hun gezinnen te bevorderen en te vergemakkelijken;
12. voor zover uitvoerbaar, het onderwijzen van de moedertaal van de migrerende werknemer aan de kinderen van de migrerende werknemer te bevorderen en te vergemakkelijken.

Art. 20 Recht op gelijke kansen en gelijke behandeling ten aanzien van werkgelegenheid en beroepsuitoefening zonder discriminatie naar geslacht

Sociale rechten, gelijke kansen

Teneinde de doeltreffende uitoefening te waarborgen van het recht op gelijke kansen en gelijke behandeling ten aanzien van werkgelegenheid en beroepsuitoefening zonder discriminatie naar geslacht, verbinden de Partijen zich ertoe dat recht te erkennen en passende maatregelen te nemen om de toepassing ervan op de volgende gebieden te waarborgen of te bevorderen:
a. toegang tot de arbeidsmarkt, bescherming tegen ontslag en reïntegratie in het arbeidsproces;
b. beroepskeuzevoorlichting, vakopleiding, her- en omscholing en reïntegratie;
c. arbeidsvoorwaarden en arbeidsomstandigheden, met inbegrip van salariëring;
d. loopbaanontwikkeling, met inbegrip van promotie.

Art. 21 Recht op informatie en overleg

Sociale rechten, recht op informatie en overleg

Teneinde de doeltreffende uitoefening van het recht van werknemers op informatie en overleg binnen de onderneming te waarborgen, verbinden de Partijen zich ertoe maatregelen te nemen of te bevorderen waardoor de werknemers of hun vertegenwoordigers, overeenkomstig de nationale wetgeving en praktijk, in staat worden gesteld om:
a. regelmatig of te gelegener tijd op een begrijpelijke wijze te worden geïnformeerd over de economische en financiële toestand van de onderneming waarbij zij in dienst zijn, met dien verstande dat de openbaarmaking van bepaalde informatie waardoor de onderneming zou kunnen worden benadeeld, kan worden geweigerd of dat er kan worden geëist dat deze informatie vertrouwelijk wordt behandeld; en
b. tijdig te worden geraadpleegd over voorgestelde beslissingen die de belangen van de werknemers aanzienlijk zouden kunnen beïnvloeden en met name over beslissingen die grote gevolgen zouden kunnen hebben voor de werkgelegenheid binnen de onderneming.

Art. 22 Recht deel te nemen aan de vaststelling en de verbetering van de arbeidsomstandigheden en werkomgeving

Teneinde de doeltreffende uitoefening te waarborgen van het recht van werknemers deel te nemen aan de vaststelling en de verbetering van de arbeidsomstandigheden en werkomgeving binnen de onderneming, verbinden de Partijen zich ertoe maatregelen te nemen of te bevorderen waardoor de werknemers of hun vertegenwoordigers, overeenkomstig de nationale wetgeving en praktijk, in staat worden gesteld bij te dragen aan:
a. de vaststelling en de verbetering van de arbeidsomstandigheden, de werkindeling en de werkomgeving;
b. de bescherming van de gezondheid en de veiligheid binnen de onderneming;
c. de organisatie van sociale en sociaal-culturele diensten en voorzieningen binnen de onderneming;
d. toezicht op de naleving van de voorschriften op deze gebieden.

Art. 23 Recht van ouderen op sociale bescherming

Sociale rechten, sociale bescherming

Teneinde de doeltreffende uitoefening te waarborgen van het recht van ouderen op sociale bescherming, verbinden de Partijen zich ertoe, hetzij rechtstreeks, hetzij in samenwerking met openbare of particuliere instanties, passende maatregelen te nemen of te bevorderen die er met name op zijn gericht:
– Ouderen in staat te stellen zo lang mogelijk volwaardig lid te blijven van de maatschappij, door middel van:
a. voldoende middelen om hen in staat te stellen een fatsoenlijk bestaan te leiden en actief deel te nemen aan het openbare, maatschappelijke en culturele leven;
b. verschaffing van informatie over de diensten en voorzieningen beschikbaar voor ouderen en de mogelijkheden voor hen om hiervan gebruik te maken;

– Ouderen in staat te stellen vrijelijk hun levensstijl te kiezen en een onafhankelijk bestaan te leiden in hun gewone omgeving zolang zij dit wensen en kunnen, door middel van:
a. het beschikbaar stellen van huisvesting aangepast aan hun behoeften en hun gezondheidstoestand, dan wel van passende bijstand bij de aanpassing van hun woning;
b. de gezondheidszorg en diensten die in verband met hun toestand nodig zijn;
– Ouderen die in tehuizen wonen passende hulp, met respect voor het privé-leven, en deelname aan de vaststelling van de leefomstandigheden in het tehuis te verzekeren.

Art. 24 Recht op bescherming in geval van beëindiging van de dienstbetrekking

Sociale rechten, beëindiging dienstbetrekking

Teneinde de doeltreffende uitoefening te waarborgen van het recht van werknemers op bescherming in geval van beëindiging van de dienstbetrekking, verbinden de Partijen zich tot erkenning van:
a. het recht van alle werknemers om hun dienstbetrekking niet beëindigd te zien worden zonder geldige redenen voor een dergelijke beëindiging, die verband houdt met de bekwaamheid of het gedrag van de werknemer of op grond van de operationele behoeften van de onderneming, vestiging of dienst;
b. het recht van werknemers van wie de dienstbetrekking zonder geldige reden wordt beëindigd, op voldoende schadeloosstelling of een andere adequate vorm van genoegdoening.
Daartoe verbinden de Partijen zich ertoe te waarborgen dat een werknemer die van mening is dat zijn dienstbetrekking zonder geldige is beëindigd het recht heeft in beroep te gaan bij een onpartijdige instantie.

Art. 25 Recht van werknemers op bescherming van hun aanspraken in geval van insolventie van hun werkgever

Sociale rechten, insolventie werkgever

Teneinde de doeltreffende uitoefening te waarborgen van het recht van werknemers op bescherming van hun aanspraken in geval van insolventie van hun werkgever, verbinden de Partijen zich ertoe te bepalen dat aanspraken van werknemers uit hoofde van arbeidsovereenkomsten of dienstbetrekkingen worden gewaarborgd door een waarborgfonds of door enige andere doeltreffende vorm van bescherming.

Art. 26 Recht op waardigheid op het werk

Sociale rechten, waardigheid

Teneinde de doeltreffende uitoefening te waarborgen van het recht van alle werknemers op de bescherming van hun waardigheid op het werk, verbinden de Partijen zich, in overleg met organisaties van werkgevers en werknemers:
1. de bewustwording van, informatie over en preventie van seksuele intimidatie op het werk of verband houdend met werk te bevorderen en alle passende maatregelen te nemen om werknemers tegen dergelijk gedrag te beschermen;
2. de bewustwording van, informatie over en preventie van zich herhalend laakbaar of duidelijk negatief of beledigend gedrag gericht tegen individuele werknemers op het werk of verband houdend met werk te bevorderen en alle passende maatregelen te nemen om werknemers tegen dergelijk gedrag te beschermen.

Art. 27 Recht van werknemers met gezinsverantwoordelijkheid op gelijke kansen en een gelijke behandeling

Sociale rechten, werknemers met gezin

Teneinde de doeltreffende uitoefening te waarborgen van het recht op gelijke kansen en een gelijke behandeling van mannelijke en vrouwelijke werknemers met gezinsverantwoordelijkheden en tussen dergelijke werknemers en andere werknemers, verbinden de Partijen zich ertoe:
1. passende maatregelen te nemen om:
a. werknemers met gezinsverantwoordelijkheden in staat te stellen een dienstbetrekking aan te gaan en deze te behouden, alsmede na een afwezigheid vanwege deze gezinsverantwoordelijkheden te herintreden, met inbegrip van maatregelen op het gebied van beroepskeuzevoorlichting en beroepsopleiding;
b. rekening te houden met hun behoeften op het punt van arbeidsvoorwaarden en sociale zekerheid;
c. openbare of particuliere diensten te ontwikkelen of te bevorderen, met name kinderdagopvang en andere vormen van kinderopvang;
2. beide ouders in de gelegenheid te stellen, gedurende een periode na het verstrijken van het zwangerschaps- en bevallingsverlof, ouderschapsverlof op te nemen waarvan de duur en voorwaarden worden bepaald door de nationale wetgeving, collectieve arbeidsovereenkomsten of de praktijk;
3. te waarborgen dat gezinsverantwoordelijkheden als zodanig geen geldige reden voor ontslag vormt.

Art. 28 Het recht van werknemersvertegenwoordigers op bescherming in de onderneming en op verlening van passende voorzieningen

Sociale rechten, werknemersvertegenwoordigers

Teneinde de doeltreffende uitoefening te waarborgen van het recht van werknemersvertegenwoordigers hun functie uit te oefenen, verbinden de Partijen zich ertoe te waarborgen dat zij binnen de onderneming:

a. doeltreffende bescherming genieten tegen voor hen nadelige handelingen, met inbegrip van ontslag, op grond van hun status of hun activiteiten als werknemersvertegenwoordiger binnen de onderneming;
b. de beschikking krijgen over de voorzieningen die geschikt zijn om hen in staat te stellen hun functie onverwijld en doelmatig te vervullen, waarbij rekening wordt gehouden met het systeem van de arbeidsverhoudingen in het land en de behoeften, omvang en mogelijkheden van de betrokken onderneming.

Art. 29 Recht op informatie en overleg in procedures voor collectief ontslag

Sociale rechten, collectief ontslag

Teneinde de doeltreffende uitoefening te waarborgen van het recht van werknemers op informatie en overleg bij collectief ontslag, verbinden de Partijen zich ertoe te waarborgen dat werkgevers de werknemersvertegenwoordigers tijdig vóór een dergelijk collectief ontslag zullen informeren en raadplegen over mogelijkheden om collectieve ontslagen te vermijden of in aantal te beperken en de gevolgen ervan te verzachten, bijvoorbeeld door een sociaal plan op te stellen dat met name is gericht op ondersteuning bij de herplaatsing of her- en omscholing van de betrokken werknemers.

Art. 30 Recht op bescherming tegen armoede en sociale uitsluiting

Sociale rechten, armoede en sociale uitsluiting

Teneinde de doeltreffende uitoefening te waarborgen van het recht op bescherming tegen armoede en sociale uitsluiting, verbinden de Partijen zich:
a. maatregelen te nemen binnen het kader van een algehele en gecoördineerde aanpak om de daadwerkelijke toegang te bevorderen van personen die zich in een situatie van sociale uitsluiting of armoede bevinden of in die situatie terecht dreigen te komen, alsook hun gezinsleden, tot, met name, werk, huisvesting, opleiding, onderwijs, cultuur en sociale en medische bijstand;
b. deze maatregelen te toetsen met het oog op de aanpassing daarvan indien noodzakelijk.

Art. 31 Recht op huisvesting

Sociale rechten, huisvesting

Teneinde de doeltreffende uitoefening van het recht op huisvesting te waarborgen, verbinden de Partijen zich maatregelen te nemen die erop zijn gericht:
1. de toegang tot adequate huisvesting te bevorderen;
2. dak- en thuisloosheid te voorkomen en te verminderen teneinde het geleidelijk uit te bannen;
3. de kosten voor huisvesting binnen het bereik te brengen van een ieder die niet over voldoende middelen beschikt.

DEEL III

Art. A Verplichtingen

Slotbepalingen

1. Met inachtneming van de bepalingen van het navolgende Artikel B is elk van de Partijen verplicht:
a. deel I van dit Handvest te beschouwen als een verklaring van de doelstellingen die zij overeenkomstig de inleidende alinea van dat deel met alle daarvoor in aanmerking komende middelen zal nastreven;
b. zich gebonden te achten door ten minste zes van de negen hierna genoemde artikelen van deel II van dit Handvest, namelijk de artikelen 1, 5, 6, 7, 12, 13, 16, 19 en 20;
c. zich gebonden te achten door een bijkomend aantal artikelen of genummerde leden van deel II van het Handvest, te harer keuze, mits het totale aantal artikelen of genummerde leden die haar binden niet minder dan 16 artikelen of 63 genummerde leden bedraagt.
2. De krachtens lid 1, sub b en c, van dit artikel gekozen artikelen of leden worden medegedeeld aan de Secretaris-Generaal van de Raad van Europa bij de nederlegging van de akte van bekrachtiging, aanvaarding of goedkeuring.
3. Ieder der Partijen kan op een later tijdstip door kennisgeving aan de Secretaris-Generaal verklaren dat zij zichzelf gebonden acht door andere artikelen of genummerde leden van deel II van het Handvest die zij nog niet eerder overeenkomstig lid 1 van dit artikel heeft aanvaard. Deze later aanvaarde verplichtingen worden geacht een integrerend deel van de bekrachtiging, aanvaarding of goedkeuring te zijn en hebben met ingang van de eerste dag van de maand die volgt op het verstrijken van een tijdvak van een maand na de datum van kennisgeving hetzelfde rechtsgevolg.
4. Iedere Partij dient te beschikken over een aan haar nationale omstandigheden aangepast stelsel van arbeidsinspectie.

Art. B Betrekkingen met het Europees Sociaal Handvest en het Aanvullend Protocol van 1988

1. Geen Verdragsluitende Partij bij het Europees Sociaal Handvest en geen Partij bij het Aanvullend Protocol van 5 mei 1988 mag dit Handvest bekrachtigen, aanvaarden of goedkeuren zonder zich gebonden te achten aan ten minste de bepalingen die overeenkomen met de bepalingen van het Europees Sociaal Handvest en, waar van toepassing, van het Aanvullend Protocol, waaraan zij gebonden was.
2. Aanvaarding van de verplichtingen ingevolge de bepalingen van dit Handvest, zal, vanaf de datum van inwerkingtreding van deze verplichtingen voor de desbetreffende Partij, ertoe

leiden dat de overeenkomstige bepaling van het Europees Sociaal Handvest en, waar van toepassing, van het Aanvullend Protocol daarbij van 1988 niet meer van toepassing is op de betrokken Partij ingeval die Partij gebonden is door de eerste van deze instrumenten of door beide instrumenten.

DEEL IV

Art. C Toezicht op de uitvoering van de in dit Handvest vervatte verplichtingen

De uitvoering van de in dit Handvest vervatte juridische verplichtingen zal aan hetzelfde toezicht worden onderworpen als het Europees Sociaal Handvest.

Art. D Collectieve klachten

1. De bepalingen van het Aanvullend Protocol bij het Europees Sociaal Handvest betreffende een systeem voor collectieve klachten zijn van toepassing op de verplichtingen in dit Handvest voor de Staten die het genoemde Protocol hebben bekrachtigd.

2. Iedere Staat die niet is gebonden aan het Aanvullend Protocol bij het Europees Sociaal Handvest betreffende een systeem voor collectieve klachten kan bij de nederlegging van zijn akte van bekrachtiging, aanvaarding of goedkeuring van dit Handvest of te eniger tijd daarna, door middel van een kennisgeving aan de Secretaris-Generaal van de Raad van Europa, verklaren dat hij het toezicht op zijn verplichtingen uit hoofde van dit Handvest aanvaardt volgens de procedure die in het genoemde Protocol is voorzien.

DEEL V

Art. E Non-discriminatie

Het genot van de in dit Handvest neergelegde rechten moet worden verzekerd zonder enig onderscheid op welke grond dan ook, zoals ras, kleur, geslacht, taal, godsdienst, politieke of andere overtuiging, nationale herkomst of sociale afkomst, gezondheid, het behoren tot een nationale minderheid, geboorte of andere status.

Art. F Afwijking in geval van oorlog of noodtoestand

1. In geval van oorlog of een andere noodtoestand waardoor het voortbestaan van het land wordt bedreigd, kan iedere Partij maatregelen nemen in afwijking van de in dit Handvest genoemde verplichtingen, doch uitsluitend voor zover de omstandigheden zulks absoluut vereisen en deze maatregelen niet in strijd zijn met andere volkenrechtelijke verplichtingen.

2. Indien een Partij van dit recht om af te wijken gebruik heeft gemaakt, stelt zij binnen een redelijke termijn de Secretaris-Generaal van de Raad van Europa volledig op de hoogte van de getroffen maatregelen en van de redenen die hiertoe hebben geleid. Tevens dient zij de Secretaris-Generaal mededeling te doen van het tijdstip waarop deze maatregelen buiten werking zijn gesteld en de door haar aanvaarde bepalingen van het Handvest wederom volledig van toepassing zijn.

Art. G Beperkingen

1. Wanneer de in deel I genoemde rechten en beginselen en de in deel II geregelde doeltreffende uitoefening en toepassing hiervan zijn verwezenlijkt, kunnen zij buiten de in deel I en deel II vermelde gevallen generlei beperkingen ondergaan, met uitzondering van die welke bij de wet zijn voorgeschreven en in een democratische samenleving noodzakelijk zijn voor de bescherming van de rechten en vrijheden van anderen en voor de bescherming van de openbare orde, de nationale veiligheid, de volksgezondheid of de goede zeden.

2. De krachtens dit Handvest geoorloofde beperkingen op de daarin vermelde rechten en verplichtingen kunnen uitsluitend worden toegepast voor het doel waarvoor zij zijn bestemd.

Art. H Verhouding van het Handvest tot het nationale recht of internationale overeenkomsten

De bepalingen van dit Handvest laten de bepalingen van nationaal recht en van alle reeds van kracht zijnde of nog van kracht wordende bilaterale of multilaterale verdragen of overeenkomsten welke gunstiger zijn voor de beschermde personen, onverlet.

Art. I Uitvoering van de aangegane verbintenissen

1. Onverminderd de uitvoeringswijzen die in deze artikelen worden voorzien, wordt uitvoering gegeven aan de relevante bepalingen in de artikelen 1 tot en met 31 van deel II van dit Handvest door:

a. wet- of regelgeving;
b. overeenkomsten tussen werkgevers of werkgeversorganisaties en werknemersorganisaties;
c. een combinatie van deze twee methoden;
d. andere passende middelen.

2. De verbintenissen voortvloeiende uit de bepalingen van artikel 2, eerste, tweede, derde, vierde, vijfde en zevende lid, artikel 7, vierde, zesde en zevende lid, artikel 10, eerste, tweede, derde en vijfde lid, en uit de artikelen 21 en 22 van deel II van dit Handvest worden geacht te zijn nagekomen zodra deze bepalingen worden toegepast, overeenkomstig het eerste lid van dit artikel, op de overgrote meerderheid van de betrokken werknemers.

Art. J Wijzigingen

1. Wijzigingen van deel I en deel II van dit Handvest die tot doel hebben de in dit Handvest gewaarborgde rechten uit te breiden alsmede wijzigingen van deel III tot en met deel VI, die door een Partij of door het Regeringscomité worden voorgesteld, dienen te worden medegedeeld aan de Secretaris-Generaal van de Raad van Europa en worden door de Secretaris-Generaal toegezonden aan de Partijen bij dit Handvest.

2. Wijzigingen die zijn voorgesteld overeenkomstig de bepalingen van het voorgaande lid worden beoordeeld door het Regeringscomité, dat de aangenomen tekst na overleg met de Parlementaire Vergadering ter goedkeuring zal voorleggen aan het Comité van Ministers. De tekst zal na goedkeuring door het Comité van Ministers ter aanvaarding worden toegezonden aan de Partijen.

3. Wijzigingen van deel I en deel II van dit Handvest zullen voor de Partijen die deze hebben aanvaard van kracht worden op de eerste dag van de maand die volgt op het verstrijken van een tijdvak van een maand na de datum waarop drie Partijen de Secretaris-Generaal in kennis hebben gesteld van hun aanvaarding.
Met betrekking tot iedere Partij die nadien een wijziging aanvaardt, wordt de wijziging van kracht op de eerste dag van de maand die volgt op het verstrijken van een tijdvak van een maand na de datum waarop die Partij de Secretaris-Generaal in kennis heeft gesteld van haar aanvaarding.

4. Wijzigingen van deel III tot en met deel VI van dit Handvest worden van kracht op de eerste dag van de maand die volgt op het verstrijken van een tijdvak van een maand na de datum waarop alle Partijen de Secretaris-Generaal in kennis hebben gesteld van hun aanvaarding.

DEEL VI

Art. K Ondertekening, bekrachtiging en inwerkingtreding

1. Dit Handvest staat open voor ondertekening door de Lidstaten van de Raad van Europa. Het dient te worden bekrachtigd, aanvaard of goedgekeurd. De akten van bekrachtiging, aanvaarding of goedkeuring worden nedergelegd bij de Secretaris-Generaal van de Raad van Europa.

2. Dit Handvest treedt in werking op de eerste dag van de maand die volgt op het verstrijken van een tijdvak van een maand na de datum waarop drie Lidstaten van de Raad van Europa het feit dat zij ermee instemmen door het Handvest te worden gebonden tot uitdrukking hebben gebracht overeenkomstig het bepaalde in het vorige lid.

3. Voor iedere Lidstaat die nadien het feit dat hij ermee instemt door het Handvest te worden gebonden tot uitdrukking brengt, treedt het Handvest in werking op de eerste dag van de maand die volgt op het verstrijken van een tijdvak van een maand na de datum van de nederlegging van de akte van bekrachtiging, aanvaarding of goedkeuring.

Art. L Territoriale toepassing

1. Dit Handvest is van toepassing op het grondgebied van het moederland van elk der Partijen. Elke ondertekenende Partij kan op het tijdstip van ondertekening, dan wel op het tijdstip van nederlegging van de akte van bekrachtiging, aanvaarding of goedkeuring, het grondgebied dat voor de toepassing van dit Handvest als haar moederland dient te worden beschouwd, nader omschrijven in een aan de Secretaris-Generaal van de Raad van Europa te richten verklaring.

2. Elke ondertekenende Partij kan op het tijdstip van ondertekening, dan wel op het tijdstip van nederlegging van de akte van bekrachtiging, aanvaarding of goedkeuring, of op elk daaropvolgend tijdstip, in een aan de Secretaris-Generaal van de Raad van Europa te richten kennisgeving verklaren dat het Handvest geheel of gedeeltelijk van toepassing zal zijn op één of meer in bedoelde verklaring aangegeven grondgebieden buiten het moederland gelegen, waarvan zij de internationale betrekkingen behartigt en waarvoor zij de internationale verantwoordelijkheid aanvaardt. Zij dient in deze verklaring aan te geven welke van de in deel II van het Handvest vervatte artikelen of leden zij als bindend aanvaardt ten aanzien van de in de verklaring vermelde gebieden.

3. Het Handvest is op het grondgebied of de grondgebieden als vermeld in de in het vorige lid bedoelde verklaring van toepassing vanaf de eerste dag van de maand die volgt op het verstrijken van een tijdvak van een maand na de datum van ontvangst van een dergelijke verklaring door de Secretaris-Generaal.

4. Elke Partij kan te allen tijde in een aan de Secretaris-Generaal van de Raad van Europa te richten kennisgeving verklaren dat zij ten aanzien van één of meer grondgebieden waarop dit Handvest krachtens het tweede lid van dit artikel van toepassing is, nader te noemen artikelen of genummerde leden van kracht verklaart, welke zij nog niet ten aanzien van zodanig gebied of zodanige gebieden als bindend had aanvaard. Deze later aanvaarde verplichtingen worden geacht een integrerend deel te vormen van de oorspronkelijke verklaring ten aanzien van het betrokken grondgebied en hebben hetzelfde rechtsgevolg met ingang van de eerste dag van de

maand die volgt op het verstrijken van een tijdvak van een maand na de datum waarop de Secretaris-Generaal de kennisgeving van deze verklaring heeft ontvangen.

Art. M Opzegging

1. Een Partij kan dit Handvest slechts opzeggen na verloop van een periode van vijf jaar na de datum waarop het Handvest ten aanzien van de betrokken Partij in werking is getreden, of binnen elke periode van twee jaar daaropvolgend; in elk van deze gevallen dient de opzegging met inachtneming van een termijn van zes maanden ter kennis te worden gebracht van de Secretaris-Generaal van de Raad van Europa, die de overige Partijen hiervan mededeling doet.
2. Elke Partij kan overeenkomstig de bepalingen van het voorgaande lid elk door haar aanvaard artikel of lid van deel II van het Handvest opzeggen, mits het aantal artikelen dat voor deze Partij bindend is, nooit minder dan 16 en het aantal leden nooit minder dan 63 bedraagt, en mits dit aantal artikelen of leden steeds de artikelen omvat die door de Partij zijn gekozen uit de in artikel A, eerste lid, sub *b*, genoemde artikelen.
3. Elke Partij kan dit Handvest of elk van de artikelen of leden van deel II van het Handvest overeenkomstig de bepalingen van het eerste lid van dit artikel opzeggen ten aanzien van elk grondgebied waarop dit Handvest van toepassing is krachtens een overeenkomstig artikel L, tweede lid, afgelegde verklaring.

Art. N Bijlage

De bijlage bij dit Handvest vormt een integrerend deel ervan.

Art. O Kennisgevingen

De Secretaris-Generaal van de Raad van Europa stelt de Lidstaten van de Raad van Europa en de Directeur-Generaal van het Internationaal Arbeidsbureau, in kennis van:
a. iedere ondertekening;
b. de nederlegging van iedere akte van bekrachtiging, aanvaarding of goedkeuring;
c. iedere datum van inwerkingtreding van dit Handvest overeenkomstig artikel K;
d. iedere verklaring gedaan ingevolge artikel A, tweede en derde lid, artikel D, eerste en tweede lid, artikel F, tweede lid, en artikel L, eerste, tweede, derde en vierde lid;
e. iedere wijziging overeenkomstig artikel J;
f. iedere opzegging overeenkomstig artikel M;
g. iedere andere handeling, kennisgeving of mededeling met betrekking tot dit Handvest.

Bijlage bij het herziene Europees Sociaal Handvest

1

Behoudens het bepaalde in artikel 12, vierde lid, en in artikel 13, vierde lid, zijn onder de in artikelen 1 tot en met 17 en 20 tot en met 31 bedoelde personen slechts die vreemdelingen begrepen die onderdaan zijn van andere Partijen en legaal verblijven of rechtmatig werkzaam zijn op het grondgebied van de betrokken Partij, met dien verstande dat de genoemde artikelen dienen te worden uitgelegd overeenkomstig de artikelen 18 en 19.
Deze uitlegging sluit een uitbreiding van overeenkomstige rechten tot andere personen door een van de Partijen niet uit.

2

Elke Partij doet vluchtelingen in de zin van het Verdrag van Genève van 28 juli 1951 betreffende de status van vluchtelingen en het Protocol daarbij van 31 januari 1967 die legaal op haar grondgebied verblijven een zo gunstig mogelijke behandeling toekomen en in elk geval een niet minder gunstige dan waartoe zij zich krachtens genoemd Verdrag heeft verbonden, alsmede krachtens alle andere bestaande en op deze vluchtelingen van toepassing zijnde internationale overeenkomsten.

3

Elke Partij doet staatlozen in de zin van het Verdrag van New York betreffende de status van staatlozen van 28 september 1954 die legaal op haar grondgebied verblijven een zo gunstig mogelijke behandeling toekomen en in elk geval een niet minder gunstige dan waartoe zij zich krachtens genoemd Verdrag heeft verbonden, alsmede krachtens alle andere bestaande en op deze staatlozen van toepassing zijnde internationale overeenkomsten.

DEEL I, achttiende lid, en DEEL II, artikel 18, eerste lid

Deze bepalingen hebben geen betrekking op de betreding van het grondgebied van de Partijen en laten de bepalingen van het te Parijs op 13 december 1955 ondertekende Europese Vestigingsverdrag onverlet.

DEEL II

Art. 1, tweede lid
Deze bepaling mag niet zodanig worden uitgelegd dat clausules en feitelijke gedragingen ter beveiliging van het vakbondswezen zijn verboden of toegestaan.

Art. 2, zesde lid
Partijen kunnen bepalen dat deze bepaling niet van toepassing is:
a. op werknemers die een overeenkomst of dienstbetrekking hebben met een totale duur van ten hoogste een maand en/of die een werkweek hebben van ten hoogste acht uur;
b. wanneer de overeenkomst of dienstbetrekking van tijdelijke en/of specifieke aard is, mits, in deze gevallen, de niet-toepassing ervan op grond van objectieve overwegingen wordt gerechtvaardigd.

Art. 3, vierde lid
Voor de toepassing van deze bepaling worden de functies, organisatie en exploitatievoorwaarden van deze diensten bepaald door nationale wet- en regelgeving, collectieve arbeidsovereenkomsten of andere bij nationale omstandigheden passende middelen.

Art. 4, vierde lid
Deze bepaling mag niet worden uitgelegd als inhoudende een verbod van ontslag op staande voet wegens een ernstig vergrijp.

Art. 4, vijfde lid
Een Partij kan de in dit lid bedoelde verplichting slechts op zich nemen indien inhoudingen op de lonen hetzij bij de wet, hetzij bij collectieve arbeidsovereenkomsten of scheidsrechterlijke uitspraken, verboden zijn ten aanzien van de overgrote meerderheid van de werknemers, waarbij de niet onder zodanige maatregelen vallende personen de enige uitzondering vormen.

Art. 6, vierde lid
Elke Partij kan zelf het recht van staking bij de wet regelen, mits elke eventuele verdere beperking van dit recht in de bepalingen van artikel G rechtvaardiging vindt.

Art. 7, tweede lid
Deze bepaling vormt voor Partijen geen beletsel om in hun wetgeving te bepalen dat jeugdige personen die de vastgestelde minimumleeftijd nog niet hebben bereikt werkzaamheden mogen verrichten voor zover deze absoluut noodzakelijk zijn voor hun vakopleiding wanneer dergelijke werkzaamheden worden uitgevoerd overeenkomstig de door de bevoegde autoriteit vastgestelde voorwaarden en wanneer maatregelen worden getroffen om de gezondheid en veiligheid van deze jeugdige personen te beschermen.

Art. 7, achtste lid
Een Partij wordt geacht aan de geest van de in dit lid genoemde verplichting te hebben voldaan indien zij in de geest van deze verplichting bij de wet bepaalt dat de overgrote meerderheid van de minderjarigen die de leeftijd van 18 jaar nog niet hebben bereikt, geen nachtarbeid mag verrichten.

Art. 8, tweede lid
Deze bepaling mag niet worden uitgelegd als inhoudende een absoluut verbod. Er kunnen uitzonderingen worden gemaakt, bijvoorbeeld in de volgende gevallen:
a. indien een vrouwelijke werknemer schuldig is aan misdragingen die het beëindigen van de dienstbetrekking rechtvaardigen;
b. indien de betrokken onderneming zijn activiteiten staakt;
c. indien de in de arbeidsovereenkomst voorgeschreven termijn is verstreken.

Art. 12, vierde lid
De zinsnede „en met inachtneming van de in zulke overeenkomsten neergelegde voorwaarden" van de inleiding tot dit lid wordt geacht onder meer in te houden dat een Partij ten aanzien van de niet van verzekeringspremies afhankelijke uitkeringen het ingezetenschap gedurende een voorgeschreven periode verplicht kan stellen alvorens deze uitkeringen aan onderdanen van andere Partijen te verlenen.

Art. 13, vierde lid
De regeringen die geen Partij zijn bij het Europees Verdrag betreffende sociale en medische bijstand, kunnen het Handvest ten aanzien van dit lid bekrachtigen, mits zij aan onderdanen van andere Partijen een met de bepalingen van genoemd Verdrag strokende behandeling toekennen.

Art. 16
De in deze bepaling verleende bescherming heeft mede betrekking op eenoudergezinnen.

Art. 17
Deze bepaling heeft betrekking op alle personen die jonger zijn dan 18 jaar, tenzij volgens het op het kind van toepassing zijnde recht de meerderjarigheid eerder wordt bereikt, onverminderd andere specifieke bepalingen die in het Handvest, met name artikel 7, zijn vervat.
Dit houdt geen verplichting in om een leerplicht vast te stellen tot de bovengenoemde leeftijd.

Art. 19, zesde lid

Voor de toepassing van deze bepaling wordt de zinsnede ``gezin van een migrerende werknemer" geacht ten minste de echtgenoot en ongehuwde kinderen van de migrerende werknemer te omvatten, zolang deze laatsten door de ontvangende Staat als minderjarigen worden beschouwd en afhankelijk zijn van de migrerende werknemer.

Art. 20

1. Zaken betreffende de sociale zekerheid alsmede bepalingen betreffende werkloosheidsuitkeringen, ouderdomsuitkeringen en uitkeringen aan nabestaanden kunnen worden uitgesloten van de werkingssfeer van dit artikel.
2. De bepalingen betreffende de bescherming van de vrouw, met name wat betreft de zwangerschap, de bevalling en de postnatale periode, worden niet beschouwd als discriminatie in de zin van dit artikel.
3. Dit artikel vormt geen beletsel voor het nemen van specifieke maatregelen om feitelijke ongelijkheden uit de weg te ruimen.
4. Beroepsactiviteiten die vanwege hun aard of de omstandigheden waaronder zij worden verricht, slechts kunnen worden toevertrouwd aan personen van een bepaald geslacht, kunnen worden uitgesloten van de werkingssfeer van dit artikel of van enkele bepalingen ervan. Deze bepaling mag niet zodanig worden uitgelegd dat de Partijen worden verplicht om in hun wet- of regelgeving een lijst met beroepen op te nemen die vanwege hun aard of de omstandigheden waaronder zij worden uitgeoefend, kunnen worden voorbehouden aan werknemers van een bepaald geslacht.

Art. 21 en 22

1. Voor de toepassing van deze artikelen wordt verstaan onder „werknemersvertegenwoordigers" personen die als zodanig zijn erkend door de nationale wetgeving of praktijk.
2. Onder „nationale wetgeving of praktijk" wordt verstaan, naar gelang van het geval, behalve wet- en regelgeving, collectieve arbeidsovereenkomsten, andere overeenkomsten tussen werkgevers en werknemersvertegenwoordigers, gebruiken en relevante gerechtelijke beslissingen.
3. Voor de toepassing van deze artikelen wordt onder „onderneming" verstaan het geheel van materiële en immateriële bestanddelen, met of zonder rechtspersoonlijkheid, bestemd voor het produceren van goederen of het leveren van diensten, met winstoogmerk, en met de bevoegdheid het eigen marktbeleid te bepalen.
4. Religieuze gemeenschappen en hun instellingen kunnen worden uitgesloten van de toepassing van deze artikelen ook wanneer deze instellingen ondernemingen zijn in de zin van het derde lid. Instellingen die werkzaamheden verrichten geïnspireerd door bepaalde idealen of geleid door bepaalde morele opvattingen, idealen en opvattingen die worden beschermd door de nationale wetgeving, kunnen worden uitgesloten van de toepassing van deze artikelen voor zover zulks noodzakelijk is om de gerichtheid van de onderneming te beschermen.
5. Wanneer in een Staat de rechten zoals bedoeld in deze artikelen worden uitgeoefend in de verschillende vestigingen van de onderneming, moet de betrokken Partij worden geacht te voldoen aan de uit deze bepalingen voortvloeiende verplichtingen.
6. De Partijen kunnen ondernemingen waar minder dan een door de nationale wetgeving of praktijk bepaald aantal werknemers in dienst zijn, uitsluiten van de werkingssfeer van deze artikelen.

Art. 22

1. Deze bepaling tast noch de bevoegdheden en verplichtingen van de Staten met betrekking tot het aannemen van gezondheids- en veiligheidsvoorschriften met betrekking tot arbeidsplaatsen, noch de bevoegdheid en de verantwoordelijkheid van de lichamen die belast zijn met het toezicht op de toepassing ervan aan.
2. Onder ``sociale en sociaal-culturele diensten en voorzieningen" wordt verstaan diensten en voorzieningen van sociale en/of culturele aard die door sommige ondernemingen aan werknemers worden geboden, zoals sociale hulpverlening, sportterreinen, ruimte voor zogende moeders, bibliotheken, vakantiekampen voor kinderen, enz.

Art. 23, lid 1

Voor de toepassing van dit lid heeft de uitdrukking „zolang mogelijk" betrekking op de fysieke, psychische en intellectuele capaciteiten van de oudere.

Art. 24

1. Voor de toepassing van dit artikel wordt onder „beëindiging van de dienstbetrekking" en „beëindigd" verstaan de beëindiging van de dienstbetrekking op initiatief van de werkgever.
2. Dit artikel heeft betrekking op alle werknemers, maar een Partij kan de volgende categorieën werknemers geheel of gedeeltelijk uitsluiten van bescherming:

a. werknemers die in dienst zijn genomen op grond van een arbeidsovereenkomst voor bepaalde tijd of voor een bepaalde taak;

b. werknemers die onderworpen worden aan een proeftijd of die een bepaalde periode van tewerkstelling moeten vervullen, mits deze periode vooraf wordt bepaald en een redelijke termijn kent;

c. werknemers die voor een korte tijd worden aangenomen om onregelmatige werkzaamheden te verrichten.
3. Voor de toepassing van dit artikel zullen met name de onderstaande redenen geen geldige redenen voor beëindiging van dienstbetrekking vormen:
a. lidmaatschap van een vakbond of deelname aan vakbondsactiviteiten buiten werktijd, of, met toestemming van de werkgever, tijdens werktijd;
b. solliciteren naar de functie van, optreden als of opgetreden hebbend als werknemersvertegenwoordiger;
c. indienen van een klacht of deelneming aan een gerechtelijke procedure tegen een werkgever met betrekking tot een vermeende schending van wet- of regelgeving of het zich wenden tot bevoegde administratieve autoriteiten;
d. ras, kleur, geslacht, echtelijke staat, gezinsverantwoordelijkheid, zwangerschap, godsdienst, politieke overtuiging, nationale herkomst of sociale afkomst;
e. zwangerschaps- of ouderschapsverlof;
f. tijdelijk verzuim vanwege ziekte of letsel.
4. Schadeloosstelling of een andere adequate vorm van genoegdoening in geval van beëindiging van de dienstbetrekking zonder geldige redenen wordt bepaald door de nationale wet- of regelgeving, collectieve arbeidsovereenkomsten of andere bij de nationale omstandigheden passende middelen.

Art. 25

1. De bevoegde nationale autoriteit kan, bij wijze van ontheffing en na overleg met organisaties van werkgevers en werknemers, bepaalde categorieën werknemers wegens de bijzondere aard van hun dienstbetrekking uitsluiten van de in deze bepaling voorziene bescherming.
2. De definitie van „insolventie" moet worden bepaald door de nationale wetgeving en de praktijk.
3. De aanspraken van werknemers die onder deze bepaling vallen, omvatten ten minste:
a. de aanspraken van werknemers op loon met betrekking tot een voorgeschreven periode, die niet minder zal bedragen dan drie maanden in geval van een systeem van voorrechten en niet minder dan acht weken in geval van een waarborgstelsel vóór de datum van het intreden van de insolventie of van de beëindiging van de dienstbetrekking;
b. de aanspraken van werknemers op verschuldigde vakantietoeslag op grond van werkzaamheden die werden verricht in het jaar waarin de insolventie intrad of de dienstbetrekking werd beëindigd;
c. de aanspraken van werknemers op verschuldigde bedragen op grond van andere vormen van betaald verlof met betrekking tot een voorgeschreven periode, die niet minder zal bedragen dan drie maanden in geval van een systeem van voorrechten en niet minder dan acht weken in geval van een waarborgstelsel vóór de datum van het intreden van de insolventie of van de beëindiging van de dienstbetrekking.
4. In de nationale wet- of regelgeving kan de bescherming van de aanspraken van werknemers worden beperkt tot een voorgeschreven bedrag, dat van een sociaal aanvaardbaar niveau dient te zijn.

Art. 26

Dit artikel verplicht de Partijen niet tot het vaststellen van wetgeving.
Het tweede lid heeft geen betrekking op seksuele intimidatie.

Art. 27

Dit artikel heeft betrekking op mannelijke en vrouwelijke werknemers met gezinsverantwoordelijkheid met betrekking tot kinderen te hunnen laste en met betrekking tot andere leden van hun naaste familie die duidelijk behoefte hebben aan hun zorg en ondersteuning wanneer dergelijke verantwoordelijkheden hun mogelijkheden beperken bij het voorbereiden op, aangaan van, deelnemen aan, of vooruitgang boeken bij economische activiteiten. Onder „kinderen te hunnen laste" en „andere leden van hun naaste familie die duidelijk behoefte hebben aan hun zorg en ondersteuning" worden personen verstaan die als zodanig worden omschreven in de wetgeving van de betrokken Partij.

Art.en 28 en 29

Voor de toepassing van dit artikel wordt verstaan onder „werknemersvertegenwoordigers" personen die als zodanig zijn erkend door de nationale wetgeving of praktijk.

DEEL III

Het Handvest houdt juridische verplichtingen van internationale aard in, welker toepassing uitsluitend aan het in deel IV omschreven toezicht is onderworpen.

Art. A, eerste lid

De uitdrukking „genummerde leden" kan eveneens betrekking hebben op artikelen die slechts een enkel lid omvatten.

Art. B, tweede lid

Voor de toepassing van het tweede lid van artikel B, komen de bepalingen van het herziene Handvest overeen met de bepalingen van het Handvest vervat in het artikel of lid met hetzelfde nummer, met uitzondering van:

a. Artikel 3, tweede lid, van het herziene Handvest, dat overeenkomt met artikel 3, eerste en derde lid, van het Handvest;

b. Artikel 3, derde lid, van het herziene Handvest, dat overeenkomt met artikel 3, tweede en derde lid, van het Handvest;

c. Artikel 10, vijfde lid, van het herziene Handvest, dat overeenkomt met artikel 10, vierde lid, van het Handvest;

d. Artikel 17, eerste lid, van het herziene Handvest, dat overeenkomt met artikel 17 van het Handvest.

DEEL V

Art. E

Een verschil in behandeling dat gegrond is op een objectieve en redelijke rechtvaardiging wordt niet als discriminerend beschouwd.

Art. F

De zinsnede „in geval van oorlog of een andere noodtoestand" heeft tevens betrekking op oorlogs*dreiging.*

Art. I

Werknemers die zijn uitgesloten overeenkomstig de bijlage bij de artikelen 21 en 22, worden niet medegeteld bij de vaststelling van het aantal betrokken werknemers.

Art. J

Onder de term „wijziging" wordt tevens de toevoeging van nieuwe artikelen aan het Handvest verstaan.

Protocol tot wijziging van het Europees Sociaal Handvest, Turijn, 21 oktober 1991

Protocol tot wijziging van het Europees Sociaal Handvest[1]

De Lidstaten van de Raad van Europa die dit Protocol bij het Europees Sociaal Handvest, dat op 18 oktober 1961 te Turijn voor ondertekening werd opengesteld (hierna te noemen "het Handvest") hebben ondertekend,
Vastbesloten maatregelen te nemen ter verbetering van de doeltreffendheid van het Handvest, en met name de werking van de regeling van het toezicht;
Overwegende daarom dat het wenselijk is, enkele bepalingen van het Handvest te wijzigen,
Zijn als volgt overeengekomen:

Art. 1

Artikel 23 van het Handvest wordt vervangen door:

"Artikel 23 Verstrekking van exemplaren van rapporten en opmerkingen

1. Iedere Overeenkomstsluitende Partij zendt, wanneer zij de Secretaris-Generaal een rapport als bedoeld in de artikelen 21 en 22 toezendt, een exemplaar van dat rapport aan haar nationale organisaties die aangesloten zijn bij de internationale organisaties van werkgevers en werknemers die, overeenkomstig artikel 27, tweede lid, uitgenodigd zijn zich te doen vertegenwoordigen op bijeenkomsten van het regeringscomité. Deze organisaties zenden de Secretaris-Generaal eventuele opmerkingen over de rapporten van de Overeenkomstsluitende Partijen. De Secretaris-Generaal zendt een exemplaar van deze opmerkingen aan de betrokken Overeenkomstsluitende Partijen, die daarop kunnen reageren.
2. De Secretaris-Generaal zendt een exemplaar van de rapporten van de Overeenkomstsluitende Partijen aan de internationale niet-gouvernementele organisaties die een raadgevende status bij de Raad van Europa bezitten en beschikken over bijzondere bekwaamheid inzake aangelegenheden bestreken door dit Handvest.
3. De in de artikelen 21 en 22 en in dit artikel bedoelde rapporten en opmerkingen worden op verzoek aan het publiek ter beschikking gesteld."

Art. 2

Artikel 24 van het Handvest wordt vervangen door:

"Artikel 24 Bestudering van de rapporten

1. De krachtens de artikelen 21 en 22 aan de Secretaris-Generaal gezonden rapporten worden bestudeerd door een ingevolge artikel 25 in het leven geroepen Comité van onafhankelijke deskundigen. Het Comité dient eveneens de beschikking te hebben over alle overeenkomstig artikel 23, eerste lid, aan de Secretaris-Generaal toegezonden opmerkingen. Na voltooiing van de bestudering stelt het Comité van onafhankelijke deskundigen een rapport op waarin het zijn conclusies neerlegt.
2. Ten aanzien van de in artikel 21 bedoelde rapporten beoordeelt het Comité van onafhankelijke deskundigen vanuit juridisch standpunt de naleving in de nationale wetgeving en praktijk van de verplichtingen die voor de betrokken Overeenkomstsluitende Partijen uit het Handvest voortvloeien.
3. Het Comité van onafhankelijke deskundigen kan verzoeken om meer informatie en opheldering rechtstreeks tot de Overeenkomstsluitende Partijen richten. In dit verband kan het Comité van onafhankelijke deskundigen ook, indien nodig, een bijeenkomst beleggen met de vertegenwoordigers van een Overeenkomstsluitende Partij, op eigen initiatief of op verzoek van de betrokken Overeenkomstsluitende Partij. De in artikel 23, eerste lid, bedoelde organisaties worden op de hoogte gehouden.
4. De conclusies van het Comité van onafhankelijke deskundigen worden door de Secretaris-Generaal openbaar gemaakt en medegedeeld aan het Regeringscomité, de Parlementaire Vergadering en de in artikel 23, eerste lid, en artikel 27, tweede lid, genoemde organisaties."

Art. 3

Artikel 25 van het Handvest wordt vervangen door:

1 Is door Nederland ondertekend, geratificeerd, maar nog niet in werking getreden.

"Artikel 25 Comité van onafhankelijke deskundigen
1. Het Comité van onafhankelijke deskundigen bestaat uit ten minste negen leden, die door de Parlementaire Vergadering met een meerderheid van de uitgebrachte stemmen worden gekozen uit een lijst van door de Overeenkomstsluitende Partijen voorgedragen deskundigen van onbesproken reputatie en erkende bekwaamheid op het gebied van nationale en internationale sociale aangelegenheden. Het precieze aantal leden wordt bepaald door het Comité van Ministers.
2. De leden van het Comité worden gekozen voor een tijdvak van zes jaar. Zij kunnen eenmaal worden herkozen.
3. Een lid van het Comité van onafhankelijke deskundigen dat gekozen is in de plaats van een lid wiens mandaat nog niet is afgelopen, heeft zitting voor de resterende tijd van het mandaat van zijn voorganger.
4. De leden van het Comité hebben zitting op persoonlijke titel. Gedurende hun mandaat mogen zij geen functies vervullen die onverenigbaar zijn met de vereisten van onafhankelijkheid, onpartijdigheid en beschikbaarheid die inherent zijn aan hun mandaat."

Art. 4

Artikel 27 van het Handvest wordt vervangen door:

"Artikel 27 Regeringscomité
1. De rapporten van de Overeenkomstsluitende Partijen, de opmerkingen en informatie toegezonden overeenkomstig artikel 23, eerste lid, en artikel 24, derde lid, en de rapporten van het Comité van onafhankelijke deskundigen worden voorgelegd aan een Regeringscomité.
2. Het Comité bestaat uit een vertegenwoordiger van ieder der Overeenkomstsluitende Partijen. Het verzoekt ten hoogste twee internationale organisaties van werkgevers en twee internationale organisaties van werknemers, waarnemers te zenden, die zijn bijeenkomsten met raadgevende stem zullen bijwonen. Voorts kan het vertegenwoordigers raadplegen van internationale nietgouvernementele organisaties die een raadgevende status bij de Raad van Europa bezitten en beschikken over bijzondere bekwaamheid inzake aangelegenheden bestreken door dit Handvest.
3. Het Regeringscomité bereidt de beslissingen van het Comité van Ministers voor. Met name selecteert het, in het licht van de rapporten van het Comité van onafhankelijke deskundigen en van de Overeenkomstsluitende Partijen, de situaties die naar zijn mening het onderwerp moeten vormen van aanbevelingen aan iedere betrokken Overeenkomstsluitende Partij, in overeenstemming met artikel 28 van het Handvest; daarbij geeft het de redenen voor zijn keuze, op basis van sociale, economische en andere beleidsoverwegingen. Het legt aan het Comité van Ministers een rapport voor, dat openbaar wordt gemaakt.
4. Op basis van zijn bevindingen over de toepassing van het Sociaal Handvest in het algemeen kan het Regeringscomité aan het Comité van Ministers voorstellen voorleggen gericht op te verrichten onderzoeken over sociale onderwerpen en over artikelen van het Handvest die mogelijk geactualiseerd zouden kunnen worden."

Art. 5

Artikel 28 van het Handvest wordt vervangen door:

"Artikel 28 Comité van Ministers
1. Het Comité van Ministers neemt, met een meerderheid van twee derde van degenen die hun stem uitbrengen, waarbij het stemrecht is beperkt tot de Overeenkomstsluitende Partijen, op basis van het rapport van het Regeringscomité een resolutie betreffende de gehele toezichtsperiode aan, waarin afzonderlijke aanbevelingen aan de betrokken Overeenkomstsluitende Partijen zijn opgenomen.
2. Met inachtneming van de door het Regeringscomité ingevolge artikel 27, vierde lid, ingediende voorstellen neemt het Comité van Ministers de beslissingen die het passend acht."

Art. 6

Artikel 29 wordt vervangen door:

"Artikel 29 Parlementaire Vergadering
De Secretaris-Generaal van de Raad van Europa zendt de Parlementaire Vergadering, met het oog op het houden van periodieke plenaire debatten, de rapporten toe van het Comité van onafhankelijke deskundigen en van het Regeringscomité, alsmede de resoluties van het Comité van Ministers."

Art. 7

Europees Sociaal Handvest, ondertekening Protocol

1. Dit Protocol staat open voor ondertekening door de Lidstaten van de Raad van Europa die het Handvest hebben ondertekend, die hun instemming gebonden te worden tot uitdrukking kunnen brengen door:
a. ondertekening zonder voorbehoud van bekrachtiging, aanvaarding of goedkeuring; of
b. ondertekening onder voorbehoud van bekrachtiging, aanvaarding of goedkeuring, gevolgd door bekrachtiging, aanvaarding of goedkeuring.

2. De akten van bekrachtiging, aanvaarding of goedkeuring worden nedergelegd bij de Secretaris-Generaal van de Raad van Europa.

Art. 8

Inwerkingtreding

Dit Protocol treedt in werking op de dertigste dag na de datum waarop alle overeenkomstsluitende Partijen bij het Handvest in overeenstemming met de bepalingen van artikel 7 hun instemming door het Protocol te worden gebonden tot uitdrukking hebben gebracht.

Art. 9

De Secretaris-Generaal van de Raad van Europa stelt de Lidstaten van de Raad in kennis van:
a. alle ondertekeningen;
b. de nederlegging van iedere akte van bekrachtiging, aanvaarding of goedkeuring;
c. de datum van inwerkingtreding van dit Protocol overeenkomstig artikel 8;
d. alle andere handelingen, kennisgevingen of mededelingen betreffende dit Protocol.

Inhoudsopgave

TITEL I	GEMEENSCHAPPELIJKE BEPALINGEN	Art. 1
TITEL II	BEPALINGEN HOUDENDE WIJZIGING VAN DE VERDRAGEN TOT OPRICHTING VAN DE EUROPESE GEMEENSCHAPPEN	Art. 4-5
HOOFDSTUK I	BEPALINGEN HOUDENDE WIJZIGING VAN HET VERDRAG TOT OPRICHTING VAN DE EUROPESE GEMEENSCHAPPEN VOOR KOLEN EN STAAL	Art. 4-5
HOOFDSTUK II	BEPALINGEN HOUDENDE WIJZIGING VAN HET VERDRAG TOT OPRICHTING VAN DE EUROPESE ECONOMISCHE GEMEENSCHAP	Art. 6
Afdeling I	Institutionele bepalingen	Art. 6
Afdeling II	Bepalingen inzake de grondslagen en het beleid van de Gemeenschap	Art. 13-15
Onderafdeling I	– Interne markt	Art. 13-15
Onderafdeling II	Monetaire capaciteit	Art. 20
Onderafdeling III	Sociale politiek	Art. 21-22
Onderafdeling IV	Economische en sociale samenhang	Art. 23
Onderafdeling V	Onderzoek en technologische ontwikkeling	Art. 24
Onderafdeling VI	Milieu	Art. 25
HOOFDSTUK III	BEPALINGEN HOUDENDE WIJZIGING VAN HET VERDRAG TOT OPRICHTING VAN DE EUROPESE GEMEENSCHAP VOOR ATOOMENERGIE	Art. 26-27
HOOFDSTUK IV	ALGEMENE BEPALINGEN	Art. 28
TITEL III	[Vervallen]	Art. 30
TITEL IV	ALGEMENE EN SLOTBEPALINGEN	Art. 31

Europese Akte[1]

Zijne Majesteit de Koning der Belgen,
Hare Majesteit de Koningin van Denemarken,
De President van de Bondsrepubliek Duitsland,
De President van de Helleense Republiek,
Zijne Majesteit de Koning van Spanje,
De President van de Franse Republiek,
De President van Ierland,
De President van de Italiaanse Republiek,
Zijne Koninklijke Hoogheid de Groothertog van Luxemburg,
Hare Majesteit de Koningin der Nederlanden,
De President van de Portugese Republiek,
Hare Majesteit de Koningin van het Verenigd Koninkrijk van Groot-Brittannië en Noord-Ierland,
Bezield door de wil de op de grondslag van de Verdragen tot oprichting van de Europese Gemeenschappen aangevatte taak voort te zetten en het geheel van de betrekkingen tussen hun Staten om te zetten in een Europese Unie, overeenkomstig de Plechtige Verklaring van Stuttgart van 19 juni 1983,
Vastbesloten deze Europese Unie ten uitvoer te leggen op basis van, enerzijds, de volgens hun eigen regels functionerende Gemeenschappen, en anderzijds de Europese Samenwerking tussen de ondertekenende Staten op het gebied van de buitenlandse politiek, alsmede deze unie van de noodzakelijke actiemiddelen te voorzien,
Besloten hebbende gezamenlijk de democratie te bevorderen uitgaande van de grondrechten die worden erkend in de grondwetten en de wetten van de Lid-Staten, in het Europese Verdrag tot bescherming van de rechten van de mens en de fundamentele vrijheden en in het Europees sociaal handvest, met name de vrijheid, de gelijkheid en de sociale rechtvaardigheid,
Ervan overtuigd dat de Europese gedachte, de bereikte resultaten op het terrein van de economische integratie en de politieke samenwerking alsook de noodzaak van nieuwe ontwikkelingen, beantwoorden aan de verlangens van de Europese democratische volkeren, voor wie het door middel van Algemene Verkiezingen gekozen Europese Parlement een onontbeerlijk middel is om zich uit te drukken,
Zich bewust van de verantwoordelijkheid die op Europa rust om te trachten steeds meer met één stem te spreken en eensgezind en solidair op te treden ten einde zijn gemeenschappelijke belangen en onafhankelijkheid doeltreffender te verdedigen en zeer in het bijzonder de democratische beginselen en de eerbiediging van het recht en van de rechten van de mens, die zij toegedaan zijn, te doen gelden, ten einde te zamen hun eigen bijdrage te leveren aan de handhaving van de internationale vrede en veiligheid overeenkomstig de door hen in het kader van het Handvest van de Verenigde Naties aangegane verbintenis,
Vastbesloten om de sociaal-economische toestand te verbeteren door intensivering van het gemeenschappelijk beleid en het nastreven van nieuwe doelstellingen en om te zorgen voor een betere werking van de Gemeenschappen door de Instellingen in staat te stellen hun bevoegdheden uit te oefenen op een wijze die zoveel mogelijk strookt met het Gemeenschapsbelang,
Overwegende dat de Staatshoofden en Regeringsleiders, tijdens hun Conferentie van Parijs van 19-21 oktober 1972, hun goedkeuring hebben gehecht aan de doelstelling van de geleidelijke totstandbrenging van de Economische en Monetaire Unie,
Overwegende de bijlage bij de conclusies van het Voorzitterschap van de Europese Raad van Bremen van 6 en 7 juli 1978, alsmede de resolutie van de Europese Raad van Brussel van 5 december 1978 met betrekking tot de invoering van het Europees Monetair Stelsel (EMS) en aanverwante vraagstukken en opmerkende dat de Gemeenschap en de Centrale Banken van de Lid-Staten, overeenkomstig deze resolutie, een aantal maatregelen hebben getroffen ten einde de monetaire samenwerking ten uitvoer te leggen,
Hebben besloten om deze Akte op te stellen en hebben te dien einde als hun gevolmachtigden aangewezen:
Zijne Majesteit de Koning der Belgen,
De heer Leo Tindemans,
Minister van Buitenlandse Betrekkingen;
Hare Majesteit de Koningin van Denemarken,
De heer Uffe Ellemann-Jensen,
Minister van Buitenlandse Zaken;

1 Inwerkingtredingsdatum: 01-07-1987; zoals laatstelijk gewijzigd bij: Trb. 1992, 74.

De President van de Bondsrepubliek Duitsland,
De heer Hans-Dietrich Genscher,
Bondsminister van Buitenlandse Zaken;
De President van de Helleense Republiek,
De heer Karolos Papoulias,
Minister van Buitenlandse Zaken;
Zijne Majesteit de Koning van Spanje,
De heer Francisco Fernandez Ordonez,
Minister van Buitenlandse Zaken;
De President van de Franse Republiek,
De heer Roland Dumas,
Minister van Buitenlandse Betrekkingen;
De President van Ierland,
De heer Peter Barry, T.D.,
Minister van Buitenlandse Zaken;
De President van de Italiaanse Republiek,
De heer Giulio Andreotti,
Minister van Buitenlandse Zaken;
Zijne Koninklijke Hoogheid de Groothertog van Luxemburg,
De heer Robert Goebbels,
Staatssecretaris bij het Ministerie van Buitenlandse Zaken;
Hare Majesteit de Koningin der Nederlanden,
De heer Hans van den Broek,
Minister van Buitenlandse Zaken;
De President van de Portugese Republiek,
De heer Pedro Pires de Miranda,
Minister van Buitenlandse Zaken;
Hare Majesteit de Koningin van het Verenigd Koninkrijk van Groot-Brittannië en Noord-Ierland,
Mevrouw Lynda Chalker,
Onderminister van Buitenlandse Zaken en Gemenebestzaken;
Die, na overlegging van hun in goede en behoorlijke vorm bevonden volmachten, overeenstemming hebben bereikt omtrent de volgende bepalingen:

TITEL I
GEMEENSCHAPPELIJKE BEPALINGEN

Art. 1

Doel EG en EPS

De Europese Gemeenschappen en de Europese Politieke Samenwerking hebben tot doel er gezamenlijk toe bij te dragen dat de Europese Unie concrete vorderingen maakt.

Grondslagen EG

De Europese Gemeenschappen zijn gegrond op de Verdragen tot oprichting van de Europese Gemeenschap voor Kolen en Staal, de Europese Economische Gemeenschap, de Europese Gemeenschap voor Atoomenergie, alsook op de verdragen en besluiten waarbij deze Verdragen naderhand zijn gewijzigd of aangevuld.

EPS

De Europese Politieke Samenwerking wordt geregeld door titel III. Het bepaalde in die titel bevestigt en vervolledigt de procedures die zijn overeengekomen in de verslagen van Luxemburg (1970), Kopenhagen (1973) en Londen (1981) alsmede in de plechtige verklaring over de Europese Unie (1983) en de geleidelijk tussen de Lid-Staten gevormde praktijk.

Art. 2

[Vervallen]

Art. 3

De Instellingen EG

1. De Instellingen van de Europese Gemeenschappen, waarvoor voortaan de hierna volgende benamingen zullen worden gebruikt, oefenen hun algemene en bijzondere bevoegdheden uit overeenkomstig de voorwaarden en met de doelstellingen die zijn neergelegd in de Verdragen tot oprichting van de Gemeenschappen en in de verdragen en besluiten waarbij deze verdragen naderhand zijn gewijzigd of aangevuld alsmede in de bepalingen van Titel II.
2. [Vervallen.]

TITEL II
BEPALINGEN HOUDENDE WIJZIGING VAN DE VERDRAGEN TOT OPRICHTING VAN DE EUROPESE GEMEENSCHAPPEN

HOOFDSTUK I
BEPALINGEN HOUDENDE WIJZIGING VAN HET VERDRAG TOT OPRICHTING VAN DE EUROPESE GEMEENSCHAPPEN VOOR KOLEN EN STAAL

Art. 4-5

[Wijzigt het Verdrag tot oprichting van de Europese Gemeenschap voor Kolen en Staal, Parijs, 18 april 1951.]

HOOFDSTUK II
BEPALINGEN HOUDENDE WIJZIGING VAN HET VERDRAG TOT OPRICHTING VAN DE EUROPESE ECONOMISCHE GEMEENSCHAP

Afdeling I
Institutionele bepalingen

Art. 6

1. Er wordt een procedure voor samenwerking ingesteld die van toepassing is voor de besluiten die berusten op de artikelen 7 en 49, artikel 54, lid 2, artikel 56, lid 2, tweede zin, artikel 57, met uitzondering van lid 2, tweede zin, de artikelen 100A, 100B, 118A, 130E en artikel 130Q, lid 2, van het EEG-Verdrag.
2. [Wijzigt het Verdrag tot oprichting van de Europese Gemeenschap, Rome, 25 maart 1957.]
3. [Wijzigt het Verdrag tot oprichting van de Europese Gemeenschap, Rome, 25 maart 1957.]
4. [Wijzigt het Verdrag tot oprichting van de Europese Gemeenschap, Rome, 25 maart 1957.]
5. [Wijzigt het Verdrag tot oprichting van de Europese Gemeenschap, Rome, 25 maart 1957.]
6. [Wijzigt het Verdrag tot oprichting van de Europese Gemeenschap, Rome, 25 maart 1957.]
7. [Wijzigt het Verdrag tot oprichting van de Europese Gemeenschap, Rome, 25 maart 1957.]

Art. 7-12

[Wijzigt het Verdrag tot oprichting van de Europese Gemeenschap, Rome, 25 maart 1957.]

Afdeling II
Bepalingen inzake de grondslagen en het beleid van de Gemeenschap

Onderafdeling I
– Interne markt

Art. 13-15

[Wijzigt het Verdrag tot oprichting van de Europese Gemeenschap, Rome, 25 maart 1957.]

Art. 16

1. [Wijzigt het Verdrag tot oprichting van de Europese Gemeenschap, Rome, 25 maart 1957.]
2. [Wijzigt het Verdrag tot oprichting van de Europese Gemeenschap, Rome, 25 maart 1957.]
3. [Wijzigt het Verdrag tot oprichting van de Europese Gemeenschap, Rome, 25 maart 1957.]
4. [Wijzigt het Verdrag tot oprichting van de Europese Gemeenschap, Rome, 25 maart 1957.]
5. [Wijzigt het Verdrag tot oprichting van de Europese Gemeenschap, Rome, 25 maart 1957.]
6. [Wijzigt het Verdrag tot oprichting van de Europese Gemeenschap, Rome, 25 maart 1957.]

Art. 17-19

[Wijzigt het Verdrag tot oprichting van de Europese Gemeenschap, Rome, 25 maart 1957.]

Onderafdeling II
Monetaire capaciteit

Art. 20

1. [Wijzigt het Verdrag tot oprichting van de Europese Gemeenschap, Rome, 25 maart 1957.]
2. [Wijzigt het Verdrag tot oprichting van de Europese Gemeenschap, Rome, 25 maart 1957.]

Onderafdeling III
Sociale politiek

Art. 21-22

[Wijzigt het Verdrag tot oprichting van de Europese Gemeenschap, Rome, 25 maart 1957.]

Onderafdeling IV
Economische en sociale samenhang

Art. 23
[Wijzigt het Verdrag tot oprichting van de Europese Gemeenschap, Rome, 25 maart 1957.]

Onderafdeling V
Onderzoek en technologische ontwikkeling

Art. 24
[Wijzigt het Verdrag tot oprichting van de Europese Gemeenschap, Rome, 25 maart 1957.]

Onderafdeling VI
Milieu

Art. 25
[Wijzigt het Verdrag tot oprichting van de Europese Gemeenschap, Rome, 25 maart 1957.]

HOOFDSTUK III
BEPALINGEN HOUDENDE WIJZIGING VAN HET VERDRAG TOT OPRICHTING VAN DE EUROPESE GEMEENSCHAP VOOR ATOOMENERGIE

Art. 26-27
[Wijzigt het Verdrag tot oprichting van de Europese Gemeenschap voor Atoomenergie (EURATOM), Rome, 25 maart 1957.]

HOOFDSTUK IV
ALGEMENE BEPALINGEN

Art. 28
De bepalingen van deze Akte doen geen afbreuk aan de bepalingen van de instrumenten betreffende de toetreding van het Koninkrijk Spanje en de Portugese Republiek tot de Europese Gemeenschappen.

Art. 29
[Wijzigt het Besluit 85/257/EEG, Euratom van de Raad van 7 mei 1985 betreffende het stelsel van eigen middelen van de Gemeenschappen.]
Deze wijziging laat het rechtskarakter van voornoemd besluit onverlet.

TITEL III
[Vervallen]

Art. 30
[Vervallen]

TITEL IV
ALGEMENE EN SLOTBEPALINGEN

Art. 31
De bepalingen van het Verdrag tot oprichting van de Europese Gemeenschap voor Kolen en Staal, van het Verdrag tot oprichting van de Europese Economische Gemeenschap en van het Verdrag tot oprichting van de Europese Gemeenschap voor Atoomenergie betreffende de bevoegdheid van het Hof van Justitie van de Europese Gemeenschappen en de uitoefening van die bevoegdheid zijn slechts van toepassing op de bepalingen van Titel II en artikel 32; zij zijn op die bepalingen onder dezelfde voorwaarden van toepassing als op de bepalingen van voornoemde Verdragen.

Art. 32
Behoudens het bepaalde in artikel 3, lid 1, in Titel II en in artikel 31, doet geen enkele bepaling van deze Akte afbreuk aan de Verdragen tot oprichting van de Europese Gemeenschappen of aan de Verdragen en besluiten waarbij deze Verdragen naderhand zijn gewijzigd of aangevuld.

Art. 33
Bekrachtiging
1. Deze Akte zal door de Hoge Verdragsluitende Partijen worden bekrachtigd overeenkomstig hun onderscheiden grondwettelijke bepalingen. De akten van bekrachtiging zullen worden neergelegd bij de Regering van de Italiaanse Republiek.

2. Deze Akte treedt in werking op de eerste dag van de maand volgende op die waarin de nederlegging van de akte van bekrachtiging van de ondertekenende Staat die deze formaliteit als laatste verricht, heeft plaatsgevonden.

Inwerkingtreding

Art. 34

Deze Akte, opgesteld in één exemplaar, in de Deense, de Duitse, de Engelse, de Franse, de Griekse, de Ierse, de Italiaanse, de Nederlandse, de Portugese en de Spaanse taal, zijnde de teksten in elk van deze talen gelijkelijk authentiek, zal worden neergelegd in het archief van de Regering van de Italiaanse Republiek, die een voor eensluidend gewaarmerkt afschrift daarvan toezendt aan de Regeringen der andere ondertekenende Staten.

Inhoudsopgave

EERSTE DEEL	DE BEGINSELEN	Art. 1
TITEL I	CATEGORIEËN EN GEBIEDEN VAN BEVOEGDHEDEN VAN DE UNIE	Art. 2
TITEL II	ALGEMEEN TOEPASSELIJKE BEPALINGEN	Art. 7
DERDE DEEL	HET BELEID EN INTERN OPTREDEN VAN DE UNIE	Art. 48
TITEL IV	HET VRIJE VERKEER VAN PERSONEN, DIENSTEN EN KAPITAAL	Art. 48
HOOFDSTUK 1	DE WERKNEMERS	Art. 48
HOOFDSTUK 2	HET RECHT VAN VESTIGING	Art. 49
HOOFDSTUK 3	DE DIENSTEN	Art. 56
HOOFDSTUK 4	KAPITAAL EN BETALINGSVERKEER	Art. 63
TITEL VII	GEMEENSCHAPPELIJKE REGELS BETREFFENDE DE MEDEDINGING, DE BELASTINGEN EN DE ONDERLINGE AANPASSING VAN DE WETGEVINGEN	Art. 117
HOOFDSTUK 3	DE AANPASSING VAN DE WETGEVINGEN	Art. 117
TITEL VIII	ECONOMISCH EN MONETAIR BELEID	Art. 119
HOOFDSTUK 1	ECONOMISCH BELEID	Art. 120
HOOFDSTUK 2	MONETAIR BELEID	Art. 127
HOOFDSTUK 4	SPECIFIEKE BEPALINGEN VOOR DE LIDSTATEN DIE DE EURO ALS MUNT HEBBEN	Art. 137
HOOFDSTUK 5	OVERGANGSBEPALINGEN	Art. 139
TITEL IX	WERKGELEGENHEID	Art. 145
TITEL X	SOCIALE POLITIEK	Art. 151
TITEL XI	HET EUROPEES SOCIAAL FONDS	Art. 162
TITEL XII	ONDERWIJS, BEROEPSOPLEIDING, JEUGD EN SPORT	Art. 165
TITEL XIII	CULTUUR	Art. 167
TITEL XIV	VOLKSGEZONDHEID	Art. 168
TITEL XV	CONSUMENTENBESCHERMING	Art. 169
TITEL XVI	TRANSEUROPESE NETWERKEN	Art. 170
TITEL XVII	INDUSTRIE	Art. 173
TITEL XVIII	ECONOMISCHE, SOCIALE EN TERRITORIALE SAMENHANG	Art. 174
TITEL XIX	ONDERZOEK EN TECHNOLOGISCHE ONTWIKKELING EN RUIMTE	Art. 179
TITEL XX	MILIEU	Art. 191

Verdrag betreffende de werking van de Europese Unie[1]

Zijne Majesteit de Koning der Belgen, de President van de Bondsrepubliek Duitsland, de President van de Franse Republiek, de President van de Italiaanse Republiek, Hare Koninklijke Hoogheid de Groothertogin van Luxemburg, Hare Majesteit de Koningin der Nederlanden,[2]
Vastberaden de grondslagen te leggen voor een steeds hechter verbond tussen de Europese volkeren,
Besloten hebbende door gemeenschappelijk optreden de economische en sociale vooruitgang van hun staten te verzekeren en daartoe de barrières die Europa verdelen te verwijderen,
Vaststellende als wezenlijk doel van hun streven, een voortdurende verbetering van de omstandigheden waaronder hun volkeren leven en werken, te verzekeren,
Erkennende dat de verwijdering van de bestaande hinderpalen eensgezind optreden vereist teneinde de gestadige expansie, het evenwicht in het handelsverkeer en de eerlijkheid in de mededinging te waarborgen,
Verlangende de eenheid hunner volkshuishoudingen te versterken en de harmonische ontwikkeling daarvan te bevorderen door het verschil in niveau tussen de onderscheidene gebieden en de achterstand van de minder begunstigde gebieden te verminderen,
Geleid door de wens door middel van een gemeenschappelijke handelspolitiek bij te dragen tot de geleidelijke opheffing der beperkingen in het internationale handelsverkeer,
Wensende de verbondenheid van Europa met de landen overzee te bevestigen en verlangende de ontwikkeling van hun welvaart te verzekeren, overeenkomstig de beginselen van het Handvest der Verenigde Naties,
Vastbesloten door deze bundeling van krachten de waarborgen voor vrede en vrijheid te versterken en de overige Europese volkeren die hun idealen delen, oproepende zich bij hun streven aan te sluiten,
Vastbesloten het hoogst mogelijke kennisniveau voor hun volkeren na te streven door middel van ruime toegang tot onderwijs en door middel van de voortdurende vernieuwing daarvan,
Hebben te dien einde als hun gevolmachtigden aangewezen: [3]
Die, na overlegging van hun in goede en behoorlijke vorm bevonden volmachten, omtrent de volgende bepalingen overeenstemming hebben bereikt.

EERSTE DEEL
DE BEGINSELEN

Art. 1

Werkingssfeer Verdrag betreffende de werking van de Europese Unie

1. Dit Verdrag regelt de werking van de Unie en bepaalt de gebieden, de afbakening en de voorwaarden van uitoefening van haar bevoegdheden.

2. Dit Verdrag en het Verdrag betreffende de Europese Unie vormen de Verdragen waarop de Unie is gegrondvest. Deze twee Verdragen, die dezelfde juridische waarde hebben, worden aangeduid met de term „de Verdragen".

TITEL I
CATEGORIEËN EN GEBIEDEN VAN BEVOEGDHEDEN VAN DE UNIE

Art. 2

Bevoegdheden Europese Unie

1. In de gevallen waarin bij de Verdragen op een bepaald gebied een exclusieve bevoegdheid aan de Unie wordt toegedeeld, kan alleen de Unie wetgevend optreden en juridisch bindende handelingen vaststellen, en kunnen de lidstaten zulks slechts zelf doen als zij daartoe door de Unie gemachtigd zijn of ter uitvoering van de handelingen van de Unie.
2. In de gevallen waarin bij de Verdragen op een bepaald gebied een bevoegdheid aan de Unie wordt toegedeeld die zij met de lidstaten deelt, kunnen de Unie en de lidstaten wetgevend optreden en juridisch bindende handelingen vaststellen. De lidstaten oefenen hun bevoegdheid uit voor zover de Unie haar bevoegdheid niet heeft uitgeoefend. De lidstaten oefenen hun bevoegdheid weer uit voor zover de Unie besloten heeft haar bevoegdheid niet meer uit te oefenen.

1 Inwerkingtredingsdatum: 01-02-2003; zoals laatstelijk gewijzigd bij: Trb. 2012, 24.
2 [Red: De lijst van ondertekenaars is niet toegevoegd.]
3 [Red: De lijst van ondertekenaars is niet toegevoegd.]

3. De lidstaten coördineren hun economisch en werkgelegenheidsbeleid overeenkomstig de in dit Verdrag gestelde nadere regels, die de Unie bevoegd is vast te stellen.
4. De Unie is bevoegd om, overeenkomstig het Verdrag betreffende de Europese Unie, een gemeenschappelijk buitenlands en veiligheidsbeleid te bepalen en te voeren, met inbegrip van de geleidelijke bepaling van een gemeenschappelijk defensiebeleid.
5. Op bepaalde gebieden en onder de bij de Verdragen gestelde voorwaarden is de Unie bevoegd om het optreden van de lidstaten te ondersteunen, te coördineren of aan te vullen, zonder evenwel de bevoegdheid van de lidstaten op die gebieden over te nemen.
De juridisch bindende handelingen van de Unie die op grond van de bepalingen van de Verdragen over die gebieden worden vastgesteld, kunnen generlei harmonisatie van de wettelijke of bestuursrechtelijke bepalingen van de lidstaten inhouden.
6. De omvang en de voorwaarden voor de uitoefening van de bevoegdheden van de Unie worden geregeld door de bepalingen van de Verdragen over ieder van die gebieden.

Art. 3

Exclusieve bevoegdheden Europese Unie

1. De Unie is exclusief bevoegd op de volgende gebieden:
a. de douane-unie;
b. de vaststelling van mededingingsregels die voor de werking van de interne markt nodig zijn;
c. het monetair beleid voor de lidstaten die de euro als munt hebben;
d. de instandhouding van de biologische rijkdommen van de zee in het kader van het gemeenschappelijk visserijbeleid;
e. de gemeenschappelijke handelspolitiek.
2. De Unie is tevens exclusief bevoegd een internationale overeenkomst te sluiten indien een wetgevingshandeling van de Unie in die sluiting voorziet, indien die sluiting noodzakelijk is om de Unie in staat te stellen haar interne bevoegdheid uit te oefenen of wanneer die sluiting gemeenschappelijke regels kan aantasten of de strekking daarvan kan wijzigen.

Art. 4

Gedeelde bevoegdheden Europese Unie en lidstaten

1. De Unie heeft een met de lidstaten gedeelde bevoegdheid in de gevallen waarin haar in de Verdragen een bevoegdheid wordt toegedeeld die buiten de in de artikelen 3 en 6 bedoelde gebieden valt.
2. De gedeelde bevoegdheden van de Unie en de lidstaten betreffen in het bijzonder de volgende gebieden:
a. interne markt;
b. sociaal beleid, voor de in het onderhavige Verdrag genoemde aspecten;
c. economische, sociale en territoriale samenhang;
d. landbouw en visserij, met uitsluiting van de instandhouding van de biologische rijkdommen van de zee;
e. milieu;
f. consumentenbescherming;
g. vervoer;
h. trans-Europese netwerken;
i. energie;
j. de ruimte van vrijheid, veiligheid en recht;
k. gemeenschappelijke veiligheidsvraagstukken op het gebied van volksgezondheid, voor de in het onderhavige Verdrag genoemde aspecten.
3. Op het gebied van onderzoek, technologische ontwikkeling en de ruimte is de Unie bevoegd op te treden, en met name programma's vast te stellen en uit te voeren; de uitoefening van die bevoegdheid belet de lidstaten niet hun eigen bevoegdheid uit te oefenen.
4. Op het gebied van ontwikkelingssamenwerking en humanitaire hulp is de Unie bevoegd op te treden en een gemeenschappelijk beleid te voeren; de uitoefening van die bevoegdheid belet de lidstaten niet hun eigen bevoegdheid uit te oefenen.

Art. 5

Coördinatie beleid Europese Unie

1. De lidstaten coördineren hun economisch beleid binnen de Unie. Daartoe stelt de Raad maatregelen vast, met name globale richtsnoeren voor dat beleid.
Voor de lidstaten die de euro als munt hebben, gelden bijzondere bepalingen.
2. De Unie neemt maatregelen om te zorgen voor de coördinatie van het werkgelegenheidsbeleid van de lidstaten, met name door de richtsnoeren voor dat beleid te bepalen.
3. De Unie kan initiatieven nemen ter coördinatie van het sociaal beleid van de lidstaten.

Art. 6

Ondersteuning, coördinatie en aanvulling optreden lidstaten door Europese Unie

De Unie is bevoegd om het optreden van de lidstaten te ondersteunen, te coördineren of aan te vullen. Dit geldt voor de volgende gebieden wat hun Europese dimensie betreft:
a. bescherming en verbetering van de menselijke gezondheid;
b. industrie;
c. cultuur;
d. toerisme;
e. onderwijs, beroepsopleiding, jongeren en sport;

f. civiele bescherming;
g. administratieve samenwerking.

TITEL II
ALGEMEEN TOEPASSELIJKE BEPALINGEN

Art. 7

Samenhang beleidsmaatregelen Europese Unie

De Unie ziet toe op de samenhang tussen haar verschillende beleidsmaatregelen en optredens, rekening houdend met het geheel van haar doelstellingen en met inachtneming van het beginsel van bevoegdheidstoedeling.

Art. 8

Gelijkheid mannen en vrouwen binnen Europese Unie

Bij elk optreden streeft de Unie ernaar de ongelijkheden tussen mannen en vrouwen op te heffen en de gelijkheid van mannen en vrouwen te bevorderen.

DERDE DEEL
HET BELEID EN INTERN OPTREDEN VAN DE UNIE

TITEL IV
HET VRIJE VERKEER VAN PERSONEN, DIENSTEN EN KAPITAAL

HOOFDSTUK 1
DE WERKNEMERS

Art. 48

Sociale zekerheid voor vrij verkeer van werknemers Europese Unie

Het Europees Parlement en de Raad stellen volgens de gewone wetgevingsprocedure de maatregelen vast welke op het gebied van de sociale zekerheid noodzakelijk zijn voor de totstandkoming van het vrije verkeer van werknemers met name door een stelsel in te voeren waardoor het mogelijk is voor al dan niet in loondienst werkzame migrerende werknemers en hun rechthebbenden te waarborgen:
a. dat, met het oog op het verkrijgen en het behoud van het recht op uitkeringen alsmede voor de berekening daarvan, al die tijdvakken worden bijeengeteld welke door de verschillende nationale wetgevingen in aanmerking worden genomen,
b. dat de uitkeringen aan personen die op het grondgebied van de lidstaten verblijven, zullen worden uitbetaald.
Wanneer een lid van de Raad verklaart dat een ontwerp van wetgevingshandeling als bedoeld in de eerste alinea afbreuk zou doen aan belangrijke aspecten van zijn socialezekerheidsstelsel, met name het toepassingsgebied, de kosten en de financiële structuur ervan, of gevolgen zou hebben voor het financiële evenwicht van dat stelsel, kan hij verzoeken dat de aangelegenheid wordt voorgelegd aan de Europese Raad. In dat geval wordt de gewone wetgevingsprocedure geschorst. Na bespreking zal de Europese Raad, binnen 4 maanden na die schorsing:
a. het ontwerp terugverwijzen naar de Raad, waardoor de schorsing van de gewone wetgevingsprocedure wordt beëindigd, of
b. niet handelen of de Commissie verzoeken een nieuw voorstel in te dienen; in dat geval wordt de aanvankelijk voorgestelde handeling geacht niet te zijn vastgesteld.

HOOFDSTUK 2
HET RECHT VAN VESTIGING

Art. 49

Vrijheid van vestiging Europese Unie

In het kader van de volgende bepalingen zijn beperkingen van de vrijheid van vestiging voor onderdanen van een lidstaat op het grondgebied van een andere lidstaat verboden. Dit verbod heeft eveneens betrekking op beperkingen betreffende de oprichting van agentschappen, filialen of dochterondernemingen door de onderdanen van een lidstaat die op het grondgebied van een lidstaat zijn gevestigd.
De vrijheid van vestiging omvat, behoudens de bepalingen van het hoofdstuk betreffende het kapitaal, de toegang tot werkzaamheden anders dan in loondienst en de uitoefening daarvan alsmede de oprichting en het beheer van ondernemingen, en met name van vennootschappen in de zin van de tweede alinea van artikel 54, overeenkomstig de bepalingen welke door de wetgeving van het land van vestiging voor de eigen onderdanen zijn vastgesteld.

Art. 50

Totstandkoming regelgeving vrijheid van vestiging Europese Unie

1. Teneinde de vrijheid van vestiging voor een bepaalde werkzaamheid te verwezenlijken, beslissen het Europees Parlement en de Raad volgens de gewone wetgevingsprocedure en na raadpleging van het Economisch en Sociaal Comité bij wege van richtlijnen.

2. Het Europees Parlement, de Raad en de Commissie oefenen de taken uit welke hun door bovenstaande bepalingen worden toevertrouwd, met name:
a. door in het algemeen bij voorrang die werkzaamheden te behandelen waarvoor de vrijheid van vestiging een bijzonder nuttige bijdrage levert ter ontwikkeling van de productie en van het handelsverkeer;
b. door het verzekeren van een nauwe samenwerking tussen de bevoegde nationale bestuursinstellingen teneinde de bijzondere omstandigheden van de verschillende betrokken werkzaamheden binnen de Unie te leren kennen;
c. door het afschaffen van die bestuursrechtelijke procedures en handelwijzen, voortvloeiende hetzij uit de nationale wetgeving hetzij uit voordien tussen de lidstaten gesloten akkoorden waarvan de handhaving een beletsel zou vormen voor de vrijheid van vestiging;
d. door ervoor te waken dat de werknemers van een der lidstaten welke op het grondgebied van een andere lidstaat te werk zijn gesteld, op dit grondgebied kunnen verblijven om er anders dan in loondienst werk te verrichten, wanneer zij voldoen aan de voorwaarden waaraan zij zouden moeten voldoen indien zij op het tijdstip waarop zij genoemde bezigheid willen opvatten, eerst in die staat zouden zijn aangekomen;
e. door de verwerving en de exploitatie mogelijk te maken van op het grondgebied van een lidstaat gelegen grondbezit door een onderdaan van een andere lidstaat, voorzover de beginselen van artikel 39, lid 2, niet worden aangetast;
f. door de geleidelijke opheffing der beperkingen van de vrijheid van vestiging in elke in behandeling genomen tak van werkzaamheid toe te passen enerzijds op de oprichtingsvoorwaarden op het grondgebied van een lidstaat van agentschappen, filialen of dochterondernemingen en anderzijds op de toelatingsvoorwaarden voor het personeel van de hoofdvestiging tot de organen van beheer of toezicht van deze agentschappen, filialen of dochterondernemingen;
g. door, voorzover nodig, de waarborgen te coördineren welke in de lidstaten worden verlangd van de rechtspersonen in de zin van de tweede alinea van artikel 54, om de belangen te beschermen zowel van de deelnemers in die rechtspersonen als van derden, teneinde die waarborgen gelijkwaardig te maken;
h. door ervoor te zorgen dat de voorwaarden van vestiging niet worden vervalst als gevolg van steunmaatregelen van de lidstaten.

Art. 51

Uitzondering op vrijheid van vestiging Europese Unie

De bepalingen van dit hoofdstuk zijn, wat de betrokken lidstaat betreft, niet van toepassing op de werkzaamheden ter uitoefening van het openbaar gezag in deze staat, zelfs indien deze slechts voor een bepaalde gelegenheid geschieden.
Het Europees Parlement en de Raad kunnen, volgens de gewone wetgevingsprocedure, besluiten dat de bepalingen van dit hoofdstuk op bepaalde werkzaamheden niet van toepassing zijn.

Art. 52

Bijzondere regeling vreemdelingen en vrijheid van vestiging Europese Unie

1. De voorschriften van dit hoofdstuk en de maatregelen uit hoofde daarvan genomen doen niet af aan de toepasselijkheid van de wettelijke en bestuursrechtelijke bepalingen waarbij een bijzondere regeling is vastgesteld voor vreemdelingen welke bepalingen uit hoofde van de openbare orde, de openbare veiligheid en de volksgezondheid gerechtvaardigd zijn.
2. Het Europees Parlement en de Raad stellen volgens de gewone wetgevingsprocedure richtlijnen vast voor de coördinatie van voornoemde wettelijke en bestuursrechtelijke bepalingen.

Art. 53

Totstandkoming regelgeving erkenning diploma's binnen Europese Unie

1. Teneinde de toegang tot werkzaamheden, anders dan in loondienst, en de uitoefening daarvan te vergemakkelijken, stellen het Europees Parlement en de Raad volgens de gewone wetgevingsprocedure richtlijnen vast inzake de onderlinge erkenning van diploma's, certificaten en andere titels en inzake de coördinatie van de wettelijke en bestuursrechtelijke bepalingen van de lidstaten betreffende de toegang tot werkzaamheden anders dan in loondienst en de uitoefening daarvan.
2. Wat de geneeskundige, paramedische en farmaceutische beroepen betreft, is de geleidelijke afschaffing van de beperkingen afhankelijk van de coördinatie van de voorwaarden waaronder zij in de verschillende lidstaten worden uitgeoefend.

Art. 54

Gelijkstelling rechtspersonen en natuurlijke personen Europese Unie

De vennootschappen welke in overeenstemming met de wetgeving van een lidstaat zijn opgericht en welke hun statutaire zetel, hun hoofdbestuur of hun hoofdvestiging binnen de Unie hebben, worden voor de toepassing van de bepalingen van dit hoofdstuk gelijkgesteld met de natuurlijke personen die onderdaan zijn van de lidstaten.
Onder vennootschappen worden verstaan maatschappen naar burgerlijk recht of handelsrecht, de coöperatieve verenigingen of vennootschappen daaronder begrepen, en de overige rechtspersonen naar publiek- of privaatrecht, met uitzondering van vennootschappen welke geen winst beogen.

Art. 55

Financiële deelneming in rechtspersonen binnen Europese Unie

De lidstaten verlenen nationale behandeling wat betreft financiële deelneming door de onderdanen van de andere lidstaten in het kapitaal van rechtspersonen in de zin van artikel 54, onverminderd de toepassing der overige bepalingen van de Verdragen.

HOOFDSTUK 3
DE DIENSTEN

Art. 56

Vrijheid van dienstverlening binnen Europese Unie

In het kader van de volgende bepalingen zijn de beperkingen op het vrij verrichten van diensten binnen de Unie verboden ten aanzien van de onderdanen der lidstaten die in een andere lidstaat zijn gevestigd dan die, waarin degene is gevestigd te wiens behoeve de dienst wordt verricht.
Het Europees Parlement en de Raad kunnen, volgens de gewone wetgevingsprocedure, de bepalingen van dit hoofdstuk van toepassing verklaren ten gunste van de onderdanen van een derde staat die diensten verrichten en binnen de Unie zijn gevestigd.

Art. 57

Definitie diensten

In de zin van de Verdragen worden als diensten beschouwd de dienstverrichtingen welke gewoonlijk tegen vergoeding geschieden, voorzover de bepalingen, betreffende het vrije verkeer van goederen, kapitaal en personen op deze dienstverrichtingen niet van toepassing zijn.
De diensten omvatten met name werkzaamheden:
a. van industriële aard,
b. van commerciële aard,
c. van het ambacht,
d. van de vrije beroepen.
Onverminderd de bepalingen van het hoofdstuk betreffende het recht van vestiging, kan degene die de diensten verricht, daartoe zijn werkzaamheden tijdelijk uitoefenen in de lidstaat waar de dienst wordt verricht, onder dezelfde voorwaarden als die welke die lidstaat aan zijn eigen onderdanen oplegt.

Art. 58

Vrij verkeer van dienstverlening en vervoer Europese Unie

1. Het vrije verkeer van de diensten op het gebied van het vervoer wordt geregeld door de bepalingen voorkomende in de titel betreffende het vervoer.

2. De liberalisatie van de door banken en verzekeringsmaatschappijen verrichte diensten waarmede kapitaalverplaatsingen gepaard gaan, moet worden verwezenlijkt in overeenstemming met de liberalisatie van het kapitaalverkeer.

Art. 59

Vaststelling richtlijnen vrij verkeer van diensten Europese Unie

1. Teneinde de vrijheid tot het verrichten van een bepaalde dienst te verwezenlijken, stellen het Europees Parlement en de Raad, volgens de gewone wetgevingsprocedure en na raadpleging van het Economisch en Sociaal Comité, richtlijnen vast.
2. De in lid 1 bedoelde richtlijnen hebben in het algemeen bij voorrang betrekking op de diensten welke rechtstreeks van invloed zijn op de productiekosten of waarvan de liberalisatie bijdraagt tot het vergemakkelijken van het goederenverkeer.

Art. 60

Liberalisering der diensten binnen lidstaten Europese Unie

De lidstaten spannen zich in om bij de liberalisering der diensten verder te gaan dan waartoe zij op grond van de richtlijnen krachtens artikel 59, lid 1, verplicht zijn, indien hun algemene economische toestand en de toestand in de betrokken sector dit toelaten.
De Commissie doet de betrokken lidstaten daartoe aanbevelingen.

Art. 61

Zolang de beperkingen op het vrij verrichten van diensten niet zijn opgeheven, passen de lidstaten deze zonder onderscheid naar nationaliteit of naar verblijfplaats toe op al degenen die diensten verrichten als bedoeld in de eerste alinea van artikel 56.

Art. 62

De bepalingen van de artikelen 51 tot en met 54 zijn van toepassing op het onderwerp dat in dit hoofdstuk is geregeld.

HOOFDSTUK 4
KAPITAAL EN BETALINGSVERKEER

Art. 63

Vrijheid van kapitaal- en betalingsverkeer Europese Unie

1. In het kader van de bepalingen van dit hoofdstuk zijn alle beperkingen van het kapitaalverkeer tussen lidstaten onderling en tussen lidstaten en derde landen verboden.

2. In het kader van de bepalingen van dit hoofdstuk zijn alle beperkingen van het betalingsverkeer tussen lidstaten onderling en tussen lidstaten en derde landen verboden.

Art. 64

Overgangsbepaling

1. Het bepaalde in artikel 63 doet geen afbreuk aan de toepassing op derde landen van beperkingen die op 31 december 1993 bestaan uit hoofde van het nationale recht of het recht van de Unie inzake het kapitaalverkeer naar of uit derde landen in verband met directe investeringen – met inbegrip van investeringen in onroerende goederen –, vestiging, het verrichten van financiële diensten of de toelating van waardepapieren tot de kapitaalmarkten. Voor beperkingen uit hoofde van nationaal recht in Bulgarije, Estland en Hongarije geldt als datum 31 december 1999. Voor beperkingen uit hoofde van nationaal recht in Kroatië geldt als datum 31 december 2002.

2. Hoewel het Europees Parlement en de Raad trachten de doelstelling van een niet aan beperkingen onderworpen vrij kapitaalverkeer tussen lidstaten en derde landen zoveel mogelijk te bereiken, stellen zij, onverminderd het bepaalde in de overige hoofdstukken van de Verdragen, volgens de gewone wetgevingsprocedure maatregelen vast betreffende het kapitaalverkeer naar of uit derde landen in verband met directe investeringen met inbegrip van investeringen in onroerende goederen –, vestiging, het verrichten van financiële diensten of de toelating van waardepapieren tot de kapitaalmarkten.

3. In afwijking van lid 2, kan alleen de Raad, volgens een bijzondere wetgevingsprocedure, met eenparigheid van stemmen en na raadpleging van het Europees Parlement, maatregelen vaststellen die in het recht van de Unie een achteruitgang op het gebied van de liberalisering van het kapitaalverkeer naar of uit derde landen vormen.

Art. 65

Handhaving nationale belastingwetgeving binnen kapitaal- en betalingsverkeer Europese Unie

1. Het bepaalde in artikel 63 doet niets af aan het recht van de lidstaten:

a. de terzake dienende bepalingen van hun belastingwetgeving toe te passen die onderscheid maken tussen belastingplichtigen die niet in dezelfde situatie verkeren met betrekking tot hun vestigingsplaats of de plaats waar hun kapitaal is belegd;

b. alle nodige maatregelen te nemen om overtredingen van de nationale wetten en voorschriften tegen te gaan, met name op fiscaal gebied en met betrekking tot het bedrijfseconomisch toezicht op financiële instellingen, of te voorzien in procedures voor de kennisgeving van kapitaalbewegingen ter informatie van de overheid of voor statistische doeleinden, dan wel maatregelen te nemen die op grond van de openbare orde of de openbare veiligheid gerechtvaardigd zijn.

2. De bepalingen van dit hoofdstuk doen geen afbreuk aan de toepasbaarheid van beperkingen inzake het recht van vestiging welke verenigbaar zijn met de Verdragen.

3. De in de leden 1 en 2 bedoelde maatregelen en procedures mogen geen middel tot willekeurige discriminatie vormen, noch een verkapte beperking van het vrije kapitaalverkeer en betalingsverkeer als omschreven in artikel 63.

4. Bij ontstentenis van maatregelen als bedoeld in artikel 64, lid 3, kan de Commissie, of, bij ontstentenis van een besluit van de Commissie binnen drie maanden na de indiening van het verzoek door de betrokken lidstaat, kan de Raad een besluit vaststellen waarin wordt bepaald dat door een lidstaat jegens een of meer derde landen genomen beperkende belastingmaatregelen verenigbaar worden geacht met de Verdragen, voor zover deze stroken met de doelstellingen van de Unie en verenigbaar zijn met de goede werking van de interne markt. De Raad besluit met eenparigheid van stemmen, op verzoek van een lidstaat.

Art. 66

Vrijwaringsmaatregelen kapitaal- en betalingsverkeer Europese Unie

Wanneer, in uitzonderlijke omstandigheden, het kapitaalverkeer naar of uit derde landen ernstige moeilijkheden veroorzaakt of dreigt te veroorzaken voor de werking van de Economische en Monetaire Unie, kan de Raad op voorstel van de Commissie en na raadpleging van de Europese Centrale Bank ten aanzien van derde landen vrijwaringsmaatregelen nemen voor een periode van ten hoogste zes maanden, indien deze maatregelen strikt noodzakelijk zijn.

TITEL VII
GEMEENSCHAPPELIJKE REGELS BETREFFENDE DE MEDEDINGING, DE BELASTINGEN EN DE ONDERLINGE AANPASSING VAN DE WETGEVINGEN

HOOFDSTUK 3
DE AANPASSING VAN DE WETGEVINGEN

Art. 117

Beoordeling distorsie door nationale bepalingen binnen Europese Unie

1. Wanneer er aanleiding bestaat te vrezen dat de vaststelling of de wijziging van een wettelijke of bestuursrechtelijke bepaling een distorsie in de zin van artikel 116 veroorzaakt, raadpleegt de lidstaat, die daartoe wil overgaan, de Commissie. Na de lidstaten te hebben geraadpleegd, beveelt de Commissie de betrokken staten passende maatregelen aan om deze distorsie te voorkomen.

2. Indien de staat die nationale bepalingen wil vaststellen of wijzigen niet handelt overeenkomstig de aanbeveling welke de Commissie hem heeft gedaan, kan bij toepassing van artikel 116

van de andere lidstaten niet worden verlangd dat zij hun nationale bepalingen wijzigen om deze distorsie op te heffen.
Indien de lidstaat die aan de aanbeveling van de Commissie geen gevolg heeft gegeven, een distorsie veroorzaakt waarvan alleen hijzelf nadeel ondervindt, zijn de bepalingen van artikel 116 niet van toepassing.

Art. 118

Procedure wetgeving bescherming intellectuele-eigendomsrechten Europese Unie

In het kader van de totstandbrenging en de werking van de interne markt stellen het Europees Parlement en de Raad, volgens de gewone wetgevingsprocedure, de maatregelen vast voor de invoering van Europese titels om een eenvormige bescherming van de intellectuele-eigendomsrechten in de hele Unie te bewerkstelligen, en voor de instelling van op het niveau van de Unie gecentraliseerde machtigings-, coördinatie- en controleregelingen.
De Raad stelt, volgens een bijzondere wetgevingsprocedure, bij verordeningen de talenregelingen met betrekking tot de Europese titels vast. De Raad besluit met eenparigheid van stemmen, na raadpleging van het Europees Parlement.

TITEL VIII
ECONOMISCH EN MONETAIR BELEID

Art. 119

Economisch en monetair beleid Europese Unie

1. Teneinde de in artikel 3 van het Verdrag betreffende de Europese Unie genoemde doelstellingen te bereiken, omvat het optreden van de lidstaten en de Unie, onder de voorwaarden waarin de Verdragen voorzien, de invoering van een economisch beleid dat gebaseerd is op de nauwe coördinatie van het economisch beleid van de lidstaten, op de interne markt en op de uitwerking van gemeenschappelijke doelstellingen en dat wordt gevoerd met inachtneming van het beginsel van een openmarkteconomie met vrije mededinging.
2. Gelijktijdig daarmee omvat dit optreden, onder de voorwaarden en volgens de procedures waarin de Verdragen voorzien, één munt, de euro, alsmede het bepalen en voeren van één monetair en wisselkoersbeleid, beide met als hoofddoel het handhaven van prijsstabiliteit en, onverminderd deze doelstelling, het ondersteunen van het algemene economische beleid in de Unie, met inachtneming van het beginsel van een openmarkteconomie met vrije mededinging.
3. Dit optreden van de lidstaten en van de Unie impliceert de naleving van de volgende grondbeginselen: stabiele prijzen, gezonde overheidsfinanciën en monetaire condities en een houdbare betalingsbalans.

HOOFDSTUK 1
ECONOMISCH BELEID

Art. 120

Economisch beleid lidstaten Europese Unie

De lidstaten voeren hun economisch beleid teneinde bij te dragen tot de verwezenlijking van de doelstellingen van de Unie, als omschreven in artikel 3 van het Verdrag betreffende de Europese Unie, en in het kader van de in artikel 121, lid 2, bedoelde globale richtsnoeren. De lidstaten en de Unie handelen in overeenstemming met het beginsel van een openmarkteconomie met vrije mededinging, waarbij een doelmatige allocatie van middelen wordt bevorderd en met inachtneming van de beginselen die zijn neergelegd in artikel 119.

Art. 121

Coördinatie van economisch beleid lidstaten Europese Unie

1. De lidstaten beschouwen hun economisch beleid als een aangelegenheid van gemeenschappelijk belang en coördineren het in het kader van de Raad, overeenkomstig het bepaalde in artikel 120.
2. De Raad stelt, op aanbeveling van de Commissie, een ontwerp op voor de globale richtsnoeren voor het economisch beleid van de lidstaten en van de Unie, en legt zijn bevindingen in een verslag aan de Europese Raad voor.
Aan de hand van dit verslag van de Raad bespreekt de Europese Raad een conclusie over de globale richtsnoeren voor het economisch beleid van de lidstaten en van de Unie.
Uitgaande van deze conclusie neemt de Raad een aanbeveling aan, waarin deze globale richtsnoeren zijn vastgelegd. De Raad stelt het Europees Parlement van zijn aanbeveling in kennis.

Multilateraal toezicht op economisch beleid lidstaten Europese Unie

3. Teneinde een nauwere coördinatie van het economisch beleid en een aanhoudende convergentie van de economische prestaties van de lidstaten te verzekeren, ziet de Raad aan de hand van door de Commissie ingediende rapporten toe op de economische ontwikkelingen in elke lidstaat en in de Unie, alsmede op de overeenstemming van het economisch beleid met de in lid 2 bedoelde globale richtsnoeren en verricht hij regelmatig een algehele evaluatie.
Met het oog op dit multilaterale toezicht verstrekken de lidstaten de Commissie informatie over de belangrijke maatregelen die zij in het kader van hun economisch beleid hebben genomen en alle andere informatie die zij nodig achten.
4. Wanneer in het kader van de procedure van lid 3 blijkt dat het economisch beleid van een lidstaat niet overeenkomt met de in lid 2 bedoelde globale richtsnoeren of de goede werking

van de economische en monetaire unie in gevaar dreigt te brengen, kan de Commissie een waarschuwing tot de betrokken lidstaat richten. De Raad kan op aanbeveling van de Commissie de nodige aanbevelingen tot de lidstaat richten. De Raad kan op voorstel van de Commissie besluiten zijn aanbevelingen openbaar te maken.
In het kader van dit lid besluit de Raad zonder rekening te houden met de stem van het lid van de Raad dat de betrokken lidstaat vertegenwoordigt.
De gekwalificeerde meerderheid van de overige leden van de Raad wordt bepaald overeenkomstig artikel 238, lid 3, onder a).
5. De voorzitter van de Raad en de Commissie brengen het Europees Parlement verslag uit over de resultaten van het multilaterale toezicht. De voorzitter van de Raad kan worden verzocht om voor de bevoegde commissie van het Europees Parlement te verschijnen, indien de Raad zijn aanbevelingen openbaar heeft gemaakt.
6. Het Europees Parlement en de Raad kunnen volgens de gewone wetgevingsprocedure bij verordeningen nadere bepalingen voor de in de leden 3 en 4 bedoelde multilaterale toezichtprocedure vaststellen.

Art. 122

Maatregelen economisch beleid Europese Unie

1. Onverminderd de overige procedures waarin de Verdragen voorzien, kan de Raad op voorstel van de Commissie in een geest van solidariteit tussen de lidstaten bij besluit de voor de economische situatie passende maatregelen vaststellen, met name indien zich bij de voorziening van bepaalde producten, in het bijzonder op energiegebied, ernstige moeilijkheden voordoen.

Communautaire financiële bijstand binnen Europese Unie

2. In geval van moeilijkheden of ernstige dreiging van grote moeilijkheden in een lidstaat, die worden veroorzaakt door natuurrampen of buitengewone gebeurtenissen die deze lidstaat niet kan beheersen, kan de Raad op voorstel van de Commissie, onder bepaalde voorwaarden financiële bijstand van de Unie aan de betrokken lidstaat verlenen. De voorzitter van de Raad stelt het Europees Parlement van het genomen besluit in kennis.

Art. 123

Verbod kredietverstrekking centrale bank binnen Europese Unie

1. Het verlenen van voorschotten in rekening-courant of andere kredietfaciliteiten bij de Europese Centrale Bank of de centrale banken van de lidstaten, (hierna „nationale centrale banken" te noemen), ten behoeve van instellingen, organen of instanties van de Unie, centrale overheden, regionale, lokale of andere overheden, andere publiekrechtelijke lichamen of openbare bedrijven van de lidstaten, alsmede het rechtstreeks van hen kopen door de Europese Centrale Bank of nationale centrale banken van schuldbewijzen, zijn verboden.
2. Het bepaalde in lid 1 is niet van toepassing op kredietinstellingen die in handen van de overheid zijn en waaraan in het kader van de liquiditeitsvoorziening door centrale banken dezelfde behandeling door de nationale centrale banken en de Europese Centrale Bank wordt gegeven als aan particuliere kredietinstellingen.

Art. 124

Verbod bevoorrechting financiële instellingen binnen Europese Unie

Niet op overwegingen van bedrijfseconomisch toezicht gebaseerde maatregelen waardoor instellingen, organen of instanties van de Unie, centrale overheden, regionale, lokale of andere overheden, andere publiekrechtelijke lichamen of openbare bedrijven van de lidstaten een bevoorrechte toegang tot de financiële instellingen krijgen, zijn verboden.

Art. 125

Uitsluiting aansprakelijkheid Europese Unie

1. De Unie is niet aansprakelijk voor de verbintenissen van centrale overheden, regionale, lokale of andere overheden, andere publiekrechtelijke lichamen of openbare bedrijven van de lidstaten en neemt deze verbintenissen niet over, onverminderd de wederzijdse financiële garanties voor de gemeenschappelijke uitvoering van een specifiek project. De lidstaten zijn niet aansprakelijk voor de verbintenissen van centrale overheden, regionale, lokale of andere overheden, andere publiekrechtelijke lichamen of openbare bedrijven van een andere lidstaat en nemen deze verbintenissen niet over, onverminderd de wederzijdse financiële garanties voor de gemeenschappelijke uitvoering van een specifiek project.
2. Indien nodig kan de Raad op voorstel van de Commissie en na raadpleging van het Europees Parlement, definities vaststellen voor de toepassing van de in de artikelen 123 en 124 en in dit artikel bedoelde verbodsbepalingen.

Art. 126

Vermijding buitensporige overheidstekorten lidstaten Europese Unie

1. De lidstaten vermijden buitensporige overheidstekorten.

2. De Commissie ziet toe op de ontwikkeling van de begrotingssituatie en de omvang van de overheidsschuld in de lidstaten, teneinde aanzienlijke tekortkomingen vast te stellen. Met name gaat de Commissie op basis van de volgende twee criteria na of de hand wordt gehouden aan de begrotingsdiscipline:
a. of de verhouding tussen het voorziene of feitelijke overheidstekort en het bruto binnenlands product een bepaalde referentiewaarde overschrijdt, tenzij:

– hetzij de verhouding in aanzienlijke mate en voortdurend is afgenomen en een niveau heeft bereikt dat de referentiewaarde benadert;
– hetzij de overschrijding van de referentiewaarde slechts van uitzonderlijke en tijdelijke aard is en de verhouding dicht bij de referentiewaarde blijft;
b. of de verhouding tussen de overheidsschuld en het bruto binnenlands product een bepaalde referentiewaarde overschrijdt, tenzij de verhouding in voldoende mate afneemt en de referentiewaarde in een bevredigend tempo benadert.
De referentiewaarden worden nader omschreven in het aan de Verdragen gehechte Protocol betreffende de procedure bij buitensporige tekorten.

Onderzoek overheidstekort lidstaat Europese Unie

3. Indien een lidstaat niet voldoet aan deze of aan een van deze criteria, stelt de Commissie een verslag op. In het verslag van de Commissie wordt er tevens rekening mee gehouden of het overheidstekort groter is dan de investeringsuitgaven van de overheid en worden alle andere relevante factoren in aanmerking genomen, met inbegrip van de economische en budgettaire situatie van de lidstaat op middellange termijn.
Voorts kan de Commissie een verslag opstellen indien zij – ook al is aan de criteria voldaan – van mening is dat er gevaar voor een buitensporig tekort in een lidstaat aanwezig is.
4. Het Economisch en Financieel Comité brengt advies uit over het verslag van de Commissie.
5. Indien de Commissie van oordeel is dat er in een lidstaat een buitensporig tekort bestaat of kan ontstaan, richt zij een advies tot de betrokken lidstaat en brengt zij de Raad daarvan op de hoogte.
6. Op voorstel van de Commissie en rekening houdend met de opmerkingen die de betrokken lidstaat eventueel wenst te maken, besluit de Raad, na een algehele evaluatie te hebben gemaakt, of er al dan niet een buitensporig tekort bestaat.
7. Wanneer de Raad overeenkomstig lid 6 besluit dat er sprake is van een buitensporig tekort, stelt hij, op aanbeveling van de Commissie, zonder ongegronde vertraging de aanbevelingen vast die hij tot de betrokken lidstaat richt opdat deze binnen een bepaalde termijn een eind maakt aan het tekort. Behoudens het bepaalde in lid 8, worden deze aanbevelingen niet openbaar gemaakt.
8. Wanneer de Raad vaststelt dat binnen de voorgeschreven periode geen effectief gevolg aan zijn aanbevelingen is gegeven, kan hij zijn aanbevelingen openbaar maken.
9. Wanneer een lidstaat blijft verzuimen uitvoering te geven aan de aanbevelingen van de Raad, kan de Raad besluiten de betrokken lidstaat aan te manen binnen een voorgeschreven termijn maatregelen te treffen om het tekort te verminderen in de mate die de Raad nodig acht om de situatie te verhelpen.
In dat geval kan de Raad de betrokken lidstaat verzoeken volgens een nauwkeurig tijdschema verslag uit te brengen, teneinde na te gaan welke aanpassingsmaatregelen die lidstaat heeft getroffen.
10. Het recht om een klacht in te dienen, als bedoeld in de artikelen 258 en 259, kan niet worden uitgeoefend in het kader van de toepassing van de leden 1 tot en met 9 van dit artikel.

Maatregelen overheidstekort lidstaat Europese Unie

11. Zolang een lidstaat zich niet voegt naar een overeenkomstig lid 9 genomen besluit, kan de Raad één of meer van de volgende maatregelen toepassen of in voorkomend geval versterken:
– eisen dat de betrokken lidstaat door de Raad te bepalen aanvullende informatie openbaar maakt voordat hij obligaties en andere waardepapieren uitgeeft;
– de Europese Investeringsbank verzoeken haar beleid inzake kredietverstrekking ten aanzien van de betrokken lidstaat opnieuw te bezien;
– eisen dat de betrokken lidstaat bij de Unie een niet-rentedragend bedrag van een passende omvang deponeert, totdat het buitensporige tekort naar het oordeel van de Raad is gecorrigeerd;
– boeten van een passende omvang opleggen.
De voorzitter van de Raad stelt het Europees Parlement van de genomen besluiten in kennis.
12. De Raad trekt de in de leden 6 tot en met 9 en 11 bedoelde besluiten of aanbevelingen of sommige daarvan in, indien hij van oordeel is dat het buitensporige tekort in de betrokken lidstaat is gecorrigeerd. Indien de Raad voordien aanbevelingen openbaar heeft gemaakt, legt hij, zodra het besluit uit hoofde van lid 8 is ingetrokken, een openbare verklaring af waarin wordt gezegd dat er niet langer een buitensporig tekort in de betrokken lidstaat bestaat.
13. De in de leden 8, 9, 11 en 12 bedoelde besluiten worden door de Raad op aanbeveling van de Commissie genomen.
Wanneer de Raad de in de leden 6 tot en met 9, 11 en 12 bedoelde maatregelen neemt, houdt hij geen rekening met de stem van het lid van de Raad dat de betrokken lidstaat vertegenwoordigt.
De gekwalificeerde meerderheid van de overige leden van de Raad wordt bepaald overeenkomstig artikel 238, lid 3, onder a).
14. Verdere bepalingen betreffende de tenuitvoerlegging van de in dit artikel omschreven procedure zijn opgenomen in het aan de Verdragen gehechte Protocol betreffende de procedure bij buitensporige tekorten.

Na raadpleging van het Europees Parlement en van de Europese Centrale Bank, neemt de Raad met eenparigheid van stemmen, volgens een bijzondere wetgevingsprocedure passende bepalingen aan die in de plaats van voornoemd Protocol komen.
Onder voorbehoud van de andere bepalingen van dit lid, stelt de Raad op voorstel van de Commissie en na raadpleging van het Europees Parlement, nadere voorschriften en definities voor de toepassing van de bepalingen van dit Protocol vast.

HOOFDSTUK 2
MONETAIR BELEID

Art. 127

Doel ESCB

1. Het hoofddoel van het Europees Stelsel van Centrale Banken hierna „ESCB" te noemen, is het handhaven van prijsstabiliteit. Onverminderd het doel van prijsstabiliteit ondersteunt het ESCB het algemene economische beleid in de Unie teneinde bij te dragen tot de verwezenlijking van de in artikel 3 van het Verdrag betreffende de Europese Unie omschreven doelstellingen van de Unie. Het ESCB handelt in overeenstemming met het beginsel van een openmarkteconomie met vrije mededinging, waarbij een doelmatige allocatie van middelen wordt bevorderd, en met inachtneming van de beginselen die zijn neergelegd in artikel 119.

Taken ESCB

2. De via het ESCB uit te voeren fundamentele taken zijn:
– het bepalen en ten uitvoer leggen van het monetair beleid van de Unie;
– het verrichten van valutamarktoperaties in overeenstemming met de bepalingen van artikel 219;
– het aanhouden en beheren van de officiële externe reserves van de lidstaten;
– het bevorderen van een goede werking van het betalingsverkeer.
3. Het bepaalde in lid 2, derde streepje, laat het aanhouden en beheren van werksaldi in buitenlandse valuta's door de regeringen van de lidstaten onverlet.

Adviesfunctie Europese Centrale Bank

4. De Europese Centrale Bank wordt geraadpleegd:
– over elk voorstel voor een besluit van de Unie op de gebieden die onder haar bevoegdheid vallen;
– door de nationale autoriteiten over elk ontwerp van wettelijke bepaling op de gebieden die onder haar bevoegdheid vallen, doch binnen de grenzen en onder de voorwaarden die de Raad volgens de procedure van artikel 129, lid 4, vaststelt.
De Europese Centrale Bank kan advies uitbrengen aan de geëigende instellingen, organen of instanties van de Unie of aan nationale autoriteiten omtrent aangelegenheden op de gebieden die onder haar bevoegdheid vallen.
5. Het ESCB draagt bij tot een goede beleidsvoering van de bevoegde autoriteiten ten aanzien van het bedrijfseconomisch toezicht op kredietinstellingen en de stabiliteit van het financiële stelsel.
6. De Raad kan volgens een bijzondere wetgevingsprocedure bij verordeningen, na raadpleging van het Europees Parlement en de Europese Centrale Bank, met eenparigheid van stemmen besluiten aan de Europese Centrale Bank specifieke taken op te dragen betreffende het beleid op het gebied van het bedrijfseconomisch toezicht op kredietinstellingen en andere financiële instellingen, met uitzondering van verzekeringsondernemingen.

Art. 128

Bevoegdheid uitgifte bankbiljetten Europese Centrale Bank

1. De Europese Centrale Bank heeft het alleenrecht machtiging te geven tot de uitgifte van bankbiljetten in euro binnen de Unie. De Europese Centrale Bank en de nationale centrale banken mogen bankbiljetten uitgeven. De door de Europese Centrale Bank en de nationale centrale banken uitgegeven bankbiljetten zijn de enige bankbiljetten die binnen de Unie de hoedanigheid van wettig betaalmiddel hebben.
2. De lidstaten kunnen munten in euro uitgeven, onder voorbehoud van goedkeuring van de Europese Centrale Bank met betrekking tot de omvang van de uitgifte. De Raad kan, op voorstel van de Commissie en na raadpleging van het Europees Parlement en de Europese Centrale Bank, maatregelen nemen om de nominale waarden en technische specificaties van alle voor circulatie bestemde munten te harmoniseren voorzover dit nodig is voor een goede circulatie van munten binnen de Unie.

Art. 129

Organisatie en bestuur ESCB

1. Het ESCB wordt bestuurd door de besluitvormende organen van de Europese Centrale Bank, te weten de Raad van bestuur en de directie.
2. De statuten van het Europees Stelsel van Centrale Banken en van de Europese Centrale Bank, hierna genoemd „statuten van het ESCB en van de ECB" zijn opgenomen in een aan de Verdragen gehecht protocol.
3. Artikelen 5.1, 5.2, 5.3, 17, 18, 19.1, 22, 23, 24, 26, 32.2, 32.3, 32.4 32.6, ,33.1 a) en 36 van de statuten van het ESCB en van de ECB kunnen door het Europees Parlement en de Raad worden gewijzigd volgens de gewone wetgevingsprocedure. Zij besluiten hetzij op aanbeveling van de

Europese Centrale Bank en na raadpleging van de Commissie, hetzij op voorstel van de Commissie en na raadpleging van de Europese Centrale Bank.

4. De in de artikelen 4, 5.4, 19.2, 20, 28.1, 29.2, 30.4 en 34.3 van de statuten van het ESCB en van de ECB bedoelde bepalingen worden door de Raad aangenomen hetzij op voorstel van de Commissie en na raadpleging van het Europees Parlement en de Europese Centrale Bank, hetzij op aanbeveling van de Europese Centrale Bank en na raadpleging van het Europees Parlement en de Commissie.

HOOFDSTUK 4
SPECIFIEKE BEPALINGEN VOOR DE LIDSTATEN DIE DE EURO ALS MUNT HEBBEN

Art. 137

Vergaderingen van ministers lidstaten met euro

De nadere regels voor vergaderingen van de ministers van de lidstaten die de euro als munt hebben, worden vastgesteld in het Protocol betreffende de Eurogroep.

Art. 138

Veiligstelling van euro in internationaal monetair stelsel

1. Teneinde de positie van de euro in het internationaal monetair stelsel veilig te stellen, stelt de Raad op voorstel van de Commissie een besluit vast houdende de gemeenschappelijke standpunten in de bevoegde internationale financiële instellingen en conferenties over kwesties die voor de Economische en Monetaire Unie van bijzonder belang zijn. De Raad besluit na raadpleging van de Europese Centrale Bank.

2. De Raad kan op voorstel van de Commissie passende maatregelen vaststellen met het oog op een gezamenlijke vertegenwoordiging in de internationale financiële instellingen en conferenties. De Raad besluit na raadpleging van de Europese Centrale Bank.

3. Met betrekking tot de in de leden 1 en 2 bedoelde maatregelen hebben alleen de leden van de Raad die lidstaten vertegenwoordigen welke de euro als munt hebben, stemrecht.
De gekwalificeerde meerderheid van deze leden wordt bepaald overeenkomstig artikel 238, lid 3, onder a).

HOOFDSTUK 5
OVERGANGSBEPALINGEN

Art. 139

EU-lidstaten die vallen onder een derogatie

1. De lidstaten ten aanzien waarvan de Raad niet heeft besloten dat zij voldoen aan de nodige voorwaarden voor de invoering van de euro, worden hierna „lidstaten die vallen onder een derogatie" genoemd.

2. De onderstaande bepalingen van de Verdragen zijn niet van toepassing op de lidstaten die onder een derogatie vallen:

a. de aanneming van de onderdelen van de globale richtsnoeren voor het economisch beleid die in algemene zin betrekking hebben op de eurozone (artikel 121, lid 2);
b. dwingende maatregelen om buitensporige tekorten te verminderen (artikel 126, leden 9 en 11);
c. doelstellingen en taken van het ESCB (artikel 127, leden 1, 2, 3 en 5);
d. uitgifte van de euro (artikel 128);
e. handelingen van de Europese Centrale Bank (artikel 132);
f. maatregelen met betrekking tot het gebruik van de euro (artikel 133);
g. monetaire overeenkomsten en andere maatregelen in verband met het wisselkoersbeleid (artikel 219);
h. aanwijzing van de leden van de directie van de Europese Centrale Bank (artikel 283, lid 2);
i. besluiten houdende gemeenschappelijke standpunten in de bevoegde internationale financiële instellingen en conferenties over kwesties die voor de economische en monetaire unie van bijzonder belang zijn (artikel 138, lid 1);
j. maatregelen die een gezamenlijke vertegenwoordiging in de internationale financiële instellingen en conferenties verzekeren (artikel 138, lid 2).

Derhalve wordt in de onder a) tot en met j) genoemde punten onder „lidstaten" verstaan „de lidstaten die de euro als munt hebben".

3. De lidstaten die onder een derogatie vallen, alsmede hun nationale centrale banken, zijn uitgesloten van de rechten en plichten in het kader van het ESCB, overeenkomstig hoofdstuk IX van de statuten van het ESCB en van de ECB.

4. De stemrechten van de leden van de Raad die de lidstaten vertegenwoordigen welke onder een derogatie vallen, worden geschorst tijdens de aanneming door de Raad van de maatregelen bedoeld in de in lid 2 opgesomde artikelen, alsmede in de volgende gevallen:

a. bij de vaststelling van aanbevelingen die in het kader van het multilaterale toezicht worden gericht tot de lidstaten die de euro als munt hebben, met inbegrip van aanbevelingen over de stabiliteitsprogramma's en waarschuwingen (artikel 121, lid 4);
b. bij de aanneming van maatregelen inzake buitensporige tekorten ten aanzien van lidstaten die de euro als munt hebben (artikel 126, leden 6, 7, 8, 12 en 13).
De gekwalificeerde meerderheid van de overige leden van de Raad wordt bepaald overeenkomstig artikel 238, lid 3, onder a).

Art. 140

Verslag over nakoming verplichtingen van EU-lidstaten die onder een derogatie vallen

1. Ten minste eens in de twee jaar of op verzoek van een lidstaat die onder een derogatie valt, brengen de Commissie en de Europese Centrale Bank aan de Raad verslag uit over de vooruitgang die door de onder een derogatie vallende lidstaten is geboekt bij de nakoming van hun verplichtingen met het oog op de totstandbrenging van de Economische en Monetaire Unie. Deze verslagen bevatten tevens een onderzoek naar de verenigbaarheid van de nationale wetgeving van elk van deze lidstaten, met inbegrip van de statuten van zijn nationale centrale bank, met artikel 130 en artikel 131 en de statuten van het ESCB en van de ECB. In deze verslagen wordt ook nagegaan of er een hoge mate van duurzame convergentie is bereikt, aan de hand van de mate waarin elke lidstaat aan de volgende criteria voldoet:
– het bereiken van een hoge mate van prijsstabiliteit; dit blijkt uit een inflatiepercentage dat dicht ligt bij dat van ten hoogste de drie lidstaten die op het gebied van de prijsstabiliteit het best presteren;
– het houdbare karakter van de situatie van de overheidsfinanciën; dit blijkt uit een begrotingssituatie van de overheid zonder een buitensporig tekort als bedoeld in artikel 126, lid 6;
– de inachtneming van de normale fluctuatiemarges van het wisselkoersmechanisme van het Europees Monetair Stelsel, gedurende ten minste twee jaar, zonder devaluatie ten opzichte van de euro;
– de duurzaamheid van de door de lidstaat die onder een derogatie valt bereikte convergentie en van zijn deelneming aan het wisselkoersmechanisme van het Europees Monetair Stelsel, hetgeen tot uitdrukking komt in het niveau van de rentevoet voor de lange termijn.
De vier in dit lid genoemde criteria en de betreffende perioden tijdens welke daaraan moet worden voldaan, worden nader uitgewerkt in een aan de Verdragen gehecht protocol. In de verslagen van de Commissie en de Europese Centrale Bank wordt ook rekening gehouden met de resultaten van de integratie van de markten, de situatie en de ontwikkeling van de lopende rekeningen van de betalingsbalansen, en een onderzoek naar de ontwikkeling van de loonkosten per eenheid product en andere prijsindicatoren.
2. Na raadpleging van het Europees Parlement en na bespreking in de Europese Raad, besluit de Raad op voorstel van de Commissie, welke lidstaten met een derogatie volgens de criteria van lid 1, aan de noodzakelijke voorwaarden voldoen, en trekt hij de derogaties van de betrokken lidstaten in.
De Raad besluit na een aanbeveling te hebben ontvangen van een gekwalificeerde meerderheid van diegenen onder zijn leden die de lidstaten vertegenwoordigen welke de euro als munt hebben. Deze leden handelen binnen zes maanden nadat de Raad het Commissievoorstel heeft ontvangen.
De gekwalificeerde meerderheid van deze leden wordt bepaald overeenkomstig artikel 238, lid 3, onder a).
3. Indien overeenkomstig de procedure van lid 2, wordt besloten tot intrekking van een derogatie, stelt de Raad onherroepelijk met eenparigheid van stemmen van de lidstaten die de euro als munt hebben en de betrokken lidstaat, op voorstel van de Commissie en na raadpleging van de Europese Centrale Bank, de koers vast waartegen de munteenheid van de betrokken lidstaat wordt vervangen door de Euro, en neemt hij de overige maatregelen die nodig zijn voor de invoering van de Euro als enige munteenheid in de betrokken lidstaat.

Art. 141

Taak ECB jegens EU-lidstaten met een derogatie

1. Indien en zolang er lidstaten met een derogatie zijn, wordt, onverminderd het bepaalde in artikel 129, lid 1, de in artikel 44 van de statuten van de ESCB en de ECB bedoelde Algemene Raad van de Europese Centrale Bank als derde besluitvormend orgaan van de Europese Centrale Bank gevormd.
2. Indien en zolang er onder een derogatie vallende lidstaten zijn, heeft de Europese Centrale Bank ten aanzien van die lidstaten de taak:
– de samenwerking tussen de nationale centrale banken van de lidstaten te versterken;
– de coördinatie van het monetair beleid van de lidstaten te versterken teneinde prijsstabiliteit te verzekeren;
– toe te zien op de werking van het wisselkoersmechanisme;
– overleg te plegen over aangelegenheden die onder de bevoegdheid van de nationale centrale banken vallen en die van invloed zijn op de stabiliteit van de financiële instellingen en markten;
– de vroegere taken uit te oefenen van het Europees Fonds voor monetaire samenwerking, die eerder waren overgenomen door het Europees Monetair Instituut.

Art. 142

Wisselkoersbeleid van EU-lidstaten met een derogatie

Iedere onder een derogatie vallende lidstaat behandelt zijn wisselkoersbeleid als een aangelegenheid van gemeenschappelijk belang. Daarbij houden de lidstaten rekening met de ervaring die is opgedaan bij de samenwerking in het kader van het wisselkoersmechanisme.

Art. 143

Wederzijdse financiële bijstand EU-lidstaten met een derogatie

1. In geval van moeilijkheden of ernstig dreigende moeilijkheden in de betalingsbalans van een onder een derogatie vallende lidstaat, die voortvloeien hetzij uit het ontbreken van het globaal evenwicht van zijn balans hetzij uit de aard van zijn beschikbare deviezen, en die met name de werking van de interne markt of de verwezenlijking van de gemeenschappelijke handelspolitiek in gevaar kunnen brengen, onderwerpt de Commissie de toestand in die staat en de maatregelen welke hij overeenkomstig het bepaalde in de Verdragen met gebruikmaking van alle hem ten dienste staande middelen heeft genomen of kan nemen, onverwijld aan een onderzoek. De Commissie geeft de maatregelen aan die zij de betrokken staat aanbeveelt.
Indien de door de onder een derogatie vallende lidstaat getroffen en de door de Commissie in overweging gegeven maatregelen niet voldoende blijken te zijn om de ondervonden of dreigende moeilijkheden uit de weg te ruimen, doet de Commissie, na raadpleging van het Economisch en Financieel Comité, aan de Raad aanbevelingen tot wederzijdse bijstand en betreffende passende maatregelen om die moeilijkheden uit de weg te ruimen.
De Commissie houdt de Raad regelmatig van de toestand en de ontwikkeling daarvan op de hoogte.
2. De Raad kent de wederzijdse bijstand toe; hij stelt richtlijnen of besluiten vast die de voorwaarden en de wijze van toepassing daarvan bepalen. De wederzijdse bijstand kan met name de vorm aannemen van:
a. een gezamenlijk optreden bij andere internationale organisaties waarop de onder een derogatie vallende lidstaten een beroep kunnen doen;
b. maatregelen noodzakelijk om het zich verleggen van het handelsverkeer te vermijden, wanneer de onder een derogatie vallende lidstaat die in moeilijkheden verkeert, kwantitatieve beperkingen ten aanzien van derde landen handhaaft of wederinvoert;
c. de verlening van beperkte kredieten door andere lidstaten, onder voorbehoud van hun toestemming.
3. Indien de door de Commissie aanbevolen wederzijdse bijstand door de Raad niet wordt goedgekeurd of wanneer de goedgekeurde wederzijdse bijstand en de getroffen maatregelen ontoereikend zijn, machtigt de Commissie de onder een derogatie vallende lidstaat die in moeilijkheden verkeert vrijwaringsmaatregelen te nemen waarvan zij de voorwaarden en de wijze van toepassing bepaalt.
De Raad kan deze machtiging intrekken en deze voorwaarden en wijze van toepassing wijzigen.

Art. 144

Vrijwaringsmaatregelen in crisis door EU-lidstaat met een derogatie

1. In geval van een plotselinge crisis in de betalingsbalans en indien een besluit in de zin van artikel 143, lid 2, niet onmiddellijk wordt genomen, kan een onder een derogatie vallende lidstaat te zijner bescherming de noodzakelijke vrijwaringsmaatregelen treffen. Die maatregelen moeten zo weinig mogelijk verstoringen in de werking van de interne markt teweegbrengen en mogen niet verder reiken dan strikt onvermijdelijk is om de plotseling opgetreden moeilijkheden te overwinnen.
2. De Commissie en de andere lidstaten moeten van die vrijwaringsmaatregelen uiterlijk op het tijdstip van hun inwerkingtreding op de hoogte worden gebracht. De Commissie kan de Raad wederzijdse bijstand overeenkomstig artikel 143 aanbevelen.
3. Op aanbeveling van de Commissie en na raadpleging van het Economisch en Financieel Comité kan de Raad besluiten dat de betrokken lidstaat bovenbedoelde vrijwaringsmaatregelen moet wijzigen, schorsen of intrekken.

TITEL IX
WERKGELEGENHEID

Art. 145

Gecoördineerde strategie werkgelegenheid binnen Europese Unie

De lidstaten en de Unie streven overeenkomstig deze titel naar de ontwikkeling van een gecoördineerde strategie voor werkgelegenheid en in het bijzonder voor de bevordering van de scholing, de opleiding en het aanpassingsvermogen van de werknemers en arbeidsmarkten die soepel reageren op economische veranderingen teneinde de doelstellingen van artikel 3 van het Verdrag betreffende de Europese Unie te bereiken.

Art. 146

Werkgelegenheidsbeleid lidstaten Europese Unie

1. De lidstaten dragen door middel van hun werkgelegenheidsbeleid bij tot het bereiken van de in artikel 145 bedoelde doelstellingen op een wijze die verenigbaar is met de overeenkomstig artikel 121, lid 2, aangenomen globale richtsnoeren voor het economische beleid van de lidstaten en van de Unie.

2. Rekening houdend met nationale gebruiken op het gebied van de verantwoordelijkheden van de sociale partners beschouwen de lidstaten het bevorderen van de werkgelegenheid als een aangelegenheid van gemeenschappelijke zorg en coördineren zij hun maatregelen op dit gebied binnen de Raad, overeenkomstig artikel 148.

Art. 147

Aanmoediging werkgelegenheid EU-lidstaten

1. De Unie draagt bij tot een hoog werkgelegenheidsniveau door samenwerking tussen de lidstaten aan te moedigen en hun maatregelen te steunen en, indien nodig, aan te vullen. De bevoegdheden van de lidstaten worden daarbij geëerbiedigd.
2. Bij het bepalen en uitvoeren van het beleid en de activiteiten van de Unie wordt rekening gehouden met de doelstelling van een hoog werkgelegenheidsniveau.

Art. 148

Richtsnoeren Europese Raad omtrent werkgelegenheid

1. De Europese Raad beziet jaarlijks de werkgelegenheidssituatie in de Unie en neemt terzake conclusies aan, aan de hand van een gezamenlijk jaarverslag van de Raad en de Commissie.

2. Op basis van de conclusies van de Europese Raad stelt de Raad jaarlijks, op voorstel van de Commissie en na raadpleging van het Europees Parlement, het Economisch en Sociaal Comité, het Comité van de Regio's en het in artikel 150 genoemde Raadgevend Comité voor de werkgelegenheid, richtsnoeren op, waarmee de lidstaten in hun werkgelegenheidsbeleid rekening houden. Deze richtsnoeren moeten verenigbaar zijn met de overeenkomstig artikel 121, lid 2, aangenomen globale richtsnoeren.

Jaarlijks verslag van EU-lidstaten omtrent werkgelegenheid

3. Elke lidstaat legt jaarlijks aan de Raad en aan de Commissie een verslag voor over de belangrijkste maatregelen welke genomen zijn om zijn werkgelegenheidsbeleid ten uitvoer te leggen in het licht van de in lid 2 bedoelde richtsnoeren inzake werkgelegenheid.
4. Op basis van de in lid 3 bedoelde verslagen en na ontvangst van de adviezen van het Raadgevend Comité voor de werkgelegenheid verricht de Raad jaarlijks een onderzoek naar de tenuitvoerlegging van het werkgelegenheidsbeleid van de lidstaten in het licht van de richtsnoeren inzake werkgelegenheid. De Raad kan, op aanbeveling van de Commissie, aanbevelingen tot de lidstaten richten indien hij zulks in het licht van dat onderzoek dienstig acht.
5. Op basis van de resultaten van dat onderzoek brengen de Raad en de Commissie jaarlijks gezamenlijk verslag uit aan de Europese Raad over de werkgelegenheidssituatie in de Unie en over de tenuitvoerlegging van de richtsnoeren inzake werkgelegenheid.

Art. 149

Stimuleringsmaatregelen werkgelegenheid binnen Europese Unie

Het Europees Parlement en de Raad kunnen volgens de gewone wetgevingsprocedure, na raadpleging van het Economisch en Sociaal Comité en het Comité van de Regio's, stimuleringsmaatregelen aannemen die erop gericht zijn de samenwerking tussen de lidstaten aan te moedigen en hun werkgelegenheidsbeleid te ondersteunen door middel van initiatieven ter ontwikkeling van de uitwisseling van informatie en optimale praktijken, verstrekking van vergelijkende analyses en advies, alsmede bevordering van innoverende benaderingswijzen en evaluatie van ervaringen, in het bijzonder door gebruik te maken van proefprojecten.
Deze maatregelen houden geen harmonisatie van de wettelijke en bestuursrechtelijke bepalingen van de lidstaten in.

Art. 150

Raadgevend comité voor de werkgelegenheid Europese Unie

Na raadpleging van het Europees Parlement stelt de Raad met gewone meerderheid een raadgevend comité voor de werkgelegenheid in teneinde de coördinatie van het werkgelegenheids- en arbeidsmarktbeleid van de lidstaten te bevorderen. Dit comité heeft tot taak:
– toe te zien op de werkgelegenheidssituatie en het werkgelegenheidsbeleid in de lidstaten en de Unie;
– onverminderd artikel 240, adviezen uit te brengen, hetzij op verzoek van de Raad of van de Commissie, hetzij op eigen initiatief, en bij te dragen aan de voorbereiding van de in artikel 148 bedoelde werkzaamheden van de Raad.
Voor de vervulling van zijn opdracht raadpleegt het comité de sociale partners.
Elke lidstaat en de Commissie benoemen elk twee leden van het comité.

TITEL X
SOCIALE POLITIEK

Art. 151

Sociale politiek binnen Europese Unie

De Unie en de lidstaten stellen zich, indachtig sociale grondrechten zoals vastgelegd in het op 18 oktober 1961 te Turijn ondertekend Europees Sociaal Handvest en in het Gemeenschapshandvest van de sociale grondrechten van de werkenden van 1989, ten doel de bevordering van de werkgelegenheid, de gestage verbetering van de levensomstandigheden en de arbeidsvoorwaarden, zodat de onderlinge aanpassing daarvan op de weg van de vooruitgang wordt mogelijk gemaakt, alsmede een adequate sociale bescherming, de sociale dialoog, de ontwikkeling van de menselijke hulpbronnen om een duurzaam hoog werkgelegenheidsniveau mogelijk te maken, en de bestrijding van uitsluiting.

Te dien einde leggen de Unie en de lidstaten maatregelen ten uitvoer waarin rekening wordt gehouden met de verscheidenheid van de nationale gebruiken, met name op het gebied van contractuele betrekkingen, alsmede met de noodzaak om het concurrentievermogen van de economie van de Unie te handhaven.
Zij zijn van mening dat een dergelijke ontwikkeling zal voortvloeien zowel uit de werking van de interne markt waardoor de harmonisatie der sociale stelsels zal worden bevorderd, als uit de in de Verdragen bepaalde procedures en het nader tot elkaar brengen van wettelijke en bestuursrechtelijke bepalingen.

Art. 152

Sociale partners Europese Unie

De Unie erkent en bevordert de rol van de sociale partners op het niveau van de Unie, en houdt daarbij rekening met de verschillen tussen de nationale stelsels. Zij bevordert hun onderlinge dialoog, met inachtneming van hun autonomie.
De tripartiete sociale top voor groei en werkgelegenheid levert een bijdrage tot de sociale dialoog.

Art. 153

Arbeidsomstandigheden binnen Europese Unie

1. Ter verwezenlijking van de doelstellingen van artikel 151 wordt het optreden van de lidstaten op de volgende gebieden door de Unie ondersteund en aangevuld:
a. de verbetering van met name het arbeidsmilieu, om de veiligheid en de gezondheid van de werknemers te beschermen;
b. de arbeidsvoorwaarden;
c. de sociale zekerheid en de sociale bescherming van de werknemers;
d. de bescherming van de werknemers bij beëindiging van de arbeidsovereenkomst;
e. de informatie en de raadpleging van de werknemers;
f. de vertegenwoordiging en collectieve verdediging van de belangen van werknemers en werkgevers, met inbegrip van de medezeggenschap, onder voorbehoud van lid 5;
g. de werkgelegenheidsvoorwaarden voor onderdanen van derde landen die op wettige wijze op het grondgebied van de Unie verblijven;
h. de integratie van personen die van de arbeidsmarkt zijn uitgesloten, onverminderd artikel 166;
i. de gelijkheid van mannen en vrouwen wat hun kansen op de arbeidsmarkt en de behandeling op het werk betreft;
j. de bestrijding van sociale uitsluiting;
k. de modernisering van de stelsels voor sociale bescherming, onverminderd punt c).

Kennisontwikkeling binnen Europese Unie

2. Te dien einde kunnen het Europees Parlement en de Raad:
a. maatregelen aannemen die erop gericht zijn de samenwerking tussen de lidstaten aan te moedigen door middel van initiatieven ter verbetering van de kennis, ontwikkeling van de uitwisseling van informatie en optimale praktijken, bevordering van innoverende benaderingswijzen en evaluatie van ervaringen, met uitsluiting van harmonisatie van de wettelijke en bestuursrechtelijke bepalingen van de lidstaten;
b. op de in lid 1, onder a) tot en met i), bedoelde gebieden door middel van richtlijnen minimumvoorschriften vaststellen die geleidelijk van toepassing zullen worden, met inachtneming van de in elk van de lidstaten bestaande omstandigheden en technische voorschriften. In deze richtlijnen wordt vermeden zodanige administratieve, financiële en juridische verplichtingen op te leggen dat de oprichting en ontwikkeling van kleine en middelgrote ondernemingen daardoor zou kunnen worden belemmerd.
Het Europees Parlement en de Raad besluiten volgens de gewone wetgevingsprocedure na raadpleging van het Economisch en Sociaal Comité en het Comité van de Regio's.
Op de in lid 1, onder c), d), f) en g), bedoelde gebieden besluit de Raad volgens een bijzondere wetgevingsprocedure, met eenparigheid van stemmen, na raadpleging van het Europees Parlement en de beide Comités.
De Raad kan op voorstel van de Commissie en na raadpleging van het Europees Parlement met eenparigheid van stemmen besluiten dat de gewone wetgevingsprocedure van toepassing is op lid 1, punten d), f) en g).
3. Een lidstaat kan de sociale partners, indien zij gezamenlijk daarom verzoeken, belasten met de uitvoering van de krachtens lid 2 vastgestelde richtlijnen of, in voorkomend geval, de uitvoering van een overeenkomstig artikel 155 vastgesteld besluit van de Raad.
In dat geval verzekert de lidstaat zich ervan dat de sociale partners, uiterlijk op de datum waarop een richtlijn of een besluit moet zijn omgezet of uitgevoerd, de nodige maatregelen bij overeenkomst hebben ingevoerd; de betrokken lidstaat moet zelf alle maatregelen treffen om de in de betrokken richtlijn of het betrokken besluit voorgeschreven resultaten te allen tijde te kunnen waarborgen.
4. De krachtens dit artikel vastgestelde bepalingen:
– laten het recht van de lidstaten om de fundamentele beginselen van hun socialezekerheidsstelsel vast te stellen onverlet en mogen geen aanmerkelijke gevolgen hebben voor het financiële evenwicht van dat stelsel;

– beletten niet dat een lidstaat maatregelen met een hogere graad van bescherming handhaaft of invoert welke met de Verdragen verenigbaar zijn.
5. Dit artikel is niet van toepassing op de beloning, het recht van vereniging, het stakingsrecht of het recht tot uitsluiting.

Art. 154

Raadpleging sociale partners door Europese Commissie

1. De Commissie heeft tot taak de raadpleging van de sociale partners op het niveau van de Unie te bevorderen en treft alle maatregelen die nuttig kunnen zijn om de dialoog tussen de partners te vergemakkelijken door middel van een evenwichtige ondersteuning van de partijen.
2. Daartoe raadpleegt de Commissie, alvorens voorstellen op het gebied van de sociale politiek in te dienen, de sociale partners over de mogelijke richting van een optreden van de Unie.
3. Indien de Commissie na deze raadpleging van mening is dat een optreden van de Unie wenselijk is, raadpleegt zij de sociale partners over de inhoud van het overwogen voorstel. De sociale partners doen de Commissie een advies of, in voorkomend geval, een aanbeveling toekomen.
4. Ter gelegenheid van de in de leden 2 en 3 bedoelde raadplegingen kunnen de sociale partners de Commissie in kennis stellen van hun wens om het in artikel 155 bedoelde proces in te leiden. Dit proces neemt maximaal negen maanden in beslag, tenzij de betrokken sociale partners en de Commissie gezamenlijk besluiten tot verlenging.

Art. 155

Contractuele betrekkingen tussen sociale partners Europese Unie

1. De dialoog tussen de sociale partners op het niveau van de Unie kan, indien de sociale partners zulks wensen, leiden tot contractuele betrekkingen, met inbegrip van overeenkomsten.

2. De tenuitvoerlegging van de op het niveau van de Unie gesloten overeenkomsten geschiedt hetzij volgens de procedures en gebruiken die eigen zijn aan de sociale partners en aan de lidstaten, hetzij, voor zaken die onder artikel 153 vallen, op gezamenlijk verzoek van de ondertekenende partijen, door een besluit van de Raad op voorstel van de Commissie. Het Europees Parlement wordt hiervan in kennis gesteld.
De Raad besluit met eenparigheid van stemmen wanneer de betrokken overeenkomst één of meer bepalingen bevat die betrekking hebben op één van de gebieden waarvoor krachtens artikel 153, lid 3 [per 1 december 2009: lid 2] eenparigheid van stemmen vereist is.

Art. 156

Deelterreinen sociale politiek Europese Unie

Ter verwezenlijking van de doelstellingen van artikel 151 en onverminderd de andere bepalingen van de Verdragen, bevordert de Commissie de samenwerking tussen de lidstaten en vergemakkelijkt zij de coördinatie van hun optreden op alle onder dit hoofdstuk vallende gebieden van de sociale politiek, met name op het terrein van:
– de werkgelegenheid,
– het arbeidsrecht en de arbeidsvoorwaarden,
– de beroepsopleiding en de voortgezette vorming,
– de sociale zekerheid,
– de voorkoming van arbeidsongevallen en beroepsziekten,
– de arbeidshygiëne,
– het recht om zich te organiseren in vakverenigingen en van collectieve onderhandelingen tussen werkgevers en werknemers.
Te dien einde werkt de Commissie nauw samen met de lidstaten bij het verrichten van studies, het uitbrengen van adviezen en het organiseren van overleg zowel omtrent vraagstukken op nationaal niveau als omtrent vraagstukken die de internationale organisaties aangaan, met name initiatieven om richtsnoeren en indicatoren vast te stellen, de uitwisseling van beste praktijken te regelen en de nodige elementen met het oog op periodieke controle en evaluatie te verzamelen. Het Europees Parlement wordt ten volle in kennis gesteld.
Alvorens de in dit artikel bedoelde adviezen uit te brengen, raadpleegt de Commissie het Economisch en Sociaal Comité.

Art. 157

Gelijke beloning mannen en vrouwen binnen Europese Unie

1. Iedere lidstaat draagt er zorg voor dat het beginsel van gelijke beloning van mannelijke en vrouwelijke werknemers voor gelijke of gelijkwaardige arbeid wordt toegepast.

2. Onder beloning in de zin van dit artikel dient te worden verstaan het gewone basis- of minimumloon of -salaris en alle overige voordelen in geld of in natura die de werknemer uit hoofde van zijn dienstbetrekking direct of indirect van de werkgever ontvangt.
Gelijke beloning zonder onderscheid naar kunne houdt in:
a. dat de beloning voor gelijke arbeid in stukloon wordt vastgesteld op basis van eenzelfde maatstaf;
b. dat de beloning voor arbeid in tijdloon dezelfde is voor eenzelfde functie.
3. Het Europees Parlement en de Raad nemen volgens de gewone wetgevingsprocedure en na raadpleging van het Economisch en Sociaal Comité maatregelen aan om de toepassing te waarborgen van het beginsel van gelijke kansen en gelijke behandeling van mannen en vrouwen

in werkgelegenheid en beroep, met inbegrip van het beginsel van gelijke beloning voor gelijke of gelijkwaardige arbeid.

4. Het beginsel van gelijke behandeling belet niet dat een lidstaat, om volledige gelijkheid van mannen en vrouwen in het beroepsleven in de praktijk te verzekeren, maatregelen handhaaft of aanneemt waarbij specifieke voordelen worden ingesteld om de uitoefening van een beroepsactiviteit door het ondervertegenwoordigde geslacht te vergemakkelijken of om nadelen in de beroepsloopbaan te voorkomen of te compenseren.

Art. 158

Vakantierechten binnen Europese Unie

De lidstaten streven ernaar de bestaande gelijkwaardigheid van de bepalingen omtrent betaalde vakantie te handhaven.

Art. 159

Verslag omtrent sociale politiek Europese Unie

De Commissie stelt ieder jaar een verslag op over de stand van de verwezenlijking van de doelstellingen van artikel 151, met inbegrip van de demografische situatie in de Unie. Zij zendt dit verslag toe aan het Europees Parlement, de Raad en het Economisch en Sociaal Comité.

Art. 160

Comité voor sociale bescherming binnen Europese Unie

De Raad stelt met gewone meerderheid na raadpleging van het Europees Parlement een comité voor sociale bescherming met een adviestaak in teneinde de samenwerking tussen de lidstaten onderling en met de Commissie op het gebied van de sociale bescherming te bevorderen. Het comité heeft tot taak:

- toe te zien op de sociale situatie en de ontwikkeling van het beleid inzake sociale bescherming in de lidstaten en de Unie;
- de uitwisseling van informatie, ervaringen en goede praktijken tussen de lidstaten onderling en met de Commissie te vergemakkelijken;
- onverminderd artikel 240, verslagen op te stellen, adviezen uit te brengen of andere activiteiten te ontplooien op gebieden die onder zijn bevoegdheid vallen, hetzij op verzoek van de Raad of de Commissie, hetzij op eigen initiatief.

Voor de vervulling van zijn opdracht legt het comité de nodige contacten met de sociale partners.

Iedere lidstaat en de Commissie benoemen twee leden van het comité.

Art. 161

Sociale politiek in jaarverslag Europese Commissie

In haar jaarverslag aan het Europees Parlement wijdt de Commissie een afzonderlijk hoofdstuk aan de ontwikkeling van de sociale toestand in de Unie.

Het Europees Parlement kan de Commissie verzoeken verslagen op te stellen over bijzondere vraagstukken inzake de sociale toestand.

TITEL XI
HET EUROPEES SOCIAAL FONDS

Art. 162

Europees Sociaal Fonds

Teneinde de werkgelegenheid voor de werknemers in de interne markt te verbeteren en zodoende bij te dragen tot verhoging van de levensstandaard, wordt in het kader van de volgende bepalingen een Europees Sociaal Fonds opgericht; dit Fonds heeft ten doel binnen de Unie de tewerkstelling te vergemakkelijken en de geografische en beroepsmobiliteit van de werknemers te bevorderen, alsmede de aanpassing aan veranderingen in het bedrijfsleven en in productiestelsels gemakkelijker te maken, met name door beroepsopleiding en omscholing.

Art. 163

Beheer van Europees Sociaal Fonds

Het beheer van het Fonds berust bij de Commissie.

De Commissie wordt in deze taak bijgestaan door een comité dat onder het voorzitterschap staat van een lid van de Commissie en samengesteld is uit vertegenwoordigers van de regeringen en van de vakverenigingen van werknemers en van werkgevers.

Art. 164

Uitvoeringsverordeningen Europees Sociaal Fonds

Het Europees Parlement en de Raad stellen volgens de gewone wetgevingsprocedure en na raadpleging van het Economisch en Sociaal Comité en het Comité van de Regio's de uitvoeringsverordeningen betreffende het Europees Sociaal Fonds vast.

TITEL XII
ONDERWIJS, BEROEPSOPLEIDING, JEUGD EN SPORT

Art. 165

Onderwijs binnen Europese Unie

1. De Unie draagt bij tot de ontwikkeling van onderwijs van hoog gehalte door samenwerking tussen de lidstaten aan te moedigen en zo nodig door hun activiteiten te ondersteunen en aan te vullen, met volledige eerbiediging van de verantwoordelijkheid van de lidstaten voor de inhoud van het onderwijs en de opzet van het onderwijsstelsel en van hun culturele en taalkundige verscheidenheid.

De Unie draagt bij tot de bevordering van de Europese inzet op sportgebied, rekening houdend met haar specifieke kenmerken, haar op vrijwilligerswerk berustende structuren en haar sociale en educatieve functie.

Doel onderwijsbeleid Europese Unie

2. Het optreden van de Unie is erop gericht:
– de Europese dimensie in het onderwijs tot ontwikkeling te brengen, met name door onderricht in en verspreiding van de talen der lidstaten;
– de mobiliteit van studenten en docenten te bevorderen, mede door de academische erkenning van diploma's en studietijdvakken aan te moedigen;
– de samenwerking tussen onderwijsinstellingen te bevorderen;
– de uitwisseling te bevorderen van informatie en ervaring omtrent de gemeenschappelijke vraagstukken waarmee de onderwijsstelsels van de lidstaten worden geconfronteerd;
– de ontwikkeling van uitwisselingsprogramma's voor jongeren en jongerenwerkers te bevorderen en de deelneming van jongeren aan het democratisch leven van Europa aan te moedigen;
– de ontwikkeling van het onderwijs op afstand te stimuleren.
– de Europese dimensie van de sport te ontwikkelen, door de eerlijkheid en de openheid van sportcompetities en de samenwerking tussen de verantwoordelijke sportorganisaties te bevorderen, en door de fysieke en morele integriteit van sportlieden, met name jonge sporters, te beschermen.

3. De Unie en de lidstaten bevorderen de samenwerking met derde landen en met de inzake onderwijs en sport bevoegde internationale organisaties, met name met de Raad van Europa.

4. Om bij te dragen tot de verwezenlijking van de doelstellingen van dit artikel:
– nemen het Europees Parlement en de Raad, volgens de gewone wetgevingsprocedure en na raadpleging van het Economisch en Sociaal Comité en het Comité van de Regio's, stimuleringsmaatregelen aan, met uitsluiting van harmonisatie van de wettelijke en bestuursrechtelijke bepalingen van de lidstaten,
– neemt de Raad, op voorstel van de Commissie, aanbevelingen aan.

Art. 166

Beroepsopleiding binnen Europese Unie

1. De Unie legt inzake beroepsopleiding een beleid ten uitvoer waardoor de activiteiten van de lidstaten worden versterkt en aangevuld, met volledige eerbiediging van de verantwoordelijkheid van de lidstaten voor de inhoud en de opzet van de beroepsopleiding.

2. Het optreden van de Unie is erop gericht
– de aanpassing aan veranderingen in het bedrijfsleven te vergemakkelijken, met name door beroepsopleiding en omscholing;
– door verbetering van de initiële beroepsopleiding en van bij- en nascholing, de opneming en de wederopneming op de arbeidsmarkt te bevorderen;
– de toegang tot beroepsopleidingen te vergemakkelijken en de mobiliteit van opleiders en leerlingen, met name jongeren, te bevorderen;
– de samenwerking inzake opleiding tussen onderwijs- of opleidingsinstellingen en ondernemingen te bevorderen;
– de uitwisseling te bevorderen van informatie en ervaring omtrent de gemeenschappelijke vraagstukken waarmee de opleidingsstelsels van de lidstaten worden geconfronteerd.

3. De Unie en de lidstaten bevorderen de samenwerking met derde landen en met de inzake beroepsopleiding bevoegde internationale organisaties.

4. Het Europees Parlement en de Raad nemen, volgens de gewone wetgevingsprocedure en na raadpleging van het Economisch en Sociaal Comité en het Comité van de Regio's, maatregelen aan die bijdragen tot de verwezenlijking van de doelstellingen van dit artikel, met uitsluiting van harmonisatie van de wettelijke en bestuursrechtelijke bepalingen van de lidstaten en de Raad neemt, op voorstel van de Commissie, aanbevelingen aan.

TITEL XIII
CULTUUR

Art. 167

Cultureel erfgoed binnen Europese Unie

1. De Unie draagt bij tot de ontplooiing van de culturen van de lidstaten onder eerbiediging van de nationale en regionale verscheidenheid van die culturen, maar tegelijk ook de nadruk leggend op het gemeenschappelijk cultureel erfgoed.

2. Het optreden van de Unie is erop gericht de samenwerking tussen de lidstaten aan te moedigen en zo nodig hun activiteiten op de volgende gebieden te ondersteunen en aan te vullen:
– verbetering van de kennis en verbreiding van de cultuur en de geschiedenis van de Europese volkeren,
– instandhouding en bescherming van het cultureel erfgoed van Europees belang,
– culturele uitwisseling op niet-commerciële basis,
– scheppend werk op artistiek en literair gebied, mede in de audiovisuele sector.

3. De Unie en de lidstaten bevorderen de samenwerking met derde landen en met de inzake cultuur bevoegde internationale organisaties, met name met de Raad van Europa.

4. De Unie houdt bij haar optreden uit hoofde van andere bepalingen van de Verdragen rekening met de culturele aspecten, met name om de culturele verscheidenheid te eerbiedigen en te bevorderen.
5. Om bij te dragen tot de verwezenlijking van de doelstellingen van dit artikel:
- nemen het Europees Parlement en de Raad, volgens de gewone wetgevingsprocedure en na raadpleging van het Comité van de Regio's, stimuleringsmaatregelen aan, met uitsluiting van harmonisatie van de wettelijke en bestuursrechtelijke bepalingen van de lidstaten;
- neemt de Raad, op voorstel van de Commissie, aanbevelingen aan.

TITEL XIV
VOLKSGEZONDHEID

Art. 168

Volksgezondheid Europese Unie

1. Bij de bepaling en de uitvoering van elk beleid en elk optreden van de Unie wordt een hoog niveau van bescherming van de menselijke gezondheid verzekerd.
Het optreden van de Unie, dat een aanvulling vormt op het nationale beleid, is gericht op verbetering van de volksgezondheid, preventie van ziekten en aandoeningen bij de mens en het wegnemen van bronnen van gevaar voor de lichamelijke en geestelijke gezondheid. Dit optreden omvat de bestrijding van grote bedreigingen van de gezondheid, door het bevorderen van onderzoek naar de oorzaken, de overdracht en de preventie daarvan, alsmede door het bevorderen van gezondheidsvoorlichting en gezondheidsonderwijs, en de controle van, de alarmering bij en de bestrijding van ernstige grensoverschrijdende bedreigingen van de gezondheid.
De Unie vult het optreden van de lidstaten aan ter vermindering van de schade aan de gezondheid door drugsgebruik, met inbegrip van voorlichting en preventie.
2. De Unie moedigt samenwerking tussen de lidstaten op de in dit artikel bedoelde gebieden aan en steunt zo nodig hun optreden. Zij moedigt in het bijzonder aan dat de lidstaten samenwerken ter verbetering van de complementariteit van hun gezondheidsdiensten in de grensgebieden.
De lidstaten coördineren onderling, in verbinding met de Commissie, hun beleid en programma's op de in lid 1 bedoelde gebieden. De Commissie kan, in nauw contact met de lidstaten, alle dienstige initiatieven nemen om deze coördinatie te bevorderen, met name initiatieven om richtsnoeren en indicatoren vast te stellen, de uitwisseling van beste praktijken te regelen en de nodige elementen met het oog op periodieke controle en evaluatie te verzamelen. Het Europees Parlement wordt ten volle in kennis gesteld.
3. De Unie en de lidstaten bevorderen de samenwerking met derde landen en met de inzake volksgezondheid bevoegde internationale organisaties.
4. In afwijking van artikel 2, lid 5, en artikel 6, onder a), en overeenkomstig artikel 4, lid 2, onder k), dragen het Europees Parlement en de Raad volgens de gewone wetgevingsprocedure, na raadpleging van het Economisch en Sociaal Comité en het Comité van de Regio's, bij tot de verwezenlijking van de doelstellingen van dit artikel door om gemeenschappelijke veiligheidskwesties het hoofd te bieden:
a. maatregelen aan te nemen waarbij hoge kwaliteits- en veiligheidseisen worden gesteld aan organen en stoffen van menselijke oorsprong, bloed en bloedderivaten; deze maatregelen beletten niet dat een lidstaat maatregelen voor een hogere graad van bescherming handhaaft of treft;
b. maatregelen op veterinair en fytosanitair gebied aan te nemen die rechtstreeks gericht zijn op de bescherming van de volksgezondheid;
c. maatregelen waarbij hoge kwaliteits- en veiligheidseisen worden gesteld aan geneesmiddelen en medische hulpmiddelen.
5. Het Europees Parlement en de Raad kunnen, volgens de gewone wetgevingsprocedure en na raadpleging van het Economisch en Sociaal Comité en het Comité van de Regio's, ook stimuleringsmaatregelen vaststellen die gericht zijn op de bescherming en de verbetering van de menselijke gezondheid en met name de bestrijding van grote grensoverschrijdende bedreigingen van de gezondheid, maatregelen betreffende de controle van, de alarmering bij en de bestrijding van ernstige grensoverschrijdende bedreigingen van de gezondheid, alsook maatregelen die rechtstreeks verband houden met de bescherming van de volksgezondheid ter zake van tabak en misbruik van alcohol, met uitsluiting van enige harmonisering van de wettelijke en bestuursrechtelijke bepalingen van de lidstaten.
6. De Raad kan, op voorstel van de Commissie, ook aanbevelingen aannemen met het oog op de doelstellingen van dit artikel.
7. Het optreden van de Unie eerbiedigt de verantwoordelijkheden van de lidstaten met betrekking tot de bepaling van hun gezondheidsbeleid, alsmede de organisatie en de verstrekking van gezondheidsdiensten en geneeskundige verzorging. De verantwoordelijkheden van de lidstaten omvatten het beheer van gezondheidsdiensten en geneeskundige verzorging, alsmede de allocatie van de daaraan toegewezen middelen. De in lid 4, onder a), bedoelde maatregelen doen

geen afbreuk aan de nationale voorschriften inzake donatie en geneeskundig gebruik van organen en bloed.

TITEL XV
CONSUMENTENBESCHERMING

Art. 169

Consumentenbescherming Europese Unie

1. Om de belangen van de consumenten te bevorderen en een hoog niveau van consumentenbescherming te waarborgen, draagt de Unie bij tot de bescherming van de gezondheid, de veiligheid en de economische belangen van de consumenten alsmede tot de bevordering van hun recht op voorlichting en vorming, en hun recht van vereniging om hun belangen te behartigen.
2. De Unie draagt bij tot de verwezenlijking van de in lid 1 genoemde doelstellingen door middel van:
a. maatregelen die zij op grond van artikel 114 in het kader van de totstandbrenging van de interne markt neemt;
b. maatregelen om het beleid van de lidstaten te ondersteunen, aan te vullen en te controleren.
3. Het Europees Parlement en de Raad nemen volgens de gewone wetgevingsprocedure en na raadpleging van het Economisch en Sociaal Comité de maatregelen, bedoeld in lid 2, onder b), aan.
4. De uit hoofde van lid 3 aangenomen maatregelen beletten niet dat een lidstaat maatregelen voor een hogere graad van bescherming treft of handhaaft. Deze maatregelen moeten verenigbaar zijn met de Verdragen. Zij worden ter kennis van de Commissie gebracht.

TITEL XVI
TRANSEUROPESE NETWERKEN

Art. 170

Trans-Europese netwerken

1. Teneinde bij te dragen tot de verwezenlijking van de in de artikelen 26 en 174 bedoelde doelstellingen en om de burgers van de Unie, de economische subjecten, alsmede de regionale en lokale gemeenschappen in staat te stellen ten volle profijt te trekken van de voordelen die uit de totstandkoming van een ruimte zonder binnengrenzen voortvloeien, draagt de Unie bij tot de totstandbrenging en ontwikkeling van trans-Europese netwerken op het gebied van vervoers-, telecommunicatie- en energie-infrastructuur.
2. In het kader van een stelsel van open en concurrerende markten is het optreden van de Unie gericht op de bevordering van de onderlinge koppeling en interoperabiliteit van de nationale netwerken, alsmede van de toegang tot deze netwerken. Daarbij wordt met name rekening gehouden met de noodzaak de insulaire, niet aan zee grenzende en perifere regio's met de centrale regio's van de Unie te verbinden.

Art. 171

Verwezenlijking trans-Europese netwerken

1. Voor de verwezenlijking van de in artikel 170 genoemde doelstellingen:
- stelt de Unie een geheel van richtsnoeren op betreffende de doelstellingen, de prioriteiten en de grote lijnen van de op het gebied van trans-Europese netwerken overwogen maatregelen; in deze richtsnoeren worden projecten van gemeenschappelijk belang aangegeven;
- treft de Unie alle maatregelen die nodig kunnen blijken om de interoperabiliteit van de netwerken te verzekeren, met name op het gebied van de harmonisatie van de technische normen;
- kan de Unie steun verlenen aan door de lidstaten gesteunde projecten van gemeenschappelijk belang, die als zodanig zijn aangegeven in het kader van de in het eerste streepje bedoelde richtsnoeren met name in de vorm van uitvoerbaarheidsstudies, garanties voor leningen, of rentesubsidies; de Unie kan ook door middel van het overeenkomstig artikel 177 opgerichte Cohesiefonds bijdragen aan de financiering van specifieke projecten in lidstaten op het terrein van de vervoersinfrastructuur.

Bij het optreden van de Unie wordt rekening gehouden met de potentiële economische levensvatbaarheid van de projecten.
2. De lidstaten coördineren onderling, in verbinding met de Commissie, het nationale beleid dat van grote invloed kan zijn op de verwezenlijking van de in artikel 170 bedoelde doelstellingen. De Commissie kan in nauwe samenwerking met de lidstaten alle dienstige initiatieven nemen om deze coördinatie te bevorderen.
3. De Unie kan besluiten met derde landen samen te werken om projecten van gemeenschappelijk belang te bevorderen en de interoperabiliteit van de netwerken te verzekeren.

Art. 172

Wetgevingsprocedure trans-Europese netwerken

De in artikel 171, lid 1, bedoelde richtsnoeren en andere maatregelen worden door het Europees Parlement en de Raad vastgesteld volgens de gewone wetgevingsprocedure en na raadpleging van het Economisch en Sociaal Comité en het Comité van de Regio's.
Voor richtsnoeren en projecten van gemeenschappelijk belang die betrekking hebben op het grondgebied van een lidstaat, is de goedkeuring van de betrokken lidstaat vereist.

TITEL XVII
INDUSTRIE

Art. 173

Industrie van de Europese Unie

1. De Unie en de lidstaten dragen er zorg voor dat de omstandigheden nodig voor het concurrentievermogen van de industrie van de Unie, aanwezig zijn.
Hiertoe is hun optreden, overeenkomstig een systeem van open en concurrerende markten, erop gericht:
– de aanpassing van de industrie aan structurele wijzigingen te bespoedigen;
– een gunstig klimaat voor het ontplooien van initiatieven en voor de ontwikkeling van ondernemingen in de gehele Unie, met name van het midden- en kleinbedrijf, te bevorderen;
– een gunstig klimaat voor de samenwerking tussen ondernemingen te bevorderen;
– een betere benutting van het industriële potentieel van het beleid inzake innovatie, onderzoek en technologische ontwikkeling te stimuleren.
2. De lidstaten plegen, in verbinding met de Commissie, onderling overleg en coördineren, voorzover nodig, hun activiteiten. De Commissie kan initiatieven nemen om deze coördinatie te bevorderen, met name initiatieven om richtsnoeren en indicatoren vast te stellen, de uitwisseling van beste praktijken te regelen en de nodige elementen met het oog op periodieke controle en evaluatie te verzamelen. Het Europees Parlement wordt ten volle in kennis gesteld.
3. De Unie draagt bij tot de verwezenlijking van de doelstellingen van lid 1 door middel van haar beleid en optreden uit hoofde van andere bepalingen van de Verdragen. Het Europees Parlement en de Raad kunnen volgens de gewone wetgevingsprocedure na raadpleging van het Economisch en Sociaal Comité specifieke maatregelen vaststellen ter ondersteuning van de activiteiten die in de lidstaten worden ondernomen om de doelstellingen van lid 1 te verwezenlijken met uitsluiting van enige harmonisering van de wettelijke en bestuursrechtelijke bepalingen van de lidstaten.
Deze titel verschaft geen grondslag voor invoering door de Unie van maatregelen waardoor de mededinging kan worden vervalst of die belastingbepalingen of bepalingen betreffende de rechten en belangen van werknemers inhouden.

TITEL XVIII
ECONOMISCHE, SOCIALE EN TERRITORIALE SAMENHANG

Art. 174

Economische, sociale en territoriale samenhang binnen Europese lidstaten

Teneinde de harmonische ontwikkeling van de Unie in haar geheel te bevorderen, ontwikkelt en vervolgt de Unie haar optreden gericht op de versterking van de economische, sociale en territoriale samenhang.
De Unie stelt zich in het bijzonder ten doel, de verschillen tussen de ontwikkelingsniveaus van de onderscheiden regio's en de achterstand van de minst begunstigde regio's, te verkleinen.
Wat betreft die regio's wordt bijzondere aandacht besteed aan de plattelandsgebieden, de regio's die een industriële overgang doormaken, en de regio's die kampen met ernstige en permanente natuurlijke of demografische belemmeringen, zoals de meest noordelijke regio's met een zeer geringe bevolkingsdichtheid, alsmede insulaire, grensoverschrijdende en berggebieden.

Art. 175

Economische en sociale structuurfondsen Europese Unie

De lidstaten voeren hun economische beleid en coördineren dit mede met het oog op het verwezenlijken van de doelstellingen van artikel 174. De vaststelling en de tenuitvoerlegging van het beleid en van de maatregelen van de Unie en de totstandbrenging van de interne markt houden rekening met de doelstellingen van artikel 174 en dragen bij tot de verwezenlijking daarvan. De Unie ondersteunt deze verwezenlijking tevens door haar optreden via de structuurfondsen (Europees Oriëntatie- en Garantiefonds voor de Landbouw, afdeling Oriëntatie, Europees Sociaal Fonds, Europees Fonds voor Regionale Ontwikkeling), de Europese Investeringsbank en de andere bestaande financieringsinstrumenten.
De Commissie brengt om de drie jaar aan het Europees Parlement, de Raad, het Economisch en Sociaal Comité en het Comité van de Regio's verslag uit over de vooruitgang die is geboekt bij de verwezenlijking van de economische, sociale en territoriale samenhang, alsmede over de wijze waarop de diverse in dit artikel bedoelde middelen daartoe hebben bijgedragen. Dit verslag gaat in voorkomend geval vergezeld van passende voorstellen.
Indien specifieke maatregelen buiten de fondsen om noodzakelijk blijken, kunnen zulke maatregelen, onverminderd de maatregelen waartoe in het kader van ander beleid van de Unie wordt besloten, door het Europees Parlement en de Raad volgens de gewone wetgevingsprocedure na raadpleging van het Economisch en Sociaal Comité en het Comité van de Regio's worden vastgesteld.

Art. 176

Europees fonds voor regionale ontwikkeling

Het Europees Fonds voor Regionale Ontwikkeling is bedoeld om een bijdrage te leveren aan het ongedaan maken van de belangrijkste regionale onevenwichtigheden in de Unie door deel te nemen aan de ontwikkeling en de structurele aanpassing van regio's met een ontwikkelingsachterstand en aan de omschakeling van industriegebieden met afnemende economische activiteit.

Art. 177

Taken en doelstellingen structuurfondsen en Cohesiefonds Europese Unie

Onverminderd artikel 178 stellen het Europees Parlement en de Raad volgens de gewone wetgevingsprocedure bij verordeningen en na raadpleging van het Economisch en Sociaal Comité en het Comité van de Regio's, gewone wetgevingsprocedure de taken, de prioritaire doelstellingen en de organisatie van de structuurfondsen vast, hetgeen ook samenvoeging van de fondsen kan omvatten. Volgens dezelfde procedure worden tevens de algemene regels vastgesteld die voor deze fondsen gelden, alsmede de bepalingen die nodig zijn voor de doeltreffende werking van de fondsen en de coördinatie tussen de fondsen onderling en met de andere bestaande financieringsinstrumenten.

Een volgens dezelfde procedure opgericht Cohesiefonds levert een financiële bijdrage aan projecten op het gebied van milieu en trans-Europese netwerken in de sfeer van de vervoersinfrastructuur.

Art. 178

Toepassingsverordeningen Europees Fonds voor Regionale Ontwikkeling

De toepassingsverordeningen met betrekking tot het Europees Fonds voor Regionale Ontwikkeling worden door het Europees Parlement en de Raad volgens de gewone wetgevingsprocedure en na raadpleging van het Economisch en Sociaal Comité en het Comité van de Regio's vastgesteld.

Ten aanzien van het Europees Oriëntatie- en Garantiefonds voor de Landbouw, afdeling Oriëntatie, en het Europees Sociaal Fonds blijven onderscheidenlijk de artikelen 43 en 164 van toepassing.

TITEL XIX
ONDERZOEK EN TECHNOLOGISCHE ONTWIKKELING EN RUIMTE

Art. 179

Wetenschap en technologie binnen Europese Unie

1. De Unie heeft tot doel haar wetenschappelijke en technologische grondslagen te versterken door de totstandbrenging van een Europese onderzoeksruimte waarbinnen onderzoekers, wetenschappelijke kennis en technologieën vrij circuleren, tot de ontwikkeling van het concurrentievermogen van de Unie en van haar industrie bij te dragen en de onderzoeksactiviteiten te bevorderen die uit hoofde van andere hoofdstukken van de Verdragen nodig worden geacht.

2. Te dien einde stimuleert zij in de gehele Unie de ondernemingen, met inbegrip van kleine en middelgrote ondernemingen, de onderzoekcentra en de universiteiten bij hun inspanningen op het gebied van hoogwaardig onderzoek en hoogwaardige technologische ontwikkeling; zij ondersteunt hun streven naar onderlinge samenwerking, waarbij het beleid er vooral op gericht is onderzoekers in staat te stellen vrijelijk samen te werken over de grenzen heen, en ondernemingen in staat te stellen de mogelijkheden van de interne markt ten volle te benutten, in het bijzonder door openstelling van de nationale overheidsopdrachten, vaststelling van gemeenschappelijke normen en opheffing van de wettelijke en fiscale belemmeringen welke die samenwerking in de weg staan.

3. Alle activiteiten van de Unie uit hoofde van de Verdragen, met inbegrip van demonstratieprojecten, op het gebied van onderzoek en technologische ontwikkeling worden vastgesteld en ten uitvoer gelegd overeenkomstig het bepaalde in deze titel.

Art. 180

Activiteiten Europese Unie omtrent wetenschap en technologie

Voor de verwezenlijking van deze doelstellingen onderneemt de Unie de volgende activiteiten, die de activiteiten van de lidstaten aanvullen:

a. tenuitvoerlegging van programma's voor onderzoek, technologische ontwikkeling en demonstratie, waarbij de samenwerking met en tussen ondernemingen, onderzoekcentra en universiteiten wordt bevorderd;

b. bevordering van de samenwerking inzake onderzoek, technologische ontwikkeling en demonstratie van de Unie met derde landen en internationale organisaties;

c. verspreiding en exploitatie van de resultaten van de activiteiten inzake onderzoek, technologische ontwikkeling en demonstratie van de Unie;

d. stimulering van de opleiding en de mobiliteit van onderzoekers in de Unie.

Art. 181

Coördinatie van activiteiten omtrent wetenschap en technologie Europese Unie

1. De Unie en de lidstaten coördineren hun activiteiten op het gebied van onderzoek en technologische ontwikkeling, teneinde de wederzijdse samenhang van het beleid van de lidstaten en het beleid van de Unie te verzekeren.

2. De Commissie kan in nauwe samenwerking met de lidstaten alle dienstige initiatieven nemen om de in lid 1 bedoelde coördinatie te bevorderen, met name initiatieven om richtsnoeren en indicatoren vast te stellen, de uitwisseling van beste praktijken te organiseren en in de nodige elementen te voorzien met het oog op periodieke controle en evaluatie. Het Europees Parlement wordt ten volle in kennis gesteld.

Art. 182

Meerjarenkaderprogramma Europese Unie omtrent wetenschap en technologie

1. Het Europees Parlement en de Raad stellen, volgens de gewone wetgevingsprocedure en na raadpleging van het Economisch en Sociaal Comité, een meerjarenkaderprogramma vast waarin alle activiteiten van de Unie zijn opgenomen.
In dit kaderprogramma:
- worden de wetenschappelijke en technologische doelstellingen die met de in artikel 180 bedoelde activiteiten moeten worden verwezenlijkt, alsmede de daarmee samenhangende prioriteiten vastgesteld;
- worden de grote lijnen van deze activiteiten aangegeven;
- worden het totale maximumbedrag van en nadere regels voor de financiële deelneming van de Unie aan het kaderprogramma alsmede de onderscheiden deelbedragen voor elk van de overwogen activiteiten vastgesteld.

2. Het kaderprogramma wordt naar gelang van de ontwikkeling van de situatie aangepast of aangevuld.
3. Het kaderprogramma wordt ten uitvoer gelegd door middel van specifieke programma's die binnen elke activiteit worden ontwikkeld. In elk specifiek programma worden de nadere bepalingen voor de uitvoering ervan, de looptijd en de noodzakelijk geachte middelen vastgesteld.
Het totaal van de in de specifieke programma's vastgestelde noodzakelijk geachte bedragen mag niet meer belopen dan het voor het kaderprogramma en voor elke activiteit vastgestelde totale maximumbedrag.
4. De Raad stelt de specifieke programma's overeenkomstig een bijzondere wetgevingsprocedure en na raadpleging van het Europees Parlement en het Economisch en Sociaal Comité vast.
5. Ter aanvulling op de in het meerjarenkaderprogramma geplande activiteiten stellen het Europees Parlement en de Raad, volgens de gewone wetgevingsprocedure en na raadpleging van het Economisch en Sociaal Comité, de maatregelen vast die nodig zijn om de Europese onderzoeksruimte te realiseren.

Art. 183

Regels meerjarenkaderprogramma Europese Unie omtrent wetenschap en technologie

Voor de tenuitvoerlegging van het meerjarenkaderprogramma bepaalt de Unie:
- de regels voor de deelneming van ondernemingen, onderzoekcentra en universiteiten;
- de regels voor de verspreiding van de onderzoeksresultaten.

Art. 184

Aanvullende programma's meerjarenkaderprogramma Europese Unie omtrent wetenschap en technologie

Bij de tenuitvoerlegging van het meerjarenkaderprogramma kan worden besloten tot aanvullende programma's waaraan alleen wordt deelgenomen door bepaalde lidstaten, die zorgdragen voor de financiering daarvan, onder voorbehoud van een eventuele deelneming van de Unie.

De Unie stelt de regels voor de aanvullende programma's vast, met name voor wat betreft de verspreiding van de kennis en de toegang van andere lidstaten.

Art. 185

Onderzoek- en ontwikkelingsprogramma's lidstaten Europese Unie

Bij de tenuitvoerlegging van het meerjarenkaderprogramma kan de Unie in overeenstemming met de betrokken lidstaten voorzien in deelneming aan door verscheidene lidstaten opgezette onderzoek- en ontwikkelingsprogramma's, met inbegrip van de deelneming aan de voor de uitvoering van die programma's tot stand gebrachte structuren.

Art. 186

Samenwerking Europese Unie met derde landen inzake wetenschap en technologie

Bij de tenuitvoerlegging van het meerjarenkaderprogramma kan de Unie voorzien in samenwerking inzake onderzoek en technologische ontwikkeling en demonstratie van de Unie met derde landen of internationale organisaties.

De nadere regeling van deze samenwerking kan worden vastgesteld in overeenkomsten tussen de Unie en de betrokken derde partijen.

Art. 187

Gemeenschappelijke ondernemingen Europese Unie inzake wetenschap en technologie

De Unie kan gemeenschappelijke ondernemingen of andere structuren in het leven roepen die noodzakelijk zijn voor de goede uitvoering van programma's voor onderzoek en technologische ontwikkeling en demonstratie van de Unie.

Art. 188

Voorzieningen Europese Unie inzake wetenschap en technologie

De Raad stelt, op voorstel van de Commissie en na raadpleging van het Europees Parlement en het Economisch en Sociaal Comité, de in artikel 187 bedoelde voorzieningen vast.

Het Europees Parlement en de Raad stellen, volgens de gewone wetgevingsprocedure en na raadpleging van het Economisch en Sociaal Comité, de in de artikelen 183, 184 en 185 bedoelde voorzieningen vast. Voor de vaststelling van de aanvullende programma's is de goedkeuring van de betrokken lidstaten vereist.

Art. 189

Ruimtevaartbeleid Europese Unie

1. Om de wetenschappelijke en technische vooruitgang, het industriële concurrentievermogen en de uitvoering van haar beleid te bevorderen, stippelt de Unie een Europees ruimtevaartbeleid uit. Daartoe kan zij gemeenschappelijke initiatieven bevorderen, onderzoek en technologische ontwikkeling steunen en de nodige inspanningen coördineren voor de verkenning en het gebruik van de ruimte.
2. Om bij te dragen aan de verwezenlijking van de in lid 1 bedoelde doelstellingen, stellen het Europees Parlement en de Raad, volgens de gewone wetgevingsprocedure, de nodige maatregelen vast, die de vorm kunnen hebben van een Europees ruimtevaartprogramma, met uitsluiting van enige harmonisering van de wettelijke of bestuursrechtelijke bepalingen van de lidstaten.
3. De Unie gaat elke nuttige relatie aan met het Europees Ruimteagentschap.
4. Dit artikel laat de overige bepalingen van deze titel onverlet.

Art. 190

Wetenschap en technologie in jaarverslag Europese Unie

Aan het begin van elk jaar legt de Commissie aan het Europees Parlement en de Raad een verslag voor.
Dit verslag heeft met name betrekking op de activiteiten inzake onderzoek en technologische ontwikkeling en verspreiding van de resultaten in het voorafgaande jaar alsmede op het werkprogramma van het lopende jaar.

TITEL XX
MILIEU

Art. 191

Milieubeleid Europese Unie

1. Het beleid van de Unie op milieugebied draagt bij tot het nastreven van de volgende doelstellingen:
– behoud, bescherming en verbetering van de kwaliteit van het milieu;
– bescherming van de gezondheid van de mens;
– behoedzaam en rationeel gebruik van natuurlijke hulpbronnen;
– bevordering op internationaal vlak van maatregelen om het hoofd te bieden aan regionale of mondiale milieuproblemen, en in het bijzonder de bestrijding van klimaatverandering.
2. De Unie streeft in haar milieubeleid naar een hoog niveau van bescherming, rekening houdend met de uiteenlopende situaties in de verschillende regio's van de Unie. Haar beleid berust op het voorzorgsbeginsel en het beginsel van preventief handelen, het beginsel dat milieuaantastingen bij voorrang aan de bron dienen te worden bestreden, en het beginsel dat de vervuiler betaalt.
In dit verband omvatten de aan eisen inzake milieubescherming beantwoordende harmonisatiemaatregelen, in de gevallen die daarvoor in aanmerking komen, een vrijwaringsclausule op grond waarvan de lidstaten om niet-economische milieuredenen voorlopige maatregelen kunnen nemen die aan een toetsingsprocedure van de Unie onderworpen zijn.

Uitgangspunten milieubeleid Europese Unie

3. Bij het bepalen van haar beleid op milieugebied houdt de Unie rekening met:
– de beschikbare wetenschappelijke en technische gegevens;
– de milieuomstandigheden in de onderscheiden regio's van de Unie;
– de voordelen en lasten die kunnen voortvloeien uit optreden, onderscheidenlijk niet-optreden;
– de economische en sociale ontwikkeling van de Unie als geheel en de evenwichtige ontwikkeling van haar regio's.
4. In het kader van hun onderscheiden bevoegdheden werken de Unie en de lidstaten samen met derde landen en de bevoegde internationale organisaties. De nadere regels voor de samenwerking van de Unie kunnen voorwerp zijn van overeenkomsten tussen de Unie en de betrokken derde partijen.
De eerste alinea doet geen afbreuk aan de bevoegdheid van de lidstaten om in internationale fora te onderhandelen en internationale overeenkomsten te sluiten.

Art. 192

Activiteiten Europese Unie omtrent milieu

1. Het Europees Parlement en de Raad stellen volgens de gewone wetgevingsprocedure en na raadpleging van het Economisch en Sociaal Comité en het Comité van de Regio's de activiteiten vast die de Unie moet ondernemen om de doelstellingen van artikel 191 te verwezenlijken.
2. In afwijking van de in lid 1 bedoelde besluitvormingsprocedure en onverminderd het bepaalde in artikel 114, neemt de Raad na raadpleging van het Europees Parlement, het Economisch en Sociaal Comité en het Comité van de Regio's, met eenparigheid van stemmen, volgens een bijzondere wetgevingsprocedure een besluit over:
a. bepalingen van in hoofdzaak fiscale aard;
b. maatregelen die van invloed zijn op:
– de ruimtelijke ordening;

– het kwantitatieve waterbeheer, of die rechtstreeks dan wel zijdelings betrekking hebben op de beschikbaarheid van de watervoorraden;
– de bodembestemming, met uitzondering van het afvalstoffenbeheer;
c. maatregelen die van aanzienlijke invloed zijn op de keuze van een lidstaat tussen verschillende energiebronnen en de algemene structuur van zijn energievoorziening.
De Raad kan, op voorstel van de Commissie en na raadpleging van het Europees Parlement, van het Economisch en Sociaal Comité en van het Comité van de Regio's, met eenparigheid van stemmen de gewone wetgevingsprocedure van toepassing verklaren op de in de eerste alinea genoemde gebieden.
3. Het Europees Parlement en de Raad stellen volgens de gewone wetgevingsprocedure en na raadpleging van het Economisch en Sociaal Comité en het Comité van de Regio's algemene actieprogramma's vast waarin de te verwezenlijken prioritaire doelstellingen worden vastgelegd.
De voor de uitvoering van die programma's nodige maatregelen worden vastgesteld overeenkomstig lid 1, respectievelijk lid 2.
4. Onverminderd bepaalde door de Unie vastgestelde maatregelen, dragen de lidstaten zorg voor de financiering en de uitvoering van het milieubeleid.
5. Onverminderd het beginsel dat de vervuiler betaalt, ingeval een op grond van lid 1 vastgestelde maatregel voor de overheid van een lidstaat onevenredig hoge kosten met zich brengt, omvat deze maatregel voorzieningen in de vorm van:
– ontheffingen van tijdelijke aard en/of
– financiële steun uit het overeenkomstig artikel 161 opgerichte Cohesiefonds.

Inhoudsopgave

TITEL I	GEMEENSCHAPPELIJKE BEPALINGEN	Art. 1
TITEL II	BEPALINGEN INZAKE DE DEMOCRATISCHE BEGINSELEN	Art. 9
TITEL III	BEPALINGEN BETREFFENDE DE INSTELLINGEN	Art. 13
TITEL IV	BEPALINGEN INZAKE DE NAUWERE SAMENWERKING	Art. 20
TITEL V	ALGEMENE BEPALINGEN INZAKE HET EXTERN OPTREDEN VAN DE UNIE EN SPECIFIEKE BEPALINGEN BETREFFENDE HET GEMEENSCHAPPELIJK BUITENLANDS EN VEILIGHEIDSBELEID	Art. 21
HOOFDSTUK 1	ALGEMENE BEPALINGEN BETREFFENDE HET EXTERN OPTREDEN VAN DE UNIE	Art. 21
HOOFDSTUK 2	SPECIFIEKE BEPALINGEN BETREFFENDE HET GEMEENSCHAPPELIJK BUITENLANDS EN VEILIGHEIDSBELEID	Art. 23
AFDELING 1	GEMEENSCHAPPELIJKE BEPALINGEN	Art. 23
AFDELING 2	BEPALINGEN INZAKE HET GEMEENSCHAPPELIJK VEILIGHEIDS- EN DEFENSIEBELEID	Art. 42
TITEL VI	SLOTBEPALINGEN	Art. 47

Verdrag betreffende de Europese Unie[1]

Zijne Majesteit de Koning der Belgen, Hare Majesteit de Koningin van Denemarken, de President van de Bondsrepubliek Duitsland, de President van de Helleense Republiek, Zijne Majesteit de Koning van Spanje, de President van de Franse Republiek, de President van Ierland, de President van de Italiaanse Republiek, Zijne Koninklijke Hoogheid de Groothertog van Luxemburg, Hare Majesteit de Koningin der Nederlanden, de President van de Portugese Republiek, Hare Majesteit de Koningin van het Verenigd Koninkrijk van Groot-Brittannië en Noord-Ierland,

Vastbesloten een nieuwe etappe te markeren in het proces van Europese integratie waarmee een aanvang is gemaakt met de oprichting van de Europese Gemeenschappen,

Geïnspireerd door de culturele, religieuze en humanistische tradities van Europa, die ten grondslag liggen aan de ontwikkeling van de universele waarden van de onschendbare en onvervreemdbare rechten van de mens en van vrijheid, democratie, gelijkheid en de rechtsstaat,

Herinnerend aan het historisch belang van de beëindiging van de deling van het Europese continent en de noodzaak solide grondslagen voor de opbouw van het toekomstige Europa te leggen,

Bevestigend hun gehechtheid aan de beginselen van vrijheid, democratie en eerbiediging van de mensenrechten en de fundamentele vrijheden en van de rechtsstaat,

Bevestigend hun gehechtheid aan de sociale grondrechten zoals omschreven in het op 18 oktober 1961 te Turijn ondertekende Europees Sociaal Handvest en in het Gemeenschapshandvest van de sociale grondrechten van de werkenden van 1989,

Verlangend de solidariteit tussen hun volkeren te verdiepen met inachtneming van hun geschiedenis, cultuur en tradities,

Verlangend de democratische en doelmatige werking van de instellingen verder te ontwikkelen, teneinde hen in staat te stellen de hun toevertrouwde taken beter uit te voeren, in één enkel institutioneel kader,

Vastbesloten de versterking en de convergentie van hun economieën te verwezenlijken en een economische en monetaire unie tot stand te brengen met, overeenkomstig het bepaalde in dit Verdrag en het Verdrag betreffende de werking van de Europese Unie, één enkele en stabiele munteenheid,

Vastbesloten de economische en sociale vooruitgang van hun volkeren te bevorderen, met inachtneming van het beginsel van duurzame ontwikkeling en in het kader van de voltooiing van de interne markt en van versterkte cohesie en milieubescherming, en een beleid te voeren dat er borg voor staat dat de vooruitgang op het gebied van de economische integratie en de vooruitgang op andere terreinen gelijke tred met elkaar houden,

Vastbesloten voor de onderdanen van hun landen een gemeenschappelijk burgerschap in te voeren,

Vastbesloten een gemeenschappelijk buitenlands en veiligheidsbeleid te voeren met inbegrip van de geleidelijke bepaling van een gemeenschappelijk defensiebeleid dat tot een gemeenschappelijke defensie zou kunnen leiden, overeenkomstig de bepalingen van artikel 42, daarbij de Europese identiteit en onafhankelijkheid versterkend, teneinde vrede, veiligheid en vooruitgang in Europa en in de wereld te bevorderen,

Vastbesloten het vrije verkeer van personen te vergemakkelijken en tegelijkertijd tevens de veiligheid en zekerheid van hun volkeren te waarborgen, door een ruimte van vrijheid, veiligheid en rechtvaardigheid tot stand te brengen, overeenkomstig het bepaalde in dit Verdrag en het Verdrag betreffende de werking van de Europese Unie,

Vastbesloten voort te gaan met het proces van totstandbrenging van een steeds hechter verbond tussen de volkeren van Europa, waarin besluiten zo dicht mogelijk bij de burgers worden genomen in overeenstemming met het subsidiariteitsbeginsel,

Met het oog op verdere stappen die moeten worden gezet om de Europese integratie te bevorderen,

Hebben besloten een Europese Unie op te richten en hebben te dien einde als hun gevolmachtigden aangewezen:[2]

Die, na overlegging van hun in goede en behoorlijke vorm bevonden volmachten, overeenstemming hebben bereikt omtrent de volgende bepalingen:

1 Inwerkingtredingsdatum: 01-02-2003; zoals laatstelijk gewijzigd bij: Trb. 2012, 24.

2 [Red: De lijst van ondertekenaars is niet opgenomen.]

TITEL I
GEMEENSCHAPPELIJKE BEPALINGEN

Art. 1

Grondslag Europese Unie

Bij dit Verdrag richten de Hoge Verdragsluitende Partijen tezamen een Europese Unie op, hierna „Unie" te noemen, waaraan de lidstaten bevoegdheden toedelen om hun gemeenschappelijke doelstellingen te bereiken.
Dit Verdrag markeert een nieuwe etappe in het proces van totstandbrenging van een steeds hechter verbond tussen de volkeren van Europa, waarin de besluiten in zo groot mogelijke openheid en zo dicht mogelijk bij de burger worden genomen.
De Unie is gegrond op dit Verdrag en op het Verdrag betreffende de werking van de Europese Unie (hierna „de Verdragen" te noemen). Deze twee Verdragen hebben dezelfde juridische waarde. De Unie treedt in de plaats van de Europese Gemeenschap, waarvan zij de opvolgster is.

Art. 2

Waarden Europese Unie

De waarden waarop de Unie berust, zijn eerbied voor de menselijke waardigheid, vrijheid, democratie, gelijkheid, de rechtsstaat en eerbiediging van de mensenrechten, waaronder de rechten van personen die tot minderheden behoren. Deze waarden hebben de lidstaten gemeen in een samenleving die gekenmerkt wordt door pluralisme, nondiscriminatie, verdraagzaamheid, rechtvaardigheid, solidariteit en gelijkheid van vrouwen en mannen.

Art. 3

Doel Europese Unie

1. De Unie heeft als doel de vrede, haar waarden en het welzijn van haar volkeren te bevorderen.
2. De Unie biedt haar burgers een ruimte van vrijheid, veiligheid en recht zonder binnengrenzen, waarin het vrije verkeer van personen gewaarborgd is in combinatie met passende maatregelen met betrekking tot controles aan de buitengrenzen, asiel, immigratie, en voorkoming en bestrijding van criminaliteit.

Interne markt Europese Unie

3. De Unie brengt een interne markt tot stand. Zij zet zich in voor de duurzame ontwikkeling van Europa, op basis van een evenwichtige economische groei en van prijsstabiliteit, een sociale markteconomie met een groot concurrentievermogen die gericht is op volledige werkgelegenheid en sociale vooruitgang, en van een hoog niveau van bescherming en verbetering van de kwaliteit van het milieu. De Unie bevordert wetenschappelijke en technische vooruitgang.
De Unie bestrijdt sociale uitsluiting en discriminatie, en bevordert sociale rechtvaardigheid en bescherming, de gelijkheid van vrouwen en mannen, de solidariteit tussen generaties en de bescherming van de rechten van het kind.
De Unie bevordert de economische, sociale en territoriale samenhang, en de solidariteit tussen de lidstaten.
De Unie eerbiedigt haar rijke verscheidenheid van cultuur en taal en ziet toe op de instandhouding en de ontwikkeling van het Europese culturele erfgoed.

Economische en monetaire unie

4. De Unie stelt een economische en monetaire unie in die de euro als munt heeft.

5. In de betrekkingen met de rest van de wereld handhaaft de Unie haar waarden en belangen en zet zich ervoor in, en draagt zij bij tot de bescherming van haar burgers. Zij draagt bij tot de vrede, de veiligheid, de duurzame ontwikkeling van de aarde, de solidariteit en het wederzijds respect tussen de volkeren, de vrije en eerlijke handel, de uitbanning van armoede en de bescherming van de mensenrechten, in het bijzonder de rechten van het kind, alsook tot de strikte eerbiediging en ontwikkeling van het internationaal recht, met inbegrip van de inachtneming van de beginselen van het Handvest van de Verenigde Naties.
6. De Unie streeft deze doelstellingen met passende middelen na, naar gelang van de bevoegdheden die haar daartoe in de Verdragen zijn toegedeeld.

Art. 4

Bevoegdheden van lidstaten Europese Unie

1. Overeenkomstig artikel 5 behoren bevoegdheden die in de Verdragen niet aan de Unie zijn toegedeeld, toe aan de lidstaten.
2. De Unie eerbiedigt de gelijkheid van de lidstaten voor de Verdragen, alsmede hun nationale identiteit die besloten ligt in hun politieke en constitutionele basisstructuren, waaronder die voor regionaal en lokaal zelfbestuur. Zij eerbiedigt de essentiële staatsfuncties, met name de verdediging van de territoriale integriteit van de staat, de handhaving van de openbare orde en de bescherming van de nationale veiligheid. Met name de nationale veiligheid blijft de uitsluitende verantwoordelijkheid van elke lidstaat.
3. Krachtens het beginsel van loyale samenwerking respecteren de Unie en de lidstaten elkaar en steunen zij elkaar bij de vervulling van de taken die uit de Verdragen voortvloeien.
De lidstaten treffen alle algemene en bijzondere maatregelen die geschikt zijn om de nakoming van de uit de Verdragen of uit de handelingen van de instellingen van de Unie voortvloeiende verplichtingen te verzekeren.

De lidstaten vergemakkelijken de vervulling van de taak van de Unie en onthouden zich van alle maatregelen die de verwezenlijking van de doelstellingen van de Unie in gevaar kunnen brengen.

Art. 5

Bevoegdheidstoedeling Europese Unie

1. De afbakening van de bevoegdheden van de Unie wordt beheerst door het beginsel van bevoegdheidstoedeling. De uitoefening van die bevoegdheden wordt beheerst door de beginselen van subsidiariteit en evenredigheid.

2. Krachtens het beginsel van bevoegdheidstoedeling handelt de Unie enkel binnen de grenzen van de bevoegdheden die haar door de lidstaten in de Verdragen zijn toegedeeld om de daarin bepaalde doelstellingen te verwezenlijken. Bevoegdheden die in de Verdragen niet aan de Unie zijn toegedeeld, behoren toe aan de lidstaten.

3. Krachtens het subsidiariteitsbeginsel treedt de Unie op de gebieden die niet onder haar exclusieve bevoegdheid vallen, slechts op indien en voor zover de doelstellingen van het overwogen optreden niet voldoende door de lidstaten op centraal, regionaal of lokaal niveau kunnen worden verwezenlijkt, maar vanwege de omvang of de gevolgen van het overwogen optreden beter door de Unie kunnen worden bereikt.

De instellingen van de Unie passen het subsidiariteitsbeginsel toe overeenkomstig het Protocol betreffende de toepassing van de beginselen van subsidiariteit en evenredigheid. De nationale parlementen zien er volgens de in dat Protocol vastgelegde procedure op toe dat het subsidiariteitsbeginsel wordt geëerbiedigd.

4. Krachtens het evenredigheidsbeginsel gaan de inhoud en de vorm van het optreden van de Unie niet verder dan wat nodig is om de doelstellingen van de Verdragen te verwezenlijken.

De instellingen van de Unie passen het evenredigheidsbeginsel toe overeenkomstig het Protocol betreffende de toepassing van de beginselen van subsidiariteit en evenredigheid.

Art. 6

Handvest van de grondrechten binnen de Europese Unie

1. De Unie erkent de rechten, vrijheden en beginselen die zijn vastgesteld in het Handvest van de grondrechten van de Europese Unie van 7 december 2000, als aangepast op 12 december 2007 te Straatsburg, dat dezelfde juridische waarde als de Verdragen heeft.

De bepalingen van het Handvest houden geenszins een verruiming in van de bevoegdheden van de Unie zoals bepaald bij de Verdragen.

De rechten, vrijheden en beginselen van het Handvest worden uitgelegd overeenkomstig de algemene bepalingen van titel VII van het Handvest betreffende de uitlegging en toepassing ervan, waarbij de in het Handvest bedoelde toelichtingen, waarin de bronnen van deze bepalingen vermeld zijn, terdege in acht genomen worden.

2. De Unie treedt toe tot het Europees Verdrag tot bescherming van de rechten van de mens en de fundamentele vrijheden. Die toetreding wijzigt de bevoegdheden van de Unie, zoals bepaald in de Verdragen, niet.

3. De grondrechten, zoals zij worden gewaarborgd door het Europees Verdrag tot bescherming van de rechten van de mens en de fundamentele vrijheden en zoals zij voortvloeien uit de constitutionele tradities die de lidstaten gemeen hebben, maken als algemene beginselen deel uit van het recht van de Unie.

Art. 7

Constatering schending grondrechten binnen Europese Unie

1. Op een met redenen omkleed voorstel van een derde van de lidstaten, het Europees Parlement of de Europese Commissie kan de Raad, na goedkeuring van het Europees Parlement, met een meerderheid van vier vijfden van zijn leden constateren dat er duidelijk gevaar bestaat voor een ernstige schending van de in artikel 2 bedoelde waarden door een lidstaat. Alvorens die constatering te doen, hoort de Raad de betrokken lidstaat en kan hij die lidstaat volgens dezelfde procedure aanbevelingen doen.

De Raad gaat regelmatig na of de redenen die tot zijn constatering hebben geleid nog bestaan.

2. De Europese Raad kan met eenparigheid van stemmen, op voorstel van een derde van de lidstaten of van de Europese Commissie, en na goedkeuring van het Europees Parlement, een ernstige en voortdurende schending van de in artikel 2 bedoelde waarden door een lidstaat constateren, na de lidstaat in kwestie om opmerkingen te hebben verzocht.

3. Wanneer de in lid 2 bedoelde constatering is gedaan, kan de Raad met gekwalificeerde meerderheid van stemmen besluiten tot schorsing van bepaalde rechten die uit de toepassing van de Verdragen op de lidstaat in kwestie voortvloeien, met inbegrip van de stemrechten van de vertegenwoordiger van de regering van die lidstaat in de Raad. De Raad houdt daarbij rekening met de mogelijke gevolgen van een dergelijke schorsing voor de rechten en verplichtingen van natuurlijke en rechtspersonen.

De verplichtingen van de lidstaat in kwestie uit hoofde van de Verdragen blijven in ieder geval verbindend voor die lidstaat.

4. De Raad kan naderhand met gekwalificeerde meerderheid van stemmen besluiten om krachtens lid 3 genomen maatregelen te wijzigen of in te trekken in verband met wijzigingen in de toestand die tot het opleggen van de maatregelen heeft geleid.

5. De stemprocedures die in het kader van dit artikel gelden voor het Europees Parlement, de Europese Raad en de Raad worden vastgesteld in artikel 354 van het Verdrag betreffende de werking van de Europese Unie.

Art. 8

Betrekkingen met naburige landen Europese Unie

1. De Unie ontwikkelt met de naburige landen bijzondere betrekkingen, die erop gericht zijn een ruimte van welvaart en goed nabuurschap tot stand te brengen welke stoelt op de waarden van de Unie en welke gekenmerkt wordt door nauwe en vreedzame betrekkingen die gebaseerd zijn op samenwerking.
2. Voor de toepassing van lid 1 kan de Unie met de betrokken landen specifieke overeenkomsten sluiten. Die overeenkomsten kunnen wederkerige rechten en verplichtingen omvatten en tevens voorzien in de mogelijkheid gemeenschappelijk op te treden. Over de uitvoering van de overeenkomsten wordt op gezette tijden overleg gepleegd.

TITEL II
BEPALINGEN INZAKE DE DEMOCRATISCHE BEGINSELEN

Art. 9

Gelijkheidsbeginsel Europese Unie

De Unie eerbiedigt in al haar activiteiten het beginsel van gelijkheid van haar burgers, die gelijke aandacht genieten van haar instellingen, organen en instanties. Burger van de Unie is eenieder die de nationaliteit van een lidstaat bezit. Het burgerschap van de Unie komt naast het nationale burgerschap en treedt niet in de plaats daarvan.

Art. 10

Representatieve democratie binnen Europese Unie

1. De werking van de Unie is gegrond op de representatieve democratie.
2. De burgers worden op het niveau van de Unie rechtstreeks vertegenwoordigd in het Europees Parlement.
De lidstaten worden in de Europese Raad vertegenwoordigd door hun staatshoofd of hun regeringsleider en in de Raad door hun regering, die zelf democratische verantwoording verschuldigd zijn aan hun nationale parlement of aan hun burgers.
3. Iedere burger heeft het recht aan het democratisch bestel van de Unie deel te nemen. De besluitvorming vindt plaats op een zo open mogelijke wijze, en zo dicht bij de burgers als mogelijk is.
4. De politieke partijen op Europees niveau dragen bij tot de vorming van een Europees politiek bewustzijn en tot de uiting van de wil van de burgers van de Unie.

Art. 11

Contact burgers en representatieve organisaties met Europese Unie

1. De instellingen bieden de burgers en de representatieve organisaties langs passende wegen de mogelijkheid hun mening over alle onderdelen van het optreden van de Unie kenbaar te maken en daarover in het openbaar in discussie te treden.
2. De instellingen voeren een open, transparante en regelmatige dialoog met representatieve organisaties en met het maatschappelijk middenveld.
3. Ter wille van de samenhang en de transparantie van het optreden van de Unie pleegt de Europese Commissie op ruime schaal overleg met de betrokken partijen.
4. Wanneer ten minste één miljoen burgers van de Unie, afkomstig uit een significant aantal lidstaten, van oordeel zijn dat inzake een aangelegenheid een rechtshandeling van de Unie nodig is ter uitvoering van de Verdragen, kunnen zij het initiatief nemen de Europese Commissie te verzoeken binnen het kader van de haar toegedeelde bevoegdheden een passend voorstel daartoe in te dienen.
De procedures en voorwaarden voor de indiening van een dergelijk initiatief worden vastgesteld overeenkomstig artikel 24, eerste alinea, van het Verdrag betreffende de werking van de Europese Unie.

Art. 12

Bijdrage nationale parlementen aan Europese Unie

De nationale parlementen dragen actief bij tot de goede werking van de Unie:
a. door zich door de instellingen van de Unie te laten informeren en door zich ontwerpen van wetgevingshandelingen van de Unie te laten toezenden, overeenkomstig het Protocol betreffende de rol van de nationale parlementen in de Europese Unie;
b. door erop toe te zien dat het beginsel van subsidiariteit wordt geëerbiedigd overeenkomstig de procedures bedoeld in het Protocol betreffende de toepassing van de beginselen van subsidiariteit en evenredigheid;
c. door, in het kader van de ruimte van vrijheid, veiligheid en recht, deel te nemen aan de mechanismen voor de evaluatie van de uitvoering van het beleid van de Unie in die ruimte, overeenkomstig artikel 70 van het Verdrag betreffende de werking van de Europese Unie, en door betrokken te worden bij het politieke toezicht op Europol en de evaluatie van de activiteiten van Eurojust, overeenkomstig de artikelen 88 en 85 van dat Verdrag;

d. door deel te nemen aan de procedures voor de herziening van de Verdragen, overeenkomstig artikel 48 van dit Verdrag;
e. door zich in kennis te laten stellen van verzoeken om toetreding tot de Unie, overeenkomstig artikel 49 van dit Verdrag;
f. door deel te nemen aan de interparlementaire samenwerking tussen de nationale parlementen en met het Europees Parlement, overeenkomstig het Protocol betreffende de rol van de nationale parlementen in de Europese Unie.

TITEL III
BEPALINGEN BETREFFENDE DE INSTELLINGEN

Art. 13

Instellingen Europese Unie

1. De Unie beschikt over een institutioneel kader, dat ertoe strekt haar waarden uit te dragen, haar doelstellingen na te streven, haar belangen en de belangen van haar burgers en van de lidstaten te dienen, en de samenhang, de doeltreffendheid en de continuïteit van haar beleid en haar optreden te verzekeren.
De instellingen van de Unie zijn:
- het Europees Parlement,
- de Europese Raad,
- de Raad,
- de Europese Commissie, (hierna te noemen „de Commissie"),
- het Hof van Justitie van de Europese Unie,
- de Europese Centrale Bank
- de Rekenkamer

2. Iedere instelling handelt binnen de grenzen van de bevoegdheden die haar in de Verdragen zijn toegedeeld en volgens de daarin bepaalde procedures, voorwaarden en doelstellingen. De instellingen werken loyaal samen.
3. De bepalingen inzake de Europese Centrale Bank en de Rekenkamer alsmede nadere bepalingen inzake de andere instellingen staan in het Verdrag betreffende de werking van de Europese Unie.
4. Het Europees Parlement, de Raad en de Commissie worden bijgestaan door een Economisch en Sociaal Comité en een Comité van de Regio's, die een adviserende taak hebben.

Art. 14

Europees Parlement

1. Het Europees Parlement oefent samen met de Raad de wetgevingstaak en de begrotingstaak uit. Het oefent onder de bij de Verdragen bepaalde voorwaarden politieke controle en adviserende taken uit. Het kiest de voorzitter van de Commissie.
2. Het Europees Parlement bestaat uit vertegenwoordigers van de burgers van de Unie. Hun aantal bedraagt niet meer dan zevenhonderdvijftig, plus de voorzitter. De burgers zijn degressief evenredig vertegenwoordigd, met een minimum van zes leden per lidstaat. Geen enkele lidstaat krijgt meer dan zesennegentig zetels toegewezen.
De Europese Raad stelt met eenparigheid van stemmen op initiatief van en na goedkeuring door het Europees Parlement een besluit inzake de samenstelling van het Europees Parlement vast, met inachtneming van de in de eerste alinea genoemde beginselen.
3. De leden van het Europees Parlement worden door middel van rechtstreekse, vrije en geheime algemene verkiezingen voor een periode van vijf jaar gekozen.
4. Het Europees Parlement kiest uit zijn leden de voorzitter en het bureau.

Art. 15

Europese Raad

1. De Europese Raad geeft de nodige impulsen voor de ontwikkeling van de Unie en bepaalt de algemene politieke beleidslijnen en prioriteiten. Hij oefent geen wetgevingstaak uit.
2. De Europese Raad bestaat uit de staatshoofden en regeringsleiders van de lidstaten, zijn voorzitter en de voorzitter van de Commissie. De hoge vertegenwoordiger van de Unie voor buitenlandse zaken en veiligheidsbeleid neemt deel aan de werkzaamheden van de Europese Raad.
3. De Europese Raad wordt twee keer per half jaar door zijn voorzitter in vergadering bijeengeroepen. Indien de agenda zulks vereist, kunnen de leden van de Europese Raad besluiten zich elk te laten bijstaan door een minister en, wat de voorzitter van de Commissie betreft, door een lid van de Commissie. Indien de situatie zulks vereist, roept de voorzitter een buitengewone bijeenkomst van de Europese Raad bijeen.
4. Tenzij in de Verdragen anders is bepaald, spreekt de Europese Raad zich bij consensus uit.
5. De Europese Raad kiest zijn voorzitter met gekwalificeerde meerderheid van stemmen voor een periode van tweeënhalf jaar. De voorzitter is eenmaal herkiesbaar. Indien de voorzitter verhinderd is of op ernstige wijze tekortschiet, kan de Europese Raad volgens dezelfde procedure zijn mandaat beëindigen.
6. De voorzitter van de Europese Raad:
a. leidt en stimuleert de werkzaamheden van de Europese Raad;

b. zorgt, in samenwerking met de voorzitter van de Commissie en op basis van de werkzaamheden van de Raad Algemene Zaken, voor de voorbereiding en de continuïteit van de werkzaamheden van de Europese Raad;
c. bevordert de samenhang en de consensus binnen de Europese Raad;
d. legt na afloop van iedere bijeenkomst van de Europese Raad een verslag voor aan het Europees Parlement.
De voorzitter van de Europese Raad zorgt op zijn niveau en in zijn hoedanigheid voor de externe vertegenwoordiging van de Unie in aangelegenheden die onder het gemeenschappelijk buitenlands en veiligheidsbeleid vallen, onverminderd de aan de hoge vertegenwoordiger van de Unie voor buitenlandse zaken en veiligheidsbeleid toegedeelde bevoegdheden.
De voorzitter van de Europese Raad kan geen nationaal mandaat uitoefenen.

Art. 16

Wetgevings- en begrotingstaken binnen Europese Unie

1. De Raad oefent samen met het Europees Parlement de wetgevingstaak en de begrotingstaak uit. Hij oefent onder de bij de Verdragen bepaalde voorwaarden beleidsbepalende en coördinerende taken uit.
2. De Raad bestaat uit een vertegenwoordiger van iedere lidstaat op ministerieel niveau, die gemachtigd is om de regering van de lidstaat die hij vertegenwoordigt, te binden en om het stemrecht uit te oefenen.
3. Tenzij in de Verdragen anders is bepaald, besluit de Raad met gekwalificeerde meerderheid van stemmen.
4. Met ingang van 1 november 2014 wordt onder gekwalificeerde meerderheid van stemmen verstaan ten minste 55% van de leden van de Raad die ten minste vijftien in aantal zijn en lidstaten vertegenwoordigen waarvan de bevolking ten minste 65% uitmaakt van de bevolking van de Unie.
Een blokkerende minderheid moet ten minste uit vier leden van de Raad bestaan; in het andere geval wordt de gekwalificeerde meerderheid van stemmen geacht te zijn verkregen.
De overige bepalingen inzake de besluitvorming met gekwalificeerde meerderheid worden vastgesteld in artikel 238, lid 2, van het Verdrag betreffende de werking van de Europese Unie.
5. De overgangsbepalingen inzake de omschrijving van de gekwalificeerde meerderheid die tot en met 31 oktober 2014, respectievelijk tussen 1 november 2014 en 31 maart 2017 van toepassing zijn, worden vastgesteld in het Protocol betreffende de overgangsbepalingen.
6. De Raad komt in verschillende formaties bijeen; de lijst ervan wordt vastgesteld overeenkomstig artikel 236 van het Verdrag betreffende de werking van de Europese Unie.
De Raad Algemene Zaken zorgt voor de samenhang van de werkzaamheden van de verschillende Raadsformaties. De Raad Algemene Zaken bereidt de bijeenkomsten van de Europese Raad voor en volgt ze op, in samenspraak met de voorzitter van de Europese Raad en de Commissie.
De Raad Buitenlandse Zaken werkt het externe optreden van de Unie uit volgens de door de Europese Raad vastgestelde strategische lijnen en zorgt voor de samenhang in het optreden van de Unie.
7. Een Comité van permanente vertegenwoordigers van de regeringen der lidstaten is belast met de voorbereiding van de werkzaamheden van de Raad.
8. De Raad beraadslaagt en stemt in openbare zitting over een ontwerp van wetgevingshandeling. Daartoe wordt iedere Raadszitting gesplitst in twee delen, die respectievelijk gewijd worden aan beraadslagingen over de wetgevingshandelingen van de Unie en aan niet-wetgevingswerkzaamheden.
9. Het voorzitterschap van de andere Raadsformaties dan de formatie Buitenlandse Zaken wordt volgens een toerbeurtsysteem op basis van gelijkheid uitgeoefend door de vertegenwoordigers van de lidstaten in de Raad, onder de overeenkomstig artikel 236 van het Verdrag betreffende de werking van de Europese Unie vastgestelde voorwaarden.

Art. 17

Europese Commissie

1. De Commissie bevordert het algemeen belang van de Unie en neemt daartoe passende initiatieven. Zij ziet toe op de toepassing van zowel de Verdragen als de maatregelen die de instellingen krachtens deze Verdragen vaststellen. Onder de controle van het Hof van Justitie van de Europese Unie ziet zij toe op de toepassing van het recht van de Unie. Zij voert de begroting uit en beheert de programma's. Zij oefent onder de bij de Verdragen bepaalde voorwaarden coördinerende, uitvoerende en beheerstaken uit. Zij zorgt voor de externe vertegenwoordiging van de Unie, behalve wat betreft het gemeenschappelijk buitenlands en veiligheidsbeleid en de andere bij de Verdragen bepaalde gevallen. Zij neemt de initiatieven tot de jaarlijkse en meerjarige programmering van de Unie om interinstitutionele akkoorden tot stand te brengen.
2. Tenzij in de Verdragen anders is bepaald, kunnen wetgevingshandelingen van de Unie alleen op voorstel van de Commissie worden vastgesteld. Andere handelingen worden op voorstel van de Commissie vastgesteld in de gevallen waarin de Verdragen daarin voorzien.
3. De ambtstermijn van de Commissie bedraagt vijf jaar.
De leden van de Commissie worden op grond van hun algemene bekwaamheid en Europese inzet gekozen uit personen die alle waarborgen voor onafhankelijkheid bieden.

De Commissie oefent haar verantwoordelijkheden volkomen onafhankelijk uit. Onverminderd artikel 18, lid 2, vragen noch aanvaarden de leden van de Commissie instructies van enige regering, instelling, orgaan of instantie. Zij onthouden zich van iedere handeling die onverenigbaar is met het karakter van hun ambt of met de uitvoering van hun taak.

4. De Commissie die benoemd is voor de periode tussen de datum van inwerkingtreding van het Verdrag van Lissabon en 31 oktober 2014, bestaat uit één onderdaan van iedere lidstaat, met inbegrip van de voorzitter van de Commissie en van de hoge vertegenwoordiger van de Unie voor buitenlandse zaken en veiligheidsbeleid, die een van de vice-voorzitters van de Commissie is.

5. Vanaf 1 november 2014 bestaat de Commissie uit een aantal leden, met inbegrip van de voorzitter van de Commissie en van de hoge vertegenwoordiger van de Unie voor buitenlandse zaken en veiligheidsbeleid, dat overeenstemt met twee derde van het aantal lidstaten, tenzij de Europese Raad met eenparigheid van stemmen besluit dit aantal te wijzigen.
De leden van de Commissie worden gekozen uit de onderdanen van de lidstaten volgens een toerbeurtsysteem op basis van strikte gelijkheid tussen de lidstaten dat toelaat de demografische en geografische verscheidenheid van de lidstaten te weerspiegelen. Dit systeem wordt door de Europese Raad met eenparigheid van stemmen vastgesteld overeenkomstig artikel 244 van het Verdrag betreffende de werking van de Europese Unie.

6. De voorzitter van de Commissie:
a. stelt de richtsnoeren vast met inachtneming waarvan de Commissie haar taak vervult;
b. beslist over de interne organisatie van de Commissie en waarborgt zodoende de samenhang, de doeltreffendheid en het collegiale karakter van haar optreden;
c. benoemt andere vice-voorzitters dan de hoge vertegenwoordiger van de Unie voor buitenlandse zaken en veiligheidsbeleid, uit de leden van de Commissie.
Een lid van de Commissie neemt ontslag indien de voorzitter hem daarom verzoekt. De hoge vertegenwoordiger van de Unie voor buitenlandse zaken en veiligheidsbeleid neemt ontslag overeenkomstig de procedure van artikel 18, lid 1, indien de voorzitter hem daarom verzoekt.

7. Rekening houdend met de verkiezingen voor het Europees Parlement en na passende raadplegingen, draagt de Europese Raad met gekwalificeerde meerderheid van stemmen bij het Europees Parlement een kandidaat voor het ambt van voorzitter van de Commissie voor. Deze kandidaat wordt door het Parlement bij meerderheid van zijn leden gekozen. Indien de kandidaat bij de stemming geen meerderheid behaalt, draagt de Europese Raad met gekwalificeerde meerderheid van stemmen binnen een maand een nieuwe kandidaat voor, die volgens dezelfde procedure door het Parlement wordt gekozen.
De Raad stelt in onderlinge overeenstemming met de verkozen voorzitter de lijst vast van de overige personen die hij voorstelt tot lid van de Commissie te benoemen. Zij worden gekozen op basis van de voordrachten van de lidstaten, overeenkomstig de in lid 3, tweede alinea en lid 5, tweede alinea, bepaalde criteria.
De voorzitter, de hoge vertegenwoordiger van de Unie voor buitenlandse zaken en veiligheidsbeleid en de overige leden van de Commissie worden als college ter goedkeuring onderworpen aan een stemming van het Europees Parlement. Op basis van deze goedkeuring wordt de Commissie door de Europese Raad met gekwalificeerde meerderheid van stemmen benoemd.

8. De Commissie legt als college verantwoording af aan het Europees Parlement. Het Europees Parlement kan overeenkomstig artikel 234 van het Verdrag betreffende de werking van de Europese Unie een motie van afkeuring tegen de Commissie aannemen. Indien een dergelijke motie wordt aangenomen, moeten de leden van de Commissie collectief ontslag nemen en moet ook de hoge vertegenwoordiger van de Unie voor buitenlandse zaken en veiligheidsbeleid zijn functie in de Commissie neerleggen.

Art. 18

Hoge vertegenwoordiger van Europese Unie

1. De Europese Raad benoemt met instemming van de voorzitter van de Commissie met gekwalificeerde meerderheid van stemmen de hoge vertegenwoordiger van de Unie voor buitenlandse zaken en veiligheidsbeleid. De Europese Raad kan zijn mandaat volgens dezelfde procedure beëindigen.

2. De hoge vertegenwoordiger voert het gemeenschappelijk buitenlands en veiligheidsbeleid van de Unie. Hij draagt met zijn voorstellen bij tot de uitwerking van dit beleid, dat hij als mandataris van de Raad ten uitvoer brengt. Hij handelt op dezelfde wijze ten aanzien van het gemeenschappelijk veiligheids-en defensiebeleid.

3. De hoge vertegenwoordiger zit de Raad Buitenlandse Zaken voor.

4. De hoge vertegenwoordiger is een van de vice-voorzitters van de Commissie. Hij ziet toe op de samenhang van het externe optreden van de Unie. In de Commissie is hij belast met de taken van de Commissie op het gebied van de externe betrekkingen en met de coördinatie van de overige aspecten van het externe optreden van de Unie. Bij de uitoefening van deze taken in de Commissie, en alleen binnen het bestek daarvan, is de hoge vertegenwoordiger onderworpen aan de procedures voor de werking van de Commissie, voor zover dit verenigbaar is met de leden 2 en 3.

Art. 19

Hof van Justitie

1. Het Hof van Justitie van de Europese Unie omvat het Hof van Justitie, het Gerecht en gespecialiseerde rechtbanken. Het verzekert de eerbiediging van het recht bij de uitlegging en toepassing van de Verdragen.
De lidstaten voorzien in de nodige rechtsmiddelen om daadwerkelijke rechtsbescherming op de onder het recht van de Unie vallende gebieden te verzekeren.
2. Het Hof van Justitie bestaat uit één rechter per lidstaat. Het wordt bijgestaan door advocaten-generaal.
Het Gerecht telt ten minste één rechter per lidstaat.
De rechters en de advocaten-generaal van het Hof van Justitie en de rechters van het Gerecht worden gekozen uit personen die alle waarborgen voor onafhankelijkheid bieden en voldoen aan de voorwaarden bedoeld in de artikelen 253 en 254 van het Verdrag betreffende de werking van de Europese Unie. Zij worden in onderlinge overeenstemming door de regeringen van de lidstaten voor zes jaar benoemd. De aftredende rechters en advocaten-generaal zijn herbenoembaar.
3. Het Hof van Justitie van de Europese Unie doet uitspraak overeenkomstig de Verdragen:
a. inzake door een lidstaat, een instelling of een natuurlijke of rechtspersoon ingesteld beroep;
b. op verzoek van de nationale rechterlijke instanties bij wijze van prejudiciële beslissing over de uitlegging van het recht van de Unie en over de geldigheid van de door de instellingen vastgestelde handelingen;
c. in de overige bij de Verdragen bepaalde gevallen.

TITEL IV
BEPALINGEN INZAKE DE NAUWERE SAMENWERKING

Art. 20

Nauwere samenwerking lidstaten Europese Unie

1. De lidstaten die onderling een nauwere samenwerking wensen aan te gaan in het kader van de niet-exclusieve bevoegdheden van de Unie, kunnen gebruik maken van de instellingen van de Unie en die bevoegdheden uitoefenen op grond van de ter zake geldende bepalingen van de Verdragen, binnen de grenzen van en overeenkomstig het bepaalde in dit artikel en in de artikelen 326 tot en met 334 van het Verdrag betreffende de werking van de Europese Unie.
Met nauwere samenwerking wordt beoogd de verwezenlijking van de doelstellingen van de Unie te bevorderen, haar belangen te beschermen en haar integratieproces te versterken. Nauwere samenwerking staat te allen tijde open voor alle lidstaten, overeenkomstig artikel 328 van het Verdrag betreffende de werking van de Europese Unie.
2. Het besluit houdende machtiging om nauwere samenwerking aan te gaan wordt in laatste instantie vastgesteld door de Raad, wanneer deze constateert dat de met de nauwere samenwerking nagestreefde doelstellingen niet binnen een redelijke termijn door de Unie in haar geheel kunnen worden verwezenlijkt en mits ten minste negen lidstaten aan de nauwere samenwerking deelnemen. De Raad besluit overeenkomstig de in artikel 329 van het Verdrag betreffende de werking van de Europese Unie bepaalde procedure.
3. Alle leden van de Raad kunnen deelnemen aan de beraadslagingen van de Raad, maar alleen de leden van de Raad die de aan een nauwere samenwerking deelnemende lidstaten vertegenwoordigen, nemen deel aan de stemming. De stemprocedure wordt vastgesteld in artikel 330 van het Verdrag betreffende de werking van de Europese Unie.
4. De in het kader van een nauwere samenwerking vastgestelde handelingen zijn alleen verbindend voor de lidstaten die aan de nauwere samenwerking deelnemen. Zij worden niet beschouwd als een acquis dat door de kandidaatlidstaten van de Unie moet worden aanvaard.

TITEL V
ALGEMENE BEPALINGEN INZAKE HET EXTERN OPTREDEN VAN DE UNIE EN SPECIFIEKE BEPALINGEN BETREFFENDE HET GEMEENSCHAPPELIJK BUITENLANDS EN VEILIGHEIDSBELEID

HOOFDSTUK 1
ALGEMENE BEPALINGEN BETREFFENDE HET EXTERN OPTREDEN VAN DE UNIE

Art. 21

Extern optreden Europese Unie

1. Het internationaal optreden van de Unie berust en is gericht op de wereldwijde verspreiding van de beginselen die aan de oprichting, de ontwikkeling en de uitbreiding van de Unie ten grondslag liggen: de democratie, de rechtsstaat, de universaliteit en de ondeelbaarheid van de mensenrechten en de fundamentele vrijheden, de eerbiediging van de menselijke waardigheid, de beginselen van gelijkheid en solidariteit en de naleving van de beginselen van het Handvest van de Verenigde Naties en het internationaal recht.

De Unie streeft ernaar betrekkingen te ontwikkelen en partnerschappen aan te gaan met derde landen en met de mondiale, internationale en regionale organisaties die de in de eerste alinea bedoelde beginselen delen. Zij bevordert multilaterale oplossingen voor gemeenschappelijke problemen, met name in het kader van de Verenigde Naties.

2. De Unie bepaalt en voert een gemeenschappelijk beleid en optreden en beijvert zich voor een hoge mate van samenwerking op alle gebieden van de internationale betrekkingen, met de volgende doelstellingen:

a. bescherming van haar waarden, fundamentele belangen, veiligheid, onafhankelijkheid en integriteit;

b. consolidering en ondersteuning van de democratie, de rechtsstaat, de mensenrechten en de beginselen van het internationaal recht;

c. handhaving van de vrede, voorkoming van conflicten en versterking van de internationale veiligheid, overeenkomstig de doelstellingen en de beginselen van het Handvest van de Verenigde Naties, de beginselen van de Slotakte van Helsinki en de doelstellingen van het Handvest van Parijs, met inbegrip van de doelstellingen betreffende de buitengrenzen;

d. ondersteuning van de duurzame ontwikkeling van de ontwikkelingslanden op economisch, sociaal en milieugebied, met uitbanning van de armoede als voornaamste doel;

e. stimulering van de integratie van alle landen in de wereldeconomie, onder meer door het geleidelijk wegwerken van belemmeringen voor de internationale handel;

f. het leveren van een bijdrage tot het uitwerken van internationale maatregelen ter bescherming en verbetering van de kwaliteit van het milieu en het duurzaam beheer van de mondiale natuurlijke rijkdommen, teneinde duurzame ontwikkeling te waarborgen;

g. het verlenen van hulp aan volkeren, landen en regio's die te kampen hebben met natuurrampen of door de mens veroorzaakte rampen; en

h. het bevorderen van een internationaal bestel dat gebaseerd is op intensievere multilaterale samenwerking, en van goed mondiaal bestuur.

3. De Unie eerbiedigt de in de leden 1 en 2 bedoelde beginselen en streeft de in deze leden genoemde doelstellingen na bij de bepaling en de uitvoering van het externe optreden op de verschillende door deze titel en het vijfde deel van het Verdrag betreffende de werking van de Europese Unie bestreken gebieden, alsmede van het overige beleid van de Unie wat de externe aspecten betreft.

De Unie ziet toe op de samenhang tussen de diverse onderdelen van haar externe optreden en tussen het externe optreden en het beleid van de Unie op andere terreinen. De Raad en de Commissie, hierin bijgestaan door de hoge vertegenwoordiger van de Unie voor buitenlandse zaken en veiligheidsbeleid, dragen zorg voor deze samenhang en werken daartoe samen.

Art. 22

Internationale strategische belangen en doelstellingen Europese Unie

1. De Europese Raad stelt op basis van de in artikel 21 vermelde beginselen en doelstellingen de strategische belangen en doelstellingen van de Unie vast.

De besluiten van de Europese Raad inzake de strategische belangen en doelstellingen van de Unie hebben betrekking op het gemeenschappelijk buitenlands en veiligheidsbeleid en op andere onderdelen van het externe optreden van de Unie. Deze besluiten kunnen de betrekkingen van de Unie met een land of een regio betreffen, of een thematische aanpak hebben. In de besluiten worden de geldigheidsduur ervan bepaald, alsmede de middelen die door de Unie en de lidstaten beschikbaar worden gesteld.

De Europese Raad besluit met eenparigheid van stemmen op aanbeveling van de Raad, welke aanbeveling door de Raad wordt vastgesteld volgens het voor elk gebied bepaalde. De besluiten van de Europese Raad worden uitgevoerd volgens de in de Verdragen neergelegde procedures.

2. De hoge vertegenwoordiger van de Unie voor buitenlandse zaken en veiligheidsbeleid, en de Commissie, kunnen gezamenlijk voorstellen bij de Raad indienen, in verband met het gemeenschappelijk buitenlands en veiligheidsbeleid respectievelijk het overige externe optreden van de Unie.

HOOFDSTUK 2
SPECIFIEKE BEPALINGEN BETREFFENDE HET GEMEENSCHAPPELIJK BUITENLANDS EN VEILIGHEIDSBELEID

AFDELING 1
GEMEENSCHAPPELIJKE BEPALINGEN

Art. 23

Beginselen Europese Unie in internationaal optreden

Het internationaal optreden van de Unie berust, voor de toepassing van dit hoofdstuk, op de beginselen, is gericht op de doelstellingen, en wordt uitgevoerd overeenkomstig de algemene bepalingen van hoofdstuk 1.

Art. 24

Bevoegdheid Europese Unie gemeenschappelijk buitenlands en veiligheidsbeleid

1. De bevoegdheid van de Unie met betrekking tot het gemeenschappelijk buitenlands en veiligheidsbeleid bestrijkt alle gebieden van het buitenlands beleid en alle vraagstukken die verband houden met de veiligheid van de Unie, met inbegrip van de geleidelijke bepaling van een gemeenschappelijk defensiebeleid dat kan leiden tot een gemeenschappelijke defensie.
Het gemeenschappelijk buitenlands en veiligheidsbeleid is aan specifieke regels en procedures onderworpen. Het wordt bepaald en uitgevoerd door de Europese Raad en door de Raad, die besluiten met eenparigheid van stemmen, tenzij in de Verdragen anders wordt bepaald. Wetgevingshandelingen kunnen niet worden vastgesteld. Aan het gemeenschappelijk buitenlands en veiligheidsbeleid wordt uitvoering gegeven door de hoge vertegenwoordiger van de Unie voor buitenlandse zaken en veiligheidsbeleid en door de lidstaten, overeenkomstig de Verdragen. De specifieke rol van het Europees Parlement en van de Commissie op dit gebied wordt bepaald in de Verdragen. Het Hof van Justitie van de Europese Unie is niet bevoegd ten aanzien van deze bepalingen, met uitzondering van zijn bevoegdheid toezicht te houden op de naleving van artikel 40 van dit Verdrag en de wettigheid van bepaalde besluiten na te gaan, als bepaald in artikel 275, tweede alinea, van het Verdrag betreffende de werking van de Europese Unie.
2. In het kader van de beginselen en de doelstellingen van haar extern optreden, bepaalt en voert de Europese Unie een gemeenschappelijk buitenlands en veiligheidsbeleid dat berust op de ontwikkeling van de wederzijdse politieke solidariteit van de lidstaten, de bepaling van de aangelegenheden van algemeen belang en de totstandbrenging van een steeds toenemende convergentie van het optreden van de lidstaten.
3. De lidstaten geven in een geest van loyaliteit en wederzijdse solidariteit hun actieve en onvoorwaardelijke steun aan het buitenlands en veiligheidsbeleid van de Unie en eerbiedigen het optreden van de Unie op dat gebied.
De lidstaten werken samen om hun wederzijdse politieke solidariteit te versterken en tot ontwikkeling te brengen. Zij onthouden zich van ieder optreden dat in strijd is met de belangen van de Unie of dat afbreuk zou kunnen doen aan de doeltreffendheid ervan als bundelende kracht in de internationale betrekkingen.
De Raad en de hoge vertegenwoordiger zien toe op de inachtneming van deze beginselen.

Art. 25

Uitvoering gemeenschappelijk buitenlands en veiligheidsbeleid door Europese Unie

De Unie voert het gemeenschappelijk buitenlands en veiligheidsbeleid uit door:
a. de algemene richtsnoeren vast te stellen;
b. besluiten vast te stellen ter bepaling van:
i. het door de Unie uit te voeren optreden;
ii. de door de Unie in te nemen standpunten;
iii. de wijze van uitvoering van de onder de punten i en ii bedoelde besluiten;
en
c. de systematische samenwerking tussen de lidstaten met betrekking tot de beleidsvoering te versterken.

Art. 26

Bevoegdheden Europese Raad gemeenschappelijk buitenlands en veiligheidsbeleid

1. De Europese Raad bepaalt wat de strategische belangen van de Unie zijn en stelt de doelstellingen en algemene richtsnoeren van het gemeenschappelijk buitenlands en veiligheidsbeleid vast, onder meer voor aangelegenheden met gevolgen op defensiegebied. Hij neemt de nodige besluiten.
Indien een internationale ontwikkeling dit vereist, wordt de Europese Raad door zijn voorzitter in buitengewone bijeenkomst bijeengeroepen, teneinde de strategische beleidslijnen van de Unie ten aanzien van deze ontwikkeling vast te stellen.
2. Op basis van de algemene richtsnoeren en strategische beleidslijnen van de Europese Raad, werkt de Raad het gemeenschappelijk buitenlands en veiligheidsbeleid uit en neemt hij de nodige besluiten voor het bepalen en uitvoeren van dat beleid.
De Raad en de hoge vertegenwoordiger van de Unie voor buitenlandse zaken en veiligheidsbeleid zien toe op de eenheid, de samenhang en de doeltreffendheid van het optreden van de Unie.
3. Het gemeenschappelijk buitenlands en veiligheidsbeleid wordt uitgevoerd door de hoge vertegenwoordiger en de lidstaten, die daartoe gebruik maken van de nationale middelen en die van de Unie.

Art. 27

Taak hoge vertegenwoordiger gemeenschappelijk buitenlands en veiligheidsbeleid

1. De hoge vertegenwoordiger van de Unie voor buitenlandse zaken en veiligheidsbeleid, die de Raad Buitenlandse Zaken voorzit, draagt door middel van zijn voorstellen bij tot de uitwerking van het gemeenschappelijk buitenlands en veiligheidsbeleid en waarborgt de uitvoering van de besluiten van de Europese Raad en van de Raad.
2. De hoge vertegenwoordiger vertegenwoordigt de Unie in aangelegenheden die onder het gemeenschappelijk buitenlands en veiligheidsbeleid vallen. Hij voert namens de Unie de politieke dialoog met derden en verwoordt in internationale organisaties en op internationale conferenties het standpunt van de Unie.

3. Bij de vervulling van zijn ambt wordt de hoge vertegenwoordiger bijgestaan door een Europese dienst voor extern optreden. Deze dienst werkt samen met de diplomatieke diensten van de lidstaten en is samengesteld uit ambtenaren uit de bevoegde diensten van het secretariaat-generaal van de Raad, van de Commissie en uit door de nationale diplomatieke diensten gedetacheerde personeelsleden. De inrichting en de werking van de Europese dienst voor extern optreden worden vastgesteld bij een besluit van de Raad. De Raad besluit op voorstel van de hoge vertegenwoordiger, na raadpleging van het Europees Parlement en na de instemming van de Commissie.

Art. 28

Operationeel optreden gemeenschappelijk buitenlands en veiligheidsbeleid Europese Unie

1. Wanneer een internationale situatie een operationeel optreden van de Unie vereist, neemt de Raad de nodige besluiten.
Indien zich een verandering van omstandigheden voordoet met een duidelijke invloed op een vraagstuk dat het voorwerp is van een dergelijk besluit, beziet de Raad de beginselen en de doelstellingen van dat besluit opnieuw en neemt hij de noodzakelijke besluiten.
2. Een in lid 1 bedoeld besluit bindt de lidstaten bij het innemen van standpunten en bij hun verdere optreden.
3. Telkens wanneer op grond van een besluit in de zin van lid 1 een nationale standpuntbepaling of een nationaal optreden wordt overwogen, wordt daarvan door de betrokken lidstaat op een zodanig tijdstip kennis gegeven dat zo nodig voorafgaand overleg binnen de Raad mogelijk is. De verplichting tot voorafgaande kennisgeving geldt niet voor maatregelen die slechts de nationale omzetting van de besluiten van de Raad vormen.
4. In geval van dwingende noodzaak voortvloeiend uit veranderingen in de situatie en bij gebreke van een herziening, als bedoeld in lid 1, van het besluit van de Raad, kunnen de lidstaten met spoed de noodzakelijke maatregelen nemen, rekening houdend met de algemene doelstellingen van dat besluit. De betrokken lidstaat stelt de Raad onverwijld van iedere zodanige maatregel in kennis.
5. In geval van ernstige moeilijkheden bij de uitvoering van een in dit artikel bedoeld besluit, legt een lidstaat deze voor aan de Raad, die daarover beraadslaagt en passende oplossingen zoekt. Deze mogen niet in strijd zijn met de doelstellingen van het in lid 1 bedoelde besluit noch afbreuk doen aan de doeltreffendheid ervan.

Art. 29

Aangelegenheden van geografische of thematische aard in internationaal beleid Europese Unie

De Raad stelt besluiten vast waarin de aanpak van de Unie bepaald ten aanzien van een bepaalde aangelegenheid van geografische of thematische aard. De lidstaten dragen er zorg voor dat hun nationaal beleid met de standpunten van de Unie overeenstemt.

Art. 30

Voorleggen vraagstuk over gemeenschappelijk buitenlands en veiligheidsbeleid Europese Unie

1. Iedere lidstaat, de hoge vertegenwoordiger van de Unie voor buitenlandse zaken en veiligheidsbeleid, of de hoge vertegenwoordiger met steun van de Commissie, kan ieder vraagstuk in verband met het gemeenschappelijk buitenlands en veiligheidsbeleid aan de Raad voorleggen en bij de Raad initiatieven voorleggen respectievelijk voorstellen indienen.

Snelle besluitvorming gemeenschappelijk buitenlands en veiligheidsbeleid Europese Unie

2. In gevallen waarin snelle besluitvorming is vereist, roept de hoge vertegenwoordiger, hetzij eigener beweging, hetzij op verzoek van een lidstaat binnen achtenveertig uur of, in geval van absolute noodzaak, op kortere termijn een buitengewone zitting van de Raad bijeen.

Art. 31

Eenparigheid van stemmen bij gemeenschappelijk buitenlands en veiligheidsbeleid Europese Unie

1. In het kader van dit hoofdstuk worden besluiten door de Europese Raad en de Raad met eenparigheid van stemmen genomen, tenzij in dit hoofdstuk anders is bepaald. Wetgevingshandelingen kunnen niet worden vastgesteld.
Ingeval een lid van de Raad zich van stemming onthoudt, kan dit lid zijn onthouding toelichten door op grond van onderhavige alinea een formele verklaring af te leggen. In dat geval is het lid niet verplicht het besluit toe te passen, doch aanvaardt het wel dat het besluit de Unie bindt. In een geest van wederzijdse solidariteit onthoudt de betrokken lidstaat zich van ieder optreden dat het optreden van de Unie krachtens genoemd besluit zou kunnen doorkruisen of belemmeren, en eerbiedigen de andere lidstaten dit standpunt. Indien de leden van de Raad die hun onthouding op deze wijze toelichten, ten minste een derde van de lidstaten vertegenwoordigen en de totale bevolking van de door hen vertegenwoordigde lidstaten ten minste een derde van de totale bevolking van de Unie uitmaakt, wordt het besluit niet vastgesteld.

Meerderheid van stemmen bij gemeenschappelijk buitenlands en veiligheidsbeleid Europese Unie

2. In afwijking van lid 1 besluit de Raad met gekwalificeerde meerderheid van stemmen:
– wanneer hij een besluit vaststelt dat een optreden of een standpunt van de Unie bepaalt op grond van een besluit van de Europese Raad met betrekking tot de strategische belangen en doelstellingen van de Unie in de zin van artikel 22, lid 1;
– wanneer hij een besluit vaststelt dat een optreden of een standpunt van de Unie bepaalt, op voorstel van de hoge vertegenwoordiger van de Unie voor buitenlandse zaken en veiligheidsbe-

leid, dat wordt voorgelegd naar aanleiding van een specifiek verzoek dat de Europese Raad op eigen initiatief of op initiatief van de hoge vertegenwoordiger tot hem heeft gericht;
- bij de aanneming van een besluit waarmee uitvoering wordt gegeven aan een besluit dat een optreden of een standpunt van de Unie bepaalt;
- bij de benoeming van een speciale vertegenwoordiger overeenkomstig artikel 33.
Indien een lid van de Raad verklaart om vitale, nader genoemde, redenen van nationaal beleid voornemens te zijn zich te verzetten tegen de aanneming van een besluit dat met gekwalificeerde meerderheid van stemmen moet worden aangenomen, wordt niet tot stemming overgegaan. De hoge vertegenwoordiger tracht in nauw overleg met de betrokken lidstaat een aanvaardbare oplossing te bereiken. Indien dit niet tot resultaat leidt, kan de Raad met gekwalificeerde meerderheid van stemmen verlangen dat de aangelegenheid wordt voorgelegd aan de Europese Raad, die met eenparigheid van stemmen een besluit vaststelt.
3. De Europese Raad kan met eenparigheid van stemmen bij besluit bepalen dat de Raad in andere dan de in lid 2 genoemde gevallen met gekwalificeerde meerderheid van stemmen besluit.
4. De leden 2 en 3 zijn niet van toepassing op besluiten die gevolgen hebben op militair of defensiegebied.
5. Voor procedurekwesties neemt de Raad zijn besluiten met volstrekte meerderheid van stemmen van zijn leden.

Onderling overleg lidstaten over gemeenschappelijk buitenlands en veiligheidsbeleid Europese Unie

Art. 32

Tussen de lidstaten vindt onderling overleg plaats in de Europese Raad en in de Raad over elke aangelegenheid van algemeen belang op het gebied van het buitenlands en veiligheidsbeleid, teneinde een gemeenschappelijke aanpak te bepalen. Iedere lidstaat overlegt met de andere lidstaten in de Europese Raad of in de Raad alvorens internationaal op te treden of verbintenissen aan te gaan die gevolgen kunnen hebben voor de belangen van de Unie. De lidstaten dragen er door onderlinge afstemming van hun optreden zorg voor dat de Unie haar belangen en haar waarden op het internationale toneel kan doen gelden. De lidstaten zijn onderling solidair.
Wanneer de Europese Raad of de Raad een gemeenschappelijke aanpak van de Unie in de zin van de eerste alinea heeft bepaald, coördineren de hoge vertegenwoordiger van de Unie voor buitenlandse zaken en veiligheidsbeleid en de ministers van Buitenlandse Zaken van de lidstaten hun activiteiten in de Raad.
De diplomatieke missies van de lidstaten en de delegaties van de Unie in derde landen en bij internationale organisaties werken samen en dragen bij tot de formulering en de uitvoering van de gemeenschappelijke aanpak.

Speciale vertegenwoordiger gemeenschappelijk buitenlands en veiligheidsbeleid Europese Unie

Art. 33

De Raad kan, op voorstel van de hoge vertegenwoordiger van de Unie voor buitenlandse zaken en veiligheidsbeleid, een speciale vertegenwoordiger met een mandaat voor specifieke beleidsvraagstukken benoemen. De speciale vertegenwoordiger voert zijn mandaat uit onder het gezag van de hoge vertegenwoordiger.

Coördinatie van gemeenschappelijk buitenlands en veiligheidsbeleid Europese Unie

Art. 34

1. De lidstaten coördineren hun optreden in internationale organisaties en op internationale conferenties. Zij verdedigen in deze fora de standpunten van de Unie. De hoge vertegenwoordiger van de Unie voor buitenlandse zaken en veiligheidsbeleid organiseert de coördinatie.
In internationale organisaties en op internationale conferenties waaraan niet alle lidstaten deelnemen, verdedigen de wel deelnemende lidstaten de standpunten van de Unie.
2. Overeenkomstig artikel 24, lid 3, houden de lidstaten die zijn vertegenwoordigd in internationale organisaties of op internationale conferenties waar niet alle lidstaten vertegenwoordigd zijn, de niet vertegenwoordigde lidstaten en de hoge vertegenwoordiger op de hoogte van alle aangelegenheden van gemeenschappelijk belang.
Lidstaten die tevens lid zijn van de Veiligheidsraad van de Verenigde Naties plegen onderling overleg en houden de overige lidstaten en de hoge vertegenwoordiger volledig op de hoogte. Lidstaten die lid van de Veiligheidsraad zijn, verdedigen bij de uitoefening van hun functie de standpunten en belangen van de Unie, onverminderd de verantwoordelijkheden die krachtens het Handvest van de Verenigde Naties op hen rusten.
Wanneer de Unie een standpunt over een thema op de agenda van de Veiligheidsraad van de Verenigde Naties heeft bepaald, doen de lidstaten die daarin zitting hebben, het verzoek dat de hoge vertegenwoordiger wordt uitgenodigd om het standpunt van de Unie uiteen te zetten.

Naleving van gemeenschappelijk buitenlands en veiligheidsbeleid Europese Unie

Art. 35

De diplomatieke en consulaire missies van de lidstaten en de delegaties van de Unie in derde landen en op internationale conferenties, alsmede hun vertegenwoordigingen bij internationale organisaties voeren onderling overleg om te verzekeren dat de krachtens dit hoofdstuk vastgestelde besluiten die standpunten en optredens van de Unie bepalen in acht worden genomen en ten uitvoer worden uitgelegd.
Zij intensiveren hun samenwerking door inlichtingen uit te wisselen en gezamenlijke evaluaties te verrichten.

Zij dragen bij tot de uitvoering van het recht op bescherming van de burgers van de Unie op het grondgebied van derde landen bedoeld in artikel 20, lid 2, onder c van het Verdrag betreffende de werking van de Europese Unie, alsmede van de overeenkomstig artikel 23 van dat Verdrag vastgestelde maatregelen.

Art. 36

Raadpleging Europees Parlement over gemeenschappelijk buitenlands en veiligheidsbeleid

De hoge vertegenwoordiger van de Unie voor buitenlandse zaken en veiligheidsbeleid raadpleegt het Europees Parlement regelmatig over de voornaamste aspecten en de fundamentele keuzen op het gebied van het gemeenschappelijk buitenlands en veiligheidsbeleid en het gemeenschappelijk veiligheids- en defensiebeleid en informeert het over de ontwikkeling van de beleidsmaatregelen. Hij ziet erop toe dat de opvattingen van het Europees Parlement naar behoren in aanmerking worden genomen. Bij de informatieverstrekking aan het Europees Parlement kunnen de speciale vertegenwoordigers worden ingeschakeld.

Het Europees Parlement kan vragen of aanbevelingen tot de Raad of de hoge vertegenwoordiger richten. Het wijdt twee maal per jaar een debat aan de vooruitgang die bij de tenuitvoerlegging van het gemeenschappelijk buitenlands en veiligheidsbeleid is geboekt met inbegrip van het gemeenschappelijk veiligheids- en defensiebeleid.

Art. 37

Overeenkomsten over gemeenschappelijk buitenlands en veiligheidsbeleid Europese Unie

De Unie kan met één of meer staten of internationale organisaties overeenkomsten sluiten op de gebieden die onder dit hoofdstuk vallen.

Art. 38

Politiek en veiligheidscomité Europese Unie

Onverminderd artikel 240 van het Verdrag betreffende de werking van de Europese Unie volgt een politiek en veiligheidscomité de internationale situatie op de onder het gemeenschappelijk buitenlands en veiligheidsbeleid vallende gebieden en draagt het bij tot het bepalen van het beleid door op verzoek van de Raad of van de hoge vertegenwoordiger van de Unie voor buitenlandse zaken en veiligheidsbeleid of op eigen initiatief adviezen aan de Raad uit te brengen. Het comité ziet ook toe op de tenuitvoerlegging van het overeengekomen beleid, onverminderd de bevoegdheden van de hoge vertegenwoordiger.

In het kader van dit hoofdstuk is het politiek en veiligheidscomité onder verantwoordelijkheid van de Raad en van de hoge vertegenwoordiger van de Unie voor buitenlandse zaken en veiligheidsbeleid belast met de politieke controle en de strategische leiding van crisisbeheersingsoperaties bedoeld in artikel 43. De Raad kan het comité voor het doel en de duur van een crisisbeheersingsoperatie, als bepaald door de Raad, machtigen passende besluiten te nemen over de politieke controle en strategische leiding van de operatie.

Art. 39

Bescherming persoonsgegevens in gemeenschappelijk buitenlands en veiligheidsbeleid Europese Unie

Overeenkomstig artikel 16 van het Verdrag betreffende de werking van de Europese Unie en in afwijking van lid 2 daarvan stelt de Raad een besluit vast inzake de voorschriften betreffende de bescherming van natuurlijke personen ten aanzien van de verwerking van persoonsgegevens door lidstaten, bij de uitoefening van activiteiten die binnen het toepassingsgebied van dit hoofdstuk vallen, alsmede de voorschriften betreffende het vrij verkeer van die gegevens. Op de naleving van deze voorschriften wordt toezicht uitgeoefend door onafhankelijke autoriteiten.

Art. 40

Gevolgen gemeenschappelijk buitenlands en veiligheidsbeleid Europese Unie

De uitvoering van het gemeenschappelijk buitenlands en veiligheidsbeleid heeft geen gevolgen voor de toepassing van de procedures en de respectieve omvang van de bevoegdheden van de instellingen waarin de Verdragen voorzien voor de uitoefening van de in de artikelen 3 tot en met 6 van het Verdrag betreffende de werking van de Europese Unie bedoelde bevoegdheden van de Europese Unie.

Evenmin heeft de uitvoering van de in deze artikelen bedoelde beleidsonderdelen gevolgen voor de toepassing van de procedures en de respectieve omvang van de bevoegdheden van de instellingen waarin de Verdragen voorzien voor de uitoefening van de bevoegdheden van de Unie op grond van dit hoofdstuk.

Art. 41

Uitgaven voor gemeenschappelijk buitenlands en veiligheidsbeleid

1. De administratieve uitgaven die voor de instellingen voortvloeien uit de uitvoering van dit hoofdstuk komen ten laste van de begroting van de Unie.

2. De beleidsuitgaven die voortvloeien uit de uitvoering van dit hoofdstuk komen eveneens ten laste van de begroting van de Unie, behalve wanneer het beleidsuitgaven betreft die voortvloeien uit operaties die gevolgen hebben op militair of defensiegebied en gevallen waarin de Raad met eenparigheid van stemmen anders besluit.

In de gevallen waarin de uitgaven niet ten laste komen van de begroting van de Unie, komen zij ten laste van de lidstaten volgens de bruto nationaal productverdeelsleutel, tenzij de Raad met eenparigheid van stemmen anders besluit. Lidstaten wier vertegenwoordiger in de Raad een formele verklaring krachtens artikel 31, lid 1, tweede alinea, heeft afgelegd, zijn niet verplicht bij te dragen in de financiering van uitgaven die voortvloeien uit operaties die gevolgen hebben op militair of defensiegebied.

3. De Raad stelt bij besluit bijzondere procedures vast die waarborgen dat de op de begroting van de Unie opgevoerde kredieten voor de dringende financiering van initiatieven in het kader van het gemeenschappelijk buitenlands en veiligheidsbeleid, met name voor de voorbereiding van de in artikel 42, lid 1, en artikel 43 bedoelde missies, snel beschikbaar komen. De Raad besluit na raadpleging van het Europees Parlement.

De voorbereiding van de in artikel 42, lid 1, en artikel 43 bedoelde missies die niet ten laste komen van de begroting van de Unie, wordt gefinancierd uit een startfonds, gevormd door bijdragen van de lidstaten.

De Raad neemt, op voorstel van de hoge vertegenwoordiger van de Unie voor buitenlandse zaken en veiligheidsbeleid, met gekwalificeerde meerderheid de besluiten aan betreffende:

a. de instelling en vorming van het startfonds, met name ten aanzien van de in het fonds gestorte middelen;

b. het beheer van het startfonds;

c. de financiële controle.

Wanneer een overeenkomstig artikel 42, lid 1, en artikel 43 voorgenomen missie niet ten laste van de begroting van de Unie kan worden gebracht, machtigt de Raad de hoge vertegenwoordiger om dit fonds te gebruiken. De hoge vertegenwoordiger brengt de Raad verslag uit over de uitvoering van deze opdracht.

AFDELING 2
BEPALINGEN INZAKE HET GEMEENSCHAPPELIJK VEILIGHEIDS- EN DEFENSIEBELEID

Art. 42

Gemeenschappelijk veiligheids- en defensiebeleid Europese Unie

1. Het gemeenschappelijk veiligheids- en defensiebeleid is een integrerend deel van het gemeenschappelijk buitenlands en veiligheidsbeleid. Het voorziet de Unie van een operationeel vermogen dat op civiele en militaire middelen steunt. De Unie kan daarvan gebruik maken voor missies buiten het grondgebied van de Unie met het oog op vredeshandhaving, conflictpreventie en versterking van de internationale veiligheid overeenkomstig de beginselen van het Handvest van de Verenigde Naties. De uitvoering van deze taken berust op de door de lidstaten beschikbaar gestelde vermogens.

2. Het gemeenschappelijk veiligheids- en defensiebeleid omvat de geleidelijke bepaling van een gemeenschappelijk defensiebeleid van de Unie. Dit zal tot een gemeenschappelijke defensie leiden zodra de Europese Raad met eenparigheid van stemmen daartoe besluit. In dat geval beveelt hij de lidstaten aan een daartoe strekkend besluit aan te nemen overeenkomstig hun onderscheiden grondwettelijke bepalingen.

Het beleid van de Unie overeenkomstig deze afdeling laat het specifieke karakter van het veiligheids- en defensiebeleid van bepaalde lidstaten onverlet, eerbiedigt de uit het Noord-Atlantisch Verdrag voortvloeiende verplichtingen van bepaalde lidstaten waarvan de gemeenschappelijke defensie gestalte krijgt in de Noord-Atlantische Verdragsorganisatie (NAVO), en is verenigbaar met het in dat kader vastgestelde gemeenschappelijke veiligheids- en defensiebeleid.

3. De lidstaten stellen civiele en militaire vermogens ter beschikking van de Unie voor de uitvoering van het gemeenschappelijk veiligheids- en defensiebeleid, om zodoende bij te dragen aan het bereiken van de door de Raad bepaalde doelstellingen. Lidstaten die onderling multinationale troepenmachten vormen, kunnen deze troepenmachten tevens ter beschikking van het gemeenschappelijk veiligheids- en defensiebeleid stellen.

De lidstaten verbinden zich ertoe hun militaire vermogens geleidelijk te verbeteren. Het Agentschap op het gebied van de ontwikkeling van defensievermogens, onderzoek, aankopen en bewapening (hierna genoemd: „het Europees Defensieagentschap) bepaalt de operationele behoeften, bevordert maatregelen om in die behoeften te voorzien, draagt bij tot de vaststelling en, in voorkomend geval, tot de uitvoering van alle nuttige maatregelen om de industriële en technologische basis van de defensiesector te versterken, neemt deel aan het bepalen van een Europees beleid inzake vermogens en bewapening, en staat de Raad bij om de verbetering van de militaire vermogens te evalueren.

4. Besluiten betreffende het gemeenschappelijk veiligheids- en defensiebeleid, waaronder begrepen het opzetten van een missie als bedoeld in dit artikel, worden op voorstel van de hoge vertegenwoordiger van de Unie voor buitenlandse zaken en veiligheidsbeleid of op initiatief van een lidstaat door de Raad met eenparigheid van stemmen vastgesteld. De hoge vertegenwoordiger kan, in voorkomend geval samen met de Commissie, voorstellen om gebruik te maken van nationale middelen en van instrumenten van de Unie.

5. De Raad kan de uitvoering van een missie in het kader van de Unie toevertrouwen aan een groep lidstaten, teneinde de waarden van de Unie te beschermen en haar belangen te dienen. De uitvoering van een dergelijke missie wordt beheerst door artikel 44.

6. De lidstaten waarvan de militaire vermogens voldoen aan strengere criteria en die terzake verdergaande verbintenissen zijn aangegaan met het oog op de uitvoering van de meest veeleisende taken, stellen in het kader van de Unie een permanente gestructureerde samenwerking in. Deze samenwerking wordt beheerst door artikel 46. Zij laat de bepalingen van artikel 43 onverlet.

7. Indien een lidstaat op zijn grondgebied gewapenderhand wordt aangevallen, rust op de overige lidstaten de plicht deze lidstaat met alle middelen waarover zij beschikken hulp en bijstand te verlenen overeenkomstig artikel 51 van het Handvest van de Verenigde Naties. Dit laat het specifieke karakter van het veiligheids- en defensiebeleid van bepaalde lidstaten onverlet. De verbintenissen en de samenwerking op dit gebied blijven in overeenstemming met de in het kader van de Noord-Atlantische Verdragsorganisatie aangegane verbintenissen, die voor de lidstaten die er lid van zijn, de grondslag en het instrument van hun collectieve defensie blijft.

Art. 43

Omvang missies gemeenschappelijk veiligheids- en defensiebeleid Europese Unie

1. De in artikel 42, lid 1, bedoelde missies, waarbij de Unie civiele en militaire middelen kan inzetten, omvatten gezamenlijke ontwapeningsacties, humanitaire en reddingsmissies, advies en bijstand op militair gebied, conflictpreventie en vredeshandhaving, missies van strijdkrachten met het oog op crisisbeheersing, daaronder begrepen vredestichting, alsmede stabiliseringsoperaties na afloop van conflicten. Al deze taken kunnen bijdragen aan de strijd tegen het terrorisme, ook door middel van steun aan derde landen om het terrorisme op hun grondgebied te bestrijden.

2. De Raad regelt bij besluit de in lid 1 bedoelde missies en stelt doel en reikwijdte ervan vast, alsmede de algemene voorschriften voor de uitvoering ervan. De hoge vertegenwoordiger van de Unie voor buitenlandse zaken en veiligheidsbeleid draagt onder gezag van de Raad en in nauw en voortdurend contact met het politiek en veiligheidscomité zorg voor de coördinatie van de civiele en militaire aspecten van deze missies.

Art. 44

Uitvoering missies gemeenschappelijk veiligheids- en defensiebeleid Europese Unie

1. In het kader van de overeenkomstig artikel 43 vastgestelde besluiten kan de Raad de uitvoering van een missie toevertrouwen aan een groep lidstaten die dat willen en die over de nodige vermogens voor een dergelijke missie beschikken. Deze lidstaten regelen in samenspraak met de hoge vertegenwoordiger van de Unie voor buitenlandse zaken en veiligheidsbeleid onderling het beheer van de missie.

Deelname aan missies gemeenschappelijk veiligheids- en defensiebeleid Europese Unie

2. De lidstaten die aan de missie deelnemen, brengen de Raad regelmatig op eigen initiatief of op verzoek van een andere lidstaat op de hoogte van het verloop van de missie. De deelnemende lidstaten wenden zich onverwijld tot de Raad indien de uitvoering van de missie zwaarwegende gevolgen met zich meebrengt of een wijziging vereist van de doelstelling, de reikwijdte of de uitvoeringsbepalingen van de missie, zoals vastgesteld bij de in lid 1 bedoelde besluiten. In dat geval stelt de Raad de nodige besluiten vast.

Art. 45

Europees Defensieagentschap

1. Het in artikel 42, lid 3, bedoelde Europees Defensieagentschap, dat onder het gezag van de Raad ressorteert, heeft tot taak:

a. de na te streven militaire vermogens van de lidstaten te helpen bepalen en de nakoming van de door de lidstaten aangegane verbintenissen inzake vermogens te evalueren;

b. het harmoniseren van de operationele behoeften en het hanteren van doelmatige en onderling verenigbare aankoopmethoden te bevorderen;

c. multilaterale projecten voor te stellen die erop gericht zijn de doelstellingen met betrekking tot militaire vermogens te verwezenlijken, de door de lidstaten uit te voeren programma's te coördineren en samenwerkingsprogramma's te beheren;

d. het onderzoek inzake defensietechnologie te ondersteunen, alsmede gezamenlijk onderzoek naar en studie van technische oplossingen die voldoen aan toekomstige operationele behoeften, te coördineren en te plannen;

e. bij te dragen aan het bepalen en in voorkomend geval uitvoeren van alle nuttige maatregelen om de industriële en technologische basis van de defensiesector te versterken en de doelmatigheid van de militaire uitgaven te verbeteren.

2. Het Europees Defensieagentschap staat open voor alle lidstaten die daarvan deel wensen uit te maken. De Raad stelt met gekwalificeerde meerderheid een besluit vast houdende vastlegging van het statuut, de zetel en de voorschriften voor de werking van het Agentschap. In dat besluit wordt rekening gehouden met de mate van werkelijke deelneming aan de activiteiten van het Agentschap. Binnen het Agentschap worden specifieke groepen lidstaten gevormd die gezamenlijke projecten uitvoeren. Het Agentschap vervult zijn taken voor zover nodig in overleg met de Commissie.

Permanente gestructureerde samenwerking gemeenschappelijk veiligheids- en defensiebeleid Europese Unie

Art. 46

1. De lidstaten die wensen deel te nemen aan de in artikel 42, lid 6, bedoelde permanente gestructureerde samenwerking, die voldoen aan de criteria en die de verbintenissen inzake militaire vermogens als vermeld in het Protocol betreffende permanente gestructureerde samenwerking onderschrijven, stellen de Raad en de hoge vertegenwoordiger van de Unie voor buitenlandse zaken en veiligheidsbeleid in kennis van hun voornemen.
2. Binnen drie maanden na de in lid 1 bedoelde kennisgeving stelt de Raad een besluit tot instelling van de permanente gestructureerde samenwerking en tot opstelling van de lijst van deelnemende lidstaten vast. De Raad besluit met gekwalificeerde meerderheid van stemmen, na raadpleging van de hoge vertegenwoordiger.
3. Iedere lidstaat die in een later stadium aan de permanente gestructureerde samenwerking wenst deel te nemen, stelt de Raad en de hoge vertegenwoordiger van zijn voornemen in kennis.
De Raad stelt een besluit vast houdende bevestiging van de deelneming van de betrokken lidstaat die aan de criteria voldoet en de verbintenissen onderschrijft als bedoeld in de artikelen 1 en 2 van het Protocol betreffende permanente gestructureerde samenwerking. De Raad besluit met gekwalificeerde meerderheid van stemmen, na raadpleging van de hoge vertegenwoordiger. Aan de stemming wordt alleen deelgenomen door de leden van de Raad die de deelnemende lidstaten vertegenwoordigen.
De gekwalificeerde meerderheid wordt vastgesteld overeenkomstig artikel 238, lid 3, onder a van het Verdrag betreffende de werking van de Europese Unie.
4. Indien een deelnemende lidstaat niet langer aan de criteria voldoet of zich niet langer kan houden aan de verbintenissen als bedoeld in de artikelen 1 en 2 van het Protocol betreffende permanente gestructureerde samenwerking, kan de Raad een besluit tot schorsing van de deelneming van deze lidstaat vaststellen.
De Raad besluit met gekwalificeerde meerderheid van stemmen. Aan de stemming wordt alleen deelgenomen door de leden van de Raad die de deelnemende lidstaten vertegenwoordigen, met uitzondering van de betrokken lidstaat.
De gekwalificeerde meerderheid wordt vastgesteld overeenkomstig artikel 238, lid 3, onder a van het Verdrag betreffende de werking van de Europese Unie.
5. Indien een lidstaat zijn deelneming aan de permanente gestructureerde samenwerking wenst te beëindigen, geeft hij daarvan kennis aan de Raad, die er akte van neemt dat de deelneming van de betrokken lidstaat afloopt.
6. Andere dan de in de leden 2 tot en met 5 bedoelde besluiten en aanbevelingen van de Raad in het kader van de permanente gestructureerde samenwerking worden met eenparigheid van stemmen vastgesteld. Voor de toepassing van dit lid wordt eenparigheid van stemmen alleen door de stemmen van de vertegenwoordigers van de deelnemende lidstaten gevormd.

TITEL VI
SLOTBEPALINGEN

Rechtspersoonlijkheid Europese Unie

Art. 47

De Unie bezit rechtspersoonlijkheid.

Herzieningsprocedure Verdragen Europese Unie

Art. 48

1. De Verdragen kunnen worden gewijzigd volgens een gewone herzieningsprocedure. Zij kunnen ook worden gewijzigd volgens vereenvoudigde herzieningsprocedures.

Gewone herzieningsprocedure Verdragen Europese Unie

Gewone herzieningsprocedure
2. De regering van iedere lidstaat, het Europees Parlement en de Commissie kunnen de Raad ontwerpen tot herziening van de Verdragen voorleggen. Die ontwerpen kunnen, onder andere, de door de Verdragen aan de Unie toegedeelde bevoegdheden uitbreiden of beperken. Zij worden door de Raad aan de Europese Raad toegezonden en worden ter kennis van de nationale parlementen gebracht.
3. Indien de Europese Raad, na raadpleging van het Europees Parlement en van de Commissie, met gewone meerderheid van stemmen besluit dat de voorgestelde wijzigingen worden besproken, roept de voorzitter van de Europese Raad een Conventie bijeen die is samengesteld uit vertegenwoordigers van de nationale parlementen, van de staatshoofden of regeringsleiders van de lidstaten, van het Europees Parlement en van de Commissie. Ook de Europese Centrale Bank wordt geraadpleegd in geval van institutionele wijzigingen op monetair gebied. De Conventie beziet de ontwerpen tot herziening en neemt bij consensus een aanbeveling aan ten behoeve van een Conferentie van vertegenwoordigers van de regeringen der lidstaten, als bepaald in lid 4.
De Europese Raad kan met gewone meerderheid van stemmen, na goedkeuring door het Europees Parlement, besluiten geen Conventie bijeen te roepen indien de reikwijdte van de wijzigin-

gen bijeenroeping niet rechtvaardigt. In dit laatste geval stelt de Europese Raad het mandaat van een Conferentie van vertegenwoordigers van de regeringen der lidstaten vast.
4. Een Conferentie van vertegenwoordigers van de regeringen der lidstaten wordt door de voorzitter van de Raad bijeengeroepen, teneinde in onderlinge overeenstemming de in de Verdragen aan te brengen wijzigingen vast te stellen.
De wijzigingen treden in werking nadat zij door alle lidstaten overeenkomstig hun onderscheiden grondwettelijke bepalingen zijn bekrachtigd.
5. Indien vier vijfde van de lidstaten een verdrag houdende wijziging van de Verdragen twee jaar na de ondertekening ervan hebben bekrachtigd en een of meer lidstaten moeilijkheden bij de bekrachtiging hebben ondervonden, bespreekt de Europese Raad de kwestie.

Vereenvoudigde herzieningsprocedures

Vereenvoudigde herzieningsprocedure Verdragen Europese Unie

6. De regering van een lidstaat, het Europees Parlement en de Commissie kunnen de Europese Raad ontwerpen tot gehele of gedeeltelijke herziening van de bepalingen van het derde deel van het Verdrag betreffende de werking van de Europese Unie over het intern beleid en optreden van de Unie voorleggen.
De Europese Raad kan een besluit nemen tot gehele of gedeeltelijke wijziging van de bepalingen van het derde deel van het Verdrag betreffende de werking van de Europese Unie. De Europese Raad besluit met eenparigheid van stemmen, na raadpleging van het Europees Parlement en van de Commissie alsmede van de Europese Centrale Bank in geval van institutionele wijzigingen op monetair gebied. Dit besluit treedt pas in werking na door de lidstaten overeenkomstig hun onderscheiden grondwettelijke bepalingen te zijn goedgekeurd.
Het in de tweede alinea bedoelde besluit kan geen uitbreiding van de door de Verdragen aan de Unie toegedeelde bevoegdheden inhouden.
7. Indien het Verdrag betreffende de werking van de Europese Unie of titel V van het onderhavige Verdrag voorschrijft dat de Raad op een bepaald gebied of in een bepaald geval met eenparigheid van stemmen besluit, kan de Europese Raad bij besluit bepalen dat de Raad op dat gebied of in dat geval met gekwalificeerde meerderheid van stemmen besluit. Deze alinea is niet van toepassing op besluiten die gevolgen hebben op militair of defensiegebied.
Indien het Verdrag betreffende de werking van de Europese Unie voorschrijft dat wetgevingshandelingen door de Raad volgens een bijzondere wetgevingsprocedure worden vastgesteld, kan de Europese Raad bij besluit bepalen dat die wetgevingshandelingen volgens de gewone wetgevingsprocedure worden vastgesteld.
Ieder initiatief van de Europese Raad op grond van de eerste of de tweede alinea wordt aan de nationale parlementen toegezonden. Indien binnen een termijn van zes maanden na die toezending door een nationaal parlement bezwaar wordt aangetekend, is het in de eerste of de tweede alinea bedoelde besluit niet vastgesteld. Indien geen bezwaar wordt aangetekend, kan de Europese Raad dat besluit vaststellen.
Voor de vaststelling van de in de eerste en de tweede alinea bedoelde besluiten, besluit de Europese Raad met eenparigheid van stemmen, na goedkeuring door het Europees Parlement, dat zich uitspreekt bij meerderheid van zijn leden.

Art. 49

Verzoek tot lidmaatschap Europese Unie

Elke Europese staat die de in artikel 2 bedoelde waarden eerbiedigt en zich ertoe verbindt deze uit te dragen, kan verzoeken lid te worden van de Unie. Het Europees Parlement en de nationale parlementen worden van dit verzoek in kennis gesteld. De verzoekende staat richt zijn verzoek tot de Raad, die zich met eenparigheid van stemmen uitspreekt na de Commissie te hebben geraadpleegd en na goedkeuring van het Europees Parlement, dat zich uitspreekt bij meerderheid van zijn leden. Er wordt rekening gehouden met de door de Europese Raad overeengekomen criteria voor toetreding.
De voorwaarden voor de toelating en de uit die toelating voortvloeiende aanpassingen van de Verdragen waarop de Unie is gebaseerd, vormen het onderwerp van een akkoord tussen de lidstaten en de staat die het verzoek indient. Dit akkoord moet door alle overeenkomstsluitende staten worden bekrachtigd overeenkomstig hun onderscheiden grondwettelijke bepalingen.

Art. 50

Terugtrekking lidstaat uit Europese Unie

1. Een lidstaat kan overeenkomstig zijn grondwettelijke bepalingen besluiten zich uit de Unie terug te trekken.
2. De lidstaat die besluit zich terug te trekken, geeft kennis van zijn voornemen aan de Europese Raad. In het licht van de richtsnoeren van de Europese Raad sluit de Unie na onderhandelingen met deze staat een akkoord over de voorwaarden voor zijn terugtrekking, waarbij rekening wordt gehouden met het kader van de toekomstige betrekkingen van die staat met de Unie. Over dat akkoord wordt onderhandeld overeenkomstig artikel 218, lid 3, van het Verdrag betreffende de werking van de Europese Unie. Het akkoord wordt namens de Unie gesloten door de Raad, die met gekwalificeerde meerderheid van stemmen besluit, na goedkeuring door het Europees Parlement.

3. De Verdragen zijn niet meer van toepassing op de betrokken staat met ingang van de datum van inwerkingtreding van het terugtrekkingsakkoord of, bij gebreke daarvan, na verloop van twee jaar na de in lid 2 bedoelde kennisgeving, tenzij de Europese Raad met instemming van de betrokken lidstaat met eenparigheid van stemmen tot verlenging van deze termijn besluit.
4. Voor de toepassing van de leden 2 en 3 nemen het lid van de Europese Raad en het lid van de Raad die de zich terugtrekkende lidstaat vertegenwoordigen, niet deel aan de beraadslagingen of aan de besluiten van de Europese Raad en van de Raad die hem betreffen.
De gekwalificeerde meerderheid wordt vastgesteld overeenkomstig artikel 238, lid 3, onder b van het Verdrag betreffende de werking van de Europese Unie.
5. Indien een lidstaat die zich uit de Unie heeft teruggetrokken, opnieuw om het lidmaatschap verzoekt, is op zijn verzoek de procedure van artikel 49 van toepassing.

Art. 51

Protocollen en bijlagen bij Verdragen Europese Unie

De protocollen en bijlagen bij de Verdragen maken een integrerend deel daarvan uit.

Art. 52

Toepassingsgebied verdragen

1. De Verdragen zijn van toepassing op het Koninkrijk België, de Republiek Bulgarije, de Tsjechische Republiek, het Koninkrijk Denemarken, de Bondsrepubliek Duitsland, de Republiek Estland, Ierland, de Helleense Republiek, het Koninkrijk Spanje, de Franse Republiek, de Republiek Kroatië, de Italiaanse Republiek, de Republiek Cyprus, de Republiek Letland, de Republiek Litouwen, het Groothertogdom Luxemburg, de Republiek Hongarije, de Republiek Malta, het Koninkrijk der Nederlanden, de Republiek Oostenrijk, de Republiek Polen, de Portugese Republiek, Roemenië, de Republiek Slovenië, de Slowaakse Republiek, de Republiek Finland, het Koninkrijk Zweden en het Verenigd Koninkrijk van Groot-Brittannië en Noord-Ierland.
2. Het territoriale toepassingsgebied van de Verdragen wordt omschreven in artikel 355 van het Verdrag betreffende de werking van de Europese Unie.

Art. 53

Duur Verdrag betreffende de Europese Unie

Dit Verdrag wordt voor onbeperkte tijd gesloten.

Art. 54

Bekrachtiging Verdrag betreffende de Europese Unie

1. Dit Verdrag zal door de Hoge Verdragsluitende Partijen worden bekrachtigd overeenkomstig hun onderscheiden grondwettelijke bepalingen. De akten van bekrachtiging zullen worden nedergelegd bij de regering van de Italiaanse Republiek.

Inwerkingtreding Verdrag betreffende de Europese Unie

2. Dit Verdrag treedt in werking op 1 januari 1993, mits alle akten van bekrachtiging zijn nedergelegd, of bij gebreke daarvan op de eerste dag van de maand die volgt op het nederleggen van de akte van bekrachtiging door de ondertekenende staat die als laatste deze handeling verricht.

Art. 55

Talen Verdrag betreffende de Europese Unie

1. Dit Verdrag, opgesteld in één exemplaar, in de Bulgaarse, de Deense, de Duitse, de Engelse, de Estse, de Finse, de Franse, de Griekse, de Hongaarse, de Ierse, de Italiaanse, de Kroatische, de Letse, de Litouwse, de Maltese, de Nederlandse, de Poolse, de Portugese, de Roemeense, de Sloveense, de Slowaakse, de Spaanse, de Tsjechische en de Zweedse taal, zijnde de teksten in elk van deze talen gelijkelijk authentiek, zal worden nedergelegd in het archief van de regering van de Italiaanse Republiek die een voor eensluidend gewaarmerkt afschrift daarvan toezendt aan de regeringen der andere ondertekenende staten.
2. Dit Verdrag kan ook worden vertaald in andere talen die door de lidstaten zijn gekozen uit de talen die overeenkomstig hun constitutionele bestel op hun gehele grondgebied of een deel daarvan als officiële taal gelden. Van dergelijke vertalingen wordt door de betrokken lidstaat een gewaarmerkt afschrift nedergelegd in de archieven van de Raad.

Staats- en bestuursrecht

Inhoudsopgave

§ 1	Algemene bepalingen	Art. 1
§ 2	De behartiging van de aangelegenheden van het Koninkrijk	Art. 6
§ 3	Onderlinge bijstand, overleg en samenwerking	Art. 36
§ 4	De staatsinrichting van de landen	Art. 41
§ 5	Overgangs- en slotbepalingen	Art. 54

Statuut voor het Koninkrijk der Nederlanden[1]

Wet van 28 October 1954, houdende aanvaarding van een statuut voor het Koninkrijk der Nederlanden

Preambule
Nederland, Aruba, Curaçao en Sint Maarten,
constaterende dat Nederland, Suriname en de Nederlandse Antillen in 1954 uit vrije wil hebben verklaard in het Koninkrijk der Nederlanden een nieuwe rechtsorde te aanvaarden, waarin zij de eigen belangen zelfstandig behartigen en op voet van gelijkwaardigheid de gemeenschappelijke belangen verzorgen en wederkerig bijstand verlenen, en hebben besloten in gemeen overleg het Statuut voor het Koninkrijk vast te stellen;
constaterende dat de statutaire band met Suriname is beëindigd met ingang van 25 november 1975 door wijziging van het Statuut bij rijkswet van 22 november 1975, *Stb.* 617, *PbNA* 233;
constaterende dat Aruba uit vrije wil heeft verklaard deze rechtsorde als land te aanvaarden met ingang van 1 januari 1986 voor een periode van tien jaar en met ingang van 1 januari 1996 voor onbepaalde tijd;
overwegende dat Curaçao en Sint Maarten elk uit vrije wil hebben verklaard deze rechtsorde als land te aanvaarden;
hebben besloten in gemeen overleg het Statuut voor het Koninkrijk als volgt nader vast te stellen.

§ 1
Algemene bepalingen

Art. 1

1. Het Koninkrijk omvat de landen Nederland, Aruba, Curaçao en Sint Maarten.
2. Bonaire, Sint Eustatius en Saba maken elk deel uit van het staatsbestel van Nederland. Voor deze eilanden kunnen regels worden gesteld en andere specifieke maatregelen worden getroffen met het oog op de economische en sociale omstandigheden, de grote afstand tot het Europese deel van Nederland, hun insulaire karakter, kleine oppervlakte en bevolkingsomvang, geografische omstandigheden, het klimaat en andere factoren waardoor deze eilanden zich wezenlijk onderscheiden van het Europese deel van Nederland.

Art. 1a

Statuut Koninkrijk, Kroon

De Kroon van het Koninkrijk wordt erfelijk gedragen door Hare Majesteit Juliana, Prinses van Oranje-Nassau en bij opvolging door Hare wettige opvolgers.

Art. 2

Statuut Koninkrijk, regering door Koning en Gouverneur

1. De Koning voert de regering van het Koninkrijk en van elk der landen. Hij is onschendbaar, de ministers zijn verantwoordelijk.
2. De Koning wordt in Aruba, Curaçao en Sint Maarten vertegenwoordigd door de Gouverneur. De bevoegdheden, verplichtingen en verantwoordelijkheid van de Gouverneur als vertegenwoordiger van de regering van het Koninkrijk worden geregeld bij rijkswet of in de daarvoor in aanmerking komende gevallen bij algemene maatregel van rijksbestuur.
3. De rijkswet regelt hetgeen verband houdt met de benoeming en het ontslag van de Gouverneur. De benoeming en het ontslag geschieden door de Koning als hoofd van het Koninkrijk.

Art. 3

Statuut Koninkrijk, koninkrijksaangelegenheden

1. Onverminderd hetgeen elders in het Statuut is bepaald, zijn aangelegenheden van het Koninkrijk:
a. de handhaving van de onafhankelijkheid en de verdediging van het Koninkrijk;
b. de buitenlandse betrekkingen;
c. het Nederlanderschap;
d. de regeling van de ridderorden, alsmede van de vlag en het wapen van het Koninkrijk;
e. de regeling van de nationaliteit van schepen en het stellen van eisen met betrekking tot de veiligheid en de navigatie van zeeschepen, die de vlag van het Koninkrijk voeren, met uitzondering van zeilschepen;
f. het toezicht op de algemene regelen betreffende de toelating en uitzetting van Nederlanders;
g. het stellen van algemene voorwaarden voor toelating en uitzetting van vreemdelingen;
h. de uitlevering.

1 Inwerkingtredingsdatum: 29-12-1954; zoals laatstelijk gewijzigd bij: Stb. 2010, 333.

2. Andere onderwerpen kunnen in gemeen overleg tot aangelegenheden van het Koninkrijk worden verklaard.
Artikel 55 is daarbij van overeenkomstige toepassing.

Art. 4

1. De koninklijke macht wordt in aangelegenheden van het Koninkrijk uitgeoefend door de Koning als hoofd van het Koninkrijk.

Statuut Koninkrijk, koninklijke en wetgevende macht

2. De wetgevende macht wordt in aangelegenheden van het Koninkrijk uitgeoefend door de wetgever van het Koninkrijk. Bij voorstellen van rijkswet vindt de behandeling plaats met inachtneming van de artikelen 15 t/m 21.

Art. 5

1. Het koningschap met de troonopvolging, de in het Statuut genoemde organen van het Koninkrijk, de uitoefening van de koninklijke en de wetgevende macht in aangelegenheden van het Koninkrijk worden voor zover het Statuut hierin niet voorziet geregeld in de Grondwet voor het Koninkrijk.

Statuut Koninkrijk, verhouding Grondwet

2. De Grondwet neemt de bepalingen van het Statuut in acht.
3. Op een voorstel tot verandering in de Grondwet, houdende bepalingen betreffende aangelegenheden van het Koninkrijk, alsmede op het ontwerp van wet, dat er grond bestaat een zodanig voorstel in overweging te nemen, zijn de artikelen 15 t/m 20 van toepassing.

§ 2
De behartiging van de aangelegenheden van het Koninkrijk

Art. 6

1. De aangelegenheden van het Koninkrijk worden in samenwerking van Nederland, Aruba, Curaçao en Sint Maarten behartigd overeenkomstig de navolgende bepalingen.

Statuut Koninkrijk, behartiging koninkrijksaangelegenheden

2. Bij de behartiging van deze aangelegenheden worden waar mogelijk de landsorganen ingeschakeld.

Art. 7

De raad van ministers van het Koninkrijk is samengesteld uit de door de Koning benoemde ministers en de door de regering van Aruba, Curaçao onderscheidenlijk Sint Maarten benoemde Gevolmachtigde Minister.

Statuut Koninkrijk, raad van ministers Koninkrijk

Art. 8

1. De Gevolmachtigde Ministers handelen namens de regeringen van hun land, die hen benoemen en ontslaan.
Zij moeten de staat van Nederlander bezitten.

Statuut Koninkrijk, Gevolmachtigde Ministers

2. De regering van het betrokken land bepaalt wie de Gevolmachtigde Minister bij belet of ontstentenis vervangt.
Hetgeen in dit Statuut is bepaald voor de Gevolmachtigde Minister, is van overeenkomstige toepassing met betrekking tot zijn plaatsvervanger.

Art. 9

1. De Gevolmachtigde Minister legt, alvorens zijn betrekking te aanvaarden, in handen van de Gouverneur een eed of belofte van trouw aan de Koning en het Statuut af. Het formulier voor de eed of belofte wordt vastgesteld bij algemene maatregel van rijksbestuur.

Statuut Koninkrijk, beëdiging Gevolmachtigde Minister

2. In Nederland vertoevende, legt de Gevolmachtigde Minister de eed of belofte af in handen van de Koning.

Art. 10

1. De Gevolmachtigde Minister neemt deel aan het overleg in de vergaderingen van de raad van ministers en van de vaste colleges en bijzondere commissies uit de raad over aangelegenheden van het Koninkrijk, welke het betrokken land raken.

Statuut Koninkrijk, Gevolmachtigde Minister in raad van ministers

2. De regeringen van Aruba, Curaçao en Sint Maarten zijn ieder gerechtigd - indien een bepaald onderwerp haar daartoe aanleiding geeft - naast de Gevolmachtigde Minister tevens een minister met raadgevende stem te doen deelnemen aan het in het vorig lid bedoelde overleg.

Statuut Koninkrijk, minister met raadgevende stem

Art. 11

1. Voorstellen tot verandering in de Grondwet, houdende bepalingen betreffende aangelegenheden van het Koninkrijk, raken Aruba, Curaçao en Sint Maarten.
2. Ten aanzien van de defensie wordt aangenomen, dat de defensie van het grondgebied van Aruba, Curaçao of Sint Maarten, zomede overeenkomsten of afspraken betreffende een gebied, dat tot hun belangensfeer behoort, Aruba, Curaçao onderscheidenlijk Sint Maarten raken.
3. Ten aanzien van de buitenlandse betrekkingen wordt aangenomen, dat buitenlandse betrekkingen, wanneer belangen van Aruba, Curaçao of Sint Maarten in het bijzonder daarbij betrokken zijn, dan wel wanneer de voorziening daarin gewichtige gevolgen voor deze belangen kan hebben, Aruba, Curaçao onderscheidenlijk Sint Maarten raken.

4. De vaststelling van de bijdrage in de kosten, bedoeld in artikel 35, raakt Aruba, Curaçao onderscheidenlijk Sint Maarten.
5. Voorstellen tot naturalisatie worden geacht Aruba, Curaçao en Sint Maarten slechts te raken, indien het personen betreft, die woonachtig zijn in het betrokken land.
6. De regeringen van Aruba, Curaçao en Sint Maarten kunnen aangeven welke aangelegenheden van het Koninkrijk, behalve die, in het eerste tot en met het vierde lid genoemd, hun land raken.

Art. 12

1. Indien de Gevolmachtigde Minister van Aruba, Curaçao of Sint Maarten, onder aanwijzing van de gronden, waarop hij ernstige benadeling van zijn land verwacht, heeft verklaard, dat zijn land niet ware te binden aan een voorgenomen voorziening, houdende algemeen bindende regelen, kan de voorziening niet in dier voege, dat zij in het betrokken land geldt, worden vastgesteld, tenzij de verbondenheid van het land in het Koninkrijk zich daartegen verzet.
2. Indien de Gevolmachtigde Minister van Aruba, Curaçao of Sint Maarten, ernstig bezwaar heeft tegen het aanvankelijk oordeel van de raad van ministers over de eis van gebondenheid, bedoeld in het eerste lid, dan wel over enige andere aangelegenheid, aan de behandeling waarvan hij heeft deelgenomen, wordt op zijn verzoek het overleg, zo nodig met inachtneming van een daartoe door de raad van ministers te bepalen termijn, voortgezet.
3. Het hiervoren bedoeld overleg geschiedt tussen de minister-president, twee ministers, de Gevolmachtigde Minister en een door de betrokken regering aan te wijzen minister of bijzonder gemachtigde.
4. Wensen meerdere Gevolmachtigde Ministers aan het voortgezette overleg deel te nemen, dan geschiedt dit overleg tussen deze Gevolmachtigde Ministers, een even groot aantal ministers en de minister-president. Het tweede lid van artikel 10 is van overeenkomstige toepassing.
5. De raad van ministers oordeelt overeenkomstig de uitkomst van het voortgezette overleg. Wordt van de gelegenheid tot het plegen van voortgezet overleg niet binnen de bepaalde termijn gebruik gemaakt, dan bepaalt de raad van ministers zijn oordeel.

Art. 12a

Bij rijkswet worden voorzieningen getroffen voor de behandeling van bij rijkswet aangewezen geschillen tussen het Koninkrijk en de landen.

Art. 13

Statuut Koninkrijk, Raad van State Koninkrijk

1. Er is een Raad van State van het Koninkrijk.
2. Indien de regering van Aruba, Curaçao of Sint Maarten, de wens daartoe te kennen geeft, benoemt de Koning voor Aruba, Curaçao onderscheidenlijk Sint Maarten, in de Raad van State een lid, wiens benoeming geschiedt in overeenstemming met de Regering van het betrokken land.
Zijn ontslag geschiedt na overleg met deze regering.
3. De staatsraden voor Aruba, Curaçao en Sint Maarten nemen deel aan de werkzaamheden van de Raad van State ingeval de Raad of een afdeling van de Raad wordt gehoord over ontwerpen van rijkswetten en algemene maatregelen van rijksbestuur, die in Aruba, Curaçao onderscheidenlijk Sint Maarten, zullen gelden, of over andere aangelegenheden, die overeenkomstig artikel 11 Aruba, Curaçao onderscheidenlijk Sint Maarten raken.
4. Bij algemene maatregel van rijksbestuur kunnen ten opzichte van genoemde staatsraden voorschriften worden vastgesteld, welke afwijken van de bepalingen van de Wet op de Raad van State.

Art. 14

Statuut Koninkrijk, regeling bij rijkswet en algemene maatregel van rijksbestuur

1. Regelen omtrent aangelegenheden van het Koninkrijk worden - voor zover de betrokken materie geen regeling in de Grondwet vindt en behoudens de internationale regelingen en het bepaalde in het derde lid - bij rijkswet of in de daarvoor in aanmerking komende gevallen bij algemene maatregel van rijksbestuur vastgesteld.
De rijkswet of de algemene maatregel van rijksbestuur kan het stellen van nadere regelen opdragen of overlaten aan andere organen. Het opdragen of het overlaten aan de landen geschiedt aan de wetgever of de regering der landen.
2. Indien de regeling niet aan de rijkswet is voorbehouden, kan zij geschieden bij algemene maatregel van rijksbestuur.

Statuut Koninkrijk, regeling bij wet of AMvB

3. Regelen omtrent aangelegenheden van het Koninkrijk, welke niet in Aruba, Curaçao of Sint Maarten gelden, worden bij wet of algemene maatregel van bestuur vastgesteld.

Statuut Koninkrijk, naturalisatie

4. Naturalisatie van personen, die woonachtig zijn in Aruba, Curaçao of Sint Maarten, geschiedt bij of krachtens de rijkswet.

Art. 15

Statuut Koninkrijk, indiening ontwerp van rijkswet

1. De Koning zendt een ontwerp van rijkswet gelijktijdig met de indiening bij de Staten-Generaal aan de vertegenwoordigende lichamen van Aruba, Curaçao en Sint Maarten.

2. Bij een voordracht tot een voorstel van rijkswet, uitgaande van de Staten-Generaal, geschiedt de toezending van het voorstel door de Tweede Kamer terstond nadat het bij de Kamer aanhangig is gemaakt.
3. De Gevolmachtigde Minister van Aruba, Curaçao of Sint Maarten, is bevoegd aan de Tweede Kamer voor te stellen een voordracht tot een voorstel van rijkswet te doen.

Statuut Koninkrijk, indiening initiatiefvoorstel van rijkswet

Art. 16

Het vertegenwoordigende lichaam van het land, waarin de regeling zal gelden, is bevoegd vóór de openbare behandeling van het ontwerp in de Tweede Kamer dit te onderzoeken en zo nodig binnen een daarvoor te bepalen termijn daaromtrent schriftelijk verslag uit te brengen.

Statuut Koninkrijk, onderzoek Ned. Antillen/Aruba rijkswetsontwerp

Art. 17

1. De Gevolmachtigde Minister van het land, waarin de regeling zal gelden, wordt in de gelegenheid gesteld in de kamers der Staten-Generaal de mondelinge behandeling van het ontwerp van rijkswet bij te wonen en daarbij zodanige voorlichting aan de kamers te verstrekken als hij gewenst oordeelt.

Statuut Koninkrijk, deelname kamerbehandeling rijkswet Ned. Antillen/Aruba

2. Het vertegenwoordigende lichaam van het land, waarin de regeling zal gelden, kan besluiten voor de behandeling van een bepaald ontwerp in de Staten-Generaal één of meer bijzondere gedelegeerden af te vaardigen, die eveneens gerechtigd zijn de mondelinge behandeling bij te wonen en daarbij voorlichting te geven.
3. De Gevolmachtigde Ministers en de bijzondere gedelegeerden zijn niet gerechtelijk vervolgbaar voor hetgeen zij in de vergadering van de kamers der Staten-Generaal hebben gezegd of aan haar schriftelijk hebben overgelegd.
4. De Gevolmachtigde Ministers en de bijzondere gedelegeerden zijn bevoegd bij de behandeling in de Tweede Kamer wijzigingen in het ontwerp voor te stellen.

Statuut Koninkrijk, recht van amendement Ned. Antillen/Aruba

Art. 18

1. De Gevolmachtigde Minister van het land, waarin de regeling zal gelden, wordt vóór de eindstemming over een voorstel van rijkswet in de kamers der Staten-Generaal in de gelegenheid gesteld zich omtrent dit voorstel uit te spreken. Indien de Gevolmachtigde Minister zich tegen het voorstel verklaart, kan hij tevens de kamer verzoeken de stemming tot de volgende vergadering aan te houden. Indien de Tweede Kamer nadat de Gevolmachtigde Minister zich tegen het voorstel heeft verklaard dit aanneemt met een geringere meerderheid dan drie vijfden van het aantal der uitgebrachte stemmen, wordt de behandeling geschorst en vindt nader overleg omtrent het voorstel plaats in de raad van ministers.

Statuut Koninkrijk, tegenstemming rijkswetsvoorstel Ned. Antillen/Aruba

2. Wanneer in de vergadering van de kamers bijzondere gedelegeerden aanwezig zijn, komt de in het eerste lid bedoelde bevoegdheid aan de door het vertegenwoordigende lichaam daartoe aangewezen gedelegeerde.

Art. 19

De artikelen 17 en 18 zijn voor de behandeling in de verenigde vergadering van de Staten-Generaal van overeenkomstige toepassing.

Overeenkomstige toepassing

Art. 20

Bij rijkswet kunnen nadere regels worden gesteld ten aanzien van het bepaalde in de artikelen 15 t/m 19.

Nadere regels

Art. 21

Indien, na gepleegd overleg met de Gevolmachtigde Ministers van Aruba, Curaçao en Sint Maarten, in geval van oorlog of in andere bijzondere gevallen, waarin onverwijld moet worden gehandeld, het naar het oordeel van de Koning onmogelijk is het resultaat van het in artikel 16 bedoelde onderzoek af te wachten, kan van de bepaling van dat artikel worden afgeweken.

Statuut Koninkrijk, noodzaak onverwijld handelen

Art. 22

1. De regering van het Koninkrijk draagt zorg voor de afkondiging van rijkswetten en algemene maatregelen van rijksbestuur. Zij geschiedt in het land, waar de regeling zal gelden in het officiële publikatieblad. De landsregeringen verlenen daartoe de nodige medewerking.

Statuut Koninkrijk, afkondiging rijkswet

2. Zij treden in werking op het in of krachtens die regelingen te bepalen tijdstip.
3. Het formulier van afkondiging der rijkswetten en der algemene maatregelen van rijksbestuur vermeldt, dat de bepalingen van het Statuut voor het Koninkrijk zijn in acht genomen.

Art. 23

1. De rechtsmacht van de Hoge Raad der Nederlanden ten aanzien van rechtszaken in Aruba, Curaçao en Sint Maarten, alsmede op Bonaire, Sint Eustatius en Saba, wordt geregeld bij rijkswet.

Statuut Koninkrijk, Hoge Raad Koninkrijk

2. Indien de regering van Aruba, Curaçao of Sint Maarten dit verzoekt, wordt bij deze rijkswet de mogelijkheid geopend, dat aan de Raad een lid, een buitengewoon of een adviserend lid wordt toegevoegd.

Art. 24

1. Overeenkomsten met andere mogendheden en met volkenrechtelijke organisaties, welke Aruba, Curaçao of Sint Maarten raken, worden gelijktijdig met de overlegging aan de Staten-

Generaal aan het vertegenwoordigende lichaam van Aruba, Curaçao onderscheidenlijk Sint Maarten overgelegd.

2. Ingeval de overeenkomst ter stilzwijgende goedkeuring aan de Staten-Generaal is overgelegd, kan de Gevolmachtigde Minister binnen de daartoe voor de kamers der Staten-Generaal gestelde termijn de wens te kennen geven dat de overeenkomst aan de uitdrukkelijke goedkeuring van de Staten-Generaal zal worden onderworpen.

3. De voorgaande leden zijn van overeenkomstige toepassing ten aanzien van opzegging van internationale overeenkomsten, het eerste lid met dien verstande, dat van het voornemen tot opzegging mededeling aan het vertegenwoordigende lichaam van Aruba, Curaçao onderscheidenlijk Sint Maarten wordt gedaan.

Art. 25

1. Aan internationale economische en financiële overeenkomsten bindt de Koning Aruba, Curaçao of Sint Maarten, niet, indien de regering van het land, onder aanwijzing van de gronden, waarop zij van de binding benadeling van het land verwacht, heeft verklaard, dat het land niet dient te worden verbonden.

2. Internationale economische en financiële overeenkomsten zegt de Koning voor wat Aruba, Curaçao of Sint Maarten betreft, niet op, indien de regering van het land, onder aanwijzing van de gronden, waarop zij van de opzegging benadeling van het land verwacht, heeft verklaard, dat voor het land geen opzegging dient plaats te vinden. Opzegging kan niettemin geschieden, indien het met de bepalingen der overeenkomst niet verenigbaar is, dat het land van de opzegging wordt uitgesloten.

Art. 26

Indien de regering van Aruba, Curaçao of Sint Maarten, de wens te kennen geeft, dat een internationale economische of financiële overeenkomst wordt aangegaan, welke uitsluitend voor het betrokken land geldt, zal de regering van het Koninkrijk medewerken tot een zodanige overeenkomst, tenzij de verbondenheid van het land in het Koninkrijk zich daartegen verzet.

Art. 27

1. Aruba, Curaçao en Sint Maarten worden in een zo vroeg mogelijk stadium betrokken in de voorbereiding van overeenkomsten met andere mogendheden, welke hen overeenkomstig artikel 11 raken. Zij worden tevens betrokken in de uitvoering van overeenkomsten, die hen aldus raken en voor hen verbindend zijn.

2. Nederland, Aruba, Curaçao en Sint Maarten treffen een onderlinge regeling over de samenwerking tussen de landen ten behoeve van de totstandkoming van regelgeving of andere maatregelen die noodzakelijk zijn voor de uitvoering van overeenkomsten met andere mogendheden.

3. Indien de belangen van het Koninkrijk geraakt worden door het uitblijven van regelgeving of andere maatregelen die noodzakelijk zijn voor de uitvoering van een overeenkomst met andere mogendheden in een van de landen, terwijl de overeenkomst pas voor dat land kan worden bekrachtigd als de regelgeving of andere maatregelen gereed zijn, kan een algemene maatregel van rijksbestuur, of indien nodig een rijkswet, bepalen op welke wijze uitvoering wordt gegeven aan die overeenkomst.

4. Indien de regelgeving of andere maatregelen ter uitvoering van de betreffende overeenkomst door het land zijn getroffen, wordt de algemene maatregel van rijksbestuur of de rijkswet ingetrokken.

Art. 28

Op de voet van door het Koninkrijk aangegane internationale overeenkomsten kunnen Aruba, Curaçao en Sint Maarten desgewenst als lid tot volkenrechtelijke organisaties toetreden.

Art. 29

Statuut Koninkrijk, geldlening Koninkrijk

1. Het aangaan of garanderen van een geldlening buiten het Koninkrijk ten name of ten laste van een der landen geschiedt in overeenstemming met de regering van het Koninkrijk.

2. De raad van ministers verenigt zich met het aangaan of garanderen van zodanige geldlening, tenzij de belangen van het Koninkrijk zich daartegen verzetten.

Art. 30

1. Aruba, Curaçao en Sint Maarten verlenen aan de strijdkrachten, welke zich op hun gebied bevinden, de hulp en bijstand, welke deze in de uitoefening van hun taak behoeven.

2. Bij landsverordening worden regelen gesteld om te waarborgen, dat de krijgsmacht van het Koninkrijk in Aruba, Curaçao en Sint Maarten haar taak kan vervullen.

Art. 31

1. Personen, die woonachtig zijn in Aruba, Curaçao en Sint Maarten, kunnen niet dan bij landsverordening tot dienst in de krijgsmacht dan wel tot burgerdienstplicht worden verplicht.

2. Aan de Staatsregeling is voorbehouden te bepalen, dat de dienstplichtigen, dienende bij de landmacht, zonder hun toestemming niet dan krachtens een landsverordening naar elders kunnen worden gezonden.

Art. 32

In de strijdkrachten voor de verdediging van Aruba, Curaçao en Sint Maarten, zullen zoveel mogelijk personen, die in deze landen woonachtig zijn, worden opgenomen.

Art. 33

Statuut Koninkrijk, algemene regelen verdediging Ned. Antillen/Aruba

1. Ten behoeve van de verdediging geschiedt de vordering in eigendom en in gebruik van goederen, de beperking van het eigendoms- en gebruiksrecht, de vordering van diensten en de inkwartieringen niet dan met inachtneming van bij rijkswet te stellen algemene regelen, welke tevens voorzieningen inhouden omtrent de schadeloosstelling.
2. Bij deze rijkswet worden nadere regelingen waar mogelijk aan landsorganen opgedragen.

Art. 34

Statuut Koninkrijk, oorlog of staat van beleg

1. De Koning kan ter handhaving van de uit- of inwendige veiligheid, in geval van oorlog of oorlogsgevaar of ingeval bedreiging of verstoring van de inwendige orde en rust kan leiden tot wezenlijke aantasting van belangen van het Koninkrijk, elk gedeelte van het grondgebied in staat van oorlog of in staat van beleg verklaren.
2. Bij of krachtens rijkswet wordt de wijze bepaald, waarop zodanige verklaring geschiedt, en worden de gevolgen geregeld.
3. Bij die regeling kan worden bepaald, dat en op welke wijze bevoegdheden van organen van het burgerlijk gezag ten opzichte van de openbare orde en de politie geheel of ten dele op andere organen van het burgerlijk gezag of op het militaire gezag overgaan en dat de burgerlijke overheden in het laatste geval te dezen aanzien aan de militaire ondergeschikt worden. Omtrent het overgaan van bevoegdheden vindt waar mogelijk overleg met de regering van het betrokken land plaats. Bij die regeling kan worden afgeweken van de bepalingen betreffende de vrijheid van drukpers, het recht van vereniging en vergadering, zomede betreffende de onschendbaarheid van woning en het postgeheim.
4. Voor het in staat van beleg verklaarde gebied kunnen in geval van oorlog op de wijze, bij rijkswet bepaald, het militaire strafrecht en de militaire strafrechtspleging geheel of ten dele op een ieder van toepassing worden verklaard.

Art. 35

1. Aruba, Curaçao en Sint Maarten dragen in overeenstemming met hun draagkracht bij in de kosten, verbonden aan de handhaving van de onafhankelijkheid en de verdediging van het Koninkrijk, zomede in de kosten, verbonden aan de verzorging van andere aangelegenheden van het Koninkrijk, voor zover deze strekt ten gunste van Aruba, Curaçao onderscheidenlijk Sint Maarten.
2. De in het eerste lid bedoelde bijdrage van Aruba, Curaçao of Sint Maarten, wordt door de raad van ministers voor een begrotingsjaar of enige achtereenvolgende begrotingsjaren vastgesteld.
Artikel 12 is van overeenkomstige toepassing, met dien verstande, dat beslissingen worden genomen met eenparigheid van stemmen.
3. Indien de in het tweede lid bedoelde vaststelling niet tijdig plaats heeft, geldt in afwachting daarvan voor de duur van ten hoogste een begrotingsjaar de overeenkomstig dat lid voor het laatste begrotingsjaar vastgestelde bijdrage.
4. De voorgaande leden zijn niet van toepassing ten aanzien van de kosten van voorzieningen, waarvoor bijzondere regelingen zijn getroffen.

§ 3
Onderlinge bijstand, overleg en samenwerking

Art. 36

Nederland, Aruba, Curaçao en Sint Maarten verlenen elkander hulp en bijstand.

Art. 36a

[Vervallen]

Art. 37

1. Nederland, Aruba, Curaçao en Sint Maarten zullen zoveel mogelijk overleg plegen omtrent alle aangelegenheden, waarbij belangen van twee of meer van de landen zijn betrokken. Daartoe kunnen bijzondere vertegenwoordigers worden aangewezen en gemeenschappelijke organen worden ingesteld.
2. Als aangelegenheden, bedoeld in dit artikel, worden onder meer beschouwd:
a. de bevordering van de culturele en sociale betrekkingen tussen de landen;
b. de bevordering van doelmatige economische, financiële en monetaire betrekkingen tussen de landen;
c. vraagstukken inzake munt- en geldwezen, bank- en deviezenpolitiek;
d. de bevordering van de economische weerbaarheid door onderlinge hulp en bijstand van de landen;
e. de beroeps- en bedrijfsuitoefening van Nederlanders in de landen;

f. aangelegenheden, de luchtvaart betreffende, waaronder begrepen het beleid inzake het ongeregelde luchtvervoer;
g. aangelegenheden, de scheepvaart betreffende;
h. de samenwerking op het gebied van telegrafie, telefonie en radioverkeer.

Art. 38

1. Nederland, Aruba, Curaçao en Sint Maarten kunnen onderling regelingen treffen.
2. In onderling overleg kan worden bepaald, dat zodanige regeling en de wijziging daarvan bij rijkswet of algemene maatregel van rijksbestuur wordt vastgesteld.
3. Omtrent privaatrechtelijke en strafrechtelijke onderwerpen van interregionale of internationale aard kunnen bij rijkswet regelen worden gesteld, indien omtrent deze regelen overeenstemming tussen de regeringen der betrokken landen bestaat.
4. In het onderwerp van de zetelverplaatsing van rechtspersonen wordt bij rijkswet voorzien. Omtrent deze voorziening is overeenstemming tussen de regeringen der landen vereist.

Art. 38a

De landen kunnen bij onderlinge regeling voorzieningen treffen voor de behandeling van onderlinge geschillen. Het tweede lid van artikel 38 is van toepassing.

Art. 39

1. Het burgerlijk en handelsrecht, de burgerlijke rechtsvordering, het strafrecht, de strafvordering, het auteursrecht, de industriële eigendom, het notarisambt, zomede bepalingen omtrent maten en gewichten worden in Nederland, Aruba, Curaçao en Sint Maarten zoveel mogelijk op overeenkomstige wijze geregeld.
2. Een voorstel tot ingrijpende wijziging van de bestaande wetgeving op dit stuk wordt niet bij het vertegenwoordigende lichaam ingediend - dan wel door het vertegenwoordigende lichaam in behandeling genomen - alvorens de regeringen in de andere landen in de gelegenheid zijn gesteld van haar zienswijze hieromtrent te doen blijken.

Art. 40

Statuut Koninkrijk, tenuitvoerlegging vonnissen

Vonnissen, door de rechter in Nederland, Aruba, Curaçao of Sint Maarten gewezen, en bevelen, door hem uitgevaardigd, mitsgaders grossen van authentieke akten, aldaar verleden, kunnen in het gehele Koninkrijk ten uitvoer worden gelegd, met inachtneming van de wettelijke bepalingen van het land, waar de tenuitvoerlegging plaats vindt.

§ 4
De staatsinrichting van de landen

Art. 41

1. Nederland, Aruba, Curaçao en Sint Maarten behartigen zelfstandig hun eigen aangelegenheden.
2. De belangen van het Koninkrijk zijn mede een voorwerp van zorg voor de landen.

Art. 42

1. In het Koninkrijk vindt de staatsinrichting van Nederland regeling in de Grondwet, die van Aruba, Curaçao en Sint Maarten in de Staatsregelingen van Aruba, van Curaçao en van Sint Maarten.

Statuut Koninkrijk, landsverordening

2. De Staatsregelingen van Aruba, van Curaçao en van Sint Maarten worden vastgesteld bij landsverordening. Elk voorstel tot verandering van de Staatsregeling wijst de voorgestelde verandering uitdrukkelijk aan. Het vertegenwoordigende lichaam kan het ontwerp van een zodanige landsverordening niet aannemen dan met twee derden der uitgebrachte stemmen.

Art. 43

Statuut Koninkrijk, waarborg mensenrechten Nederland/Ned. Antillen/Aruba

1. Elk der landen draagt zorg voor de verwezenlijking van de fundamentele menselijke rechten en vrijheden, de rechtszekerheid en de deugdelijkheid van het bestuur.
2. Het waarborgen van deze rechten, vrijheden, rechtszekerheid en deugdelijkheid van bestuur is aangelegenheid van het Koninkrijk.

Art. 44

1. Een landsverordening tot wijziging van de Staatsregeling voor wat betreft:
a. de artikelen, betrekking hebbende op de fundamentele menselijke rechten en vrijheden;
b. de bepalingen, betrekking hebbende op de bevoegdheden van de Gouverneur;
c. de artikelen, betrekking hebbende op de bevoegdheden van de vertegenwoordigende lichamen van de landen;
d. de artikelen, betrekking hebbende op de rechtspraak,
wordt overgelegd aan de regering van het Koninkrijk. Zij treedt niet in werking dan nadat de regering van het Koninkrijk haar instemming hiermede heeft betuigd.
2. Een ontwerp-landsverordening betreffende de voorgaande bepalingen wordt niet aan het vertegenwoordigende lichaam aangeboden, noch bij een initiatief-ontwerp door dit lichaam in onderzoek genomen dan nadat het gevoelen der regering van het Koninkrijk is ingewonnen.

Art. 45

Wijzigingen in de Grondwet betreffende:
a. de artikelen, betrekking hebbende op de fundamentele menselijke rechten en vrijheden;
b. de bepalingen, betrekking hebbende op de bevoegdheden van de regering;
c. de artikelen, betrekking hebbende op de bevoegdheden van het vertegenwoordigende lichaam;
d. de artikelen, betrekking hebbende op de rechtspraak,
worden - onverminderd het bepaalde in artikel 5 - geacht in de zin van artikel 10 Aruba, Curaçao en Sint Maarten te raken.

Art. 46

Statuut Koninkrijk, actief en passief kiesrecht Ned. Antillen/Aruba

1. De vertegenwoordigende lichamen worden gekozen door de ingezetenen van het betrokken land, tevens Nederlanders, die de door de landen te bepalen leeftijd, welke niet hoger mag zijn dan 25 jaren, hebben bereikt. Iedere kiezer brengt slechts één stem uit. De verkiezingen zijn vrij en geheim. Indien de noodzaak daartoe blijkt, kunnen de landen beperkingen stellen. Iedere Nederlander is verkiesbaar met dien verstande, dat de landen de eis van ingezetenschap en een leeftijdsgrens kunnen stellen.
2. De landen kunnen aan Nederlanders die geen ingezetenen van het betrokken land zijn, het recht toekennen vertegenwoordigende lichamen te kiezen, alsmede aan ingezetenen van het betrokken land die geen Nederlander zijn, het recht vertegenwoordigende lichamen te kiezen en het recht daarin gekozen te worden, een en ander mits daarbij tenminste de vereisten voor ingezetenen die tevens Nederlander zijn, in acht worden genomen.

Art. 47

Statuut Koninkrijk, beëdiging ministers en volksvertegenwoordiging

1. De ministers en de leden van het vertegenwoordigende lichaam in de landen leggen, alvorens hun betrekking te aanvaarden, een eed of belofte van trouw aan de Koning en het Statuut af.
2. De ministers en de leden van het vertegenwoordigende lichaam in Aruba, Curaçao en Sint Maarten leggen de eed of belofte af in handen van de vertegenwoordiger van de Koning.

Art. 48

Statuut Koninkrijk, rechtskracht

De landen nemen bij hun wetgeving en bestuur de bepalingen van het Statuut in acht.

Art. 49

Statuut Koninkrijk, strijdige regelgeving

Bij rijkswet kunnen regels worden gesteld omtrent de verbindendheid van wetgevende maatregelen, die in strijd zijn met het Statuut, een internationale regeling, een rijkswet of een algemene maatregel van rijksbestuur.

Art. 50

Statuut Koninkrijk, schorsing strijdige regelgeving

1. Wetgevende en bestuurlijke maatregelen in Aruba, Curaçao en Sint Maarten, die in strijd zijn met het Statuut, een internationale regeling, een rijkswet of een algemene maatregel van rijksbestuur, dan wel met belangen, welker verzorging of waarborging aangelegenheid van het Koninkrijk is, kunnen door de Koning als hoofd van het Koninkrijk bij gemotiveerd besluit worden geschorst en vernietigd. De voordracht tot vernietiging geschiedt door de raad van ministers.
2. Voor Nederland wordt in dit onderwerp voor zover nodig in de Grondwet voorzien.

Art. 51

1. Wanneer een orgaan in Aruba, Curaçao of Sint Maarten niet of niet voldoende voorziet in hetgeen het ingevolge het Statuut, een internationale regeling, een rijkswet of een algemene maatregel van rijksbestuur moet verrichten, kan, onder aanwijzing van de rechtsgronden en de beweegredenen, waarop hij berust, een algemene maatregel van rijksbestuur bepalen op welke wijze hierin wordt voorzien.
2. Voor Nederland wordt in dit onderwerp voor zover nodig in de Grondwet voorzien.

Art. 52

Statuut Koninkrijk, delegatie bevoegdheden Koning en Gouverneur

De landsverordening kan aan de Koning als hoofd van het Koninkrijk en aan de Gouverneur als orgaan van het Koninkrijk met goedkeuring van de Koning bevoegdheden met betrekking tot landsaangelegenheden toekennen.

Art. 53

Statuut Koninkrijk, toezicht Algemene Rekenkamer

Indien Aruba, Curaçao of Sint Maarten de wens daartoe te kennen geven, wordt het onafhankelijke toezicht op de besteding der geldmiddelen overeenkomstig de begroting van Aruba, Curaçao onderscheidenlijk Sint Maarten, door de Algemene Rekenkamer uitgeoefend. In dat geval worden na overleg met de Rekenkamer bij rijkswet regelen gesteld omtrent de samenwerking tussen de Rekenkamer en het betrokken land. Alsdan zal de regering van het land op voordracht van het vertegenwoordigende lichaam iemand kunnen aanwijzen, die in de gelegenheid wordt gesteld deel te nemen aan de beraadslagingen over alle aangelegenheden van het betrokken land.

§ 5
Overgangs- en slotbepalingen

Art. 54

1. Bij wijziging van de Grondwet wordt artikel 1, tweede lid, vervallen verklaard op het moment dat bij de Grondwet wordt voorzien in de positie van Bonaire, Sint Eustatius en Saba binnen het staatsbestel van Nederland.
2. Dit artikel vervalt indien onder toepassing van het voorgaande lid artikel 1, tweede lid, vervallen wordt verklaard.

Art. 55

Statuut Koninkrijk, procedure wijziging Statuut

1. Wijziging van dit Statuut geschiedt bij rijkswet.
2. Een voorstel tot wijziging, door de Staten-Generaal aangenomen, wordt door de Koning niet goedgekeurd, alvorens het door Aruba, Curaçao en Sint Maarten is aanvaard. Deze aanvaarding geschiedt bij landsverordening.
Deze landsverordening wordt niet vastgesteld alvorens het ontwerp door de Staten in twee lezingen is goedgekeurd. Indien het ontwerp in eerste lezing is goedgekeurd met twee derden der uitgebrachte stemmen, geschiedt de vaststelling terstond. De tweede lezing vindt plaats binnen een maand nadat het ontwerp in eerste lezing is goedgekeurd.
3. Indien en voor zover een voorstel tot wijziging van het Statuut afwijkt van de Grondwet, wordt het voorstel behandeld op de wijze, als de Grondwet voor voorstellen tot verandering in de Grondwet bepaalt, met dien verstande, dat de beide kamers in tweede lezing de voorgestelde verandering bij volstrekte meerderheid der uitgebrachte stemmen kunnen aannemen.

Art. 56

Overgangsrecht

Op het tijdstip van inwerkingtreding van het Statuut bestaande autoriteiten, verbindende wetten, verordeningen en besluiten blijven gehandhaafd totdat zij door andere, met inachtneming van dit Statuut, zijn vervangen. Voor zover het Statuut zelf in enig onderwerp anders voorziet, geldt de regeling van het Statuut.

Art. 57

Statuut Koninkrijk, rijkswet en landsverordening

Wetten en algemene maatregelen van bestuur, die in de Nederlandse Antillen golden, hebben de staat van rijkswet, onderscheidenlijk van algemene maatregel van rijksbestuur, met dien verstande, dat zij, voor zover zij ingevolge het Statuut bij landsverordening kunnen worden gewijzigd, de staat hebben van landsverordening.

Art. 57a

Bestaande rijkswetten, wetten, landsverordeningen, algemene maatregelen van rijksbestuur, algemene maatregelen van bestuur en andere regelingen en besluiten die in strijd zijn met een verandering in het Statuut, blijven gehandhaafd, totdat daarvoor met inachtneming van het Statuut een voorziening is getroffen.

Art. 58

Statuut Koninkrijk, beëindiging rechtsorde Aruba

1. Aruba kan bij landsverordening verklaren dat het de rechtsorde neergelegd in het Statuut ten aanzien van Aruba wil beëindigen.
2. Het voorstel van een zodanige landsverordening gaat bij indiening vergezeld van een schets van een toekomstige constitutie, houdende tenminste bepalingen inzake de grondrechten, regering, vertegenwoordigend orgaan, wetgeving en bestuur, rechtspraak en wijziging van de constitutie.
3. De Staten kunnen het voorstel niet goedkeuren dan met een meerderheid van twee derden van de stemmen van het aantal zitting hebbende leden.

Art. 59

Statuut Koninkrijk, referendum rechtsorde Aruba

1. Binnen zes maanden nadat de Staten van Aruba het in artikel 58 genoemde voorstel hebben goedgekeurd wordt een bij landsverordening geregeld referendum gehouden, waarbij de kiesgerechtigden voor de Staten zich kunnen uitspreken over het goedgekeurde voorstel.
2. Het goedgekeurde voorstel wordt niet als landsverordening vastgesteld dan nadat bij het referendum een meerderheid van het aantal kiesgerechtigden voor het voorstel heeft gestemd.

Art. 60

Statuut Koninkrijk, beëindiging rechtsorde Aruba

1. Na vaststelling van de landsverordening overeenkomstig de artikelen 58 en 59 en goedkeuring van de toekomstige constitutie door de Staten van Aruba met een meerderheid van ten minste twee derden van de stemmen van het aantal zitting hebbende leden wordt overeenkomstig het gevoelen van de regering van Aruba bij koninklijk besluit het tijdstip van beëindiging van de in het Statuut neergelegde rechtsorde ten aanzien van Aruba bepaald.
2. Dit tijdstip ligt ten hoogste een maand na de datum van vaststelling van de constitutie. Deze vaststelling vindt plaats ten hoogste een jaar na de datum van het in artikel 59 bedoelde referendum.

Art. 60a

1. De door de eilandsraden van Curaçao en Sint Maarten bij eilandsverordening vastgestelde ontwerpen voor een Staatsregeling van Curaçao, onderscheidenlijk van Sint Maarten, verkrijgen

op het tijdstip van inwerkingtreding van de artikelen I en II van de Rijkswet wijziging Statuut in verband met de opheffing van de Nederlandse Antillen de staat van Staatsregeling van Curaçao, onderscheidenlijk van Sint Maarten, indien:
a. het gevoelen van de regering van het Koninkrijk is ingewonnen voordat het ontwerp aan de betrokken eilandsraad is aangeboden, onderscheidenlijk voordat een initiatiefontwerp door de betrokken eilandsraad in onderzoek is genomen
b. het ontwerp door de betrokken eilandsraad met ten minste twee derden van de uitgebrachte stemmen is aanvaard en
c. de regering van het Koninkrijk met het door de betrokken eilandsraad vastgestelde ontwerp heeft ingestemd.
2. Indien een ontwerp door een eilandsraad is aanvaard met een kleinere meerderheid dan twee derden van de uitgebrachte stemmen, dan wordt voldaan aan de voorwaarde genoemd in het eerste lid, onder *b*, indien de eilandsraad na de stemming over het ontwerp is ontbonden en het ontwerp met een volstrekte meerderheid van de uitgebrachte stemmen is aanvaard door de in verband met die ontbinding nieuw gekozen eilandsraad.
3. Indien een ontwerp door een eilandsraad is aanvaard met een kleinere meerderheid dan twee derden van de uitgebrachte stemmen en de betrokken eilandsraad niet is ontbonden, dan wordt die eilandsraad door de gezaghebber ontbonden. Het besluit tot ontbinding behelst de uitschrijving van de verkiezing van een nieuwe eilandsraad binnen twee maanden en de eerste samenkomst van de nieuwe eilandsraad binnen drie maanden na de datum van het besluit tot ontbinding. Indien de nieuw gekozen eilandsraad het ontwerp aanvaardt met een volstrekte meerderheid van de uitgebrachte stemmen, wordt voldaan aan de voorwaarde genoemd onder *b* van het eerste lid.

Art. 60b

1. De door de eilandsraden van Curaçao en Sint Maarten bij eilandsverordening vastgestelde ontwerp-landsverordeningen van Curaçao, onderscheidenlijk Sint Maarten, verkrijgen op het tijdstip van inwerkingtreding van de artikelen I en II van de Rijkswet wijziging Statuut in verband met de opheffing van de Nederlandse Antillen de staat van landsverordeningen van het land Curaçao, onderscheidenlijk Sint Maarten.
2. De door het Bestuurscollege van Curaçao of Sint Maarten bij eilandsbesluit of eilandsbesluit, houdende algemene maatregelen, vastgestelde ontwerp-landsbesluiten onderscheidenlijk ontwerp-landsbesluiten, houdende algemene maatregelen van Curaçao, onderscheidenlijk Sint Maarten, verkrijgen op het tijdstip van inwerkingtreding van de artikelen I en II van de Rijkswet wijziging Statuut in verband met de opheffing van de Nederlandse Antillen de staat van landsbesluit, onderscheidenlijk landsbesluit, houdende algemene maatregelen van Curaçao, onderscheidenlijk Sint Maarten.

Art. 60c

De Bestuurscolleges van Curaçao en Sint Maarten kunnen met elkaar en één of meer regeringen van de landen van het Koninkrijk ontwerp-onderlinge regelingen treffen die de staat van onderlinge regeling in de zin van artikel 38, eerste lid, krijgen op het tijdstip van inwerkingtreding van de artikelen I en II van de Rijkswet wijziging Statuut in verband met de opheffing van de Nederlandse Antillen.

Art. 61

Inwerkingtreding

Het Statuut treedt in werking op het tijdstip van de plechtige afkondiging, nadat het bevestigd is door de Koning.
Alvorens de bevestiging geschiedt, behoeft het Statuut aanvaarding voor Nederland op de wijze, in de Grondwet voorzien; voor Suriname en voor de Nederlandse Antillen door een besluit van het vertegenwoordigende lichaam.
Dit besluit wordt genomen met twee derden der uitgebrachte stemmen. Wordt deze meerderheid niet verkregen, dan worden de Staten ontbonden en wordt door de nieuwe Staten bij volstrekte meerderheid der uitgebrachte stemmen beslist.

Art. 62

[Vervallen.]

Inhoudsopgave

Hoofdstuk 1	Grondrechten	Art. 1
Hoofdstuk 2	Regering	Art. 24
§ 1	Koning	Art. 24
§ 2	Koning en ministers	Art. 42
Hoofdstuk 3	Staten-Generaal	Art. 50
§ 1	Inrichting en samenstelling	Art. 50
§ 2	Werkwijze	Art. 65
Hoofdstuk 4	Raad van State, Algemene Rekenkamer, Nationale ombudsman en vaste colleges van advies	Art. 73
Hoofdstuk 5	Wetgeving en bestuur	Art. 81
§ 1	Wetten en andere voorschriften	Art. 81
§ 2	Overige bepalingen	Art. 90
Hoofdstuk 6	Rechtspraak	Art. 112
Hoofdstuk 7	Provincies, gemeenten, waterschappen en andere openbare lichamen	Art. 123
Hoofdstuk 8	Herziening van de Grondwet	Art. 137
	Additionele artikelen	Art. I

4. Hij aan wie rechtmatig zijn vrijheid is ontnomen, kan worden beperkt in de uitoefening van grondrechten voor zover deze zich niet met de vrijheidsontneming verdraagt.
(Zie ook: art. 113 GW; art. 9 BUPO; artt. 5, 6 EVRM; artt. 50, 56 VW 2000; artt. 53, 57, 63, 180, 206, 214 WvSv; art. 12 Uitlw)

Art. 16

Geen feit is strafbaar dan uit kracht van een daaraan voorafgegane wettelijke strafbepaling. **Grondrecht, geen straf zonder wettelijke bepaling/legaliteitsbeginsel**
(Zie ook: art. 88 GW; artt. 3, 4 Wet AB; art. 15 BUPO; art. 7 EVRM; art. 1 WvSr)

Art. 17

Niemand kan tegen zijn wil worden afgehouden van de rechter die de wet hem toekent. **Grondrecht, wettelijk toegekende rechter**
(Zie ook: artt. 2, 14 BUPO; artt. 6, 13 EVRM)

Art. 18

1. Ieder kan zich in rechte en in administratief beroep doen bijstaan. **Grondrecht, rechtsbijstand**

2. De wet stelt regels omtrent het verlenen van rechtsbijstand aan minder draagkrachtigen.
(Zie ook: art. 14 BUPO; art. 6 EVRM; art. 38 WvSr)

Art. 19

1. Bevordering van voldoende werkgelegenheid is voorwerp van zorg der overheid. **Grondrecht, werkgelegenheid**

2. De wet stelt regels omtrent de rechtspositie van hen die arbeid verrichten en omtrent hun bescherming daarbij, alsmede omtrent medezeggenschap. **Grondrecht, arbeidsbescherming/medezeggenschap**

3. Het recht van iedere Nederlander op vrije keuze van arbeid wordt erkend, behoudens de beperkingen bij of krachtens de wet gesteld. **Grondrecht, vrije keuze van arbeid**
(Zie ook: artt. 2, 109 GW; art. 6 IVESCR; art. 1 ESH)

Art. 20

1. De bestaanszekerheid der bevolking en spreiding van welvaart zijn voorwerp van zorg der overheid. **Grondrecht, sociale zekerheid**
2. De wet stelt regels omtrent de aanspraken op sociale zekerheid.
3. Nederlanders hier te lande, die niet in het bestaan kunnen voorzien, hebben een bij de wet te regelen recht op bijstand van overheidswege.
(Zie ook: art. 2 GW; art. 11 IVESCR; art. 13 ESH)

Art. 21

De zorg van de overheid is gericht op de bewoonbaarheid van het land en de bescherming en verbetering van het leefmilieu. **Grondrecht, bewoonbaarheid/milieuhygiëne**
(Zie ook: art. 12 IVESCR)

Art. 22

1. De overheid treft maatregelen ter bevordering van de volksgezondheid. **Grondrecht, volksgezondheid**

2. Bevordering van voldoende woongelegenheid is voorwerp van zorg der overheid. **Grondrecht, woongelegenheid**

3. Zij schept voorwaarden voor maatschappelijke en culturele ontplooiing en voor vrijetijdsbesteding. **Grondrecht, ontplooiing en vrijetijdsbesteding**
(Zie ook: artt. 11, 12, 15 IVESCR; artt. 11, 14, 16 ESH)

Art. 23

1. Het onderwijs is een voorwerp van de aanhoudende zorg der regering. **Grondrecht, onderwijs**
2. Het geven van onderwijs is vrij, behoudens het toezicht van de overheid en, voor wat bij de wet aangewezen vormen van onderwijs betreft, het onderzoek naar de bekwaamheid en de zedelijkheid van hen die onderwijs geven, een en ander bij de wet te regelen.
3. Het openbaar onderwijs wordt, met eerbiediging van ieders godsdienst of levensovertuiging, bij de wet geregeld.
4. In elke gemeente wordt van overheidswege voldoend openbaar algemeen vormend lager onderwijs gegeven in een genoegzaam aantal openbare scholen. Volgens bij de wet te stellen regels kan afwijking van deze bepaling worden toegelaten, mits tot het ontvangen van zodanig onderwijs gelegenheid wordt gegeven, al dan niet in een openbare school.
5. De eisen van deugdelijkheid, aan het geheel of ten dele uit de openbare kas te bekostigen onderwijs te stellen, worden bij de wet geregeld, met inachtneming, voor zover het bijzonder onderwijs betreft, van de vrijheid van richting.
6. Deze eisen worden voor het algemeen vormend lager onderwijs zodanig geregeld, dat de deugdelijkheid van het geheel uit de openbare kas bekostigd bijzonder onderwijs en van het openbaar onderwijs even afdoende wordt gewaarborgd. Bij die regeling wordt met name de vrijheid van het bijzonder onderwijs betreffende de keuze der leermiddelen en de aanstelling der onderwijzers geëerbiedigd.

7. Het bijzonder algemeen vormend lager onderwijs, dat aan de bij de wet te stellen voorwaarden voldoet, wordt naar dezelfde maatstaf als het openbaar onderwijs uit de openbare kas bekostigd. De wet stelt de voorwaarden vast, waarop voor het bijzonder algemeen vormend middelbaar en voorbereidend hoger onderwijs bijdragen uit de openbare kas worden verleend.
8. De regering doet jaarlijks van de staat van het onderwijs verslag aan de Staten-Generaal.
(Zie ook: art. 6 GW; art. 13 IVESCR; art. 2 EVRM 1e prot.; art. 8 Wpo; art. 6 Wvo)

Hoofdstuk 2
Regering

§ 1
Koning

Art. 24

Koning, vervulling koningschap

Het koningschap wordt erfelijk vervuld door de wettige opvolgers van Koning Willem I, Prins van Oranje-Nassau.
(Zie ook: art. 1 Statuut)

Art. 25

Koning, troonopvolging

Het koningschap gaat bij overlijden van de Koning krachtens erfopvolging over op zijn wettige nakomelingen, waarbij het oudste kind voorrang heeft, met plaatsvervulling volgens dezelfde regel. Bij gebreke van eigen nakomelingen gaat het koningschap op gelijke wijze over op de wettige nakomelingen eerst van zijn ouder, dan van zijn grootouder, in de lijn van erfopvolging, voor zover de overleden Koning niet verder bestaand dan in de derde graad van bloedverwantschap.

Art. 26

Koning, status ongeboren kind

Het kind, waarvan een vrouw zwanger is op het ogenblik van het overlijden van de Koning, wordt voor de erfopvolging als reeds geboren aangemerkt. Komt het dood ter wereld, dan wordt het geacht nooit te hebben bestaan.
(Zie ook: art. 37 GW; art. 2 BW Boek 1)

Art. 27

Koning, afstand koningschap

Afstand van het koningschap leidt tot erfopvolging overeenkomstig de regels in de voorgaande artikelen gesteld. Na de afstand geboren kinderen en hun nakomelingen zijn van de erfopvolging uitgesloten.
(Zie ook: art. 30 GW)

Art. 28

Koning, afstand koningschap door huwelijk

1. De Koning, een huwelijk aangaande buiten bij de wet verleende toestemming, doet daardoor afstand van het koningschap.
2. Gaat iemand die het koningschap van de Koning kan beërven een zodanig huwelijk aan, dan is hij met de uit dit huwelijk geboren kinderen en hun nakomelingen van de erfopvolging uitgesloten.
3. De Staten-Generaal beraadslagen en besluiten ter zake van een voorstel van wet, strekkende tot het verlenen van toestemming, in verenigde vergadering.
(Zie ook: artt. 51, 82 GW; BIMAZ)

Art. 29

Koning, uitsluiting troonopvolging

1. Wanneer uitzonderlijke omstandigheden daartoe nopen, kunnen bij een wet een of meer personen van de erfopvolging worden uitgesloten.
2. Het voorstel daartoe wordt door of vanwege de Koning ingediend. De Staten-Generaal beraadslagen en besluiten ter zake in verenigde vergadering. Zij kunnen het voorstel alleen aannemen met ten minste twee derden van het aantal uitgebrachte stemmen.

Art. 30

Koning, benoeming bij ontbreken troonopvolger

1. Wanneer vooruitzicht bestaat dat een opvolger zal ontbreken, kan deze worden benoemd bij een wet. Het voorstel wordt door of vanwege de Koning ingediend. Na de indiening van het voorstel worden de kamers ontbonden. De nieuwe kamers beraadslagen en besluiten ter zake in verenigde vergadering. Zij kunnen het voorstel alleen aannemen met ten minste twee derden van het aantal uitgebrachte stemmen.
2. Indien bij overlijden van de Koning of bij afstand van het koningschap een opvolger ontbreekt, worden de kamers ontbonden. De nieuwe kamers komen binnen vier maanden na het overlijden of de afstand in verenigde vergadering bijeen ten einde te besluiten omtrent de benoeming van een Koning. Zij kunnen een opvolger alleen benoemen met ten minste twee derden van het aantal uitgebrachte stemmen.
(Zie ook: artt. 37, 51, 64 GW)

Art. 31

Koning, erfopvolging benoemde koning

1. Een benoemde Koning kan krachtens erfopvolging alleen worden opgevolgd door zijn wettige nakomelingen.

2. De bepalingen omtrent de erfopvolging en het eerste lid van dit artikel zijn van overeenkomstige toepassing op een benoemde opvolger, zolang deze nog geen Koning is.
(Zie ook: art. 25 GW)

Art. 32

Koning, beëdiging

Nadat de Koning de uitoefening van het koninklijk gezag heeft aangevangen, wordt hij zodra mogelijk beëdigd en ingehuldigd in de hoofdstad Amsterdam in een openbare verenigde vergadering van de Staten-Generaal. Hij zweert of belooft trouw aan de Grondwet en een getrouwe vervulling van zijn ambt. De wet stelt nadere regels vast.
(Zie ook: artt. 37, 49, 51, 60 GW)

Art. 33

Koning, minimumleeftijd uitoefening koninklijk gezag

De Koning oefent het koninklijk gezag eerst uit, nadat hij de leeftijd van achttien jaar heeft bereikt.
(Zie ook: art. 37 GW; art. 233 BW Boek 1)

Art. 34

Koning, ouderlijk gezag en voogdij over minderjarige Koning

De wet regelt het ouderlijk gezag en de voogdij over de minderjarige Koning en het toezicht daarop. De Staten-Generaal beraadslagen en besluiten ter zake in verenigde vergadering.
(Zie ook: art. 51 GW)

Art. 35

Koning, niet in staat koninklijk gezag uit te oefenen

1. Wanneer de ministerraad van oordeel is dat de Koning buiten staat is het koninklijk gezag uit te oefenen, bericht hij dit onder overlegging van het daartoe gevraagde advies van de Raad van State aan de Staten-Generaal, die daarop in verenigde vergadering bijeenkomen.
2. Delen de Staten-Generaal dit oordeel, dan verklaren zij dat de Koning buiten staat is het koninklijk gezag uit te oefenen. Deze verklaring wordt bekend gemaakt op last van de voorzitter der vergadering en treedt terstond in werking.
3. Zodra de Koning weer in staat is het koninklijk gezag uit te oefenen, wordt dit bij de wet verklaard. De Staten-Generaal beraadslagen en besluiten ter zake in verenigde vergadering. Terstond na de bekendmaking van deze wet hervat de Koning de uitoefening van het koninklijk gezag.
(Zie ook: art. 82 GW)
4. De wet regelt zo nodig het toezicht over de persoon van de Koning indien hij buiten staat is verklaard het koninklijk gezag uit te oefenen. De Staten-Generaal beraadslagen en besluiten ter zake in verenigde vergadering.
(Zie ook: artt. 37, 51 GW)

Art. 36

Koning, tijdelijke neerlegging koninklijk gezag

De Koning kan de uitoefening van het koninklijk gezag tijdelijk neerleggen en die uitoefening hervatten krachtens een wet, waarvan het voorstel door of vanwege hem wordt ingediend. De Staten-Generaal beraadslagen en besluiten ter zake in verenigde vergadering.
(Zie ook: artt. 37, 51 GW)

Art. 37

Koning, uitoefening koninklijk gezag door regent

1. Het koninklijk gezag wordt uitgeoefend door een regent:
a. zolang de Koning de leeftijd van achttien jaar niet heeft bereikt;
b. indien een nog niet geboren kind tot het koningschap geroepen kan zijn;
c. indien de Koning buiten staat is verklaard het koninklijk gezag uit te oefenen;
d. indien de Koning de uitoefening van het koninklijk gezag tijdelijk heeft neergelegd;
e. zolang na het overlijden van de Koning of na diens afstand van het koningschap een opvolger ontbreekt.
2. De regent wordt benoemd bij de wet. De Staten-Generaal beraadslagen en besluiten ter zake in verenigde vergadering.
3. In de gevallen, genoemd in het eerste lid onder *c* en *d*, is de nakomeling van de Koning die zijn vermoedelijke opvolger is, van rechtswege regent indien hij de leeftijd van achttien jaar heeft bereikt.
4. De regent zweert of belooft trouw aan de Grondwet en een getrouwe vervulling van zijn ambt, in een verenigde vergadering van de Staten-Generaal. De wet geeft nadere regels omtrent het regentschap en kan voorzien in de opvolging en de vervanging daarin. De Staten-Generaal beraadslagen en besluiten ter zake in verenigde vergadering.

Schakelbepaling

5. Op de regent zijn de artikelen 35 en 36 van overeenkomstige toepassing.
(Zie ook: artt. 32, 49, 51, 60 GW)

Art. 38

Koning, uitoefening koninklijk gezag door RvS

Zolang niet in de uitoefening van het koninklijk gezag is voorzien, wordt dit uitgeoefend door de Raad van State.
(Zie ook: art. 14 Wet RvS)

Art. 39

Koning, lidmaatschap koninklijk huis

De wet regelt, wie lid is van het koninklijk huis.
(Zie ook: art. 74 GW)

Art. 40

Koning, uitkeringen aan leden koninklijk huis

1. De Koning ontvangt jaarlijks ten laste van het Rijk uitkeringen naar regels bij de wet te stellen. Deze wet bepaalt aan welke andere leden van het koninklijk huis uitkeringen ten laste van het Rijk worden toegekend en regelt deze uitkeringen.
2. De door hen ontvangen uitkeringen ten laste van het Rijk, alsmede de vermogensbestanddelen welke dienstbaar zijn aan de uitoefening van hun functie, zijn vrij van persoonlijke belastingen. Voorts is hetgeen de Koning of zijn vermoedelijke opvolger krachtens erfrecht of door schenking verkrijgt van een lid van het koninklijk huis vrij van de rechten van successie, overgang en schenking. Verdere vrijdom van belasting kan bij de wet worden verleend.
3. De kamers der Staten-Generaal kunnen voorstellen van in de vorige leden bedoelde wetten alleen aannemen met ten minste twee derden van het aantal uitgebrachte stemmen.

Art. 41

Koning, inrichting Huis van de Koning

De Koning richt, met inachtneming van het openbaar belang, zijn Huis in.

§ 2
Koning en ministers

Art. 42

Regering, ministeriële verantwoordelijkheid

1. De regering wordt gevormd door de Koning en de ministers.
2. De Koning is onschendbaar; de ministers zijn verantwoordelijk.

(Zie ook: art. 2 Statuut; BbKK)

Art. 43

Regering, ministers

De minister-president en de overige ministers worden bij koninklijk besluit benoemd en ontslagen.
(Zie ook: art. 57 GW)

Art. 44

Regering, ministeries

1. Bij koninklijk besluit worden ministeries ingesteld. Zij staan onder leiding van een minister.
2. Ook kunnen ministers worden benoemd die niet belast zijn met de leiding van een ministerie.

(Zie ook: Bhwbtb; Bhmt; Bhpr; Bhva; BhECD; Bhtc; Bhcim; Bhvg; Bhko; Bhrwk; Bhibk; Bhoa; Bhdt; Hbesl. Tpb; IR BZK 1994; NwLNV; Obesl. Cralb; Bobio; BKNAAZ; Bokfs; BraMVM; BnwBZ; BoKEW; Boquv; BoWKS; Biokwa; BoWw; BoSPW; Bodb; Bobsw; Bofsb; BoBBU; Bogrb; Obesl. Vbt; Obesl. Zck; Obesl. WKS; Obesl. WRA WAA; Obesl. KEW; Obesl. VWA; Vreg.min; Wvreg.min)

Art. 45

Regering, ministerraad

1. De ministers vormen te zamen de ministerraad.
2. De minister-president is voorzitter van de ministerraad.
3. De ministerraad beraadslaagt en besluit over het algemeen regeringsbeleid en bevordert de eenheid van dat beleid.

(Zie ook: Wvreg.min; Vreg.min; RvO Min)

Art. 46

Regering, staatssecretarissen

1. Bij koninklijk besluit kunnen staatssecretarissen worden benoemd en ontslagen.
2. Een staatssecretaris treedt in de gevallen waarin de minister het nodig acht en met inachtneming van diens aanwijzingen, in zijn plaats als minister op. De staatssecretaris is uit dien hoofde verantwoordelijk, onverminderd de verantwoordelijkheid van de minister.

(Zie ook: art. 57 GW; TSSD; TSSJ; TvVWS; Vbesl.tsHoof; Wvreg.min; EZ-ireg. 2005)

Art. 47

Regering, ondertekening wetten en koninklijke besluiten

Alle wetten en koninklijke besluiten worden door de Koning en door een of meer ministers of staatssecretarissen ondertekend.
(Zie ook: art. 87 GW; art. 2 Min. verantw.)

Art. 48

Regering, ondertekening koninklijk besluit benoeming/ontslag ministers en staatssecretarissen

Het koninklijk besluit waarbij de minister-president wordt benoemd, wordt mede door hem ondertekend. De koninklijke besluiten waarbij de overige ministers en de staatssecretarissen worden benoemd of ontslagen, worden mede door de minister-president ondertekend.

Art. 49

Regering, ambtsaanvaarding ministers en staatssecretarissen

Op de wijze bij de wet voorgeschreven leggen de ministers en de staatssecretarissen bij de aanvaarding van hun ambt ten overstaan van de Koning een eed, dan wel verklaring en belofte, van zuivering af en zweren of beloven zij trouw aan de Grondwet en een getrouwe vervulling van hun ambt.
(Zie ook: artt. 32, 37, 60 GW)

Hoofdstuk 3
Staten-Generaal

§ 1
Inrichting en samenstelling

Art. 50

Staten-Generaal, taak

De Staten-Generaal vertegenwoordigen het gehele Nederlandse volk.
(Zie ook: art. 67 GW)

Art. 51

Staten-Generaal, Eerste en Tweede Kamer

1. De Staten-Generaal bestaan uit de Tweede Kamer en de Eerste Kamer.
2. De Tweede Kamer bestaat uit honderdvijftig leden.
3. De Eerste Kamer bestaat uit vijfenzeventig leden.
4. Bij een verenigde vergadering worden de kamers als één beschouwd.
(Zie ook: artt. 28 t/m 32, 34 t/m 37, 62, 65, 82, 96, 103 GW)

Art. 52

Staten-Generaal, zittingsduur

1. De zittingsduur van beide kamers is vier jaren.
2. Indien voor de provinciale staten bij de wet een andere zittingsduur dan vier jaren wordt vastgesteld, wordt daarbij de zittingsduur van de Eerste Kamer in overeenkomstige zin gewijzigd.
(Zie ook: art. 129 GW; art. P2 KW)

Art. 53

Staten-Generaal, evenredige vertegenwoordiging

1. De leden van beide kamers worden gekozen op de grondslag van evenredige vertegenwoordiging binnen door de wet te stellen grenzen.

Staten-Generaal, geheime stemming

2. De verkiezingen worden gehouden bij geheime stemming.
(Zie ook: art. 129 GW; art. 25 BUPO; art. 3 EVRM 1e prot.)

Art. 54

Staten-Generaal, verkiezing Tweede Kamer

1. De leden van de Tweede Kamer worden rechtstreeks gekozen door de Nederlanders die de leeftijd van achttien jaar hebben bereikt, behoudens bij de wet te bepalen uitzonderingen ten aanzien van Nederlanders die geen ingezetenen zijn.
2. Van het kiesrecht is uitgesloten hij die wegens het begaan van een daartoe bij de wet aangewezen delict bij onherroepelijke rechterlijke uitspraak is veroordeeld tot een vrijheidsstraf van ten minste een jaar en hierbij tevens is ontzet van het kiesrecht.
(Zie ook: artt. 2, 4 GW; artt. B1, B2, B3, B6 KW; art. 28 WvSr; art. 381 BW Boek 1)

Art. 55

Staten-Generaal, verkiezing Eerste Kamer

De leden van de Eerste Kamer worden gekozen door de leden van provinciale staten. De verkiezing wordt, behoudens in geval van ontbinding der kamer, gehouden binnen drie maanden na de verkiezing van de leden van provinciale staten.
(Zie ook: artt. 64, 129 GW; art. P1 KW)

Art. 56

Staten-Generaal, vereisten voor lidmaatschap

Om lid van de Staten-Generaal te kunnen zijn is vereist dat men Nederlander is, de leeftijd van achttien jaar heeft bereikt en niet is uitgesloten van het kiesrecht.
(Zie ook: artt. 2, 4, 129 GW)

Art. 57

Staten-Generaal, incompatibiliteiten

1. Niemand kan lid van beide kamers zijn.
2. Een lid van de Staten-Generaal kan niet tevens zijn minister, staatssecretaris, lid van de Raad van State, lid van de Algemene Rekenkamer, Nationale ombudsman of substituut-ombudsman, of lid van of procureur-generaal of advocaat-generaal bij de Hoge Raad.
3. Niettemin kan een minister of staatssecretaris, die zijn ambt ter beschikking heeft gesteld, dit ambt verenigen met het lidmaatschap van de Staten-Generaal, totdat omtrent die beschikbaarstelling is beslist.
4. De wet kan ten aanzien van andere openbare betrekkingen bepalen dat zij niet gelijktijdig met het lidmaatschap van de Staten-Generaal of van een der kamers kunnen worden uitgeoefend.
(Zie ook: artt. 4, 129 GW; art. 7 Wet RvS; art. 47 CW; Ivbesl.m; Bkdow)

Art. 57a

Staten-Generaal, vervanging wegens zwangerschap/ziekte

De wet regelt de tijdelijke vervanging van een lid van de Staten-Generaal wegens zwangerschap en bevalling, alsmede wegens ziekte.
(Zie ook: art. 129 GW)

Staten-Generaal, geloofsbrieven

Art. 58

Elke kamer onderzoekt de geloofsbrieven van haar nieuwbenoemde leden en beslist met inachtneming van bij de wet te stellen regels de geschillen welke met betrekking tot de geloofsbrieven of de verkiezing zelf rijzen.

(Zie ook: artt. V4, V5 KW; art. 2 RvO II; Btu art.99a RBD; Bkdow; Rrkdow; Ureg. BD 1966; Wgbesl. BD)

Staten-Generaal, kiesrecht/verkiezingen

Art. 59

Alles, wat verder het kiesrecht en de verkiezingen betreft, wordt bij de wet geregeld.

(Zie ook: art. 129 GW)

Staten-Generaal, ambtsaanvaarding Kamerleden

Art. 60

Op de wijze bij de wet voorgeschreven leggen de leden van de kamers bij de aanvaarding van hun ambt in de vergadering een eed, dan wel verklaring en belofte, van zuivering af en zweren of beloven zij trouw aan de Grondwet en een getrouwe vervulling van hun ambt.

(Zie ook: artt. 32, 37, 49 GW)

Staten-Generaal, voorzitters en ambtenaren van de kamers

Art. 61

1. Elk der kamers benoemt uit de leden een voorzitter.

2. Elk der kamers benoemt een griffier. Deze en de overige ambtenaren van de kamers kunnen niet tevens lid van de Staten-Generaal zijn.

(Zie ook: art. 13 RvO I; art. 6 RvO II)

Staten-Generaal, voorzitter verenigde vergadering

Art. 62

De voorzitter van de Eerste Kamer heeft de leiding van de verenigde vergadering.

(Zie ook: art. 51 GW)

Staten-Generaal, geldelijke voorzieningen

Art. 63

Geldelijke voorzieningen ten behoeve van leden en gewezen leden van de Staten-Generaal en van hun nabestaanden worden bij de wet geregeld. De kamers kunnen een voorstel van wet ter zake alleen aannemen met ten minste twee derden van het aantal uitgebrachte stemmen.

(Zie ook: WIDB 1930)

Staten-Generaal, ontbinding kamers

Art. 64

1. Elk der kamers kan bij koninklijk besluit worden ontbonden.

2. Het besluit tot ontbinding houdt tevens de last in tot een nieuwe verkiezing voor de ontbonden kamer en tot het samenkomen van de nieuw gekozen kamer binnen drie maanden.

3. De ontbinding gaat in op de dag waarop de nieuw gekozen kamer samenkomt.

4. De wet stelt de zittingsduur van een na ontbinding optredende Tweede Kamer vast; de termijn mag niet langer zijn dan vijf jaren. De zittingsduur van een na ontbinding optredende Eerste Kamer eindigt op het tijdstip waarop de zittingsduur van de ontbonden kamer zou zijn geëindigd.

(Zie ook: artt. 30, 55, 137 t/m 361 GW; BoTKSG; BoTKSG1; BoTKSG2; BoEKSG)

§ 2
Werkwijze

Staten-Generaal, troonrede

Art. 65

Jaarlijks op de derde dinsdag van september of op een bij de wet te bepalen eerder tijdstip wordt door of namens de Koning in een verenigde vergadering van de Staten-Generaal een uiteenzetting van het door de regering te voeren beleid gegeven.

(Zie ook: artt. 42, 51, 105 GW)

Staten-Generaal, openbaarheid vergaderingen

Art. 66

1. De vergaderingen van de Staten-Generaal zijn openbaar.

2. De deuren worden gesloten, wanneer een tiende deel van het aantal aanwezige leden het vordert of de voorzitter het nodig oordeelt.

3. Door de kamer, onderscheidenlijk de kamers in verenigde vergadering, wordt vervolgens beslist of met gesloten deuren zal worden beraadslaagd en besloten.

(Zie ook: art. 125 GW; artt. 85, 134 RvO I; artt. 52, 39 RvO II; Wet OON)

Staten-Generaal, quorum

Art. 67

1. De kamers mogen elk afzonderlijk en in verenigde vergadering alleen beraadslagen of besluiten, indien meer dan de helft van het aantal zitting hebbende leden ter vergadering aanwezig is.

Staten-Generaal, stemming

2. Besluiten worden genomen bij meerderheid van stemmen.

3. De leden stemmen zonder last.

4. Over zaken wordt mondeling en bij hoofdelijke oproeping gestemd, wanneer één lid dit verlangt.
(Zie ook: artt. 29, 30, 40, 91, 129, 137 GW; artt. 82, 115, 119 RvO I; artt. 53, 81, 84 RvO II)

Art. 68

interpellatierecht

De ministers en de staatssecretarissen geven de kamers elk afzonderlijk en in verenigde vergadering mondeling of schriftelijk de door een of meer leden verlangde inlichtingen waarvan het verstrekken niet in strijd is met het belang van de staat.
(Zie ook: art. 133 RvO II; Amareg.; BhKra)

Art. 69

Staten-Generaal, aanwezigheid ministers en staatssecretarissen

1. De ministers en de staatssecretarissen hebben toegang tot de vergaderingen en kunnen aan de beraadslaging deelnemen.
2. Zij kunnen door de kamers elk afzonderlijk en in verenigde vergadering worden uitgenodigd om ter vergadering aanwezig te zijn.
3. Zij kunnen zich in de vergaderingen doen bijstaan door de personen, daartoe door hen aangewezen.
(Zie ook: artt. 84, 99, 151 RvO I; artt. 57, 73, 120 RvO II)

Art. 70

Enquêterecht

Beide kamers hebben, zowel ieder afzonderlijk als in verenigde vergadering, het recht van onderzoek (enquête), te regelen bij de wet.
(Zie ook: art. 137 RvO I; art. 147 RvO II)

Art. 71

Staten-Generaal, parlementaire onschendbaarheid

De leden van de Staten-Generaal, de ministers, de staatssecretarissen en andere personen die deelnemen aan de beraadslaging, kunnen niet in rechte worden vervolgd of aangesproken voor hetgeen zij in de vergaderingen van de Staten-Generaal of van commissies daaruit hebben gezegd of aan deze schriftelijk hebben overgelegd.

Art. 72

Staten-Generaal, reglement van orde

De kamers stellen elk afzonderlijk en in verenigde vergadering een reglement van orde vast.
(Zie ook: Ureg. BD 1966; Wgbesl. BD; Rrkdow; Btu art.99a RBD)

Hoofdstuk 4
Raad van State, Algemene Rekenkamer, Nationale ombudsman en vaste colleges van advies

Art. 73

Raad van State, taak

1. De Raad van State of een afdeling van de Raad wordt gehoord over voorstellen van wet en ontwerpen van algemene maatregelen van bestuur, alsmede over voorstellen tot goedkeuring van verdragen door de Staten-Generaal. In bij de wet te bepalen gevallen kan het horen achterwege blijven.
2. De Raad of een afdeling van de Raad is belast met het onderzoek van de geschillen van bestuur die bij koninklijk besluit worden beslist en draagt de uitspraak voor.
3. De wet kan aan de Raad of een afdeling van de Raad de uitspraak in geschillen van bestuur opdragen.
(Zie ook: artt. 82, 89, 91, 112 GW; artt. 15, 26 Wet RvS)

Art. 74

Raad van State, rechtspositie leden

1. De Koning is voorzitter van de Raad van State. De vermoedelijke opvolger van de Koning heeft na het bereiken van de leeftijd van achttien jaar van rechtswege zitting in de Raad. Bij of krachtens de wet kan aan andere leden van het koninklijk huis zitting in de Raad worden verleend.
2. De leden van de Raad worden bij koninklijk besluit voor het leven benoemd.
3. Op eigen verzoek en wegens het bereiken van een bij de wet te bepalen leeftijd worden zij ontslagen.
4. In de gevallen bij de wet aangewezen kunnen zij door de Raad worden geschorst of ontslagen.
5. De wet regelt overigens hun rechtspositie.
(Zie ook: artt. 39, 57, 117 GW; art. 1 Wet RvS; Bvta)

Art. 75

Raad van State, inrichting/samenstelling/bevoegdheid

1. De wet regelt de inrichting, samenstelling en bevoegdheid van de Raad van State.
2. Bij de wet kunnen aan de Raad of een afdeling van de Raad ook andere taken worden opgedragen.
(Zie ook: artt. 35, 38 GW)

Algemene Rekenkamer, taak

Art. 76

De Algemene Rekenkamer is belast met het onderzoek van de ontvangsten en uitgaven van het Rijk.
(Zie ook: art. 105 GW; art. 65 CW)

Algemene Rekenkamer, rechtspositie leden

Art. 77

1. De leden van de Algemene Rekenkamer worden bij koninklijk besluit voor het leven benoemd uit een voordracht van drie personen, opgemaakt door de Tweede Kamer der Staten-Generaal.
2. Op eigen verzoek en wegens het bereiken van een bij de wet te bepalen leeftijd worden zij ontslagen.
3. In de gevallen bij de wet aangewezen kunnen zij door de Hoge Raad worden geschorst of ontslagen.
4. De wet regelt overigens hun rechtspositie.

(Zie ook: art. 57 GW; art. 45 CW)

Algemene Rekenkamer, inrichting/samenstelling/bevoegdheid

Art. 78

1. De wet regelt de inrichting, samenstelling en bevoegdheid van de Algemene Rekenkamer.
2. Bij de wet kunnen aan de Algemene Rekenkamer ook andere taken worden opgedragen.

Nationale ombudsman, taak/rechtspositie/bevoegdheid

Art. 78a

1. De Nationale ombudsman verricht op verzoek of uit eigen beweging onderzoek naar gedragingen van bestuursorganen van het Rijk en van andere bij of krachtens de wet aangewezen bestuursorganen.
2. De Nationale ombudsman en een substituut-ombudsman worden voor een bij de wet te bepalen termijn benoemd door de Tweede Kamer der Staten-Generaal. Op eigen verzoek en wegens het bereiken van een bij de wet te bepalen leeftijd worden zij ontslagen. In de gevallen bij de wet aangewezen kunnen zij door de Tweede Kamer der Staten-Generaal worden geschorst of ontslagen. De wet regelt overigens hun rechtspositie.
3. De wet regelt de bevoegdheid en werkwijze van de Nationale ombudsman.
4. Bij of krachtens de wet kunnen aan de Nationale ombudsman ook andere taken worden opgedragen.

Vaste colleges van advies, inrichting/samenstelling/bevoegdheid

Art. 79

1. Vaste colleges van advies in zaken van wetgeving en bestuur van het Rijk worden ingesteld bij of krachtens de wet.
2. De wet regelt de inrichting, samenstelling en bevoegdheid van deze colleges.
3. Bij of krachtens de wet kunnen aan deze colleges ook andere dan adviserende taken worden opgedragen.

(Zie ook: art. 54 Wet RO; BtaakEZBZ; BnaamUZOR; BIMAZ)

Adviescolleges, openbaarmaking advies

Art. 80

1. De adviezen van de in dit hoofdstuk bedoelde colleges worden openbaar gemaakt volgens regels bij de wet te stellen.
2. Adviezen, uitgebracht ter zake van voorstellen van wet die door of vanwege de Koning worden ingediend, worden, behoudens bij de wet te bepalen uitzonderingen, aan de Staten-Generaal overgelegd.

(Zie ook: art. 110 GW; art. 25a Wet RvS)

Hoofdstuk 5
Wetgeving en bestuur

§ 1
Wetten en andere voorschriften

Wetgeving, vaststelling wet

Art. 81

De vaststelling van wetten geschiedt door de regering en de Staten-Generaal gezamenlijk.

Wetgeving, indiening wetsvoorstel

Art. 82

1. Voorstellen van wet kunnen worden ingediend door of vanwege de Koning en door de Tweede Kamer der Staten-Generaal.
2. Voorstellen van wet waarvoor behandeling door de Staten-Generaal in verenigde vergadering is voorgeschreven, kunnen worden ingediend door of vanwege de Koning en, voor zover de betreffende artikelen van hoofdstuk 2 dit toelaten, door de verenigde vergadering.
3. Voorstellen van wet, in te dienen door de Tweede Kamer onderscheidenlijk de verenigde vergadering, worden bij haar door een of meer leden aanhangig gemaakt.

(Zie ook: artt. 34 t/m 37, 51, 73, 96, 103 GW; art. 100 RvO II)

Art. 83

Wetgeving, toezending wetsvoorstel aan Tweede Kamer/verenigde vergadering

Voorstellen van wet, ingediend door of vanwege de Koning, worden gezonden aan de Tweede Kamer of, indien daarvoor behandeling door de Staten-Generaal in verenigde vergadering is voorgeschreven, aan deze vergadering.
(Zie ook: artt. 28 t/m 30, 34 t/m 37, 96, 103 GW)

Art. 84

Wetgeving, wijziging wetsvoorstel/amendement

1. Zolang een voorstel van wet, ingediend door of vanwege de Koning, niet door de Tweede Kamer onderscheidenlijk de verenigde vergadering is aangenomen, kan het door haar, op voorstel van een of meer leden, en vanwege de regering worden gewijzigd.
2. Zolang de Tweede Kamer onderscheidenlijk de verenigde vergadering een door haar in te dienen voorstel van wet niet heeft aangenomen, kan het door haar, op voorstel van een of meer leden, en door het lid of de leden door wie het aanhangig is gemaakt, worden gewijzigd.
(Zie ook: artt. 37, 88, 91, 98 RvO II)

Art. 85

Wetgeving, toezending wetsvoorstel aan Eerste Kamer

Zodra de Tweede Kamer een voorstel van wet heeft aangenomen of tot indiening van een voorstel heeft besloten, zendt zij het aan de Eerste Kamer, die het voorstel overweegt zoals het door de Tweede Kamer aan haar is gezonden. De Tweede Kamer kan een of meer van haar leden opdragen een door haar ingediend voorstel in de Eerste Kamer te verdedigen.
(Zie ook: art. 100 RvO II)

Art. 86

Wetgeving, intrekking wetsvoorstel

1. Zolang een voorstel van wet niet door de Staten-Generaal is aangenomen, kan het door of vanwege de indiener worden ingetrokken.
2. Zolang de Tweede Kamer onderscheidenlijk de verenigde vergadering een door haar in te dienen voorstel van wet niet heeft aangenomen, kan het door het lid of de leden door wie het aanhangig is gemaakt, worden ingetrokken.
(Zie ook: BtaakVBVW; BtaakDAZ; Btaakdep.; Btaakdep.1; Btsndep.; Babpbo; Bccvtv; BtaakCRM-WVRO; Bhdep.; BDZO; Boado; Boaei; Boaip; Bhtd; BwBI; BCRMW; BiVMSZ; BoKad; BoDGRlw; Bozrw; Btbos; Bhdp; Boaws; BomWa; Bozhwb; BoWbpz; Botno; BoCRMW; Bcvtd; Bhor)

Art. 87

Wetgeving, aanneming en bekrachtiging wetsvoorstel

1. Een voorstel wordt wet, zodra het door de Staten-Generaal is aangenomen en door de Koning is bekrachtigd.

2. De Koning en de Staten-Generaal geven elkaar kennis van hun besluit omtrent enig voorstel van wet.
(Zie ook: art. 47 GW)

Art. 88

Wetgeving, bekendmaking/inwerkingtreding wet

De wet regelt de bekendmaking en de inwerkingtreding van de wetten. Zij treden niet in werking voordat zij zijn bekendgemaakt.
(Zie ook: art. 16 GW)

Art. 89

Wetgeving, algemene maatregel van bestuur

1. Algemene maatregelen van bestuur worden bij koninklijk besluit vastgesteld.

2. Voorschriften, door straffen te handhaven, worden daarin alleen gegeven krachtens de wet. De wet bepaalt de op te leggen straffen.
3. De wet regelt de bekendmaking en de inwerkingtreding van de algemene maatregelen van bestuur. Zij treden niet in werking voordat zij zijn bekendgemaakt.
4. Het tweede en derde lid zijn van overeenkomstige toepassing op andere vanwege het Rijk vastgestelde algemeen verbindende voorschriften.
(Zie ook: artt. 16, 73 GW; BbaNAA; Btrsjh; BuSS; Bvvmrbo; BWUW; RVTG; Sbbob; PM; Vgbesl. 1998; Wbesl.art. 16d Aw; Wbesl. Svijk; Wbesl. AWW en Anw; Wbesl. Bbra 1984; Wbesl. Tfvz)

§ 2
Overige bepalingen

Art. 90

Bestuur, bevordering internationale rechtsorde

De regering bevordert de ontwikkeling van de internationale rechtsorde.

Art. 91

Bestuur, goedkeuring verdrag

1. Het Koninkrijk wordt niet aan verdragen gebonden en deze worden niet opgezegd zonder voorafgaande goedkeuring van de Staten-Generaal. De wet bepaalt de gevallen waarin geen goedkeuring is vereist.
2. De wet bepaalt de wijze waarop de goedkeuring wordt verleend en kan voorzien in stilzwijgende goedkeuring.

3. Indien een verdrag bepalingen bevat welke afwijken van de Grondwet dan wel tot zodanig afwijken noodzaken, kunnen de kamers de goedkeuring alleen verlenen met ten minste twee derden van het aantal uitgebrachte stemmen.
(Zie ook: artt. 73, 120 GW; art. 163 RvO I; Gwvvp)

Art. 92

Bestuur, bevoegdheden volkenrechtelijke organisaties

Met inachtneming, zo nodig, van het bepaalde in artikel 91, derde lid, kunnen bij of krachtens verdrag aan volkenrechtelijke organisaties bevoegdheden tot wetgeving, bestuur en rechtspraak worden opgedragen.
(Zie ook: art. 113 RvO II)

Art. 93

Bestuur, verbindende kracht verdrag

Bepalingen van verdragen en van besluiten van volkenrechtelijke organisaties, die naar haar inhoud een ieder kunnen verbinden, hebben verbindende kracht nadat zij zijn bekendgemaakt.
(Zie ook: artt. 88, 120 GW)

Art. 94

Bestuur, verdrag boven wet

Binnen het Koninkrijk geldende wettelijke voorschriften vinden geen toepassing, indien deze toepassing niet verenigbaar is met een ieder verbindende bepalingen van verdragen en van besluiten van volkenrechtelijke organisaties.
(Zie ook: art. 120 GW; art. 8 WvSr)

Art. 95

Bestuur, bekendmaking verdrag/besluit volkenrechtelijke organisatie

De wet geeft regels omtrent de bekendmaking van verdragen en besluiten van volkenrechtelijke organisaties.

Art. 96

Bestuur, inoorlogverklaring

1. Het Koninkrijk wordt niet in oorlog verklaard dan na voorafgaande toestemming van de Staten-Generaal.
2. De toestemming is niet vereist, wanneer het overleg met de Staten-Generaal ten gevolge van een feitelijk bestaande oorlogstoestand niet mogelijk is gebleken.
3. De Staten-Generaal beraadslagen en besluiten ter zake in verenigde vergadering.
4. Het bepaalde in het eerste en het derde lid is van overeenkomstige toepassing voor een verklaring dat een oorlog beëindigd is.
(Zie ook: art. 51 GW)

Art. 97

Bestuur, krijgsmacht

1. Ten behoeve van de verdediging en ter bescherming van de belangen van het Koninkrijk, alsmede ten behoeve van de handhaving en de bevordering van de internationale rechtsorde, is er een krijgsmacht.
2. De regering heeft het oppergezag over de krijgsmacht.
(Zie ook: art. 2 GW)

Art. 98

Bestuur, samenstelling krijgsmacht

1. De krijgsmacht bestaat uit vrijwillig dienenden en kan mede bestaan uit dienstplichtigen.

Bestuur, dienstplicht

2. De wet regelt de verplichte militaire dienst en de bevoegdheid tot opschorting van de oproeping in werkelijke dienst.

Art. 99

Grondrecht, gewetensbezwaren tegen militaire dienst

De wet regelt vrijstelling van militaire dienst wegens ernstige gewetensbezwaren.

Art. 99a

Bestuur, civiele verdediging

Volgens bij de wet te stellen regels kunnen plichten worden opgelegd ten behoeve van de civiele verdediging.

Art. 100

Bestuur, inlichtingenplicht bij inzet krijgsmacht

1. De regering verstrekt de Staten-Generaal vooraf inlichtingen over de inzet of het ter beschikking stellen van de krijgsmacht ter handhaving of bevordering van de internationale rechtsorde. Daaronder is begrepen het vooraf verstrekken van inlichtingen over de inzet of het ter beschikking stellen van de krijgsmacht voor humanitaire hulpverlening in geval van gewapend conflict.
2. Het eerste lid geldt niet, indien dwingende redenen het vooraf verstrekken van inlichtingen verhinderen. In dat geval worden inlichtingen zo spoedig mogelijk verstrekt.

Art. 101-102

[Vervallen]

Art. 103

Bestuur, afkondigen uitzonderingstoestand

1. De wet bepaalt in welke gevallen ter handhaving van de uit- of inwendige veiligheid bij koninklijk besluit een door de wet als zodanig aan te wijzen uitzonderingstoestand kan worden afgekondigd; zij regelt de gevolgen.
2. Daarbij kan worden afgeweken van de grondwetsbepalingen inzake de bevoegdheden van de besturen van provincies, gemeenten en waterschappen, van de grondrechten geregeld in de artikelen 6, voor zover dit de uitoefening buiten gebouwen en besloten plaatsen van het in dit

artikel omschreven recht betreft, 7, 8, 9, 12, tweede en derde lid, en 13, alsmede van artikel 113, eerste en derde lid.

3. Terstond na de afkondiging van een uitzonderingstoestand en voorts, zolang deze niet bij koninklijk besluit is opgeheven, telkens wanneer zij zulks nodig oordelen beslissen de Staten-Generaal omtrent het voortduren daarvan; zij beraadslagen en besluiten ter zake in verenigde vergadering.

(Zie ook: artt. 24, 51, 133 GW)

Art. 104

Belastingen van het Rijk worden geheven uit kracht van een wet. Andere heffingen van het Rijk worden bij de wet geregeld. **Bestuur, belastingheffing**

(Zie ook: art. 132 GW)

Art. 105

1. De begroting van de ontvangsten en de uitgaven van het Rijk wordt bij de wet vastgesteld. **Bestuur, begroting**

2. Jaarlijks worden voorstellen van algemene begrotingswetten door of vanwege de Koning ingediend op het in artikel 65 bedoelde tijdstip.

3. De verantwoording van de ontvangsten en de uitgaven van het Rijk wordt aan de Staten-Generaal gedaan overeenkomstig de bepalingen van de wet. De door de Algemene Rekenkamer goedgekeurde rekening wordt aan de Staten-Generaal overgelegd.

4. De wet stelt regels omtrent het beheer van de financiën van het Rijk. **Bestuur, verantwoording ontvangsten/uitgaven**

(Zie ook: art. 76 GW; artt. 45, 46 RvO II; art. 1 CW)

Art. 106

De wet regelt het geldstelsel. **Bestuur, geldstelsel**

Art. 107

1. De wet regelt het burgerlijk recht, het strafrecht en het burgerlijk en strafprocesrecht in algemene wetboeken, behoudens de bevoegdheid tot regeling van bepaalde onderwerpen in afzonderlijke wetten. **Bestuur, codificatie**

2. De wet stelt algemene regels van bestuursrecht vast.

Art. 108

[Vervallen]

Art. 109

De wet regelt de rechtspositie van de ambtenaren. Zij stelt tevens regels omtrent hun bescherming bij de arbeid en omtrent medezeggenschap. **Bestuur, rechtspositie ambtenaren**

(Zie ook: artt. 3, 19 GW)

Art. 110

De overheid betracht bij de uitvoering van haar taak openbaarheid volgens regels bij de wet te stellen. **Bestuur, openbaarheid**

(Zie ook: art. 80 GW)

Art. 111

Ridderorden worden bij de wet ingesteld. **Bestuur, ridderorden**

Hoofdstuk 6
Rechtspraak

Art. 112

1. Aan de rechterlijke macht is opgedragen de berechting van geschillen over burgerlijke rechten en over schuldvorderingen. **Rechtspraak, civiele rechtspraak**

2. De wet kan de berechting van geschillen die niet uit burgerlijke rechtsbetrekkingen zijn ontstaan, opdragen hetzij aan de rechterlijke macht, hetzij aan gerechten die niet tot de rechterlijke macht behoren. De wet regelt de wijze van behandeling en de gevolgen van de beslissingen. **Rechtspraak, administratieve rechtspraak**

(Zie ook: artt. 73, 115, 136 GW)

Art. 113

1. Aan de rechterlijke macht is voorts opgedragen de berechting van strafbare feiten. **Rechtspraak, strafrechtspraak**

2. Tuchtrechtspraak door de overheid ingesteld wordt bij de wet geregeld. **Rechtspraak, tuchtrechtspraak**

3. Een straf van vrijheidsontneming kan uitsluitend door de rechterlijke macht worden opgelegd.

4. Voor berechting buiten Nederland en voor het oorlogsstrafrecht kan de wet afwijkende regels stellen. **Rechtspraak, berechting buiten Nederland/oorlogsstrafrecht**

(Zie ook: artt. 15, 103 GW; art. 9 BUPO; art. 5 EVRM)

Art. 114

De doodstraf kan niet worden opgelegd. **Rechtspraak, doodstraf**

(Zie ook: art. 11 GW; art. 6 BUPO; art. 2 EVRM 6e prot.)

Art. 115

Rechtspraak, administratief beroep

Ten aanzien van de in artikel 112, tweede lid, bedoelde geschillen kan administratief beroep worden opengesteld.
(Zie ook: art. 136 GW)

Art. 116

Rechtspraak, rechterlijke macht

1. De wet wijst de gerechten aan die behoren tot de rechterlijke macht.
2. De wet regelt de inrichting, samenstelling en bevoegdheid van de rechterlijke macht.
3. De wet kan bepalen, dat aan rechtspraak door de rechterlijke macht mede wordt deelgenomen door personen die niet daartoe behoren.
4. De wet regelt het toezicht door leden van de rechterlijke macht met rechtspraak belast uit te oefenen op de ambtsvervulling door zodanige leden en door de personen bedoeld in het vorige lid.
(Zie ook: artt. 38, 52 WED)

Art. 117

Rechtspraak, rechtspositie leden rechterlijke macht

1. De leden van de rechterlijke macht met rechtspraak belast en de procureur-generaal bij de Hoge Raad worden bij koninklijk besluit voor het leven benoemd.
2. Op eigen verzoek en wegens het bereiken van een bij de wet te bepalen leeftijd worden zij ontslagen.
3. In de gevallen bij de wet bepaald kunnen zij door een bij de wet aangewezen, tot de rechterlijke macht behorend gerecht worden geschorst of ontslagen.
4. De wet regelt overigens hun rechtspositie.
(Zie ook: artt. 57, 74, 77 GW; artt. 11, 36, 51, 62, 84 Wet RO)

Art. 118

Rechtspraak, Hoge Raad

1. De leden van de Hoge Raad der Nederlanden worden benoemd uit een voordracht van drie personen, opgemaakt door de Tweede Kamer der Staten-Generaal.

Rechtspraak, cassatie

2. De Hoge Raad is in de gevallen en binnen de grenzen bij de wet bepaald, belast met de cassatie van rechterlijke uitspraken wegens schending van het recht.
3. Bij de wet kunnen aan de Hoge Raad ook andere taken worden opgedragen.
(Zie ook: artt. 57, 77 GW; art. 427 WvSv; artt. 11, 22, 84, 88, 95 Wet RO; art. 407 Rv)

Art. 119

Rechtspraak, ambtsmisdrijven

De leden van de Staten-Generaal, de ministers en de staatssecretarissen staan wegens ambtsmisdrijven in die betrekkingen gepleegd, ook na hun aftreden terecht voor de Hoge Raad. De opdracht tot vervolging wordt gegeven bij koninklijk besluit of bij een besluit van de Tweede Kamer.
(Zie ook: art. 71 GW; art. 4 Min. verantw.; art. 355 WvSr; art. 483 WvSv; art. 92 Wet RO)

Art. 120

Rechtspraak, toetsingsverbod

De rechter treedt niet in de beoordeling van de grondwettigheid van wetten en verdragen.
(Zie ook: artt. 91, 94 GW; art. 11 Wet AB)

Art. 121

Rechtspraak, openbaarheid terechtzitting/motivering vonnis

Met uitzondering van de gevallen bij de wet bepaald vinden de terechtzittingen in het openbaar plaats en houden de vonnissen de gronden in waarop zij rusten. De uitspraak geschiedt in het openbaar.
(Zie ook: art. 14 BUPO; art. 6 EVRM; art. 20 Wet RO; artt. 18, 59 Rv)

Art. 122

Rechtspraak, gratie

1. Gratie wordt verleend bij koninklijk besluit na advies van een bij de wet aangewezen gerecht en met inachtneming van bij of krachtens de wet te stellen voorschriften.

Rechtspraak, amnestie

2. Amnestie wordt bij of krachtens de wet verleend.

Hoofdstuk 7
Provincies, gemeenten, waterschappen en andere openbare lichamen

Art. 123

Provincie en gemeente, instelling/opheffing

1. Bij de wet kunnen provincies en gemeenten worden opgeheven en nieuwe ingesteld.
2. De wet regelt de wijziging van provinciale en gemeentelijke grenzen.

Art. 124

Provincie en gemeente, autonomie

1. Voor provincies en gemeenten wordt de bevoegdheid tot regeling en bestuur inzake hun huishouding aan hun besturen overgelaten.

Provincie en gemeente, medebewind

2. Regeling en bestuur kunnen van de besturen van provincies en gemeenten worden gevorderd bij of krachtens de wet.
(Zie ook: art. 132 GW; art. 108 PW; art. 108 Gemw)

Art. 125

1. Aan het hoofd van de provincie en de gemeente staan provinciale staten onderscheidenlijk de gemeenteraad. Hun vergaderingen zijn openbaar, behoudens bij de wet te regelen uitzonderingen.

2. Van het bestuur van de provincie maken ook deel uit gedeputeerde staten en de commissaris van de Koning, van het bestuur van de gemeente het college van burgemeester en wethouders en de burgemeester.

Provincie en gemeente, bestuursinrichting

Art. 126

Bij de wet kan worden bepaald, dat de commissaris van de Koning wordt belast met de uitvoering van een door de regering te geven ambtsinstructie.

Provincie en gemeente, ambtsinstructie commissaris van de Koning

Art. 127

Provinciale staten en de gemeenteraad stellen, behoudens bij de wet of door hen krachtens de wet te bepalen uitzonderingen, de provinciale onderscheidenlijk de gemeentelijke verordeningen vast.

(Zie ook: artt. 105, 107 PW; art. 108 Gemw)

Provincie en gemeente, vaststelling verordening

Art. 128

Behoudens in de gevallen bedoeld in artikel 123, kan de toekenning van bevoegdheden, als bedoeld in artikel 124, eerste lid, aan andere organen dan die, genoemd in artikel 125, alleen door provinciale staten onderscheidenlijk de gemeenteraad geschieden.

(Zie ook: art. 93 PW; art. 82 Gemw)

Provincie en gemeente, toekennen bevoegdheden aan andere organen

Art. 129

1. De leden van provinciale staten en van de gemeenteraad worden rechtstreeks gekozen door de Nederlanders, tevens ingezetenen van de provincie onderscheidenlijk de gemeente, die voldoen aan de vereisten die gelden voor de verkiezing van de Tweede Kamer der Staten-Generaal. Voor het lidmaatschap gelden dezelfde vereisten.

Provincie en gemeente, verkiezing bestuur

2. De leden worden gekozen op de grondslag van evenredige vertegenwoordiging binnen door de wet te stellen grenzen.

Provincie en gemeente, evenredige vertegenwoordiging

3. De artikelen 53, tweede lid, en 59 zijn van toepassing. Artikel 57a is van overeenkomstige toepassing.

Schakelbepaling

4. De zittingsduur van provinciale staten en de gemeenteraad is vier jaren, behoudens bij de wet te bepalen uitzonderingen.

Provincie en gemeente, zittingsduur bestuur

5. De wet bepaalt welke betrekkingen niet gelijktijdig met het lidmaatschap kunnen worden uitgeoefend. De wet kan bepalen, dat beletselen voor het lidmaatschap voortvloeien uit verwantschap of huwelijk en dat het verrichten van bij de wet aangewezen handelingen tot het verlies van het lidmaatschap kan leiden.

Provincie en gemeente, incompatibiliteiten

6. De leden stemmen zonder last.

(Zie ook: artt. 2, 4, 54, 56, 67 GW; art. B1 KW; artt. 10, 13 PW; artt. 10, 13 Gemw)

Provincie en gemeente, stemmen zonder last

Art. 130

De wet kan het recht de leden van de gemeenteraad te kiezen en het recht lid van de gemeenteraad te zijn toekennen aan ingezetenen, die geen Nederlander zijn, mits zij tenminste voldoen aan de vereisten die gelden voor ingezetenen die tevens Nederlander zijn.

(Zie ook: art. 2 GW)

Provincie en gemeente, kiesrecht niet-Nederlander

Art. 131

De commissaris van de Koning en de burgemeester worden bij koninklijk besluit benoemd.

(Zie ook: art. 61 PW; art. 61 Gemw)

Provincie en gemeente, benoeming commissaris van de Koning/burgemeester

Art. 132

1. De wet regelt de inrichting van provincies en gemeenten, alsmede de samenstelling en bevoegdheid van hun besturen.

Provincie en gemeente, inrichting/samenstelling/bevoegdheid

2. De wet regelt het toezicht op deze besturen.

3. Besluiten van deze besturen kunnen slechts aan voorafgaand toezicht worden onderworpen in bij of krachtens de wet te bepalen gevallen.

4. Vernietiging van besluiten van deze besturen kan alleen geschieden bij koninklijk besluit wegens strijd met het recht of het algemeen belang.

5. De wet regelt de voorzieningen bij in gebreke blijven ten aanzien van regeling en bestuur, gevorderd krachtens artikel 124, tweede lid. Bij de wet kunnen met afwijking van de artikelen 125 en 127 voorzieningen worden getroffen voor het geval het bestuur van een provincie of een gemeente zijn taken grovelijk verwaarloost.

6. De wet bepaalt welke belastingen door de besturen van provincies en gemeenten kunnen worden geheven en regelt hun financiële verhouding tot het Rijk.

(Zie ook: artt. 104, 124 GW; artt. 107, 201, 207, 220, 261 PW; artt. 110, 124, 155, 203, 218 Gemw)

Art. 133

Waterschap, inrichting/samenstelling/bevoegdheid

1. De opheffing en instelling van waterschappen, de regeling van hun taken en inrichting, alsmede de samenstelling van hun besturen, geschieden volgens bij de wet te stellen regels bij provinciale verordening, voor zover bij of krachtens de wet niet anders is bepaald.
2. De wet regelt de verordenende en andere bevoegdheden van de besturen van de waterschappen, alsmede de openbaarheid van hun vergaderingen.
3. De wet regelt het provinciale en overige toezicht op deze besturen. Vernietiging van besluiten van deze besturen kan alleen geschieden wegens strijd met het recht of het algemeen belang.
(Zie ook: art. 98 PW)

Art. 134

Openbare lichamen, inrichting/samenstelling/bevoegdheid

1. Bij of krachtens de wet kunnen openbare lichamen voor beroep en bedrijf en andere openbare lichamen worden ingesteld en opgeheven.
2. De wet regelt de taken en de inrichting van deze openbare lichamen, de samenstelling en bevoegdheid van hun besturen, alsmede de openbaarheid van hun vergaderingen. Bij of krachtens de wet kan aan hun besturen verordenende bevoegdheid worden verleend.
3. De wet regelt het toezicht op deze besturen. Vernietiging van besluiten van deze besturen kan alleen geschieden wegens strijd met het recht of het algemeen belang.
(Zie ook: artt. 1, 56, 128 Wet BO)

Art. 135

Openbare lichamen, gemeenschappelijke regelingen

De wet geeft regels ter voorziening in zaken waarbij twee of meer openbare lichamen zijn betrokken. Daarbij kan in de instelling van een nieuw openbaar lichaam worden voorzien, in welk geval artikel 134, tweede en derde lid, van toepassing is.

Art. 136

Openbare lichamen, geschillen

De geschillen tussen openbare lichamen worden bij koninklijk besluit beslist, tenzij deze behoren tot de kennisneming van de rechterlijke macht of hun beslissing bij de wet aan anderen is opgedragen.
(Zie ook: artt. 112, 115 GW; art. 26 Wet RvS)

Hoofdstuk 8
Herziening van de Grondwet

Art. 137

Grondwetsherziening, procedure

1. De wet verklaart, dat een verandering in de Grondwet, zoals zij die voorstelt, in overweging zal worden genomen.
2. De Tweede Kamer kan, al dan niet op een daartoe door of vanwege de Koning ingediend voorstel, een voorstel voor zodanige wet splitsen.
3. Na de bekendmaking van de wet, bedoeld in het eerste lid, wordt de Tweede Kamer ontbonden.
4. Nadat de nieuwe Tweede Kamer is samengekomen, overwegen beide kamers in tweede lezing het voorstel tot verandering, bedoeld in het eerste lid. Zij kunnen dit alleen aannemen met ten minste twee derden van het aantal uitgebrachte stemmen.
5. De Tweede Kamer kan, al dan niet op een daartoe door of vanwege de Koning ingediend voorstel, met ten minste twee derden van het aantal uitgebrachte stemmen een voorstel tot verandering splitsen.
(Zie ook: art. 64 GW; BoTKSG; BoTKSG1; BoEKSG)

Art. 138

Grondwetsherziening, aanpassing niet-gewijzigde bepalingen

1. Voordat de in tweede lezing aangenomen voorstellen tot verandering in de Grondwet door de Koning worden bekrachtigd, kunnen bij de wet:
a. de aangenomen voorstellen en de ongewijzigd gebleven bepalingen van de Grondwet voor zoveel nodig aan elkaar worden aangepast;
b. de indeling in en de plaats van hoofdstukken, paragrafen en artikelen, alsmede de opschriften worden gewijzigd.
2. Een voorstel van wet, houdende voorzieningen als bedoeld in het eerste lid onder a, kunnen de kamers alleen aannemen met ten minste twee derden van het aantal uitgebrachte stemmen.

Art. 139

Grondwetsherziening, bekendmaking/inwerkingtreding

De veranderingen in de Grondwet, door de Staten-Generaal aangenomen en door de Koning bekrachtigd, treden terstond in werking, nadat zij zijn bekendgemaakt.

Art. 140

Grondwetsherziening, handhaving bestaande regelgeving

Bestaande wetten en andere regelingen en besluiten die in strijd zijn met een verandering in de Grondwet, blijven gehandhaafd, totdat daarvoor overeenkomstig de Grondwet een voorziening is getroffen.

Art. 141

Grondwetsherziening, bekendmaking herziene Grondwet

De tekst van de herziene Grondwet wordt bij koninklijk besluit bekendgemaakt, waarbij hoofdstukken, paragrafen en artikelen kunnen worden vernummerd en verwijzingen dienovereenkomstig kunnen worden veranderd.

Art. 142

Grondwetsherziening, aanpassing Grondwet aan Statuut

De Grondwet kan bij de wet met het Statuut voor het Koninkrijk der Nederlanden in overeenstemming worden gebracht. De artikelen 139, 140 en 141 zijn van overeenkomstige toepassing.

Additionele artikelen

Art. I

De artikelen 57a en 129, derde lid, tweede volzin treden eerst na vier jaar of op een bij of krachtens de wet te bepalen eerder tijdstip in werking.

Art. II

Artikel 54, tweede lid, naar de tekst van 1983 blijft gedurende vijf jaren of een bij of krachtens de wet te bepalen kortere termijn van kracht. Deze termijn kan bij de wet voor ten hoogste vijf jaren worden verlengd.

Artikel 54, tweede lid

Van het kiesrecht is uitgesloten:

a. hij die wegens het begaan van een daartoe bij de wet aangewezen delict bij onherroepelijke rechterlijke uitspraak is veroordeeld tot een vrijheidsstraf van ten minste een jaar en hierbij tevens is ontzet van het kiesrecht;

b. hij die krachtens onherroepelijke rechterlijke uitspraak wegens een geestelijke stoornis onbekwaam is rechtshandelingen te verrichten.

Art. III-VIII

[Vervallen]

Art. IX

Legaliteitsbeginsel, toepasselijkheid Besluit Buitengewoon Strafrecht

Artikel 16 is niet van toepassing ten aanzien van feiten, strafbaar gesteld krachtens het Besluit Buitengewoon Strafrecht.

Art. X-XVIII

[Vervallen]

Art. XIX

Bestuur, formulier van afkondiging der wetten

Het formulier van afkondiging, vastgesteld bij artikel 81 en de formulieren van verzending en kennisgeving, vastgesteld bij de artikelen 123, 124, 127, 128 en 130 van de Grondwet naar de tekst van 1972, blijven van kracht totdat daarvoor een regeling is getroffen.

Artikel **81**

Het formulier van afkondiging der wetten is het volgende:
"Wij" enz. "Koning der Nederlanden", enz.
"Allen, die deze zullen zien of horen lezen, saluut! doen te weten:
"Alzo Wij in overweging genomen hebben, dat" enz.
(De beweegredenen der wet).
"Zo is het, dat Wij, de Raad van State gehoord, en met gemeen overleg der Staten-Generaal, hebben goedgevonden en verstaan, gelijk Wij goedvinden en verstaan bij deze" enz.
(De inhoud der wet).
"Gegeven". enz.
Ingeval een Koningin regeert of het Koninklijk gezag door een Regent of door de Raad van State wordt waargenomen, wordt de daardoor nodige wijziging in dit formulier gebracht.

Artikel **130**

De Koning doet de Staten-Generaal zo spoedig mogelijk kennis dragen, of hij een voorstel van wet, door hen aangenomen, al dan niet goedkeurt. Die kennisgeving geschiedt met een der volgende formulieren:
"De Koning bewilligt in het voorstel."
of:
"De Koning houdt het voorstel in overweging."

Art. XX-XXX

[Vervallen]

Wet algemene bepalingen[1]

Wet van 15 mei 1829, houdende algemeene bepalingen der wetgeving van het Koningrijk

Wij WILLEM, bij de gratie Gods, Koning der Nederlanden, Prins van Oranje-Nassau, Groot-Hertog van Luxemburg, enz., enz., enz.
Allen den genen, die deze zullen zien of hooren lezen, salut! doen te weten:
Alzoo Wij hebben in overweging genomen, dat *de algemeene bepalingen*, vervat bij de wet van den 14den Juni 1822 (*staatsblad* n°. 10), niet *bij uitsluiting* toepasselijk zijn op het burgerlijk wetboek;
Dat daarenboven art. 1 over eene stoffe handelt, welke hare plaats zal behooren te vinden in eene afzonderlijke wet;
Zoo is het, dat Wij, den Raad van State gehoord, en met gemeen overleg der Staten-Generaal,
Hebben goedgevonden en verstaan, gelijk Wij goedvinden en verstaan te bepalen hetgeen volgt:

Art. 1-3

[Vervallen]

Art. 4

Geen terugwerkende kracht

De wet verbindt alleen voor het toekomende en heeft geene terugwerkende kracht.
(Zie ook: art. 77 BW Boek 1; art. 1 WvSr)

Art. 5

Uitschakelbepaling

Eene wet kan alleen door eene latere wet, voor het geheel of gedeeltelijk, hare kracht verliezen.
(Zie ook: art. 1 WvSr)

Art. 6-7

[Vervallen]

Art. 8

Strafrecht, werkingssfeer

De strafwetten en de verordeningen van policie, zijn verbindende voor allen die zich op het grondgebied van het Koningrijk bevinden.

Art. 9

Burgerlijk recht, werkingssfeer

Het burgerlijk regt van het Koningrijk is hetzelfde voor vreemdelingen als voor de Nederlanders, zoo lange de wet niet bepaaldelijk het tegendeel vaststelt.
(Zie ook: art. 1 BW Boek 1; artt. 1, 4 GW; art. 152 Rv)

Art. 10

[Vervallen]

Art. 11

Rechtsmacht, rechterlijke bevoegdheid

De regter moet volgens de wet regt spreken: hij mag in geen geval de innerlijke waarde of billijkheid der wet beoordeelen.
(Zie ook: artt. 91, 94, 120 GW; art. 99 Wet RO)

Art. 12

Geen regter mag bij wege van algemeene verordening, dispositie of reglement, uitspraak doen in zaken welke aan zijne beslissing onderworpen zijn.

Art. 13

Rechtsmacht, rechtsweigering

De regter die weigert regt te spreken, onder voorwendsel van het stilzwijgen, de duisterheid of de onvolledigheid der wet, kan uit hoofde van *regtsweigering* vervolgd worden.
(Zie ook: artt. 360, 844 Rv)

Art. 13a

Rechtsmacht, volkenrechtelijke uitzonderingen

De regtsmagt van den regter en de uitvoerbaarheid van regterlijke vonnissen en van authentieke akten worden beperkt door de uitzonderingen in het volkenregt erkend.
(Zie ook: art. 8 WvSr; artt. 92, 156 Rv; BadIt)

Art. 14

[Vervallen]

1 Inwerkingtredingsdatum: 01-10-1838; zoals laatstelijk gewijzigd bij: Stb. 2011, 272.